········· **ICH MACHE** ········ **ICH FÜHLE** ········ **ICH BIN** ········ **ICH?**

Haltung erweitern

ICH, WIR, ALLE gestalten Transformation

Martin Permantier

VAHLEN

Widmung

Für alle, die sich selbst,
ihr Umfeld und die Welt
in Entwicklung begreifen.

Mein Dank

Mein Dank gilt den vielen Leser*innen von „Haltung entscheidet“, den Teilnehmenden an Workshops und Vorträgen sowie allen Führungskräften und Pionier*innen, die sich mit uns aufgemacht haben, die Erweiterung der Haltung in ihren Organisationen in Bewegung zu bringen. Die Erlebnisse, Diskussionen und Lernreisen waren so anregend, dass dieses neue Buch entstehen konnte. Dazu kamen die Inspirationen der Gäste unseres Podcasts ICH-WIR-ALLE. Einer der schönsten Effekte des ersten Buches ist, dass ein wunderbares Netzwerk von Wachstumsgefährt*innen in mein Leben getreten ist. Mich selbst sehe ich in der Rolle des Illustrators und Übersetzers eines Gedankenstroms – nicht als dessen alleiniger Urheber.

Danke an Jens Hollmann, der mir ein besonderer Freund geworden ist. Mit ihm habe ich viele unserer Lernreisen konzipiert und laufend weiterentwickelt. Mit seiner Erfahrung als Organisationsberater und Entwickler von Führungspersönlichkeiten bringt er wertvolle praktische Überlegungen in unsere Zusammenarbeit ein. Viele Ideen sind kokreativ in Gesprächen und Workshops entstanden und haben sich iterativ entwickelt. Danke an Corona (darf man das sagen?), denn durch diesen großen Musterbruch haben sich neue Möglichkeitsräume wie virtuelle Workshops, Vorträge oder Kulturexpeditionen eröffnet. Die große Irritation, die die Pandemie erzeugte, offenbarte eine Vielzahl von Beispielen, die uns die unterschiedlichen Haltungen plastisch vor Augen geführt haben. In dieser Zeit entstand auf LinkedIn eine wunderbare aktive Community. Diesem inspirierenden Austausch haben wir mit haltung-erweitern.de ein eigenes virtuelles Zuhause gegeben. In diese Community laden wir die Leser*innen herzlich ein.

Danke auch an mein Team bei SHORT CUTS. Auch wir haben eine spannende Reise hinter uns, die uns verändert hat. Neben Design und Strategie sind es vermehrt die kulturellen Herausforderungen, die wir mit unseren Auftraggebenden angehen. Besonderer Dank geht an Britta Korpas, Marie Geyer, Linda Bauer, Roshen Pinto und Karin Schnappauf, die maßgeblich an diesem Buch mitgewirkt haben.

Danke an das Leben. Von dem ich mich gut geführt fühle und das viele meiner Pläne und Vorstellungen immer wieder über den Haufen geworfen hat. Die Auseinandersetzung mit den Haltungen ist auch die Auseinandersetzung mit meinen eigenen subjektiven Mustern und Selbstgeschichten. Zum Glück hat das Leben seinen eigenen Fluss jenseits unserer Vorstellungen und eine unvorstellbare Zukunft kann auch als etwas Optimistisches gesehen werden.

Martin Permantier, Frühjahr 2023

Verlag Vahlen
ISBN Print: 978-3-8006-7098-7
ISBN E-Book: 978-3-8006-7099-4

Versus Verlag
ISBN Print: 978-3-03909-327-4
ISBN E-Book (PDF): 978-3-03909-827-9

Martin Permantier
Haltung erweitern
1. Auflage 2023

Redaktionsanschrift: SHORT CUTS GmbH, Mehringdamm 55, 10961 Berlin
Telefon: (030) 253 912-10
E-Mail: mail@short-cuts.de
short-cuts.de
Produktmanagement: Karin Schnappauf

Kontakt zum Autor Martin Permantier:
permantier@short-cuts.de
haltung-entscheidet.de

Lektorat: Karin Schnappauf, Isolde Bacher, Thomas Ammon
Satz und Gestaltung: Linda Bauer, SHORT CUTS GmbH, 10961 Berlin
Illustration: SHORT CUTS GmbH, 10961 Berlin
Umschlag: SHORT CUTS GmbH, 10961 Berlin
Druck und Bindung: Beltz Grafische Betriebe GmbH, Am Fliegerhorst 8, 99947 Bad Langensalza

CO_2 neutral
vahlen.de/nachhaltig
www.vahlen.de

Gedruckt auf säurefreiem, alterungsbeständigem Papier (hergestellt aus chlorfrei gebleichtem Zellstoff).

Inhaltsverzeichnis

Vorwort von Jens Hollmann

Über die Jahrhunderte hinweg sahen sich Menschen immer wieder Herausforderungen gegenüber, die mit der bis dahin etablierten Logik nicht zu lösen waren. Nur das koordinierte Handeln, das aktive Mitwirken konnte dann einer neuen Lösung den Weg bahnen. Auf diese Weise war es uns möglich, Zukunft zu schöpfen und zu gestalten. Daran hat sich nichts geändert.

Dieses Buch hat einen optimistischen Unterton: Es ist möglich, durch eine Entwicklung der persönlichen Haltung Dinge ins Positive zu wandeln. Vielleicht verspüren Sie daher den Impuls, dem Autor und mir eine gewisse Apokalypseblindheit zu unterstellen. Fest steht jedoch eines: Unser Gehirn hat uns durch seine Neuroplastizität in all diesen Krisen Veränderung und Anpassung ermöglicht. Diese fantastische Fähigkeit, die uns als Menschen gegeben ist, konnte sich dadurch mehr und mehr erweitern. Selbst wenn wir also mit Herausforderungen hadern oder sogar den Versuch unternehmen, sie so lange wie möglich zu ignorieren, wachsen wir an ihnen.

Bei früheren Herausforderungen lag der Fokus mehr im Außen, jetzt begreifen wir zunehmend, dass die Herausforderungen, die wir im Außen erkennen, unsere innere Entwicklung erfordern. Das vermeintlich Unlösbare birgt zugleich die größten Potenziale.

Martin Permantier zeigt in diesem Buch einmal mehr Perspektiven auf, die sowohl nach innen als auch nach außen weisen. Das kann unbequem, überraschend oder erhellend wirken. Als ich 2019 die Neuerscheinung des Vorgängerbuches „Haltung entscheidet“ las, wurde mir dies ganz eindrücklich bewusst.

Ohne die leiseste Vorahnung, wohin mich die Kontaktaufnahme mit dem Autor führen würde, verabredeten wir uns zu einem ersten Gedankenaustausch in der Loft-Etage seiner SHORT CUTS GmbH in Berlin. Für mich gänzlich unerwartet fand das Gespräch in einem improvisierten Tonstudio mit dem mir bisher unbekannten Martin Permantier in Begleitung einer Redakteurin statt. So entstand aus unserem ersten Gespräch zugleich die erste Folge des Podcasts ICH-WIR-ALLE (ich-wir-alle.com/folge1).

Aus diesem ersten gemeinsamen Abenteuer entstand sowohl ein regelmäßiger fruchtbarer Austausch über gemeinsame und ergänzende Perspektiven auf Selbst-, Team- und Kontextentwicklung als auch eine professionelle Zusammenarbeit in vielen Projekten mit Mandaten aus ganz unterschiedlichen Branchen – vom Gesundheitswesen über die Industrie bis zu Forschung & Entwicklung. Wir konnten dabei erleben, was es bedeutet, wenn ein

Modell einen neuen und differenzierteren Blick eröffnet und Menschen zur persönlichen Entwicklung anregt. Seit 2020 bieten wir auch offene Ausbildungen zum Modell der sechs Haltungen an.

Daher freue ich mich besonders, an dieser Stelle das Vorwort schreiben und einen Satz über den Autor sagen zu können, damit Sie verstehen, warum Sie sich den Gedanken von Martin Permantier anvertrauen können.

Martins Metamodell lässt Leser*innen und unsere Teilnehmenden in den verschiedenen Fortbildungsformaten sich selbst und ihren Kontext in einem neuen Licht wahrnehmen. Wir durften vielfach erfahren, wie intensiv es uns alle inspiriert, miteinander und voneinander zu lernen. Personen, die selbst in Coaching und/oder Organisationsentwicklung arbeiten, berichten uns, wie sie das Modell als erweiternde Komponente in ihr professionelles Handeln integriert haben und dadurch neue Lösungen entstehen.

„Die Definition von Wahnsinn ist, immer wieder das Gleiche zu tun und andere Ergebnisse zu erwarten."

Albert Einstein (1879–1955)

In diesem Buch ist nun all das versammelt, was Martin seit dem Erscheinen von „Haltung entscheidet" an Erfahrungen und Erkenntnissen gesammelt und ausgewertet hat. Zugleich vermittelt „Haltung erweitern" auch die Grundlagen des Modells für alle, die es neu für sich entdecken wollen.

Die wesentliche Leistung dieses Buches liegt darin, dass es den vermeintlichen Widerspruch auflöst, ob wir an den Verhältnissen, am Verhalten oder an uns selbst arbeiten müssen. Auf diese Weise stärkt es unsere Fähigkeit, mehr und mehr in einer angemessenen Komplexität navigieren zu können. Es hilft uns nicht nur – wie viele andere Modelle –, die Welt besser zu deuten. Es eröffnet uns zugleich einen Reflexionsraum und vermag so, uns zur Erweiterung unserer Denk- und Handlungsmöglichkeiten zu inspirieren.

Wir erleben live und in Echtzeit die epochalen Umbrüche, von denen niemand – auch nicht auf den Zuschauerrängen – unberührt bleibt. Ob Loge oder Stehplatz. Ob im privaten Bereich oder in der Arbeit in Organisationen, ob als Organisation selbst oder unser gesamtes Gesellschafts- und Wirtschaftssystem erfassend. Wir erkennen zunehmend, in welch unvorstellbaren Dimensionen ein „Weiter so“ Kosten verursacht, und begreifen dadurch allmählich dessen Unmöglichkeit.

In den vergangenen Dekaden haben wir uns in unserem Tun überwiegend mehr und mehr auf die Details konzentriert und uns damit gewissermaßen dem Mikroskopieren verschrieben. Damit wir Entwicklungen in ihren großen Bezügen, Abhängigkeiten und generationsübergreifenden Wirkungen wahrnehmen und gestalten können, brauchen wir auch einen makroskopischen Blick auf Menschheit und Welt. Im Zusammenspiel mit dem Blick auf das faszinierende Spektrum unserer Innenwelt kann uns dies neue Perspektiven eröffnen.

„Wo Komplexität erschlossen wird, verbindet sie – Menschen und ihre Angelegenheiten, Neues und Altes, Probleme und Lösungen.“

Wolf Lotter (* 1962)

Unser Denken und Handeln waren bislang maßgeblich auf eine lediglich komplizierte Welt ausgerichtet. Wir befinden uns allerdings in einer komplexen Welt, in der es fatale Folgen hat, sich dieser Komplexität zu verweigern.

Das Modell der sechs Haltungen vermittelt ein neues Verständnis und weckt die Freude an der Vielfalt der unterschiedlichen Haltungen und den Möglichkeiten, die sich dadurch eröffnen. „Haltung erweitern“ eröffnet uns einen Weg, wie wir die Komplexität unserer Innenwelt integrieren und die Komplexität der Welt, in der wir leben, zukunftsfähig mitgestalten können.

Martin Permantier (links) und Jens Hollmann

Gemeinsam zu denken und damit schöpferisch zu denken, hilft uns, unser gemeinschaftliches Verantwortungsgefühl zu stärken und zu erkennen, welche Einflussmöglichkeiten wir haben. Dieses Buch versteht sich als Beitrag, Denkweisen zu erweitern und als Anregung, neue, bisher ungeahnte Handlungsmöglichkeiten zu erkennen und zu verwirklichen.

Jens Hollmann
Führungs- & Organisationsentwicklung mit Möglichkeitssinn
Fachbuchautor & Lehrbeauftragter
jenshollmann.de

Transformation gestalten

Eine alte Weisheit besagt, dass wir Menschen, wenn wir uns für unsere Entwicklung interessieren wollen, ein Organ brauchen, das uns die Widersprüchlichkeit unserer Gefühle spüren lässt und das damit die Rolle eines inneren Mentors für unsere eigene Entwicklung übernimmt. Transformation beginnt, wenn wir fühlen, dass die bisherigen Sinngebungen nicht mehr zu den aktuellen emotionalen Wahrnehmungen passen.

„Im Moment fordert mich mein Leben durch meine Krebserkrankung auf, einen neuen Weg zu gehen. Jetzt verabschiede ich mich von allem, was war, und bin dabei, unter anderen Bedingungen neue Lebensfreude und neue Inhalte zu finden. Ich habe mich gefragt: Ist das möglich? Und ich habe entdeckt: Ja, es ist möglich."

Anndora Nielsen (1962–2022)

Dem Neuen Raum geben

Wir entwickeln uns dort am besten, wo wir kontinuierlich eine lebendige Mischung aus Unterstützung und Herausforderung erfahren. Seit der Veröffentlichung des Buchs „Haltung entscheidet – Führung & Unternehmenskultur zukunftsfähig gestalten" im August 2019 habe ich erlebt, wie viele Menschen der Wunsch bewegt, die gewonnenen Einsichten zur möglichen Entwicklung von uns selbst und Teams sowie die Transformation von Organisationen und Kontexten praktisch ein- und umzusetzen.

Dabei wurde die Erweiterung der Haltung manchmal karrieristisch verstanden als eine Methode der Selbstoptimierung, die vor allem für die anderen eine tolle Idee wäre. In unserem gewohnheitsmäßigen Denken ist die Zukunft eine Art optimierte Fortschreibung der Gegenwart. Die Vorstellungen von dem, was sein kann, generieren sich aus der Erfahrung dessen, was wir bisher im Rahmen unserer Muster erlebt haben.

Nicht-Tun wird wichtiger als Tun

Unsere Haltung erweitert sich oft gerade dann, wenn wir aufhören zu tun, was wir bisher aus Gewohnheit getan haben. Wenn wir unsere Vorstellung einer linearen Zukunft aufgeben (müssen). Wenn wir alte Sichtweisen loslassen und Raum entsteht, in dem Neues auftauchen kann, von dem wir vorher nicht wissen, was es sein wird – sonst wäre es nicht neu. Mit jeder dieser Erweiterungen verändert sich unsere Identität, und Sinngebungen, die uns bisher Halt gegeben haben, transformieren sich. Wir bekommen eine neue Sicht auf uns selbst, unser Leben und die Welt um uns herum.

Wer hätte sich im Alter von fünf Jahren vorstellen können, wie es sich anfühlt, ein Teenager zu sein? Wie hätte sich der Teenager in uns vorstellen können, wie wir unser In-der-Welt-Sein in späteren Jahren erleben würden?

Erwarte das Unerwartete

Das ist das Schöne an einer entwicklungsorientierten Reise durch das Leben, dass sich mit jeder Erweiterung unserer Haltung das Leben unvorstellbar und neu offenbart. Jedes Mal mit neuen Erkenntnissen, neuen Widersprüchen und neuen Herausforderungen, aber auch freier, weiter und präsenter. Neu werden heißt auch, sich selbst fremd zu werden in den bisherigen Gewohnheiten und Denkmustern. Für unsere planenden, kontroll- und sicherheitsbedürftigen Anteile mag das keine attraktive Vorstellung sein. Für den Teil in uns, der die bisherigen sinnstiftenden Vorstellungen über die Zukunft als unvollständig empfindet, ist es eine sehr willkommene Perspektive.

Dem inneren Mentor folgen

Die Erweiterung der eigenen Haltung ist freiwillig. Ich glaube, jeder Mensch trägt in sich emotionale Referenzerlebnisse, die wie Leuchttürme auf unser individuelles Potenzial hinweisen. Welche inneren Mentoren uns führen, ist von außen nicht erkennbar. Doch scheint es etwas in jeder Person zu geben, das intuitiv die Besonderheit von erweiterten Selbst-Erfahrungen erkennt und eine Sehnsucht danach entwickelt. Welche Gedanken haben wir noch nicht gedacht? Welche Gefühle noch nicht bewusst wahrgenommen? Wir können sie nicht planen oder kontrolliert erzeugen und doch sind wir Zeugen, wie neue Gedanken und Gefühle in uns emergieren. Sie formen und verändern den Blick auf uns und was wir als unsere innere Identität betrachten.

Unser Herz ist meist weiter

„Man sieht nur mit dem Herzen gut. Das Wesentliche ist für die Augen unsichtbar", lässt Antoine de Saint-Exupéry (1900–1944) den kleinen Prinzen sagen. Die Entwicklung von Haltungen ist mit der Erfahrung innerer Krisen und Widersprüche verbunden, weil wir uns nicht mehr an vertraute Sinngebungen halten können. Meist gibt es emotionale Spannungen zwischen dem, wie wir uns „die Welt und uns selbst erzählen", und dem, was wir tatsächlich erleben und an neuen Erfahrungen machen. Wir spüren zunächst, dass etwas nicht mehr oder anders resoniert mit den Welterklärungen, die uns vielleicht noch vor Jahren plausibel erschienen und die wir deshalb noch nicht infrage stellen mussten. Intellektuell erklären wir uns diese Spannung zunächst mit unseren alten Denkweisen, verharren wider besseres Wissen in alten Verhaltensmustern und halten das immer weniger aus. Wenn wir Raum geben, tauchen Sinngebungen auf, die uns emotional wieder ins Gleichgewicht bringen, und die Art und Weise, wie wir über bestimmte Phänomene sprechen können, verändert sich.

Meinungen folgen Konstruktmustern

Das Wissen um die verschiedenen Haltungen ermöglicht uns einen entwicklungsorientierten Blick, der uns versöhnlicher machen kann. Wenn wir uns noch nicht entwickeln wollen, neigen wir dazu, das Neue auszublenden, im Alten zu verharren oder uns die Zukunft in der Logik der Vergangenheit vorzustellen. Neue Erkenntnisse werden dann ignoriert, abgewertet oder gar bekämpft. Was Corona aufgedeckt hat, lässt sich auch bei anderen Transformationsprozessen beobachten, ob Klimakrise, Mobilität, Migration, nachhaltige Energiewirtschaft oder Inklusion. Es sind die gleichen Konstrukte der Haltungen, die jeweils mit unterschiedlichen Inhalten gefüllt werden, aber ähnliche Konfliktmuster erzeugen. Das Modell der Haltungen kann eine hilfreiche Landkarte sein, um sich in diesem Babylon der Meinungen entspannter und optimistischer zu bewegen.

Die Ameisen und das Picknick

Eine Ameise stieß am Waldrand auf ein verlassenes Picknick. Brotkrümel, Salamistückchen, Butterberge, die ihre Körpergröße um ein Vielfaches überstiegen, und ein Marmeladenmeer, das sie kaum durchqueren konnte. Das alles übertraf ihre kühnsten Träume. Nie zuvor hat sie etwas derartig Schönes erlebt. Sie genoss das Gefühl von Lebendigkeit und Unbeschwertheit. Sie wusste, die Not für sie und ihre Gemeinschaft würde ein Ende haben. Tagelang waren sie durch den Wald gewandert und hatten nie etwas Vergleichbares gefunden, sondern sich mit Blattschneiden und Schleppen begnügen müssen. Doch nun eröffneten sich für sie und ihre Gemeinschaft ganz neue Möglichkeiten.

Die Ameise kehrte zu ihrem Bau zurück. Der Weg war lang, denn sie hatte sich weiter vom Bau entfernt, als sie es gewohnt war. Am frühen Morgen kam sie an, müde, aber immer noch ganz erfüllt von ihrer unglaublichen Entdeckung. Sie war die ganze Nacht unterwegs gewesen. Aufgeregt begann sie zu erzählen, brachte hier und da etwas durcheinander, erzählte mal vom Weg, mal vom Picknick. Die anderen Ameisen forderten sie auf, eine Karte zu zeichnen. Aber so erregt und müde, wie sie war, wollte ihr das nicht so recht gelingen und sie konnte nur eine grobe Skizze zeichnen. Da beschloss man, die Ameise Gisela zu holen, die für ihre Zeichenkünste bekannt war. Sie nahm sich die Skizze der Ameise zum Vorbild und entwarf eine wunderbar harmonische neue Karte. Aber einige waren damit nicht einverstanden, weil sie meinten, dass immer nur Gisela die Karten malen würde und Kurt, ein aufstrebendes Kartografietalent in der Kolonie, auch eine Karte zeichnen sollte. Auch diese Karte war gut proportioniert und fantasievoll, aber einigen nicht farbenfroh genug. Man beschloss, einen Wettbewerb auszuschreiben, und legte mehrere Kategorien für die Kartenerstellung fest. Inzwischen war die Ameise in ihrem Bau eingeschlafen. Als sie wieder aufwachte, gab es im Bau viele Diskussionen über den Wettbewerb und die Vielfalt der eingereichten Karten. In den folgenden Tagen bildeten sich verschiedene Fraktionen, die bestimmte Kartenstile bevorzugten. Die Ameise wurde in den nächsten Tagen wenig beachtet, man bemitleidete sie etwas, weil die Kunde über ihre fehlenden Zeichenkünste mittlerweile die Runde gemacht hatten.

Die Ameise hingegen tat sich mit einigen Weggefährt*innen zusammen, ging mit ihnen zum Picknick und ließ die eifrigen Debattanten hinter sich.

Folge deinem Licht

Nur wir selbst kennen unseren inneren Sehnsuchtsort, das Picknick, den Ort, den wir für unsere eigene Haltungserweiterung attraktiv finden. Er formt sich aus emotionalen Bezugserlebnissen und Ahnungen, die wir für erkundenswert halten. Insofern sind Modelle als grobe, subjektiv gefärbte Hinweise und Angebote zu verstehen. Es lohnt sich, sie immer wieder mit eigenen Beobachtungen abzugleichen. Wie unterschiedlich die Zugänge sein können, haben wir in den letzten Jahren immer wieder erlebt. Was bei dem einen ein Aha-Erlebnis auslöst, stößt bei der anderen auf Widerstand. Deshalb gehen wir immer wieder neue Wege, um die Entwicklungsmöglichkeiten von Haltungen anschaulich zu machen. Zum Teil haben wir bekannte Entwicklungsmodelle in den Kontext der Haltungen gestellt. Dabei geht es uns nicht um Verengung oder den Eindruck, dass die ganze Welt in ein Modell passt, sondern darum, mehrere Perspektiven anzubieten. In manchen Fällen mag dies redundant erscheinen, und manchmal braucht es gerade diese eine Tür des Verstehens, die für eine bestimmte Person eine neue Welt eröffnet. Die vorgestellten Veranschaulichungen und Impulse sind daher als Einladung zu verstehen, die für die jeweilige Person und den jeweiligen Kontext am besten geeignete Illustration auszuwählen. Viele Infografiken haben sich im Diskurs entwickelt und verfeinern sich durch den Austausch immer weiter. Für Feedback und Ergänzungen sind wir daher immer dankbar.

„Wenn wir eine Situation nicht ändern können, müssen wir uns eben selbst ändern.“

Viktor Frankl (1905–1997)

Allen, die sich für die wissenschaftlichen Hintergründe unseres Modells interessieren, empfehlen wir die Bücher von Jane Loevinger, Thomas Binder, Susanne Cook-Greuter, Barbara Küchler, Robert Kegan, Terri O'Fallon, Ken Wilber, Clare Graves, Bill Torbert, Bill Joiner sowie weiteren Autor*innen, die im Anhang aufgeführt sind. Von der Mammutaufgabe, die wissenschaftlichen Hintergründe im Detail darzustellen, entlastete mich die Aussage: „Wenn du ein Buch über Ernährung schreiben willst, musst du nicht erklären, wie der Magen genau funktioniert.“ Wenn die wissenschaftlichen Erkenntnisse über unsere Reifeentwicklung und insbesondere über die Ich-Entwicklung einen wahren Kern haben, dann lässt sich dieser in einer Vielzahl von Beispielen mitten aus dem Leben finden. Es geht uns darum, praktische Bezüge zu finden und eine entwicklungsorientierte Perspektive auf sich selbst und die Welt zu fördern. Wir alle finden unsere eigene Entwicklungslandkarte in uns selbst, geprägt von inneren Leuchtturmerfahrungen und geleitet von unserer eigenen inneren Weisheit.

Warum ich dieses Buch schreibe

In den letzten Jahren haben wir viele Workshops und Seminare zum Modell der Haltungen in unterschiedlichsten Kontexten durchgeführt. Viel neues Material ist dadurch entstanden. Ich weiß noch, wie sehr ich mich auf viele Vortragstermine im Sommer 2020 gefreut habe und wie groß die Enttäuschung war, als sie alle im März 2020 innerhalb einer Woche abgesagt wurden. Die Umstellung auf virtuelle Workshops und Schulungen hat uns dann Möglichkeiten eröffnet, die wir vorher nicht sehen konnten. Für die Robert Bosch GmbH konnten wir eine globale Lernreise für über 1.500 Führungskräfte aus über 40 Ländern mitgestalten. LinkedIn erwies sich als wunderbares Netzwerk, das uns eine Vielzahl von Veranstaltungen umsetzen ließ und einen intensiven Austausch ermöglichte. Viele Coaches, Personalverantwortliche, Organisationsberater*innen, Führungskräfte und Unternehmer*innen gaben uns so Feedback. Oftmals teilten sie uns mit, froh zu sein, nun eine Sprache zu haben, um das zu vermitteln, was sie in ihrer Tätigkeit schon immer empfunden haben, wofür ihnen aber manchmal adäquate Bilder und Erklärungen fehlten und dass das Modell daher ihre Ansätze wunderbar ergänzen würde. Lob wie Kritik ermutigten uns, die Weiterentwicklungen des Modells in diesem Buch zusammenzustellen. Wir kommen damit auch dem vielfachen Wunsch nach, mehr praktische Anwendungsbeispiele zu liefern, damit sich andere in ihrer Organisation auf den Weg machen können. Über das Buch hinaus bieten wir analoge und digitale Materialien an, die auf haltung-entscheidet.de zu finden sind.

Impulse für die Praxis

Dieses Buch ist als Transformationsbuch für die Praxis konzipiert. Wir sehen es als Handwerkszeug und Mutmacher für alle, die das Modell der Haltungen in das eigene Arbeitsfeld integrieren wollen. Neben einer Vielzahl von neuen Infografiken enthält es die Impulse, die wir selbst einsetzen. Sie sind die Früchte unseres fortlaufenden Prozesses des Experimentierens und wurden in unseren Workshops und auf unseren Lernreisen erprobt. Viele Coaching-Techniken und andere Entwicklungswerkzeuge können zur Erweiterung der Haltung genutzt werden. Wichtig ist das Austarieren zwischen theoretischem Verständnis, innerem Verstehen und praktischer Umsetzung. Die Arbeit mit den Haltungen braucht Zeit, Raum und Wachstumsgefährt*innen. Es ist keine Methode, es ist ein Prozess. Im Kern geht es darum, die Besprechbarkeiten zu erhöhen und mehr Perspektiven in die Kommunikation einzubringen – in uns selbst, zwischen uns und den anderen sowie im organisatorischen und gesellschaftlichen Zusammenwirken. Zu den größten Herausforderungen dabei gehört es, sichere Räume zu gestalten, in denen Offenheit und Verletzlichkeit möglich sind und die Idee loszulassen, dass wir keine Zeit haben.

Ein Ideenbuch zum Ausprobieren

In der Zusammenarbeit mit Unternehmen haben wir die Erfahrung gemacht, dass das Potenzial für Transformationen in den Organisationen meist geahnt wird. Es ist aber noch nicht besprechbar und bleibt daher auf der Ebene von Appellen im Sinne von „man müsste, sollte, könnte" oder wird als unartikulierbare emotionale Spannung empfunden. Die Brille des Haltungsmodells stellt diese Wahrnehmungen in einen neuen Zusammenhang und macht sie damit sichtbarer. Das führt oft zu großen Aha-Erlebnissen, an die sich die Frage „Und was machen wir jetzt?" anschließt, verbunden mit dem Wunsch, dass auch die anderen zu dieser Erkenntnis kommen mögen. Aus dieser gemeinsamen Erkenntnis können wir zu neuen Sinngebungen kommen, die zu neuen Verhaltensweisen, neuen Strukturen & Prozessen und einer neuen Unternehmenskultur führen. Diesen Prozess der Integration neuer Denkweisen für die Selbst-, Team-, Organisations- und Kontextentwicklung möchte dieses Buch unterstützen.

Eine etwas irreführende Perspektive entsteht, wenn wir Haltungen bei anderen erkennen und sie als Typen interpretieren. Dann wird schnell gemutmaßt, welcher Typ für welche Rolle geeignet ist, oft entlang stereotyper Rollenbilder: „Im Business muss man harte Entscheidungen treffen", „Die Buchhaltung braucht Leute mit dieser oder jener Haltung" oder „Am Ende zählt der finanzielle Erfolg mehr als alles andere". Dabei wird übersehen, dass die Haltungen aufeinander aufbauen und die späteren die früheren beinhalten. Durch unsere Entwicklung geht uns also nichts verloren.

Niemand muss seine Haltung ändern. Aber wir können Umstände gestalten, in denen erweiterte Haltungen erscheinen können.

Ziel dieses Buches ist es, Entwicklung versöhnlich zu sehen, als ein Angebot, das die Autonomie der Menschen respektiert. Manche werden in diesem Buch missverständliche Beispiele finden und meinen, manches könnte differenzierter, weniger wertend, inklusiver dargestellt werden, oder ein Beispiel erscheint zu zugespitzt, zu vereinfachend, um die dahinter liegenden Konstrukte deutlicher zu machen. Von daher sind die Leser*innen eingeladen, ihre eigenen Beobachtungen zu machen und selbst Beispiele zu finden.

Ich freue mich immer wieder, wenn ich zerlesene Exemplare von „Haltung entscheidet" sehe, und verstehe auch dieses Buch als Nachschlagewerk zum Querlesen und als Inspiration für eigene Lern- und Transformationswege.

HALTUNG:

Haltung als Konstrukt
innere [Grund]einstellung, die jemandes Denken und Handeln prägt

Haltung als Verhalten
Verhalten, Auftreten, das durch eine bestimmte innere Einstellung, Verfassung hervorgerufen wird

Haltung als Zustand
Beherrschtheit; innere Fassung

(Duden: Deutsches Universalwörterbuch)

„Eine Haltung zu haben bedeutet für mich, aus einer Grundüberzeugung heraus zu handeln, die die ganze Person umfasst, also ihren Körper, ihren Geist und ihre Gefühle. Eine Haltung besteht nicht aus einer konkreten Regel wie ‚Du sollst nicht töten', sie ist vielmehr eine Handlungsdisposition, die sich im Laufe des Lebens und Erlebens einer Person, also im individuellen Lebensvollzug, entwickelt."

Christiane Woopen,
ehem. Vorsitzende des Europäischen Ethikrates

Die sechs Haltungen und ihre Entwicklungsfolge in der Kurzübersicht

Selbstorientiert-Impulsiv

In unserer Entwicklung durchlaufen wir diese Lernphase mit dem Beginn des Spracherwerbs. In der selbstorientiert-impulsiven Haltung sind wir stark in uns und unseren Bedürfnissen gefangen. Reflektierendes Denken und das Erfassen längerer Zeiträume sind in dieser Haltung noch nicht möglich. Feedback wird abgelehnt und wir verharren in einem stereotypen Denken, das sich vor allem auf Konkretes und wenig auf Abstraktes bezieht. Unser eigenes emotionales Erleben können wir noch nicht erfassen oder steuern. Es fehlt die Kompetenz, anderen Menschen empathisch zu begegnen. Die Denkweisen sind eher einfach, schuld sind immer die anderen. Wir sind tendenziell in einer Verteidigungshaltung, weil es uns noch an innerer Sicherheit und echtem Selbstbewusstheit fehlt.

Gemeinschaftsbestimmt-Konformistisch

In der gemeinschaftsbestimmt-konformistischen Haltung lernen wir Regeln und Normen, die von unserem Umfeld geprägt sind. Unsere Identität definiert sich stark über die Zugehörigkeit zu einem Wir und weniger über unsere Individualität. Gehorsam und Unterordnung sind in dieser Haltung vorherrschend. Damit verbunden sind starke Schuldgefühle, wenn wir den Konventionen nicht entsprechen. Wir stehen unter einem hohen Anpassungsdruck, der uns Konflikte vermeiden lässt. Lieber umschiffen wir Auseinandersetzungen und verstummen. Unsere eigenen Gefühle und unser Innenleben sind für uns noch schlecht greifbar. Kritik wird akzeptiert, wenn sie sich auf von außen gesetzte Konventionen bezieht.

Rationalistisch-Funktional

Die rationalistisch-funktionale Haltung ist der Beginn des psychologischen Ichs. Die beginnende Selbstwahrnehmung ermöglicht uns einen differenzierten Blick auf uns selbst. Wir können nun verschiedene Perspektiven sehen und entwickeln persönlichere Urteile. Der Wunsch nach mehr eigener Meinung und Abgrenzung entsteht. Wir entwickeln eigene Ansichten darüber, was richtig und was falsch ist. Unser Innenleben nehmen wir noch nicht differenziert wahr. Wir erleben uns noch als von äußeren Anforderungen getrieben, innerhalb derer wir glauben, funktionieren zu müssen, und definieren unsere Identität stark über das, was wir können und wissen.

ICH-KONTAKT

Ich sage ICH und bin noch in Impulsen gefangen.

ZUGEHÖRIGKEIT

Ich rede vom WIR und passe mich an.

KOMPETENZ

Ich reflektiere und vergleiche mich.

IMPULS: Haltungen in sich erkennen

Die Entwicklung der Haltungen ist individuell, ihre Reihenfolge jedoch gleich. *Welche Haltungserweiterungen können wir in unserer Biografie erkennen?*

Eigenbestimmt-Souverän

Mit der eigenbestimmt-souveränen Haltung erwerben wir eigene Werte und Vorstellungen. Wir entwickeln eine starke Zielorientierung und uns treibt der Wunsch nach Selbstoptimierung. Es entfaltet sich ein vielfältigeres Innenleben, das die Komplexität von Situationen akzeptiert und individuelle Unterschiede respektiert. Die eigenen blinden Flecken und die eigene Subjektivität werden oft noch nicht wahrgenommen. Das „Ego" ist in dieser Haltung am größten. Wir wollen frei sein von anderen und unsere Potenziale und Stärken leben. Glück, Freiheit, Selbstverwirklichung werden zentrale innere Themen.

ENTFALTUNG

Ich weiß, was ich will, und habe eigene Ziele.

Relativierend-Individualistisch

Die relativierend-individualistische Haltung macht uns bewusst, wie die eigene Wahrnehmung die Sicht auf die Welt prägt. Wir beginnen, unsere eigene Sichtweise und die anderer zu relativieren und zu hinterfragen. Mit dieser Kompetenz entwickelt sich unsere Empathiefähigkeit. Wir erkennen, dass jeder Mensch durch seine Wesenszüge, seine Kultur und seine Geschichte geprägt ist, und lernen, dies in unserer Kommunikation zu berücksichtigen. In dieser Haltung werden wir uns unseres emotionalen Innenlebens bewusster und erkennen uns in unseren rollengebundenen Teilpersönlichkeiten.

SELBST-ERFAHRUNG

Ich nehme meine Gefühle bewusster wahr.

Systemisch-Autonom

Mit der systemisch-autonomen Haltung erweitert sich unsere Wahrnehmung um die Fähigkeit einer voll ausgebildeten Multiperspektivität. In dieser Haltung sind wir offen für den kreativen Umgang mit Konflikten und können mit Ambiguitäten umgehen. Wir respektieren die Individualität und Autonomie unseres Gegenübers und sind bereit, die volle Verantwortung für uns selbst, unser Denken, Fühlen und Handeln zu übernehmen. Wir können unsere Gedanken und Gefühle als subjektiv erkennen und haben mehr kooperative Handlungsoptionen. Es entsteht ein Konstruktbewusstsein über die eigenen subjektiven Deutungsmuster.

SELBST-WAHRNEHMUNG

Ich erkenne meine innere Vielheit und Subjektivität.

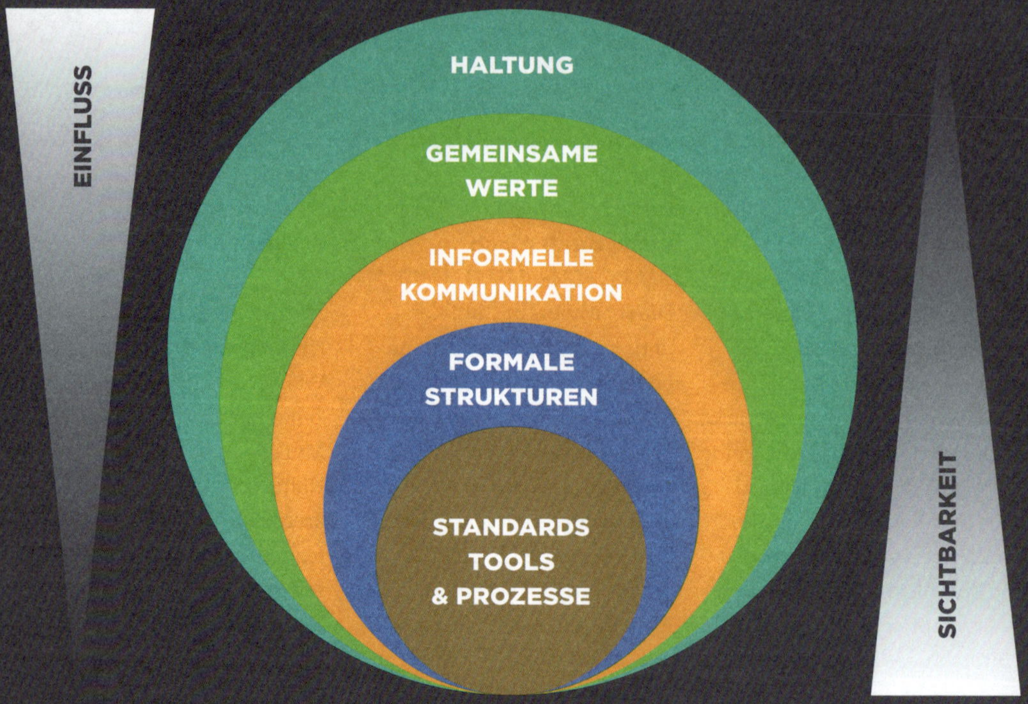

Haltung – unsichtbar und doch wirkmächtig

Unsere Haltung ist so etwas wie der blinde Fleck der Entwicklungsfaktoren in uns selbst und in Organisationen. Insbesondere im Unternehmenskontext konzentrieren wir uns auf die Einhaltung und Optimierung von Standards, Tools und Prozessen. Change soll erreicht werden, indem formale Strukturen verändert, Budgets neu definiert, Ressourcen umverteilt und neue Methoden trainiert werden. Natürlich wird auch ein neues Organigramm erstellt – danach sollen alle Beteiligten entsprechend anders funktionieren, so lehrt uns die gängige Managementtheorie.

Corona hat uns gezeigt, was passiert, wenn diese Ebenen der vermeintlichen Kontrollierbarkeit durcheinandergewirbelt werden. Dann sehen wir, wie Werte im Hintergrund wirken. Wir haben erlebt, wie sich ein System über informelle Kommunikation jenseits der offiziellen Kanäle organisiert und wie die dahinter liegenden Haltungen die Zusammenarbeit entscheidend prägen. Die Erfahrungen waren unterschiedlich. Für die einen war die größere Eigenbestimmung eine Erlösung, die neue Kräfte freisetzte, für andere führte sie zu Überforderungsszenarien.

IMPULS: Was in unserer Organisation schon gesehen wird

Eine Reflexion über die fünf Betrachtungsebenen der Organisationskultur (1. Standards, 2. formale Strukturen, 3. informelle Kommunikation, 4. Werte und 5. Haltungen) zeigt uns, wo unser Fokus ist und welcher Bereich noch nicht oder weniger gesehen wird. Gleichzeitig können wir anhand der folgenden Fragen unsere Vorannahmen dazu prüfen, wie sich Organisationen, Teams und Menschen transformieren.

Reflexionsfragen:
Auf welcher Betrachtungsebene liegt in unserer Organisation der Fokus?
Welche Veränderungen hat es in den jeweiligen Betrachtungsebenen gegeben?
Über welche Themen wird wenig oder gar nicht gesprochen?
Was ist nur informell besprechbar und was ist offiziell besprechbar?
Welche Lösungserwartungen richten sich an die jeweiligen Betrachtungsebenen?

Die einen waren froh, sich endlich als Team eigenverantwortlich organisieren zu können, die anderen verschwanden hinter ausgeschalteten Kameras. Wo Vertrauen als Wert fest in der Kultur verankert war, wurde den Mitarbeitenden viel Flexibilität geboten, während andere sich fragten, wie sie möglichst schnell wieder die Kontrolle über ihre Mitarbeitenden zurückgewinnen würden und wann endlich wieder alles so sein würde wie früher.

Die Haltung bestimmt, wie Werte gelebt werden, welche gemeinsamen Werte es gibt, welche Art der informellen Kommunikation stattfindet und wie das interne Storytelling klingt. Das wiederum entscheidet darüber, ob formale Strukturen greifen oder nur Fassade sind. Wer die tieferen Dimensionen nicht mitgestaltet, wird schneller von einem Gefühl der Ohnmacht übermannt. Man verfängt sich in Schleifen und erzeugt Veränderungsmüdigkeit. Sowohl strukturelle Veränderungen als auch die Erweiterung von Haltungen sind notwendige Bestandteile eines Transformationsprozesses. Wenn wir unsere Aufmerksamkeit auf alle fünf Betrachtungsebenen des Wandels richten, auf die sichtbaren ebenso wie auf die weniger sichtbaren, wird unser Handlungsraum vollständiger.

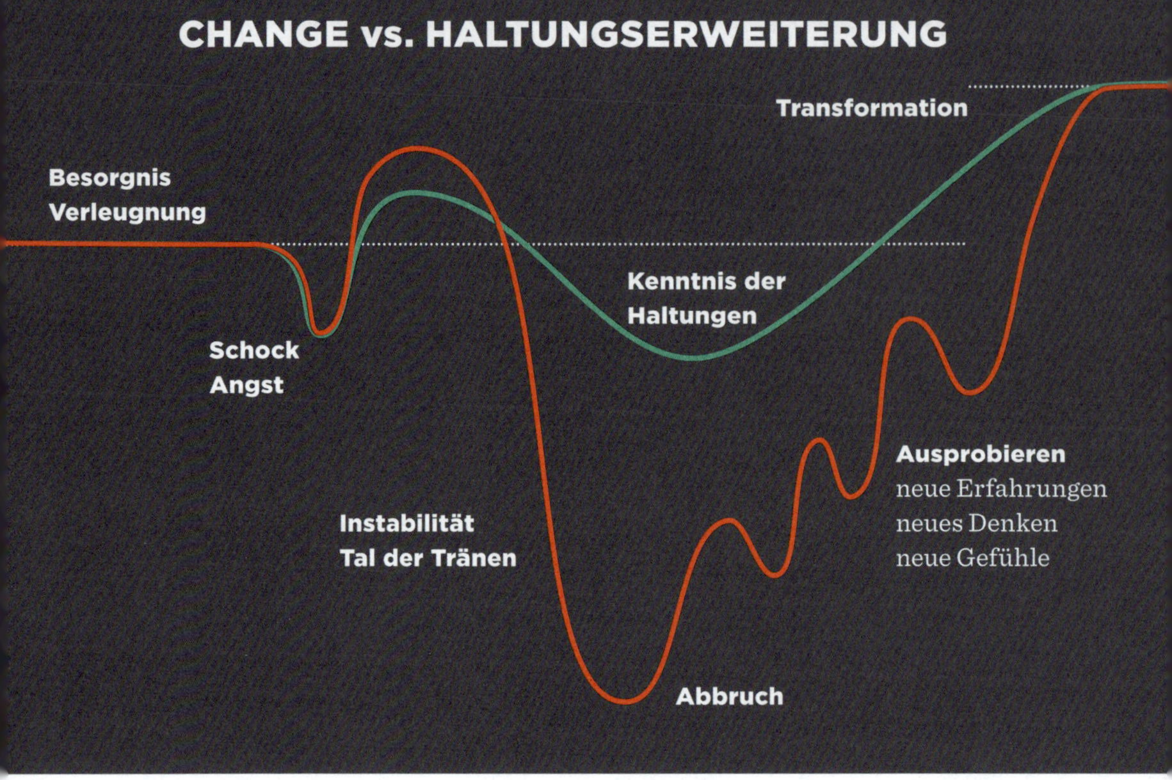

Wissen, wo wir hinwollen und wo der Entfaltungsraum ist

Die klassische Veränderungskurve (rot), entwickelt von der Sterbebegleiterin Elisabeth Kübler-Ross (1926–2004), zeigt, was typischerweise passiert, wenn wir mit Unvorhergesehenem konfrontiert werden. Die petrolfarbene Kurve zeigt, wie das Wissen um die Haltungen dieses Geschehen verändern kann. Mit einer erweiterten Haltung können wir konstruktiver mit aktuellen Herausforderungen umgehen. Das Neue wird in einer Transformation oft von einer kleinen Gruppe von reiferen Mitarbeitenden überproportional getragen, verbunden mit der Gefahr, dass diese sich an alten Denkmustern aufreiben, ausbrennen oder kapitulieren. Gescheiterte Einführungen agiler Arbeitsmethoden sind Beispiele dafür. Wir erwarten von anderen, dass sie sich ändern, ohne dass wir gemeinsam erlebt haben, wie es sich anfühlt, gemeinsam anders zu sein. Wir glauben, es ist eine neue Methode, die wir einer Organisation überstülpen können, ohne dass wir uns selbst oder die Macht- und Entscheidungsstrukturen in den Blick nehmen zu müssen.

Mobiles Arbeiten, agile Zusammenarbeit, Umstellung von einer Linien- auf eine Matrix-Organisation und Einführung von Selbstführung sind Beispiele

IMPULS: Lust auf das Neue wecken
Bei vielen Veränderungsvorhaben fehlt eine emotionale Referenz zur gewünschten Zukunft. Das Bestehende wird infrage gestellt, ohne dass es eine geteilte Idee der möglichen Zukunft gibt. Es fehlt ein Bild von einem gemeinsamen Wir, in dem wir mit unseren individuellen Stärken vorkommen. Handlungsstrategien sind getrieben von Anpassungsdruck , Change will „aufräumen“, „verändern“, „alte Zöpfe abschneiden“. Die Erweiterung der Haltung baut hingegen auf vorhandenen Stärken auf. Sie kann einen Entwicklungspfad für Individuen, Teams und Organisationen aufzeigen und Räume bieten, in denen Erfahrungen in der jeweils nächsten Haltung erlebbar werden.

Leitfragen können sein:
Welche Vorteile des Wandels sind den Beteiligten noch nicht klar?
Welche Nachteile des Wandels werden noch nicht gesehen?
Was liegt noch in der Tabuzone, ist spürbar und noch nicht besprechbar?
Wo erleben wir schon Aspekte der Zukunft, die wir für unsere Organisation erstrebenswert finden?

von Veränderungen, die ohne die Erweiterung der Haltung, insbesondere bei den Führungspersönlichkeiten, oft scheitern oder spannungsreich bleiben.

Mit dem Wissen um die Haltungen können Veränderungen harmonischer verlaufen, weil wir auf der Ebene des Individuums, des Teams und der Organisation wissen, was das neue gemeinsame Verständnis sein könnte, dem wir gemeinsam Raum geben wollen. Die Gestaltung von emotionalen Referenzerlebnissen ist dabei besonders wichtig. Es geht um die Würdigung und Anerkennung des Vorhandenen und das Erlebbarmachen einer neuen Art der Zusammenarbeit, deren Sinnhaftigkeit sich erst durch Erfahrung vermittelt. Das ist oft ein ungewohnter Blick auf Führung und Unternehmenskultur. Wir sind es gewohnt, Budgets für Trainings und Methodenkompetenz bereitzustellen, aber Investitionen in Kultur oder Haltung scheinen manche noch zu scheuen. Dabei ist Kultur eine der wichtigsten Aufgaben für Organisationen, die zukunftsfähig bleiben wollen. Kultur ist als Summe unserer kollektiven inneren Überzeugungen zwar nicht planbar, jedoch ein ständig stattfindender Prozess, bei dem wir die gewünschte Bewegung und Richtung anregen können. Es ist sinnvoll, mindestens einen Tag im Monat für Themen jenseits des Alltagsgeschäft zu reservieren.

Song of the open road

Afoot and light-hearted I take to the open road,
Healthy, free, the world before me,
The long brown path before me leading wherever I choose.

Henceforth I ask not good-fortune, I myself am good-fortune,
Henceforth I whimper no more, postpone no more,
need nothing,
Done with indoor complaints, libraries, querulous criticisms,
Strong and content I travel the open road.

The earth, that is sufficient,
I do not want the constellations any nearer,
I know they are very well where they are,
I know they suffice for those who belong to them.

(Still here I carry my old delicious burdens,
I carry them, men and women,
I carry them with me wherever I go,
I swear it is impossible for me to get rid of them,
I am fill'd with them, and I will fill them in return.)

Walt Whitman (1819–1892)

Neue Lebenswege brauchen eine erweiterte Haltung

Wandel in uns geschieht oft dann, wenn die gefühlten Widersprüche zwischen dem, was wir erleben, und unseren gängigen Deutungsmustern zu groß werden. In diesem emotionalen Spannungsraum entsteht das Gefühl, dem alten Lebensweg nicht mehr folgen zu können, auch wenn wir noch nicht wissen, wie unser neuer Weg aussehen wird. Inneres Wachstum ist oft mit krisenhaftem Erleben verbunden. Doch es lohnt sich, denn Wandel erweitert unsere Haltung zu uns selbst und dem Leben – wir können dann mehr in uns halten und werden weiter.

Die Lust auf das Leben und das Neue verkörpert eines meiner Lieblingsgedichte, der „Song of the open road" von Walt Whitman. Schon in jungen Jahren war sein Buch „Leaves of gras" mein Reisebegleiter. Es weckt die Freude auf das Unbekannte, auf die Überraschungen, die das Leben bereithält, und zeigt, dass wir uns selbst dabei immer mitnehmen, zusammen mit allen Menschen, die bisher zu unserem Leben gehörten. Wer von uns hat sein Leben schon so geplant, wie es sich dann wirklich entfaltet hat?

> *„Ich bin ein Sammler von Wahrheiten und bin neugierig auf Gedanken, die ich noch nie gedacht habe."*
>
> Jens Corssen (* 1942)

Nach Zeiten der Unsicherheit und deren gelungener Integration können wir uns nicht mehr vorstellen, wie wir früher mal so leben konnten. Die Schritte können ganz unterschiedlich sein. Für die einen ist es der Ausstieg aus einem Umfeld mit hohem Anpassungsdruck und Hierarchien, für die anderen der Ausstieg aus Arbeitskontexten, in denen wir uns funktionalisiert fühlen, und für wieder andere ist es vielleicht der Weg in die Selbstständigkeit. Die Coronakrise hat uns gesellschaftlich auf vielen Ebenen in Bewegung gebracht und viele Menschen haben ihren bisherigen Lebensweg hinterfragt. Vielleicht auch deshalb, weil die Krise eine unbewusste Konfrontation mit der Sterblichkeit war und wir dadurch mit tieferen Fragen in Berührung gekommen sind. Hat das, was ich tue, noch einen Sinn? Will ich auch in Zukunft so mit anderen Menschen zusammenarbeiten? Welche unbekannte Version von mir möchte ich noch leben? Wer möchte ich in diesem Leben gewesen sein? Auf welche ungelebten Aspekte des Lebens bin ich neugierig?

Der Raum des Nichtwissens

Durch die Erfahrungen der letzten Jahre ist uns bewusst geworden, dass die Gestaltungsspielräume gerade in der Arbeitswelt viel größer sind als gedacht. Mobiles Arbeiten ist zum Standard geworden, was vor Corona noch undenkbar war. Unsere Prioritäten und unser Blick auf das, was wir tun, haben sich verändert. Lieb gewordene Aspekte unseres Lebensstils wie Fliegen, Kreuzfahrten, Konsum, Urlaube, Freizeitaktivitäten, Kulturveranstaltungen und Mobilität waren plötzlich unzugänglich und wir aufgefordert, unsere Bedürfnisse zu hinterfragen. Wir wurden auf unsere engeren Beziehungen, auf unsere Familie zurückgeworfen und mehr mit uns selbst konfrontiert. Für manche war diese Erfahrung purer Stress, für andere entspannend, für wieder andere ein Zeichen des Aufbruchs und der Beginn einer neuen Lebensphase.

Diese Reise in die erweiterten Haltungen kann zu mehr innerer Freiheit und Wahrhaftigkeit führen. Gleichzeitig braucht es eine Versöhnlichkeit und Mitgefühl mit sich selbst, wenn wir uns in unserer Vielheit erkennen und die eigene Begrenztheit erfahren. Wer sich einmal auf den Weg des inneren Wachstums gemacht hat, kehrt selten um, sondern freut sich auf das Leben als Abenteuer.

Gerade in den letzten zwei Jahren habe ich viel an ein Motto meines inzwischen verstorbenen Vaters gedacht, der an Alzheimer erkrankt war. Trotz seiner schweren Krankheit behielt er immer sein frohes, freundliches und dankbares Gemüt. Eines Tages erklärte ich ihm, was an diesem Tag noch passieren würde und wer ihn am Nachmittag abholen würde. Er konnte die Informationen nicht mehr zuordnen, schaute mich einfach freundlich an und sagte: „Ich lass mich überraschen." Dieses Motto ist für mich in vielen Momenten der Unsicherheit und des Nichtwissens passend gewesen.

Herzlich
Martin Permantier

#gerneperDu

Über Feedback freue ich mich. Ich lade herzlich ein in die Community https://haltung-erweitern.de, in der wir Ideen weiterentwickeln und einen inspirierenden Austausch pflegen.

IMPULS: Paradigmenwechsel begleiten die Erweiterung unserer Haltung

Steven Covey beschreibt in seinem Buch „Die 7 Wege zur Effektivität" anhand einer Geschichte, was ein Paradigmenwechsel ist. Sie lautet sinngemäß so:

„Ich fuhr an einem Sonntagmorgen in New York mit der U-Bahn. Die Leute saßen ruhig da, lasen Zeitung oder ruhten sich mit geschlossenen Augen aus. Dann kam ein Mann mit seinen Kindern in die U-Bahn. Er setzte sich neben mich und schloss die Augen. Anscheinend achtete er nicht auf seine Kinder, die schrien und mit Gegenständen um sich warfen. Ich konnte nicht glauben, dass er so gefühllos sein konnte. Schließlich wandte ich mich an ihn und sagte: „Sir, Ihre Kinder stören die Leute. Ich frage mich, ob Sie sie nicht etwas mehr kontrollieren könnten?"

Der Mann blickte auf, als sähe er die Situation zum ersten Mal. „Oh, Sie haben recht", sagte er leise, „wir kommen gerade aus dem Krankenhaus, wo ihre Mutter vor etwa einer Stunde gestorben ist. Ich weiß nicht, was ich denken soll, und ich glaube, sie wissen auch nicht, wie sie damit umgehen sollen."

Plötzlich sah ich die Dinge anders. Und weil ich anders sah, fühlte ich anders. Ich verhielt mich anders. Meine Irritation verschwand. Ich musste mich nicht mehr darum kümmern, seine Einstellung oder sein Verhalten zu kontrollieren. Mein Herz füllte sich mit Mitleid. Alles änderte sich in einem Augenblick."

Die Geschichte beschreibt anschaulich, wie durch ein anderes Fühlen die vorhandenen Phänomene neu gedeutet werden. Ähnlich beschreiben Menschen Momente einer Haltungserweiterung. Eine starke emotionale Einsicht verändert die Weltsicht. Es tauchen Formulierungen auf wie: „Es fiel mir wie Schuppen von den Augen", „Es war wie ein Erwachen", „Ich wusste, dass ich von nun an einen anderen Weg gehen werde" oder „So nicht mehr". Die Welt bekommt eine Dimension mehr – was flach erschien, wird in eine neue Ordnung gebracht. Alte Vorstellungen können durch neue Einsichten und Gefühle erweitert werden.

Welche Momente in unserem Leben haben eine ähnliche Qualität gehabt?

1.

Haltung erweitern

Wenn sich unsere Haltung erweitert, sprechen wir von Emergenz. Emergenz ist ein Begriff aus der Philosophie, der besagt, dass spätere Seins-Zustände durch neu auftauchende Qualitäten aus früheren entstehen. Dieser Prozess ist weder linear noch steuerbar und beschreibt die selbstorganisierte Entstehung geordneter Strukturen aus scheinbarer Unordnung. Dabei verbinden sich einzelne Erfahrungen im Laufe der Zeit zu neuen, weil erweiterten sinngebenden Deutungssystemen.

„Die Erfahrung ist die Meisterin des Lebens."

Johann Wolfgang von Goethe (1749–1832)

Haltung – ein Möglichkeitsraum

Unsere Haltung wird bestimmt durch die Art, wie wir denken und mit anderen interagieren, durch unseren Umgang mit Impulsen und durch unseren Fokus. Daraus konstruieren wir unser Ich und versuchen, den Phänomenen, die wir wahrnehmen können, durch Sprache Sinn zu verleihen.

In den frühen Phasen der Ich-Bildung übernehmen wir ungeprüft die vorhandenen Sinngebungen unserer Umwelt. Je mehr eigene Erfahrungen wir machen, desto mehr bilden sich eigenständige Deutungssysteme in uns heraus. Diese beeinflussen und prägen unseren Charakter und persönlichen Stil, worauf wir unsere Aufmerksamkeit richten und wie wir mit Komplexität umgehen. Wir versprachlichen unsere Erfahrungen und abstrahieren sie dadurch. Zugleich interpretieren wir sie und filtern sie durch unseren Fokus. Auf diese Weise erzeugen wir kontinuierlich eigene innere Realitäten. Diese entsprechen nicht notwendigerweise unserem logischen Verstand, unseren Gefühlen und unseren Körperwahrnehmungen. Im Gegenteil, viele frühe kulturelle Prägungen wie Vorurteile, Aberglaube oder ausgrenzende Sichtweisen haben keinen Bezug zum eigenen Erleben. Sie werden erst später in ihrer Bedeutung hinterfragt (oder auch nicht). Diese frühen Wirklichkeitsvorstellungen bilden selbstreferenzielle Geschichten, mit denen wir versuchen, unsere Ich-Identität anderen und uns selbst zu vermitteln: „Ich bin eine, die …“, „Bei mir ist das so …“, „Ich bin wirksam, weil …“.

Gleichzeitig sind wir innerlich mit der Frage beschäftigt, wer wir eigentlich sind, und versuchen, die verschiedenen widersprüchlichen Ich-Konstrukten, die wir in unseren rollengebundenen Teilpersönlichkeiten erleben, in uns zu integrieren. Dabei beziehen wir uns immer wieder auf unsere Erinnerungen und Prägungen. Aus diesen biografischen Informationen, den Selbstgeschichten über Erlebtes und den inneren Wiederholungen von Begriffen und Sprachbildern erzeugen wir ein Ich-Empfinden.

Erfahrungen weiten den Raum

Wenn uns unser Ich-Empfinden durch wiederholte neue Erfahrungen immer weniger angemessen erscheint, verändert sich unser Verhältnis zu unseren Prägungen und sie verlieren an Bedeutung für unsere Identitätsbildung. Wie wir diese kuratierte Selbstkonstruktion erzeugen, erkennen wir, wenn wir Teil einer neuen Gruppe oder Organisation werden. Je nachdem, welche Rollenidentität in diesem Kontext gefragt ist, erzählen wir uns anders und passen unsere Selbstgeschichten an. Mit zunehmender Wahrnehmung dieser Rollengebundenheit entsteht in uns eine beobachtende Instanz, die weniger von den Konstrukten früherer Gedanken und Gefühle absorbiert ist. Schritt für Schritt gewinnen wir so an innerer Freiheit.

BEDINGUNGEN FÜR ENTWICKLUNG

1. Umstände/Bedingungen, die neue Denkweisen erfordern
Meist versuchen wir, auch neuen Bedingungen mit alten Denkweisen zu begegnen und Herausforderungen im Außen zu lösen – Scheitern ist daher der Beginn von Entwicklung, weil wir gezwungen werden, anders zu denken.

2. Selbstbeobachtung/Reflexion
Musterbrüche und Alltagsirritationen helfen, Momente der Beobachtbarkeit zu etablieren. Wenn wir eine wertfreie Aufmerksamkeit auf uns richten, können wir uns in unserem wahrnehmenden Prozess erkennen.

3. Die Beobachtung anderer
Wer eine Führungspersönlichkeit in einer erweiterten Haltung erlebt hat, für den ist es einfacher, sich ebenfalls in diese Richtung zu entwickeln. Deswegen ist es gut, sich Menschen zu suchen, die wir als Inspiration erleben.

4. Feedback und Austausch mit anderen
Der Blick in den Spiegel und die Fähigkeit, Feedback einzuholen und anzunehmen, sind ganz zentrale Bausteine für Entwicklung. Regelmäßige Treffen mit Entwicklungspartner*innen unterstützen uns enorm.

5. Ein entwicklungsorientierter Blick auf sich selbst
Wer sich als fertig ansieht, wird sich nicht entwickeln wollen. Gerade wenn wir Karriere mit Selbstentwicklung verwechseln, nimmt die Entwicklungsbereitschaft mit jeder Hierarchiestufe weiter ab.

6. Offenheit für neue Erfahrungen
Wir optimieren lieber Bekanntes, als uns wirklich auf Neues einzulassen. Echte neue Selbst-Erfahrungen, neue Gedanken und Gefühle entstehen jenseits der Gewohnheiten.

7. Ungewissheitstoleranz
Was uns Entwicklung bringt, was sie genau erzeugt, ist nicht vorhersehbar. Wir bewegen uns in eine Richtung, in der Entwicklung eher möglich erscheint und sind gut beraten, die Ungewissheit und den Irrtum mit einzuschließen.

8. Der Potenzialraum der uns umgebenden Gesellschaft
Entwicklung geschieht in einem gesellschaftlichen und organisatorischen Kontext, der förderlich oder weniger förderlich sein kann. Wir brauchen Rahmenbedingungen, in denen wir uns sicher fühlen können. Die Reife der uns umgebenden Systeme kann uns fördern oder blockieren.

Neue Qualitäten und Handlungsoptionen einer erweiterten Haltung

Weniger zynisch
Mehr vertrauend
Mehr innere Freiheit
Mehr Wahrhaftigkeit
Eine höhere Kritikfähigkeit
Abnahme der Reizbarkeiten
Bewusstheit eigener Gefühle
Komplexe Situationen umdeuten
Metaperspektive einnehmen können
Uns mehr von uns wissen lassen
Die Fähigkeit, unser Verhalten zu modulieren
Weniger Identifikation mit sich selbst
Unabhängiger von Zukunftsfantasien
Weniger direktiv oder rollengebunden
Prozess und Ziel gleichzeitig beachtend
Leichter die Perspektive wechseln können
Komplexe soziale Situationen verstehen
Freier von den eigenen Selbstgeschichten
Aus „Entweder-oder" wird „Sowohl-als-auch"
Mehr Respekt vor der Autonomie der anderen
Der innere Raum der Besprechbarkeiten vergrößert sich

„Die Ich-Entwicklung zeigt, was ist, und nicht, was sein sollte."

Jane Loevinger (1918–2008)

1.1 Konstruktivismus, Sprache und Haltung

Wir konstruieren unsere Ich-Identitäten aus den Geschichten, die wir uns über uns selbst erzählen und die sich im Laufe des Lebens und je nach Kontext ändern. Dies wird als radikaler Konstruktivismus bezeichnet und hat weitreichende Konsequenzen. Es bedeutet, dass es von uns abhängt, welches Bild wir uns von der Wirklichkeit machen. Sowohl in Bezug auf unsere Selbstwahrnehmung als auch in Bezug auf die Welt um uns herum. Die Sprache fungiert als Filter zwischen der komplexen Welt und dem, was wir von ihr und von uns selbst bewusst wahrnehmen. Realität ist für jeden Menschen ein subjektiver Konstruktionsprozess aus Sinnesreizen und Gedächtnisleistungen. Von der Haltung des Menschen hängt es ab, wie er seine Interpretation der Wirklichkeit in Worte fasst, indem er die für ihn bedeutsamen Denkmuster anwendet.

Innere Subjektivität im Rahmen der Naturgesetze

Obwohl jede Interpretation von Wahrnehmungen vollkommen subjektiv ist, findet sie innerhalb der Bedingtheit der Natur statt, d. h. innerhalb des Metasystems, in das wir eingebunden sind. Denn Naturgesetze sind keine Konstrukte, und wir existieren nicht außerhalb oder unabhängig von der Natur, sondern sind mit ihr verwoben. Die Überlegungen des Konstruktivismus machen uns bewusst, dass wir einerseits ein eigenständiges Bewusstsein haben, das für andere nicht sichtbar ist, und dass wir andererseits nur in Verbindung mit der uns umgebenden Natur existieren. Diese Verbindung hat eine biologische, eine psychologische und eine soziale Dimension.

Wir laden in unseren Workshops die Teilnehmenden oft ein, die Augen zu schließen und sich ein Sofa vorzustellen. Wenn sie anschließend beschreiben, was sie gesehen haben, berichten sie von Plüschsofas, einer schwarzen Designercouch oder von Sozialfachangestellten, für die das Akronym SOFA steht. Niemand sieht das Gleiche. Trotzdem wird uns das nicht daran hindern, gemütlich auf unserem Sofa zu sitzen und die Vorstellungen der anderen über ihre Sofas zu ignorieren. Wenn wir uns überlegen, mit welchen unterschiedlichen Vorstellungen und Gefühlen Begriffe wie Erfolg, Leistung, Agilität oder Wertschätzung aufgeladen sind, erkennen wir, wie unterschiedlich unsere inneren Bilder von Wirklichkeit sind. Wir beziehen uns nie auf eine gemeinsame objektive äußere Realität, weil wir sie, geprägt von unseren Konstrukten, subjektiv interpretieren.

Sprache ist das Wasser, in dem unser ICH schwimmt

Ernst von Glaserfeld (1917–2010) gilt als Begründer des radikalen Konstruktivismus. Er wuchs dreisprachig auf: mit Deutsch, Englisch und Italienisch. Dies führte ihn zu der Überzeugung, dass wir emotional so stark mit unserer Muttersprache verbunden sind, dass wir die Art und Weise, wie diese Sprache die Erfahrungswelt ordnet und beschreibt, ganz selbstverständlich für die Entsprechung einer realen Wirklichkeit halten. Je tiefer wir in unserer Muttersprache verwurzelt sind, desto schwerer fällt es uns, die Möglichkeit in Betracht zu ziehen, dass andere die Welt auf andere Weise sehen, kategorisieren und interpretieren. Seine Mehrsprachigkeit ermöglichte von Glaserfeld die Erkenntnis, dass es verschiedene sprachgebundene Realitäten gibt. Ein Phänomen, das er an sich selbst wahrnehmen konnte und das für einsprachig aufgewachsene Menschen oft erst durch interkulturelle Erfahrungen verständlich wird.

Als ich Ende der 80er-Jahre in den USA lebte, konnte ich ähnliche Beobachtungen an mir selbst machen. Ich war für mich selbst und für die Menschen um mich herum in einem ungewohnten Sprachraum ein anderer. Mein Humor war anders, meine Sprachgewandtheit war anders, und Außenstehende schienen in mir eine andere Person zu sehen als die, die ich auf Deutsch war. Der Unterschied wurde noch deutlicher, als ich in Südamerika unterwegs war, nur einfaches Spanisch sprach und mich immer wie ein kleiner Junge fühlte, weil ich meine Erlebnisse nicht differenziert verbalisieren konnte.

Stufenansätze der Entwicklungspsychologie

Ernst von Glaserfeld wurde nach eigenen Angaben durch die Arbeiten des Entwicklungspsychologen Jean Piaget (1896–1 980) inspiriert. Piaget wurde bekannt durch seine Experimente und Beobachtungen zur Entwicklung der kognitiven Lernprozesse seiner drei Kinder. Er kam zu dem Schluss, dass diese kindliche Entwicklung in bestimmten universellen Stufen verläuft. Jede Entwicklungsstufe baut auf der vorhergehenden auf und erweitert sie gleichzeitig. Sein Entwurf einer Stufentheorie der Entwicklung sensomotorischer, präoperationaler und konkreter Denkoperationen bei Kindern erschien bereits 1945. Piaget interessierte sich für die Frage, wie wir die kognitiven Strukturen, die wir im Laufe unserer Interaktion mit der Realität durch adaptive Prozesse erwerben, schrittweise erweitern. Während Piaget diese allmähliche Entwicklung nur bis zum Teenageralter untersuchte, dehnten spätere Entwicklungspsycholog*innen wie Robert Kegan (* 1946) und Jane Loevinger (1918–2008) ihr Forschungsfeld auf die Entwicklung im Erwachsenenalter aus. Sie untersuchten nicht nur, wie sich unser Denken entwickelt, vielmehr widmeten sie sich der Frage, wie sich unsere gesamte Persönlichkeit formt. Ihre Ansätze basieren auch auf der Überlegung, wie unsere Ich-Identität durch Sprache konstruiert wird.

Unsere Haltung bedingt die Wirklichkeitswahrnehmung

Der Prozess der Ich-Bildung, den wir durch die ständige Reproduktion unserer Selbstgeschichten durch Versprachlichung in uns erleben, wird auch als Autopoiesis bezeichnet und beschreibt die Erschaffung und Aufrechterhaltung eines Systems aus sich selbst heraus.

Ein System zu sein, das sich durch Selbstgeschichten selbst erschafft, bedeutet für uns, dass wir, wenn wir abends schlafen gehen und glauben, ein entschlossener, optimistischer, demokratischer Mensch zu sein, am nächsten Tag dieses Bild von uns durch unsere Selbstgeschichten bestätigen, egal wie weit das von der Wahrnehmung anderer entfernt sein mag. Wir müssen also nicht erst darüber nachdenken, wer wir sind, sondern wir erzählen uns in Worten und Geschichten immer wieder auf die gleiche Weise. Das hat große Vorteile, aber es bindet uns auch an unsere Selbstgeschichten und hindert uns daran, uns neu und anders wahrzunehmen.

Wir erzeugen unsere eigene innere Wirklichkeit

Der Begriff Autopoiese wurde von dem Neurobiologen Humberto Maturana (1928–2021) geprägt. Das altgriechische „auto“ steht für das Selbst und „poiein“ bedeutet erschaffen, aufbauen. Maturana und sein Kollege Francisco Varela (1946–2001) verabschieden sich in Anlehnung an Glaserfelds Überlegungen von der Vorstellung, dass es eine konstante Realität gibt, die wir beobachten und nach und nach erkennen können. Vielmehr gehen sie davon aus, dass Zweifel an dem Glauben angebracht sind, dass Wissen und Wirklichkeit übereinstimmen. Damit brechen ihre Überlegungen, die dem radikalen Konstruktivismus zugerechnet werden, mit der verbreiteten Auffassung, es gäbe eine beobachterunabhängige Wahrheit, einen archimedischen Punkt, von dem aus die Welt objektiv erfassbar sei.

Nach Maturana sind alle Lebewesen geschlossene Systeme, die sich ihre eigene Wirklichkeit im Verhältnis zu ihrer Umwelt schaffen. Deshalb können wir nie in unser Gegenüber hineinschauen und bleiben einander im Innersten verborgen. Das, was wir wahrnehmen, wird von uns und in Abhängigkeit von unserer Haltung mitproduziert. Unser Handeln ist geprägt von vielen irrationalen illusorischen Vorstellungen und dem Glauben an abwesende Tatsachen, die wir aber in der Regel als Realität anerkannt haben. Aus der Sicht Maturanas gibt es keine objektive, von uns unabhängige Realität, denn auf der Grundlage eines mit dem Begriff der Autopoiesis verbundenen Erkenntniskonzepts sind Realität und Illusion nicht absolut unterscheidbar. Wir erkennen alles durch das Filtersystem unserer Haltung und innerhalb der Grenzen unserer Sprache. Gleichzeitig existieren wir natürlich auch in einer Umwelt, die von Naturgesetzen und wissenschaftlichen Fakten bestimmt wird.

Konstruktivismus in seiner kollektiven Wirkung

So wie sich die subjektive verbale Konstruktion der Wirklichkeit in uns als Individuen manifestiert, so manifestiert sie sich auch im Kollektiv. Auch hier folgen wir den Prinzipien der Selbsterzeugung und Selbsterhaltung von Systemen. Niklas Luhmann (1929–1998) hat das Konzept der Autopoiesis und die Arbeiten Maturanas auf die Betrachtung sozialer Systeme übertragen und daraus seine soziologische Systemtheorie entwickelt. Seine zentrale These lautet, dass soziale Systeme ausschließlich aus Kommunikation und Entscheidungen (und nicht aus Subjekten, Akteuren, Individuen o. Ä.) bestehen und autopoietisch funktionieren, d. h. sich in einem permanenten, nicht zielgerichteten Prozess aus sich selbst heraus erzeugen und reproduzieren.

> Diese Selbsterhaltung der Kommunikation kann bizarre Blüten treiben. So erleben wir Führungskräfte, die sich auch Jahre nach der Einführung von E-Mails diese als Ausdruck vorlegen lassen, um sie per Diktat zu beantworten und diese Antwort auf Büttenpapier ausdrucken zu lassen. Gerade im Bereich der Nicht-Digitalisierung unserer Verwaltungssysteme können wir das Fortbestehen systemischer Kommunikationsstrukturen beobachten. In manchen Behörden wird beispielsweise die Papierlosigkeit abgelehnt, weil den Beteiligten nicht klar ist, wie die Bevollmächtigten jeweils unterschreiben sollen.

Systeme wie Organisationen wiederholen ihre Kommunikations- und Entscheidungsmuster in ihren gewohnten Sprachräumen und reproduzieren sich so in Selbstähnlichkeit. Weil Organisationen auf Selbsterhaltung und nicht auf Transformation angelegt sind, sind sie so schwer zu verändern. Transformation wird von Systemen als bedrohlich empfunden und daher eher vermieden und abgelehnt. Eine Mitarbeiterin einer großen Versicherung sagte: „Das ist jetzt die vierte Transformation in neun Jahren, wo sich alles ändern soll, nur die da oben bleiben die Gleichen. Bisher hat nichts funktioniert und ist immer wieder abgebrochen worden“.

Luhmann hat beobachtet, dass ein soziales System nur jene Kommunikationen und Botschaften aus der Umwelt aufnimmt, die für die Selbsterhaltung relevant sind. Systeme und Organisationen neigen dazu, nur das aus ihrer Umwelt wahrzunehmen, was zu ihrem „Thema“ passt, oder anders ausgedrückt, was zu ihrer aktuellen Haltung „anschlussfähig“ ist. Offensichtliche Widersprüche werden dann zu „alternativen“ Fakten, passen nicht oder die Einbeziehung des eigenen Innenlebens wird als esoterischer Irrweg eingestuft. Innerhalb eines Systems wirkt die Summe der kollektiven Vorannahmen und Überzeugungen als Realitätsfilter.

Bei einem Workshop in einem Krankenhaus haben wir uns mit den Problemen einer Gesundheitsindustrie auseinandergesetzt, die sich von der Daseinsvorsorge entfernt hat und Marktmechanismen folgt, die unter einem Zuviel an Gesundheit eher leiden. Ein System, in dem die Institutionen, die Gesundheit schaffen sollen, darum wetteifern, genügend Kranke mit den passenden Krankheiten zur Verfügung zu stellen, die sich abrechnen lassen. Eine Teilnehmerin meinte: „Das hätte ich Ihnen schon vor 15 Jahren sagen können, dass das System an die Wand fährt." Und ehrlich gesagt, ich kenne keinen Akteur im Gesundheitswesen, der das System nicht für dringend reformbedürftig hält. Gleichzeitig sind wir wie gebannt und reproduzieren kollektiv jeden Tag ein System, von dem wir wissen, dass es nicht gut ist, und sind unfähig, es zu verändern. Der Gedanke, dass es unsinnig sein könnte, Krankheit zu einem abrechenbaren Wirtschaftsgut zu machen, weil dadurch Gesundheit zum Problem wird, durchdringt die Systeme nicht. Die ursprüngliche Idee, Effizienzen zu schaffen, hat gigantische Scheineffizienzen geschaffen, in denen z. B. chronische Krankheiten zu sicheren Einnahmequellen geworden sind. Erst wenn wir diese Widersprüche spüren und andere Erfahrungen machen, können neue Ideen langsam Fuß fassen.

Typische Sätze, die uns an den Grenzen eines Systems begegnen, sind: „Das machen wir hier nicht", „Das ist historisch gewachsen" oder „So sind wir eben". Was uns als Neuling anfangs irritiert, erscheint uns nach einigen Monaten normal. Deshalb ist das Feedback von Neuankömmlingen in Systemen so wichtig, um ihre Wahrnehmungen zu erfahren, bevor diese ins Reich des Unbesprechbaren verbannt werden. Bisweilen haben Organisationen eigene Rituale, um diese erweiterten Besprechbarkeiten zu verhindern. Sei es in Form von Initiationsritualen oder durch andere Formen der Einnordung von Neulingen, denen man erst einmal sagen muss, wie der Hase hier läuft.

Aus einer komplexen Umwelt filtert unser Bewusstsein nach bestimmten Kriterien nur einen kleinen Ausschnitt als für uns relevant heraus. Dieser Mechanismus der Komplexitätsreduktion führt zu einer subjektiven, systemimmanenten Sinngebung. Die Komplexitätsdifferenz zwischen außen und innen markiert die Grenze eines sozialen Systems. Was aus Sicht des jeweiligen sozialen Systems zu komplex ist, wird ausgeblendet. Besonders deutlich wird dies bei komplexen gesellschaftlichen Problemen wie dem Klimawandel. Themen mit derart hoher Komplexität erscheinen uns innerhalb unserer Systemgrenzen nicht bearbeitbar und werden abgelehnt oder ignoriert, auch wenn Tausende Wissenschaftler*innen, die nicht als dem System zugehörig empfunden werden, deren Dringlichkeit darlegen. Unabhängig davon, wie absurd bestehende Systeme sind oder durch eine veränderte, komplexere Situation geworden sind, sind sie bestrebt, sich selbst zu erhalten.

Der Sprachraum ist die Grenze unserer Haltung

Die sich erweiternden Denkweisen unterscheiden sich in ihrer Fähigkeit, mit Komplexität umzugehen. Spätere Haltungen haben erweiterte Denkgrenzen, weil der Raum dessen, was gesehen und diskutiert werden kann, größer wird. In den früheren Denkweisen ist unsere Aufmerksamkeit darauf gerichtet, den eigenen Vorteil zu wahren oder an Routinen und Regeln festzuhalten, auch wenn wir wissen, dass dies ganzheitlich und langfristig keinen Sinn macht.

Die autopoietische Funktionsweise von Systemen ist immer ähnlich. Sie operieren ständig, und zwar so, dass weitere ähnliche Operationen folgen können. Das Konstrukt, mit dem die Selbsterschaffung des Systems, die Autopoiesis, abläuft, kann als eine bestimmte Haltung beschrieben werden. In manchen Systemen sind eher einfache Bewusstseinsinhalte anschlussfähig, andere Systeme reagieren auf komplexere Denkfiguren. Wir erschaffen uns selbst, mit allen Irrationalitäten und unnötigen inneren Leiden. Wir tun dies auf individueller und kollektiver Ebene durch die Wiederholung von Kommunikationen. Der Populismus zum Beispiel erzeugt einen Bedeutungsrausch des Banalen und verweist auf etwas Großes außerhalb von uns, das sich in der Realität nicht konkretisiert.

Haltung ist unser Deutungskonstrukt, nicht dessen Inhalt

Wenn wir uns transformieren, ändern wir die Art der Kommunikation und die sinngebenden Geschichten. Je größer der Raum der Besprechbarkeiten wird, desto mehr Perspektiven können wir zulassen und uns so auf die Komplexität des Lebens einlassen.

Der Ich-Entwicklungsexperte Thomas Binder (* 1967) führt dazu aus: „Das Ich ist nicht eine psychische Instanz (wie z. B. in der Psychoanalyse), sondern ein Prozess, der die Gedanken und Erfahrungen eines Menschen organisiert. Dieser Prozess des Selektierens und Interpretierens von Gedanken und Erfahrungen ist das, was die Stabilität der jeweils erreichten Ich-Entwicklungsstufe (...) ausmacht. Diese Stabilität kommt auch daher, dass Menschen sich vor Angst erzeugenden Gedanken und Erfahrungen schützen und daher dem eigenen Selbstkonzept widersprechende Erfahrungen und Beobachtungen konsequent aussortieren."

Der Sprachraum ist der Raum, in dem wir Haltungen messbar abbilden und unterscheiden können. An der Art, wie wir unsere Sinngebungen mit Sprache konstruieren, wird unsere Haltung als unser Realitätsfilter deutlich, nicht am Inhalt unserer Gedanken. Haltung ist nicht Sprache, aber sie offenbart sich über das Konstrukt des Sprachraumes.

Eindrücke füttern unser System

Niklas Luhmann illustriert seine Überlegungen zur Selbsterhaltung von Systemen am Beispiel der Massenmedien: Sie senden, drucken, berichten immer so, dass solche Kommunikationen (er nennt sie Operationen) folgen müssen, und sichern so ihre Anschlussfähigkeit. Das System der Massenmedien lebt von der Annahme, dass die eigenen Kommunikationen in der nächsten Stunde oder am nächsten Tag fortgesetzt werden. Jede Sendung verspricht die nächste. Dabei geht es nie wirklich um die Darstellung der Welt, wie sie gerade ist. Ähnlich funktioniert unsere innere Propagandamaschine, wenn sie ständig eine katastrophisierende Version der Zukunft produziert, in der die Themen wechseln. Wenn sie nicht mehr aktuell sind, verschwinden sie, als hätte es sie nie gegeben. Wir geraten in eine Art hypnotische Trance, die wiederum verzerrte Weltbilder erzeugt und zu Handlungen führt, von denen der Hamsterkauf von Toilettenpapier noch die harmloseste ist. Der Autor und Historiker Rutger Bregmann (* 1988), der in seinem Buch „Im Grunde gut" einen positiven Blick auf uns Menschen wirft, rät deshalb, auf den täglichen Nachrichtenkonsum lieber zu verzichten. Wir ernähren uns neben der Nahrung eben auch von den Eindrücken, die wir aufnehmen. Gleichzeitig ist es hilfreich, sich einer Vielfalt auszusetzen und den Komplexitätsgrad zu erhöhen. Rona van der Zander, Expertin für Future Work und Gast in unserem Podcast ICH-WIR-ALLE, empfiehlt beispielsweise, alle zwei Monate ein Event außerhalb der eigenen Blase zu besuchen.

Selbstentwicklung und systemische Kontexte

Was Systeme in Bewegung bringt, sind neue Erfahrungen. Dies gilt sowohl für Individuen als auch für Organisationen. Die „reine" Systemtheorie negiert oft die Rolle des Individuums in Organisationen. Ihre These ist, dass Individuen austauschbar sind und dass das System so funktioniert, dass es sich selbst erhält. Veränderungen sind demnach primär über die Veränderung der kommunikativen formalen Strukturen zu erreichen und eine Arbeit an den Haltungen der Individuen im Kontext von Organisationen sei übergriffig.

Interessant ist, dass Luhmanns Überlegungen aus den 50er- und 60er-Jahren stammen, als das Bild von Arbeitnehmer*innen und dem Arbeitsleben noch ein ganz anderes war, weil das Konzept der Persönlichkeitsentwicklung innerhalb der Arbeitswelt noch kein Thema war. Arbeit und Privatleben waren strikt getrennt und Gefühle Privatsache. Eine von oben verordnete Arbeit an der persönlichen Haltung ist sicherlich übergriffig und eine Zumutung. Den Raum für eine intrinsisch motivierte Selbstentwicklung zu bieten, eher nicht. Heute sehen wir, dass sich Menschen sehr wohl individuell entwickeln und Systeme dadurch in Bewegung kommen.

Erfahrungen als Entwicklungstreiber

Erfahrungen sind emotionale Erlebnisse, die einen Musterbruch in unseren selbsterschaffenen inneren Systemen bewirken können. Unter Reifung verstehen wir unter anderem, dass wir aus Erfahrungen lernen. Etwas zu erfahren ist mehr, als in immer gleichen Routinen zu leben. Wenn wir an einem Tag viele Erfahrungen machen, sind wir am Abend erfahren – wenn wir viele Erledigungen machen, sind wir erledigt. Eine Erfahrung ist ein Erlebnis, durch das wir klüger werden, oder in der praktischen Arbeit das Wissen, das man durch die Wiederholung eines Vorgangs erwirbt. Eine Erfahrung zu machen bedeutet, unterwegs zu sein, das Leben auf Reisen zu erkunden und Entdeckungen zu machen. Eine Erfahrung zu machen ist kein passiver Akt, sondern wird meist von einem inneren Bewusstsein begleitet. Diese Momente, in denen wir uns als Gast in unserer eigenen Gegenwart erleben und unser Innenleben stark mit dem eigenen äußeren Erleben verbunden ist, haben oft eine eigene emotionale Qualität und eine Bewusstheit, in der sich die wahrgenommenen Gefühle mit neuen Erklärungen verbinden können. Diese emotionalen Erfahrungen geben den Anstoß, Sinngebungen zu überdenken und zu erweitern.

Erfahrungen sind Bausteine der Selbstgestaltung

Jean Gebser (1905–1973) gilt als einer der ersten kulturwissenschaftlich orientierten Bewusstseinsforscher, der ein Strukturmodell der Bewusstseinsgeschichte des Menschen aufgestellt hat. Ihm geht es darum, Erfahrungen zu Bausteinen einer Selbstgestaltung zu formen. Die daraus resultierende Selbsterfahrung bezeichnet er als bewusste Teilhabe am Weltganzen. In dieser Gewinnung einer bewussten Teilhabe an der Welt durch Selbst-Erfahrungen sieht er das Potenzial des menschlichen Lebens. Diese Art der Selbst-Erfahrung ist der inhaltliche Teil des Lebens, der uns als Menschen reifen und wachsen lässt, und dieses Wachstum kann sich in der Erweiterung unserer Haltungen zeigen.

Wir haben heute immer mehr Möglichkeiten, Erfahrungen zu machen und ein besseres Verständnis für Komplexität zu entwickeln. Glückliche Erfahrungen geben uns Bestätigung und Orientierung. Schwierige Erfahrungen sind oft diejenigen, die uns fordern und fördern. Wenn sich die Verhältnisse in der Außenwelt ändern und wir neue Selbst-Erfahrungen machen, spüren wir das und wollen unsere Gefühle in Sprache übersetzen und über das Erlebte sprechen, unsere neuen Gedanken mitteilen, um das Erlebte zu „verarbeiten“. Diese zwischenmenschlichen Prozesse des Erfahrungsaustausches, der Abgleich der inneren Bilder, das Gespräch in vertraulichen Räumen wie Supervision oder Coaching sind wichtige Bausteine für die Erweiterung der eigenen Haltung.

Im Potenzial gesehen werden

Je besser die Haltung entwickelt ist, desto mehr können wir von unserem Innenleben erkennen und in Sprache fassen. Über die Sprache stimmen wir unser Verhalten und Handeln mit unseren Gefühlen ab. Dazu brauchen wir ein Gegenüber. Deshalb gelingt die Entwicklung der Haltung in einem interpersonellen Prozess.

„Der Mensch wird am Du zum Ich."

Martin Buber (1878–1965)

Wenn wir in unseren Kursen Teilnehmende nach Begegnungen mit für sie wichtigen Menschen fragen, die einen Einfluss auf ihre Entwicklung hatten, berichten sie oft davon, in gegenseitiger Präsenz gesehen oder geliebt worden zu sein. Es sind Erfahrungen mit Personen, von denen sie nicht in den gewohnten Routinen des eigenen Systems wahrgenommen wurden, Momente, wo etwas Neues belichtet und gesehen wurde und sich dadurch entwickeln konnte. Diese Erfahrungen sorgen dafür, dass sich in der erlebten Außenwelt Relationen in unserer Sinngebung verschieben. Eine andere Art von Bewusstheit geht mit uns innerlich in Resonanz und das erzeugt eine Veränderung von unseren Selbstgeschichten.

Eine Teilnehmerin erzählt, wie sie als Erstklässlerin nach der Schule gerne auf einen Apfelbaum kletterte und dort noch eine Weile in den Ästen saß, bevor sie nach Hause ging. Eines Tages verträumte sie die Zeit und merkte, dass sie schnell nach Hause musste. In der Eile vergaß sie ihre Schultasche im Baum. Zu Hause bemerkte sie den Verlust. Sie konnte sich aber nicht erinnern, wo der Ranzen war, und so ging ihre Mutter aufgeregt mit ihr den ganzen Schulweg zurück. Vor der Schule fiel es ihr wieder ein und sie zeigte auf den Apfelbaum. Die Mutter war erschrocken, wie das Kind sich in eine solche Gefahr begeben konnte, schimpfte und schleppte ihre Tochter zur Lehrerin, um solche Vorfälle in Zukunft zu verhindern. Das Mädchen fühlte sich schrecklich und stand ängstlich vor der Lehrerin. Diese ging in die Hocke, schaute sie auf Augenhöhe freundlich an und fragte leise: „Wie war es denn da oben im Apfelbaum?" Erst durch diese Frage konnte das Mädchen die Schönheit der Erfahrung, im Apfelbaum zu sitzen, als zu sich gehörig empfinden und musste sie nicht mehr als verboten abspalten. Oft sind es solche kleinen Referenzerfahrungen an den Rändern unseres Identitätsempfindens, die unseren inneren Raum erweitern oder begrenzen.

Spiel und Liebe als Treiber der menschlichen Entwicklung

In einem Interview in der Zeitschrift „brand eins" vom August 2006 spricht Humberto Maturana „von der Freude" über seine Perspektive auf Liebe und Spiel als evolutionäre Kräfte. Maturana sieht alle Lebewesen als operativ geschlossene Systeme, die sich in Relation zu ihrer Umwelt ihre eigene Wirklichkeit schaffen. Wir sind alle autonom und allein in uns selbst, und niemand weiß, wie es in den anderen wirklich aussieht. Wir sind aber nicht blind füreinander, sondern haben die Sprache, um mit anderen in Kontakt zu treten. Die zwischenmenschliche Interaktion und das Verhalten des anderen lösen in uns Veränderungen und Entwicklungen aus. Wir empfinden diese Beziehungsveränderungen und übersetzen unsere Gefühle in Sprache. Indem wir über diese empfundenen Veränderungen sprechen, können wir sie in unsere Identität integrieren. Aus Maturanas Sicht nehmen wir die Welt zuerst über die primären Gefühle wahr, erst danach kommt die Sprache.

> *„Spiel ist: Tu, was du tust, mit Freude. Und mache dir keine allzu großen Sorgen über die Konsequenzen – auch wenn du weißt, dass das Konsequenzen haben wird."*
>
> Humberto Maturana (1922–2020)

Im Spiel sind wir als Kinder gegenwärtig und wissen, dass etwas passieren wird. Was genau, ist nicht so wichtig, wichtig ist die Freude am gemeinsamen Tun – unbeeinflusst und ungestört von den Konsequenzen. Als Erwachsene sind wir voller Vorannahmen und mit Gedanken und Gefühlen beschäftigt, die aus der Vergangenheit stammen und uns den Zustand zu einer spielerischen Gegenwart verstellen. Die Sprache ist dann nicht mehr die Antwort auf die Gefühle, die im spielerischen Miteinander entstehen, sondern sie versucht, die alten, angehaltenen Gefühle zu kompensieren, die auch sekundäre Gefühle oder Emotionen genannt werden, weil sie aus Bewertungen des Verstandes entstehen und sich auf vergangene oder projizierte zukünftige Situationen beziehen.

Den Ausweg sieht Maturana in der Liebe, weil sich in diesem Zustand keine Forderungen, Erwartungen oder Vorurteile zwischen uns und den anderen Menschen stellen. So erleben wir einen störungsfreien Raum, in dem wir nichts mehr von uns selbst oder vom anderen verlangen. Liebe ist für Maturana der tiefe Respekt vor unserer Autonomie und der Autonomie unseres Gegenübers. Wir können angstfrei zuschauen, wie aus diesem Kontakt Neues und wir selbst neu entstehen. Insofern ist Liebe ein Raum für die mögliche Erweiterung unserer Haltung.

Unsere inneren Erfahrungsräume

Eine Dimension unserer Erfahrungsmöglichkeiten ist unser Organismus mit seinen biochemischen Reaktionen. Er kann unterschiedlich empfindlich, jung, vital, gesund sein. Wir sind an Hormonausschüttungen gebunden und haben unterschiedlich viel Energie zur Verfügung. Er existiert und vergeht weitgehend unabhängig von der Entwicklung unserer Psyche.

Der Verstand, der in der Lage ist, Begriffe zu bilden und sie analytisch zu verknüpfen, stellt einen weiteren Erfahrungsraum dar. Aus einem hohen IQ lässt sich aber nicht einfach eine erweiterte Haltung ableiten. Im Gegenteil, die Annahme, alle Antworten schon zu kennen und sich in einer Art Selbstfaszination auf das innere Spiel der Logik und der Fakten berufen zu können, hemmt manchmal die Lust an der Reifung.

Das Fühlen stellt unseren dritten Erfahrungsraum dar. Es bietet uns unabhängig vom Verstand einen eigenen Weltzugang. Wir können dabei unterscheiden zwischen Primärgefühlen, die aus der direkten gegenwärtigen Wahrnehmung von erfüllten und nicht erfüllten Bedürfnisse resultieren, und Sekundärgefühlen oder Emotionen, aufgeladen mit Bewertungen oder Narrativen, die sich aus unserer Vergangenheit speisen.

Das ICH ist der Ort der sprachlichen Konstruktion und Dekonstruktion einer Ich-Identität. Diesen Erfahrungsraum und seine Entwicklung beschreibt das Modell der Haltungen.

Als weitere Dimension der Seins-Erfahrung führen wir in diesem skizzenhaften Modell das Selbst ein. Das Selbst ist inhaltslos und umschließt als beobachtendes Gewahrsein unsere Erfahrungen innerhalb der Ich-Konstrukte unserer Haltungen. Aus dieser Perspektive erfahren wir den Wahrnehmungsstrom in seiner Gegenwärtigkeit und sind nicht mehr identifiziert mit dem sich selbst erschaffenden System der permanenten Ich-Bildung.

Allumfassend ist das, was als Sein, So-Sein oder Ist-Heit bezeichnet werden kann. Es ist der Raum, in dem sich alles in Wechselwirkung und Abhängigkeit als Seiendes ereignet. Auch das Sein ist abhängig von den Bedingungen der Welt mit ihren sozialen Systemen, ihren materiellen Bestandteilen einschließlich unseres Körpers und dem in ihm existierenden Geist.

Einige Lehren verweisen auf die Leere als eine Ebene der Bewusstheit jenseits des Seins. Nichts existiert aus sich selbst heraus und jede Existenz ist immer die Verbindung von etwas und zu etwas.

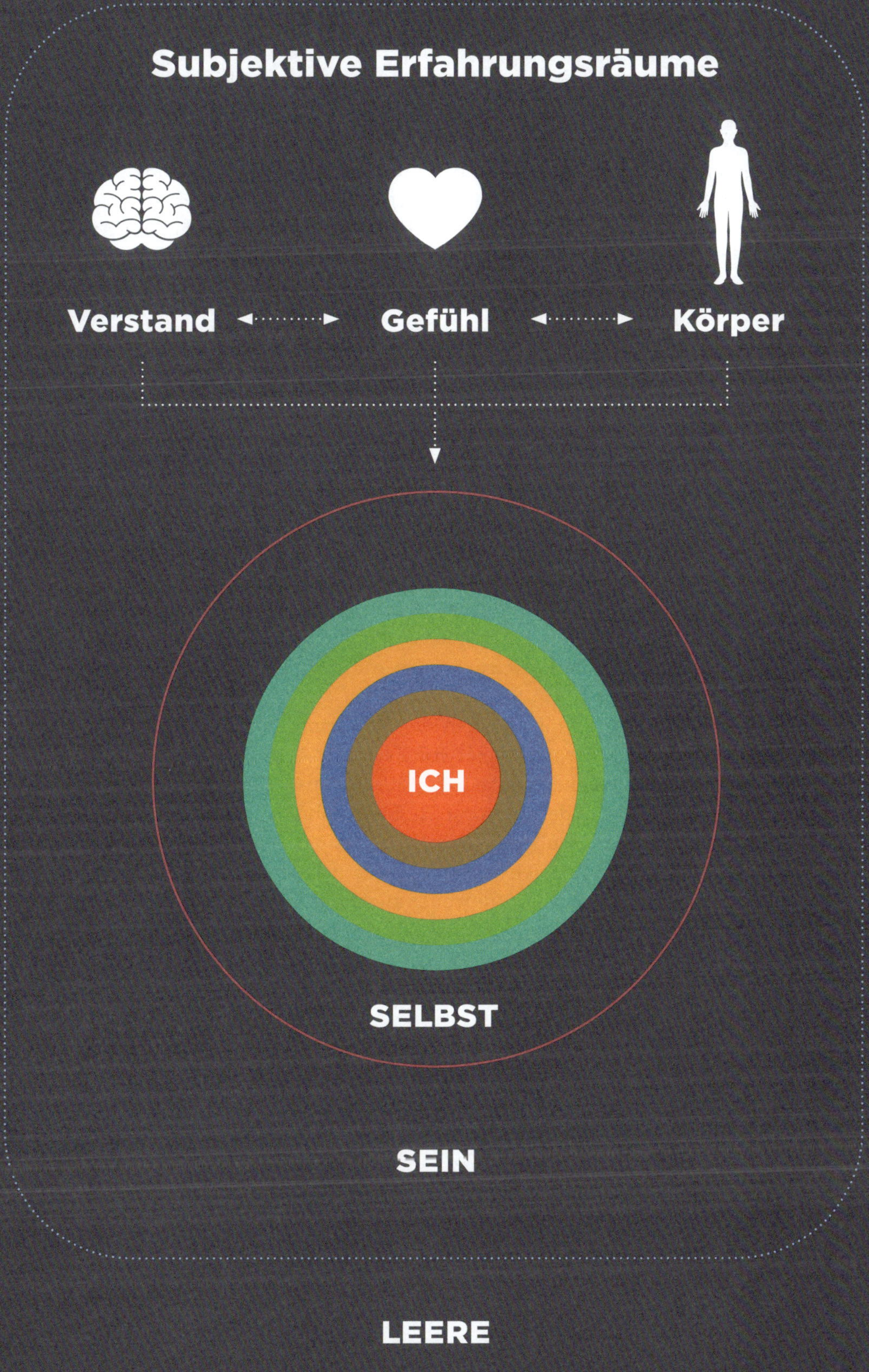
Subjektive Erfahrungsräume
Verstand
Gefühl
Körper
ICH
SELBST
SEIN
LEERE

1.2 Vertikale Entwicklung

Zwei Arten von Entwicklung können unterschieden werden: horizontale und vertikale Entwicklung. Bei der horizontalen Entwicklung erwerben wir neue Fähigkeiten, Fertigkeiten und Methodenkenntnisse. Diese Entwicklung können wir durch Schulungen und Trainings gezielt fördern und durch Tests abfragen. Unsere Denkweise und unsere Art, zu kommunizieren, können wir unverändert beibehalten. Es handelt sich um die übliche Art der Wissensvermittlung, bei der es darum geht, immer mehr auf die gleiche Weise zu lernen.

Durch vertikale Entwicklung gewinnen wir eine differenziertere und ganzheitlichere Sicht von uns selbst und unserer Umwelt. Wir beginnen anders zu denken, anders zu sprechen und entwickeln neue Perspektiven, mit denen wir die Welt betrachten. In der neueren Managementtheorie wird dies „adaptive Intelligenz" genannt, ein Begriff, über den ich mit Alex T. Steffen für eine Folge unseres Podcasts ICH-WIR-ALLE sprach.

Der Prozess der Adaption entsteht bei der vertikalen Entwicklung in einem Wechselspiel von Assimilation, bei der wir neue Erfahrungen in bereits bestehenden Denkstrukturen und ausgebildeten Verhaltenskompetenzen integrieren, und Akkommodation, bei der wir aufgrund der neuen Erfahrungen unsere Denkstrukturen anpassen und unsere Weltsicht erweitern.

Die vertikale Entwicklung vollzieht sich im Wesentlichen in vier Dimensionen: Charakter, interpersoneller Stil, Bewusstseinsfokus und kognitiver Stil. In jeder Dimension zeigt sich die Entwicklung in einer veränderten Sprache und im Grad der Versprachlichung von Wahrnehmungen und zusätzlichen Perspektiven. Auch unser Umgang mit unseren Primärgefühlen und der Zugang zu ihnen über die Sprache verändern sich. Die Auflösung und Verflüssigung von wertenden oder angehaltenen Sekundärgefühlen (Emotionen) nimmt zu. Die Erweiterung unserer Haltung ist Teil der vertikalen Entwicklung. Durch sie werden wir für uns selbst gegenwärtiger und sichtbarer.

Für Transformationsvorhaben ist die Einbeziehung der vertikalen Entwicklung besonders relevant. Transformationen können nicht allein mit Methodenwissen und neuen Fähigkeiten bewältigt werden, sondern brauchen auch sichere Räume, in denen erweiterte Haltungen entstehen können – verbunden mit einem Bewusstsein dafür, was dieses Entstehen fördert oder hemmt. Deshalb kann das Modell der Haltungen in Transformationsprojekten so wertvolle Dienste leisten.

GUTE GELINGENSFAKTOREN FÜR HALTUNGSERWEITERUNG

1. Zeit einräumen
Kleine häufige Interventionen über 100 Tage. Vertikale Entwicklung braucht Zeit und ist eine Expedition in noch Unbekanntes.

2. Musterwechsel initiieren
Experimentieren, wiederholen, reflektieren, integrieren. Musterwechsel schaffen Gegenwärtigkeit und fördern Entwicklung.

3. Emotionen verflüssigen
Haltungserweiterungen entstehen außerhalb der vertrauten Zone und bringen Spannungen und Emotionen in Bewegung. Dies gilt es zu bejahen.

4. Wachstumsgefährt*innen finden
Der regelmäßige Austausch in Kleingruppen mit Menschen, die sich ebenfalls entwickeln wollen, wirkt enorm unterstützend.

5. Ein sicheres Umfeld gestalten
Sichere Räume, Safe Spaces, in dem wir uns mit unseren vermeintlichen Schwächen zeigen und den Raum der Besprechbarkeiten vergrößern können.

6. Weitergeben
Mentor*in werden. Wir wissen erst das wirklich, was wir anderen beigebracht haben. Multiplikator*innen helfen, die Haltungserweiterung in die Organisation zu bringen.

7. Praxisorientierung
Kleine konkrete Herausforderungen leicht außerhalb der Komfortzone, bei denen wir mit neuen Haltungen experimentieren können. Besser viele kleine Interventionen, als uns und anderen zu viel auf einmal zuzumuten. Das System, sowohl in uns als auch in den Teams und in der Organisation, kennt meist den nächsten möglichen Schritt.

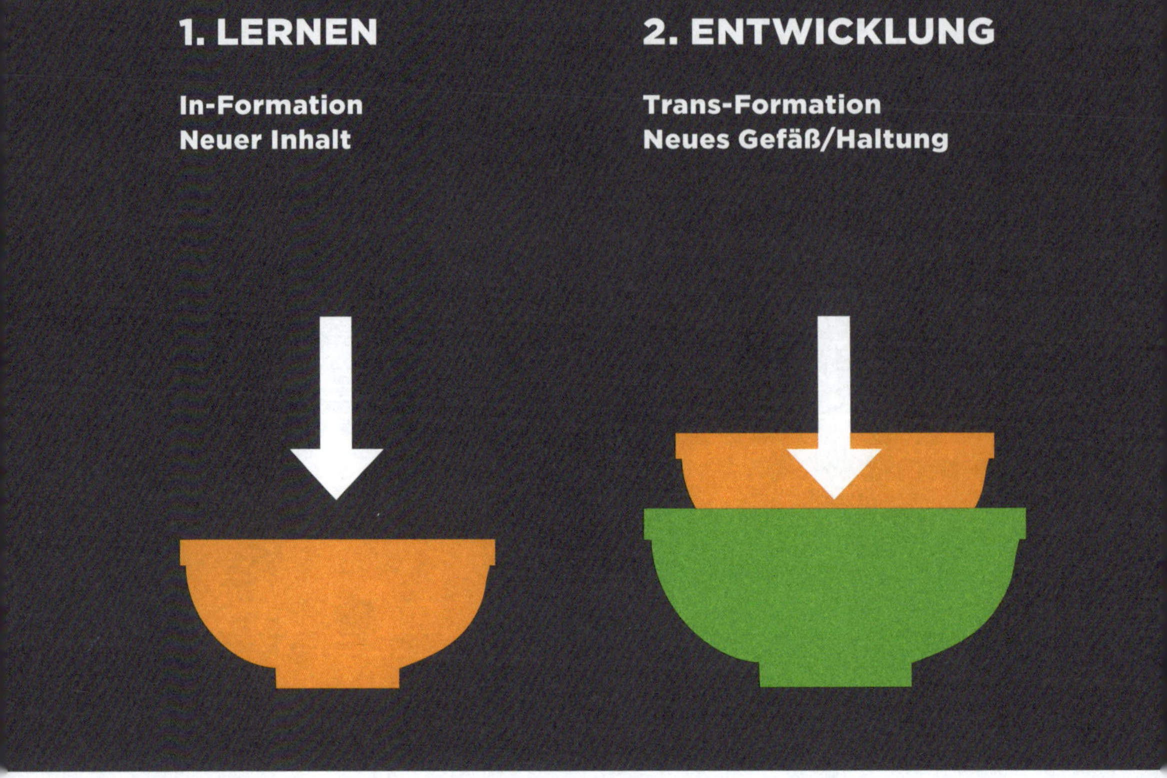

Nicht nur lernen, sondern reifen

Wir können viele Fertigkeiten erlernen, viele Dinge studieren, Sprachkenntnisse erwerben, viele Informationen aufnehmen usw., ohne unsere Haltung zu ändern. Reifung hingegen findet jenseits von Methoden und Training statt. Sie braucht Austausch und Erfahrungen, die uns die Zusammenhänge unserer Umwelt neu erkennen lassen. Wenn die dabei ausgelösten Gefühle nicht mehr in die Erklärungsmuster unserer gewohnten Haltung passen, brauchen wir ein größeres Gefäß für unsere innere Sinnsuche. Im Jahr 2019 konnten wir uns mobiles Arbeiten nicht so vorstellen, wie wir es heute erleben. Durch kollektive Erfahrungen konnten wir uns von Vorurteilen befreien. Wer sich auf neue Erfahrungen einlässt, gewinnt in der Regel auch einen erweiterten Blick auf die Möglichkeiten – z. B. der Zusammenarbeit. Oft sind es einschneidende und herausfordernde zwischenmenschliche Erfahrungen, die zur Entwicklung neuer Haltungen und Perspektiven beitragen, wie z. B. ein Jobwechsel, eine Lebenskrise oder Veränderungen im Beziehungssystem. Es ist gut, sich solche Phasen in der eigenen Biografie bewusst zu machen und zu sehen, wie sich die eigene Ich-Konstruktion biografisch immer wieder erweitert hat.

Unser Denken und Deuten bekommt ein größeres Gefäß, es enthält mehr Optionen und kann mehr halten.

Die Matrjoschka des Reifens

Jede Erweiterung entsteht dadurch, dass unsere bisherigen sinngebenden Gedanken nicht mehr ausreichen, um die wahrgenommenen emotionalen Spannungen auszugleichen. Unser inneres Gefäß läuft über, wir halten es nicht mehr aus, verlieren den Halt. Deshalb werden Übergänge als krisenhaft erlebt. Die Welt erscheint zu eng, wir wollen ausbrechen, uns neu erfinden, anders sein. Erst mit einer erweiterten Haltung, mit einer geweiteten Perspektive machen die Dinge wieder Sinn. Manche empfinden Haltungen tatsächlich als innere Räume, die offener, größer, weiter sind, oder aber als Tunnel, in dem wir uns eingeengt oder gefangen fühlen. Je größer unser inneres Gefäß ist, desto freier können Gedanken und Gefühle fließen, desto weniger identifizieren wir uns mit ihnen. Jede erweiterte Haltung enthält die Kompetenzen der vorhergehenden. In der reflexiven Rezeption des Modells interpretieren wir die Haltungen als Charaktereigenschaften oder empfinden unsere bisherigen Haltungen als abgewertet, weil es offensichtlich noch erweiterte Logiken gibt. Die Grenzen der früheren Haltungen erkennen wir leicht, die Attraktivität der erweiterten Haltungen verstehen wir erst, wenn wir Referenzerfahrungen mit ihnen machen konnten.

ICH als Subjekt
und wahrnehmender Prozess einer Sinnverleihung

Kein unmittelbarer Zugang

ICH als Objekt
ist das, was ich über mich erkannt habe

Ist mit Worten besprechbar

Ich kann …
Ich will …
Ich mag an mir …
Mir ist wichtig …
Ich fühle …

Wen meine ich, wenn ich „ich“ sage?

Unsere Identifikation mit uns als Ich beginnt dort, wo wir nicht mehr zurücktreten können, um uns gewissermaßen als Fremde von außen zu betrachten. Dann befinden wir uns an der Schwelle, an der uns ein unmittelbarer objektiver Zugang zu uns selbst noch nicht möglich ist. Hier entwickeln wir unsere Reizbarkeiten und verfügen noch nicht über die Fähigkeit zur Objektivierung, z. B. durch Aussagen wie „Früher war ich so …“, „Damals glaubte ich noch, dass …“, „Danach sah ich die Dinge mit anderen Augen …“, „Früher konnte ich mit niemandem darüber reden …“.

Der Harvard-Professor und Entwicklungspsychologe Robert Kegan (* 1946) hat seine Forschungen zur Reifeentwicklung darauf gegründet, wie weit die Fähigkeit ausgebildet ist, zwischen Subjekt und Objekt zu unterscheiden. In Interviewformaten testet seine Methode, bis zu welchem Grad die Probanden sich objektivieren können. Wir können uns selbst beobachten und darauf achten, mit welchen Geschichten über uns selbst wir uns anderen vermitteln. Die Identifikation mit unserem Prozess der Selbstwahrnehmung markiert die Grenze unserer bisherigen Haltungsentwicklung.

IMPULS: Die Grenze des Prozesses meiner Wahrnehmung
Wo ist der Rand der Besprechbarkeit und der Beginn unserer Identifikation mit unserem Prozess der Selbstwahrnehmung und unseren Selbstgeschichten? Wo haben wir nicht mehr das Gefühl, dass es jetzt um besprechbare Wahrnehmungen geht, sondern um mich als ICH?

Sich von außen erkennen

Die von Jane Loevinger und Robert Kegan beschriebenen strukturellen Unterschiede und Stufen sind weitgehend identisch. Nach Kegan nimmt mit zunehmender Reife die Fähigkeit zur Selbstobjektivierung zu. Wir sehen uns selbst objektiver, erkennen unsere grundlegende Subjektivität an und identifizieren uns weniger mit unseren Selbstgeschichten. In gewisser Weise handelt es sich dabei um eine Dekonstruktion unseres subjektiven, rollengebundenen Selbsts, die es uns ermöglicht, unsere Gegenwart objektiver zu sehen. Für den mit uns identifizierten Teil von uns mag das bedrohlich sein, aber es führt uns weiter in einen größeren Raum, der sich ganz natürlich als unser Selbst anfühlt.

Wir können uns mehr von uns wissen lassen. Nicht mehr an etwas festhalten zu müssen, sondern einfach wir selbst zu sein, ist eine Beschreibung, die wir auf diesen Prozess anwenden können. Eine spannende Übung dazu: In einer einstündigen Gesprächsrunde sich gegenseitig immer wieder neu die Frage zu beantworten: „Wer bist du?“ (Wechsel nach jeweils fünf Minuten)

Der Strom der Meme

„Das Mem (Neutrum; Plural: Meme) bezeichnet einen einzelnen Bewusstseinsinhalt, zum Beispiel einen Gedanken. Es kann durch Kommunikation weitergegeben und damit vervielfältigt werden und wird so soziokulturell auf ähnliche Weise vererbbar, wie Gene auf biologischem Wege vererbbar sind. Ganz entsprechend unterliegen Meme damit einer soziokulturellen Evolution, die weitgehend mit denselben Theorien beschrieben werden kann wie die biologische: Selektion, Mutation und Adaption." (Matthias Horx; * 1955)

Demnach sind Meme Vorstellungen, Kulturerzeuger und Entwicklungstreiber. Sie können auch rein fiktionale Inhalte haben, die in den jeweiligen Kulturen kollektiv als wahr empfunden werden. Sie können von außen betrachtet unsinnig erscheinen, aber für ein Kollektiv tiefe Bedeutung haben. Wenn wir geboren werden, ist die Welt schon da und wir werden mit unserer Geburt in ihre Konstrukte verwoben. Meme erzeugen in unserer kollektiven Psyche Vorstellungen von der Welt, die nicht unbedingt an physikalische Gesetze gebunden sind. Es sind konstruierte kulturelle Vorstellungsräume, die „real" wirken, aber nicht Teil der äußeren Welt sind. Sie stellen eigene, mächtige Konstrukte dar, die der unmittelbaren Wahrnehmung widersprechen können. Diese abstrakten Konstrukte sind viel mehr Teil unserer Wirklichkeitskonstruktion, als uns bewusst ist und wir uns eingestehen.

IMPULS: Kulturelle Meme in uns erkennen

Für viele Menschen wird die Idee der Meme besonders deutlich, wenn sie zum ersten Mal in einem fernen Land sind und erkennen, dass unsere Vorstellung davon, was ein gutes Leben ausmacht, von anderen Menschen völlig anders gesehen werden kann, und dass diese andere Sichtweise uns vielleicht in Teilen sinnvoller erscheint als das, was wir bisher verinnerlicht haben. Wir erkennen, dass unsere Prägung ein Realitätsfilter ist.

Welche Meme/Vorstellungen haben deine Kindheit geprägt?
Welche Meme/Vorstellungen haben dich verlassen?
Welche Überzeugungen sind in deinem Umfeld aktuell aktiv?
Welche Meme, die jetzt schon da, aber kulturell noch nicht in der Breite wirksam sind, werden möglicherweise in 5 Jahren deine Überzeugungen prägen?

Der Philosoph Markus Gabriel (* 1980), Professor für Erkenntnistheorie und Philosophie der Neuzeit, stellt fest, dass der Weihnachtsmann in diesem Sinne real ist, weil er kulturell wirksam ist und unser Handeln, Denken und Fühlen beeinflusst. Selbst wenn wir ihn als Fiktion erkennen, geben wir diese Fiktion an die nächste Generation weiter. Der Umgang mit der ökologischen Krise ist ein Beispiel für eine solche kollektive Fiktion. Die prägende Fiktion Wachstum = Wohlstand ist stärker als der Realitätsbezug. Obwohl wir im Außen alle Fakten und deren Folgen objektiv wissenschaftlich erkannt haben, wird die Ursache des Problems, das grenzenlose Wachstum, als Lösungsansatz beibehalten. Wir haben uns von der Natur entfremdet und merken deshalb nicht, dass wir uns selbst zerstören. Unterschiedliche Haltungen erzeugen unterschiedliche Meme und ziehen entsprechende Meme an und lehnen andere ab. Kulturen werden durch die vorherrschenden Meme und Haltungen ihrer Mitglieder geprägt. Dementsprechend übernehmen wir unbewusst diese kulturellen Haltungen und sind uns ihrer Begrenztheit nicht bewusst. Diese Begrenztheit sehen wir eher bei „anderen" Kulturen, die eben andere Meme pflegen. Für die Erweiterung unserer Haltung ist es auch entscheidend, welche Meme es in unserer Umgebung gibt und welche kulturellen Bedingungen um uns herum herrschen. Unsere Gedanken sind nicht so frei, wie wir glauben. Wir können noch nicht die Gedanken denken, die vielleicht in 200 Jahren als normal angesehen werden, und vieles, was uns heute normal erscheint, wird uns rückblickend absurd erscheinen.

Konstrukt und Inhalte unterscheiden

Meme unterscheiden sich je nach Haltung in ihrer Struktur und Komplexität, nicht unbedingt in ihrem Inhalt. Ich kann in jeder Haltung für oder gegen Atomkraft sein, aber die Art und Weise, wie ich meine Gedanken aufbaue, wird sich mit meiner Haltung erweitern. Es ist ein typisches Missverständnis, dass wir thematische Inhalte bestimmten Haltungen zuordnen und meinen, wenn bestimmte Reizworte auftauchen, könne man daraus auf eine bestimmte Haltung schließen. Gleichzeitig hat jede Haltung andere Aufmerksamkeitsschwerpunkte, die mit anderen Inhalten verbunden sind. Ein inhaltlicher Zusammenhang zwischen Haltungen und Inhalten kann bestehen, muss aber nicht. Im Laufe der kulturgeschichtlichen Entwicklung sind durch die Erweiterung von Haltungen neue thematische Inhalte entstanden, die vorher keine Rolle gespielt haben. Die Freiheit der Wissenschaft, Menschenrechte, Gleichberechtigung, Abrüstung, Demokratie, Meinungsfreiheit und Selbstverwirklichung sind Beispiele dafür. Sind diese Meme einmal kulturell wirksam, werden sie von allen Haltungen auf ihre Weise interpretiert.

„Vertikale Entwicklung bedeutet, eine differenziertere und integriertere Sicht auf sich selbst und die Umwelt zu entwickeln“

Thomas Binder (* 1967)

Eine Meinung bedeutet keine bestimmte Haltung

Über typische postkonventionelle Themen wie Nachhaltigkeit oder Agilität zu sprechen, bedeutet nicht, auch in einer postkonventionellen Haltung zu sein. In einem LinkedIn-Beitrag titelt Marcus Mitzlaff von den HR Pioneers: „Haltung entscheidet nicht“, denn nur Haltung plus ein entsprechender innerer Zustand führt zu neuem Verhalten. In unserem Modell gehen wir davon aus, dass zu einer Haltung auch der entsprechende innere Zustand gehört. Dies wird in schriftlichen Beispielen nicht immer deutlich, weshalb es in diesem Buch zu Missverständnissen bezüglich der Zuordnung von Konstrukt und Inhalt kommen kann. Für ein besseres Verständnis ist es hilfreich, ein und dasselbe Thema durch die sechs Haltungen hindurch zu deklinieren und dabei jeweils Pro- und Kontrapositionen einzunehmen. Jede folgende Haltung erweitert die Perspektive und es fällt leichter, die Position der Gegenseite einzunehmen oder schwierige Konfliktpunkte umzudeuten. Hier am Beispiel der Atomkraft:

PRO	KONTRA
Affektive Bewertung	
Atomkraft ist geil.	Atomkraft ist Schwachsinn.
Übernommene Meinung	
Atomkraft nutzt man, weil es gut für uns ist.	Atomkraft darf man nicht nutzen, weil es schlecht für uns ist.
Sachliche Meinung	
Atomkraft erzeugt billigen Strom und ist eine technische Meisterleistung.	Atomkraft bringt Sicherheitsprobleme und hat ungeheure Folgekosten. Die Endlagerung ist ungeklärt.
Eigene differenzierte Meinung	
Atomkraft ist eine Chance für den Wohlstand in unserer Gesellschaft und die Basis für den Fortschritt, der immer mehr Energie braucht. Allein schon für meinen Lebensstil mit Computern, Internet und Elektroauto.	Atomkraft hat uns in einer Illusion gehalten und die Chancen auf Wohlstand langfristig erschwert. Hätten wir vor 70 Jahren auf Windkraft gesetzt, wären wir als Gesellschaft freier und hätten mehr Ressourcen.
Eigene Meinung und zusätzliche Perspektiven	
Atomkraft kann unter bestimmten Voraussetzungen nützlich sein. Es ist richtig, dass damit Schwierigkeiten verbunden sind, aber die haben wir mittlerweile im Griff. Ich denke, es geht darum, Ängste abzubauen und im Dialog einen Ausgleich mit den unterschiedlichen Interessengruppen zu erreichen. Natürlich ist Atomkraft keine Lösung für jede Situation, aber jede Technologie hat Vor- und Nachteile.	Atomkraft ist im Vergleich zu anderen heutigen Technologien mit großen Nachteilen behaftet. Es ist richtig, dass der CO_2-Ausstoß geringer ist, aber bei der Mär vom billigen Strom werden die Ewigkeitskosten der Endlagerung übersehen. Es wäre besser, auf die Errichtung solcher Gefahrenorte und -potenziale zu verzichten bzw. diese zu entfernen, zumal die Alternativen vorhanden sind.
Mehrere Meinungen und Kontext	
Die Gefahren waren sicher real, aber neue Reaktoren, die mit Flüssigmetall gekühlt werden, bieten Sicherheit. Nur regenerative Energieerzeugung wäre sicherlich am besten und doch brauchen wir jetzt viel Energie für die Herstellung neuer Energieerzeuger. Ich bin da ambivalent, sehe aber aktuell mit Blick auf den Klimawandel, dass die Kernenergie ein wichtiger Baustein sein kann, über den wir im Dialog bleiben sollten.	Zum Erbe der Atomkraft gehören sechs gesunkene Atom-U-Boote und Tausende verklappte Fässer, mit denen wir schon jetzt umgehen müssen. Die Welt ist kein Labor, das immer Idealbedingungen garantiert. Randbedingungen ändern sich, wie jetzt in der Ukraine. Die behutsame Ablösung alter Technologien ist eine kommunikative Aufgabe, die einen offenen Dialog braucht, der auch die Schattenseiten bewusst anerkennt.

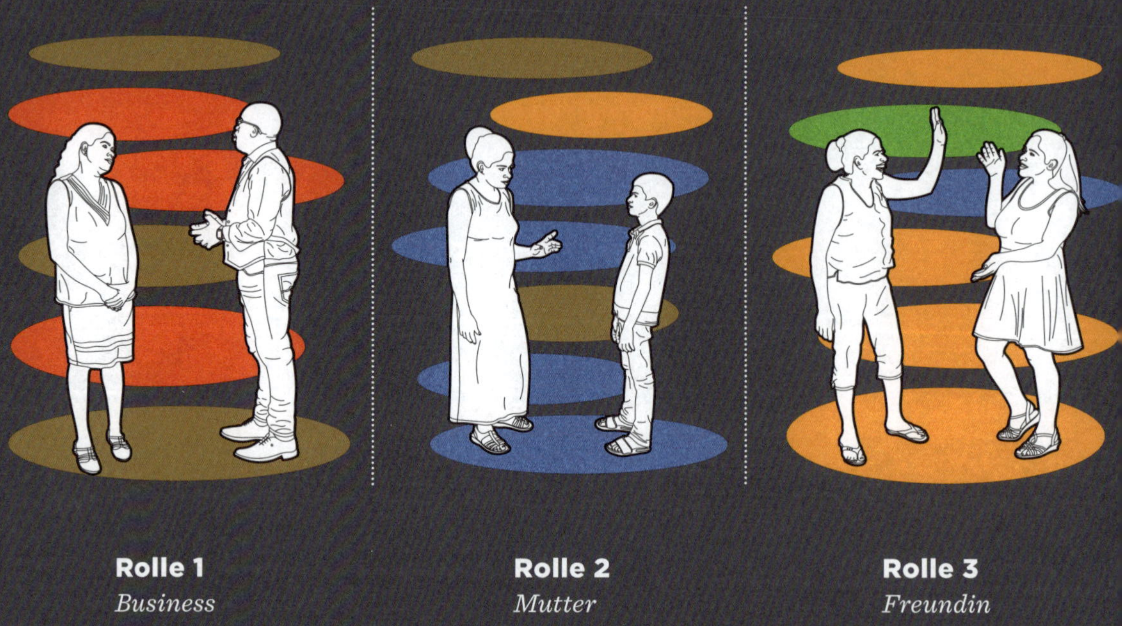

Meme formen Teilpersönlichkeiten

Meme prägen auch unsere Rollenidentitäten. Wenn neue Mitarbeitende in eine Organisation kommen, beobachten wir, wie sie nach und nach kulturelle Eigenheiten und die Sprache übernehmen. Am Anfang beziehen wir uns in Erzählungen noch auf ein „Wir“, das sich auf den vorherigen Arbeitgeber bezieht. Irgendwann bezieht sich das „wir“ auf das aktuelle Umfeld. Wir übernehmen Vorstellungen und Überzeugungen und formen daraus eine neue rollengebundene Teilpersönlichkeit. Im Business hört frau aufmerksam zu, wenn der Vorgesetzte was sagt, ihrem Kind gegenüber erhebt sie den Zeigefinger und mit ihrer Freundin agiert sie auf Augenhöhe. Vielleicht ist jemand zu Hause sehr liberal, vertritt aber in politischen Diskussionen gegenüber anderen rigide Positionen. Oft unterscheiden sich Stimme, Wortwahl und Körpersprache deutlich voneinander, und manchmal können wir innerhalb eines Gesprächs mehrere Rollenwechsel beobachten. In Rollen haben wir Zugang zu verschiedenen Erkenntnisnetzwerken in uns. Befinden wir uns in Kontexten, in denen frühere Haltungen dominieren, haben wir oft das Gefühl, eine Art Übersetzungsarbeit leisten zu müssen, um verstanden zu werden. Wenn wir divergierende Rollenidentitäten in uns erkennen,

IMPULS: Vergleiche Werte und Verhalten in den Rollen deiner Teilpersönlichkeiten

Unsere rollengebundenen Teilpersönlichkeiten können sich in der Haltung unterscheiden, die wir gewohnheitsmäßig in ihnen einnehmen. Am einfachsten lässt sich der Unterschied feststellen, wenn wir unsere Sprache in den Rollen vergleichen. *Was drücken wir aus und was nicht? Welche Stimme benutzen wir? Welche Wörter? Wie frei fühlen wir uns und wie sehr haben wir das Gefühl, eine Maske aufsetzen und übersetzen zu müssen?*

*Wie bist du mit Freund*innen?*
Wie mit deinen Eltern?
*Wie mit Kolleg*innen?*
Wie beim Kennenlernen im Business?
Wie im Coaching?

Die Spannung, die wir zwischen unserem Sein in unseren verschiedenen Rollen erleben, ist ein Wachstumsmotor. Oft erweitern wir unsere Haltung zunächst in Teilbereichen unseres Lebens, weil wir das Gefühl haben, in anderen Rollen nicht wir selbst sein zu können, weil wir unbewusst an den Memen festhalten, die wir für diesen Bereich als adäquat erachten.

führt dies oft zu einer Wachstumsspannung. In einigen Rollen halten wir uns zurück und verwenden einen reduzierten, angepassten Sprachraum. In anderen Rollen sind wir reflektierter und nutzen Denkkonzepte mit höherer Komplexität. Für die Entwicklung einer Organisation liegt hier eine wichtige Ressource, denn privat agieren wir meist in erweiterten Haltungen im Gegensatz zu unseren Rollen in einer Organisation. Das Modell hilft, haltungstypische Meme und ihre Strukturen zu verstehen.

Da haltungstypische Meme zu verschiedenen Zeitschichten in uns gehören, können Rollen in uns verschiedene Altersstufen repräsentieren. Einige unserer Rollen oder Teilpersönlichkeiten sind kindlich, rebellisch, überangepasst und reagieren auf Muster aus der Vergangenheit. Sie werden aktiviert, wenn unsere Gefühle noch eingekapselt und reizbar sind, weil wir vielleicht durch Prägungen und kulturelle Meme gelernt haben, uns von bestimmten Gefühlen zu distanzieren und sie als nicht zu uns gehörig wahrzunehmen. Die Fiktion kultureller Meme, etwa in Form von Scham oder Schuld, prägt dann die Realität stärker als die Wahrnehmung der eigenen Gefühle. Die mögliche Nachreifung findet über das Durchfühlen angehaltener Gefühle und die Nachjustierung der verbalen Sinngebung statt.

10 Hinweise für die Arbeit mit dem Modell der Haltungen

1. Das Modell ist eine Landkarte, die vereinfacht, um Phänomene besser beobachten zu können. Es bringt die beobachtbaren Reifungsprozesse in eine verständliche Ordnung und Reihenfolge.

2. Das Modell unterscheidet Haltungen qualitativ. Jede Haltung verändert die Art und Weise, wie wir unbewusst äußere und innere Erfahrungen erleben und auf sie reagieren.

3. Mehrdeutigkeiten sind normal. Im Modell geht es nicht um eine Schematisierung der Wirklichkeit, sondern um das Erkennen möglicher Entwicklungsräume.

4. Das Modell bewertet nicht. Jede Haltung stellt in ihrer integrierten Form eine wichtige, erhaltenswerte Lebenskraft dar und hat haltungsspezifische Reizbarkeiten.

5. Menschen handeln in der Regel aus einer Gewohnheitshaltung heraus. Je nach Kontext, in dem wir uns bewegen, nehmen wir rollenbedingt auch frühere Haltungen ein.

6. Wir können nicht linear von einem bestimmten Verhalten auf eine Haltung schließen. Jeder Mensch hat nicht integrierte Anteile, die in regressiven Momenten sichtbar werden.

7. Unsere eigene temporäre Haltung ist unser subjektiver Realitätsfilter. Wir können die Haltungen, die vor uns liegen, oft noch nicht in uns erkennen.

8. Glück und Zufriedenheit sind haltungsunabhängige Dimensionen. Die Haltung eines Menschen sagt nichts darüber aus, ob er intelligent, freundlich oder liebenswert ist.

9. Das Modell ist nicht normativ und beinhaltet keinen Handlungsauftrag oder Entwicklungszwang. Selbstentwicklung ist immer freiwillig.

10. Wir können eine Haltung nicht im herkömmlichen Sinne erlernen. In der Arbeit mit dem Modell können wir lernen, die Welt und uns selbst differenzierter wahrzunehmen und zu verstehen.

1.3 Die Haltungen und ihre Möglichkeiten

Der Blick auf die Haltungen und ihre modellhafte Darstellung der Entwicklung wird auch durch den Filter unserer Haltung geprägt. Je nach Haltung konstruieren wir aus dem, was das Modell anzeigt, eine andere Bedeutung. In Impulsworkshops mit Führungskräften führt dies oft zu einem lebhaften Austausch, in dem sich die Grundpositionen immer wieder ähneln.

Manche sehen darin Bewertungen von „besser" und „schlechter". Andere sagen, dass man im Unternehmen eben mit einer bestimmten Haltung agieren müsse und im Beruf kein Platz für eine erweiterte Haltung sei, weil es dort um andere Dinge gehe. Für den Karrieristen in uns stellt sich die Frage, wie weit wir sind und wie schnell wir vorankommen, damit wir möglichst weit „oben" sind und die anderen endlich auch vorankommen, weil uns deren Haltung schon lange nervt. Auf der anderen Seite lehnen wir Kategorien ab, weil wir befürchten, dass ein Entwicklungsmodell Menschen ausschließt oder Vorurteile verstärkt.

Die Beschreibungen der Haltungen lehnen sich stark an die Forschungsergebnisse von Jane Loevinger zur Ich-Entwicklung an. Das Modell ist eine Hilfe zur intrinsisch motivierten Selbsterkenntnis, es erteilt keinen normativen Entwicklungsauftrag. Ähnlich wie bei anderen Unterscheidungsmerkmalen wie IQ, Größe, Gewicht, Fitness oder Fachwissen können wir die Beobachtungen dort einsetzen, wo es uns sinnvoll erscheint. Wir sind keine Haltung, wir sind mehr. Anstatt andere als „rot", „blau" oder „orange" einzustufen, empfiehlt es sich, die Haltungen in uns selbst bewusst wahrzunehmen und Entwicklungen bei uns selbst anzuregen, bevor wir sie anderen zumuten.

Jeder Mensch verfügt über eine gewisse Bandbreite an Haltungen, und alle Haltungen stehen jedem Menschen offen. Wir erwerben sie nach und nach, und mit jeder Erweiterung gewinnen wir eine zusätzliche Perspektive und ein neues Navigationsinstrument für unsere innere Welt. Es ist ein höchst individueller Prozess, der nicht linear oder schematisch verläuft und von Phasen der Regression und Progression begleitet wird. Die Regression in frühere Haltungen ist besonders plakativ, weil wir alle die früheren Haltungen gut kennen. Als Entwicklungsimpuls wertvoller sind die Erfahrungen der Progression in die späteren Haltungen, die wir weniger gut kennen und die eine Anziehung auf uns ausüben. Oft sind dies innere Leuchtturmerlebnisse, die eine große Motivation für uns bei unserer Entwicklung bilden, weil wir durch diese Erfahrungen schon wissen, wer wir sein könnten.

Haltung ist nicht normativ zu verstehen

Das Modell der sechs Haltungen verleitet bisweilen dazu, andere Menschen zu kategorisieren oder zu bewerten. Manche Haltungen werden als besser empfunden, was auch an den Beispielen liegt, die bei den frühen Haltungen eher weniger komplexe Denkweisen illustrieren.

Es fällt uns leichter, uns von frühen Haltungen zu distanzieren, sie zu beschreiben und als subjektiv anzuerkennen. Bei unseren aktuellen Gewohnheitshaltungen fehlt uns diese Distanz noch. Wir identifizieren uns mit unserem Wahrnehmungsprozess und empfinden ihn als unser „Ich“. Dadurch wird es schnell persönlich und wir sind in unseren Reaktionen auf unseren vermeintlichen Entwicklungsstand auf unsere Weise gereizt. Es erscheint uns als Kränkung unseres Selbstbildes, wenn wir ahnen, dass wir uns auf einer vermeintlichen Besser-Skala noch nicht alle Bereiche erschlossen haben. Wir sind keine Haltung, sondern nehmen sie gewohnheitsmäßig und temporär ein. Je nach Kontext, je nach Rolle erleben wir uns in unterschiedlichen Haltungen und erkennen daraus resultierende Unterschiede in unserem Verhalten und unseren Sprachmustern.

Jede Haltung ist eine Reifung. Die Integration der Bedürfnisse früherer Haltungen bildet die Grundlage für die Entwicklung späterer Haltungen. Wir verlieren den Halt, wenn wir die Haltungen in unserer Umgebung ändern, deshalb ist Veränderung schwer. Unsere Identität gerät ins Wanken, und wir lernen nur langsam, uns in einer neuen Sinngebung neu zu erzählen. Welchen Wert wir der Reife beimessen, hängt von uns selbst und vom Kontext ab. Manche Möglichkeitsräume entstehen eher in einer erweiterten Haltung, weil sie vorher nicht als Möglichkeit erkannt wurden. Bei der Auswahl eines Coachs ist zum Beispiel dessen Haltung ein wichtiges Kriterium. Ein Coach mit einer erweiterten Haltung wird sich für das persönliche Bedürfnis nach Perspektivenerweiterung als wertvoller erweisen. Thomas Binder (* 1967), Berater und Forscher auf dem Gebiet der Ich-Entwicklung, beschreibt dies ausführlich in seinem Buch „Ich-Entwicklung für effektives Beraten“. Ein Coach sollte in seiner Ich-Entwicklung weiter sein als seine Coachees. Wer einmal das Gegenteil erlebt hat oder in sozialen Netzwerken von einer bestimmten Art von Coaches angesprochen wurde, merkt sehr schnell am Sprachraum, ob es sinnvoll ist, sich auf einen solchen Beratungskontext einzulassen oder lieber nicht. Das heißt nicht, dass einer dieser Coaches nicht für jemand anderen eine Idealbesetzung sein kann. Als Menschen haben wir den gleichen „Wert“, egal in welcher Gewohnheitshaltung wir sind. Für bestimmte Rollen und Kontexte kann eine erweiterte Haltung wertvoller sein. Im Idealfall erweitert ein Coach unseren Sprachraum und zeigt uns neue Perspektiven auf, sodass wir das Erleben von emotionalen Spannungen für uns neu deuten können.

Entwicklung schrittweise gestalten

Entwicklung geschieht durch wiederholte Referenzerfahrungen in einer erweiterten Haltung. Jede Haltungserweiterung hat ihre eigenen Themen und Methoden. Methoden und Menschen, die uns vor zehn Jahren bei einem Entwicklungsschritt geholfen haben, helfen uns beim nächsten Wachstumsschritt nicht mehr. Das Modell der Haltungen kann uns dabei unterstützen, zu erkennen, welcher nächste Schritt für uns wertvoll sein könnte. Wir sind eingeladen, die Beobachtungen, die wir aus dem Modell ableiten können, für uns sinnvoll zu nutzen. Dies gilt sowohl für die Entwicklung von uns selbst als auch von Teams und Organisationen. Insbesondere bei der Auswahl von Führungspersönlichkeiten lohnt sich der Blick auf die Haltung, denn die den Haltungen innewohnenden Denk- und Verhaltensweisen werden systemimmanent als passend oder nicht passend bewertet. Wer gerne über Kontrolle führt, wird es nicht schaffen, eine agile Organisation aufzubauen. Das Wissen um die Entwicklung von Haltungen hilft uns, Unterschiede in der Haltung zu Führung und zu Organisationsformen besser zu verstehen und damit Entwicklung harmonischer zu gestalten. Das hilft uns, Führungskräfte zu identifizieren, die den Anforderungen der Organisation wie einer geplanten Transformation besser entsprechen können.

> *„Wandel im Unternehmen und in der Führung beginnt mit einem persönlichen Veränderungsprozess."*
>
> Susanne M. Zaninelli (* 1958)

Ein Schmerzpunkt, der von dem Blick auf die Haltungen aktiviert wird, ist, dass wir mit der aktuellen Gewohnheitshaltung quasi verschmolzen sind. Unsere aktuelle Haltung filtert alles, ordnet den Phänomenen unsere subjektiven Interpretationen zu und erzeugt so unsere Überzeugungen, die uns als allgemeine Wahrheiten erscheinen. Es gehört zu den bemerkenswertesten Phänomenen unserer Psyche, dass wir in Teilpersönlichkeiten unterschiedliche Haltungen einnehmen können, ohne uns dessen bewusst zu sein. Wir können sehr unterschiedliche Positionen und Sprachräume einnehmen und dennoch glauben, eine innere Einheit und Integrität zu besitzen. Es ist hilfreich zu erkennen, dass wir in rollengebundenen Teilpersönlichkeiten aus unterschiedlichen Haltungen heraus handeln. Dies erhöht unsere psychische Flexibilität. Die eigene Widersprüchlichkeit anzuerkennen ist nicht einfach, aber sehr befreiend. Das „Erkennen" wird dann wichtiger als das „Richtigmachen".

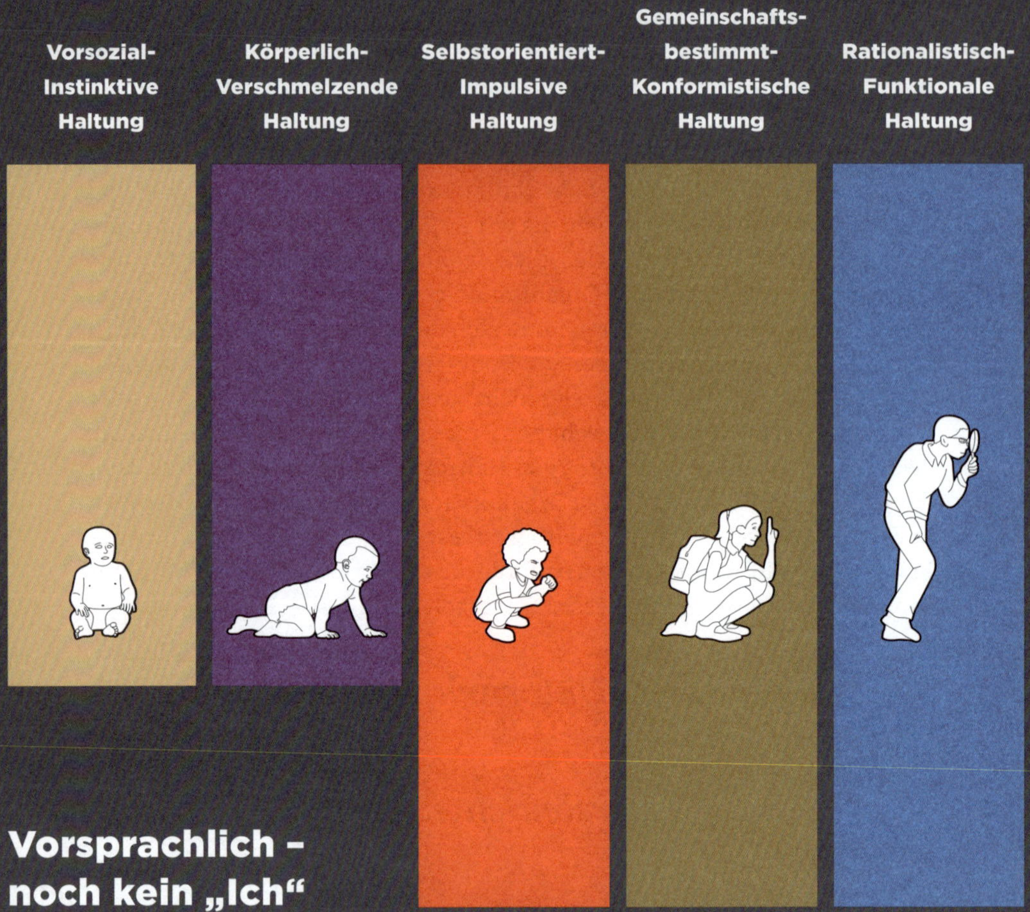

Die Erfahrungsräume der Haltungen

Jane Loevingers Forschungen zur Ich-Entwicklung beschreiben neun Ebenen, denen Susanne Cook-Greuter in ihren Forschungen eine zehnte hinzugefügt hat. In unserem Modell der Haltungen betrachten wir vor allem die mittleren sechs, da diese Ausprägungen bei Erwachsenen am häufigsten anzutreffen sind. Diese sechs Haltungen beschreiben wir in aller Ausführlichkeit im Buch „Haltung entscheidet“. Da ich oft gefragt werde, was „danach kommt“, beschreibe ich hier alle zehn Haltungen. Die einzelnen Haltungen entwickeln sich kulturübergreifend bei jedem Menschen in einer bestimmten Reihenfolge. Die Beispiele und Impulse in diesem Buch erläutern zusätzlich die Haltungen in ihren vielfältigen Ausprägungen.

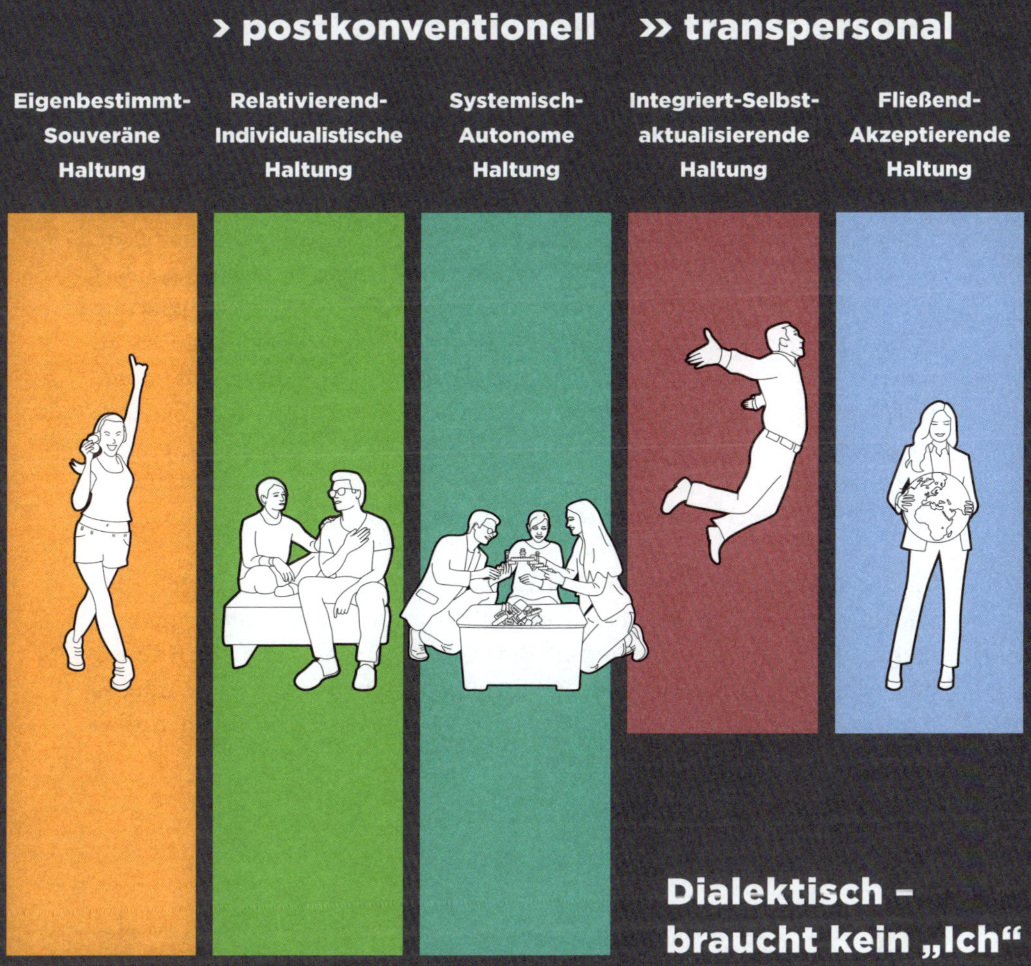

Wir empfehlen, die Selbstwahrnehmung des eigenen biografischen Weges anhand der Haltungen zu reflektieren. Dieser persönliche Weg wird von anderen Wahrnehmungen und Erfahrungen geprägt sein als jene, die wir exemplarisch darstellen. Es ist schwer zu vermitteln, wie wir unser Selbstgefühl von innen heraus wirklich erleben. Manchmal können wir die Übergänge nicht so klar erkennen, weil wir uns noch stark mit der aktuellen wahrnehmenden Subjektivität identifizieren. Dann meinen wir, irgendwie schon immer so gewesen zu sein wie jetzt, obwohl es offensichtlich ist, dass sich unser Umgang mit Impulsen, mit anderen Menschen ebenso verändert hat wie das, was für unser Ich-Empfinden identitätsstiftend war oder ist. Keine Haltung ist „besser“ – Haltungen stellen die Reise durch die Möglichkeitsräume dar, in denen wir uns und unsere Mitwelt jeweils anders erfahren.

Die beiden vorsprachlichen Haltungen

Für unsere Entwicklung sind auch die ganz frühen Phasen von großer Bedeutung. Für die Erforschung der Ich-Entwicklung spielen sie eine geringere Rolle, da sie größtenteils den vorsprachlichen Bereich betreffen. In den frühen Scoring Manuals, den wissenschaftlichen Anleitungen zur Bestimmung der Gewohnheitshaltung von Jane Loevinger, taucht die zweite Stufe noch auf. In neueren Scoring-Verfahren wird sie nicht mehr gesondert berücksichtigt. In der Traumaarbeit kann eine genauere Differenzierung sinnvoll sein. Es ist schwierig, sich diesen frühen Phasen kognitiv zu nähern, da wir meist keine sprachliche Erinnerung an diese Zeit haben. Körperarbeit oder Aufstellungen sind Beispiele für methodische Zugänge zu diesen Konstruktebenen. Ungünstige Entwicklungsumstände können viel emotionale Energie in diesen Konstruktebenen binden, die dann für zukünftige Wachstumsschritte fehlen kann.

Wir sind eingeladen, uns innerlich auf die Reise unserer eigenen Ich-Entwicklung zu begeben und uns mit den Bildern zu verbinden, die in uns entstehen, wenn wir an unsere eigene Entwicklung in der jeweiligen Haltung zurückdenken. Wie gesagt: Die Erfahrungen können ganz andere Inhalte haben als in den Beispielen. Strukturell ähneln sich die Haltungen in allen Kulturen.

Vorsozial-Instinktive Haltung

Wenn wir auf die Welt kommen, sind wir im wahrsten Sinne des Wortes sprachlos und starten bei null. Wir sind mit körperlichen Wahrnehmungen und der Verarbeitung instinktiver Sinneseindrücke beschäftigt. Alles spielt sich noch in einer Art Trance ab, ohne dass wir die Dinge benennen können. Erste Gefühle entstehen und nach ein paar Wochen können wir Freude ausdrücken, später kommen Ärger und Wut dazu und meist nach sechs bis acht Monaten die Furcht vor anderen – wir fangen an zu fremdeln. Sind diese Bedürfnisse gut integriert, gibt uns das ein Urvertrauen in das Leben. Wir sind grundsätzlich mit unserem physischen Sein in unserem Körper im Reinen und haben Zugang zu unserem emotionalen Empfinden. Bis zum Alter von zwei Jahren erleben wir die Entwicklung von Gefühlen wie Wut, Scham, Neugier, Ekel, Angst und Freude in uns. Wenn hier Energien gebunden werden und die Gefühle nicht frei wahrgenommen werden können, kann sich dies in einem Misstrauen gegenüber dem Leben äußern. Wir haben das Gefühl, nicht richtig da zu sein und mit Worten nicht weiterzukommen. Im Rahmen der Ich-Entwicklung wurde diese Stufe nicht weiter erforscht.

Körperlich-Verschmelzende Haltung

In dieser Phase beginnt die Sprachbildung. Wir haben noch keine Vorstellung von einem Ich und können dieses Wort noch nicht verwenden. Wir sehen uns noch als Teil unserer Bezugspersonen und klammern uns an sie, als wären wir noch körperlich eins mit ihnen. In den Tests zur Ich-Entwicklung, die diese sprachliche Stufe erfassen, sind die Sprachmuster, die dieser Phase zugeordnet werden, oft körperlich geprägt und haben mehr mit Wohlbefinden und Unwohlsein zu tun. Andere Menschen werden in einfachen Unterscheidungen verstanden: gut oder böse, richtig oder falsch. Von den einen bekomme ich Hilfe und Zuwendung, die anderen sind die Bösen. Wir sehen uns als untrennbaren Teil unserer sozialen Herkunftsgruppe. Manche bezeichnen diese Haltung auch als magisch oder animistisch und verbinden sie mit einem Clan- oder Stammesgefühl und dem Identitätskonzept, Teil einer Blutlinie zu sein. Der noch fehlende „Ich"-Bezug kann positiv mit der Fähigkeit zum Verschmelzen und dem Gefühl des Eins-Seins mit anderen gedeutet werden und eine gewisse Ego-Freiheit suggerieren.

Wir lernen, das Wort „nein" zu benutzen. Begründungen, Sachzusammenhänge und Regeln werden nur rudimentär verstanden. Da wir als Kinder unser Innenleben nicht in Worte fassen können, sind wir noch nicht in der Lage, zwischen körperlichen und emotionalen Missempfindungen zu unterscheiden.

Das ist das altersgemäße Verhalten eines Kleinkindes, das sich in späteren Jahren in Form von stark impulsiven Persönlichkeitsmerkmalen manifestiert. Manche stark impulsiven Persönlichkeitsauffälligkeiten mit extremen Stimmungsschwankungen können auf eine noch nicht vollständige Integration der Bedürfnisse dieser Haltung verweisen. In der unintegrierten Erfahrung dieser Haltung sind wir bei Verstimmtheiten schlecht drauf, stark reizbar und es fällt uns noch schwer, zu begreifen, woran das liegt, und eine innere Distanz dazu aufzubauen. Sind wir in dieser Haltung noch gebunden, kann sich das in einer tiefen unbewussten Unsicherheit gegen über uns selbst und in Existenzzweifeln äußern.

Durch die Integration dieser Haltung werden wir frei von Scham und Selbstzweifeln und es entsteht eine positive Grundhaltung, dass wir grundsätzlich in dieser Welt willkommen sind und uns nicht infrage stellen müssen. Wir entwickeln einen entspannten Kontakt zu unserer Körperlichkeit und den damit verbundenen Bedürfnissen.

Die darauffolgende Haltung wird im Modell als erste Haltung beschrieben.

Selbstorientiert-Impulsive Haltung

Jede Haltung baut auf der vorhergehenden auf. Von der starken Eingebundenheit in ein Wir verlagert sich in dieser Haltung der Fokus unserer Aufmerksamkeit auf uns als Ich. Wir lernen das Wort „Ich“ und entwickeln einen eigenen Ich-Kontakt. Damit beginnt unsere konstruierte Individualität und eine egozentrische, selbstschützende Phase. Wir trauen uns, uns von den elterlichen Bezugspersonen zu lösen, und grenzen uns aktiv von ihnen ab. „Selber“, „allein“ sind typische Zeichen der Abgrenzung. Viele Menschen haben hier ihre ersten Erinnerungen, z. B. Situationen im Urlaub, mit den Großeltern, auf dem Spielplatz oder auch ganz andere. Das Ich-Gefühl kann in dieser Phase sehr frei und unbeschwert sein. Vielleicht erinnern wir uns daran, wie wir uns gegenseitig Sand in die Kleider geschaufelt haben, wie wir jauchzend immer höher geschaukelt haben, wie wir mit Freund*innen gesungen haben, wie wir Fangen gespielt haben, wie wir uns beim Figuren- oder Puppenspiel in unseren eigenen Fantasien verloren haben, wie wir neugierig durch die Natur gestreift sind, Geschichten erfunden haben und uns zu nichts verpflichtet gefühlt haben. Ohne langfristige Ziele oder abstrakte Ideale folgten wir spontanen Bedürfnissen. Die Welt schien sich um uns zu drehen. Alles war direkt, hier und jetzt, wir hatten wenig Geduld, einen kurzen Zeithorizont und waren auf konkrete Dinge fokussiert.

Mit dieser frühen Haltung wird auch der Raum in uns beschrieben, der als „inneres Kind“ bezeichnet wird. Sie ist ein Teil in uns, in dem wir uns als freies Kind erleben und der auch im Erwachsenenalter eine wichtige Ressource für uns darstellt. Ist diese Haltung gut integriert, ermöglicht sie uns den Zugang zu unseren spielerischen, präkonventionellen freien Anteilen. Wir fühlen uns gut mit uns selbst und sind energetisch gut aufgestellt, so wie wir uns z. B. beim Spielen als frei erfahren können.

Dieser präkonventionelle Zustand wird von außen teilweise mit Ablehnung und Zurechtweisung begleitet. Unser „So-Sein“ wird infrage gestellt und uns wird deutlich gemacht, dass wir uns unterordnen müssen, wenn wir zu einem „Wir“ gehören wollen. Dies führt zu inneren emotionalen Spannungen mit Gefühlen von Wut und Ohnmacht. Viele Menschen haben Reizbarkeiten in diesem Bereich. Das Gefühl, als Kind in seiner Einzigartigkeit gesehen und geschätzt worden zu sein, hat sich noch nicht ganz einstellen können. Wir konnten noch nicht differenziert erkennen, dass ein ablehnendes Verhalten der Erwachsenen vielleicht gar nichts mit uns zu tun hat, weil in unserer Wahrnehmung in dieser Haltung alles mit uns zu tun hat. Alles ist persönlich, wir stehen im Mittelpunkt unserer Wahrnehmung. Wir abstrahieren noch nicht und Emotionen, die mit Schmerz, Trauer, Wut oder Ohnmacht verbunden sind, bleiben unter Umständen unintegriert.

Diese Emotionen erzeugen stufenspezifische Reizbarkeiten, die uns situativ in diese Haltung regredieren lassen. Das kann sich zum einen darin äußern, dass wir frühe Denkweisen, die dieser Haltung entsprechen, auch im Erwachsenenalter anwenden. Die angestauten Gefühle lassen in uns alte Gefühlsmuster ablaufen, als wären wir noch in der damaligen Situation. Die Inhalte können ganz andere sein. Wir verhalten uns dann „wie ein Kind", oft begleitet von Wut und irrationalen Vorstellungen. Durch unbewusste Ohnmachtsgefühle fühlen wir uns in eine Opferrolle gedrängt und glauben, uns gegen andere verteidigen zu müssen. Aus dieser Perspektive erscheint uns die Welt als ein Ort, an dem wir uns gegen andere behaupten müssen, weil es um Sieg oder Niederlage geht. Unbewusst versuchen wir, uns die gebundene Energie zugänglich zu machen, sei es durch Rausch, Pornografie, selbstbezogene Sexualität, Macht- und Ohnmachtsspiele, Allmachtsfantasien, Manipulation oder Wut. Einen bewussteren Zugang finden wir im Spiel und in der Kontaktaufnahme mit den eigenen kindlichen Anteilen – unserem „inneren Kind".

Obwohl diese Haltung zu einem sehr frühen Entwicklungsstadium gehört, ist es durchaus möglich, mit dieser Gewohnheitshaltung auch als Erwachsener noch Anerkennung und Erfolg zu erlangen. Glück, gutes Aussehen, eine Erbschaft oder ein unterhaltsamer Intellekt können einen weit bringen. Wir sind oft fasziniert von Menschen, deren Präkonventionalität Freiheit suggeriert. Normale Maßstäbe scheinen für sie nicht zu gelten, weil sie nicht mit sich selbst ringen. Für sie steht immer der eigene Vorteil im Vordergrund, andere Menschen werden als Mittel zum Zweck betrachtet. Die damit manchmal einhergehende Schamlosigkeit wird mit Willensstärke verwechselt, denn es macht ihnen nichts aus, zu lügen oder sich selbst zu widersprechen. Regeln gelten nur für andere, Feedback wird zurückgewiesen und schuld sind sowieso immer die anderen.

Einige Populisten mit ihren stereotypen opportunistischen Denkweisen sind Paradebeispiele für Erwachsene in dieser frühen Haltung. Wir sind auf der Suche nach dem Gefühl, als die Person gesehen zu werden, die wir sind oder zu sein glauben. Unerfüllte Bedürfnisse dieses Stadiums können eine ständige Aufmerksamkeitssucht generieren oder auch eine apathische Ohnmacht.

Gut integriert, ist diese Haltung eine sehr kraftvolle Basis für innere Lebensfreude und unschuldigen Lebensgenuss. Wir sind dann in gutem Kontakt mit dem freien Kind in uns, das Neugier und Lebensfreude ausstrahlt. In dieser Phase entstehen die prägenden Muster und Glaubenssätze für unsere individuelle Art der Ich-Konstruktion, die unser energetisches Fundament für unsere Art der Selbstgeschichten bilden.

Gemeinschaftsbestimmt-Konformistische Haltung

In etwa zur Zeit der Einschulung lernen wir, den Begriff „Wir" auch sprachlich zu verstehen und zu verwenden. Wir wollen dazugehören und sind bereit, dafür einen Teil unserer Impulsivität aufzugeben. Die Sehnsucht, endlich auch in die Schule gehen zu dürfen, endlich so zu sein wie die anderen, endlich dazuzugehören und Teil des „Wir" zu sein, kann Ausdruck dieser neuen Haltung sein. Gleichzeitig verlangen Kontexte wie die Schule Anpassung und Konformität. Gruppenzwang fördert den Übergang in diese Phase.

Wir werden gedanklich geprägt von den vorherrschenden Konzepten unserer Kultur. Abhängig von dieser Kultur wird unser Geist mit abstrakten Konzepten, Normen und Verhaltensregeln gefüllt. Wir sind noch nicht in der Lage, sie zu hinterfragen oder gar zu vergleichen, weil uns dazu noch die eigenen Erfahrungen und ein reflektierendes Bewusstsein fehlen.

Aus den Vorstellungen, die uns die Autoritäten um uns herum vermitteln, lernen wir, was es heißt, „richtig" im Sinne der uns umgebenden Kultur zu sein. Wir identifizieren uns mit der Gruppe oder ihrer Autorität, seien es Eltern, Lehrer oder Gleichaltrige. Endlich gehören wir dazu und sind nicht mehr in unseren eigenen Launen und Impulsen gefangen. Die früheren Haltungen bleiben dabei in uns aktiv. So existieren in uns nun gleichzeitig verschiedene Logiken, von denen die spätere Haltung immer stärker geprägt wird.

Um Teil eines „Wir" zu sein, akzeptieren wir die Regeln der herrschenden Ordnung, egal wie absurd sie sind. Regeln werden auch einfach deshalb akzeptiert, weil sie Regeln sind. Es ist die Zeit des einfachen dualistischen Denkens in Entweder-oder-Kategorien. Es gibt einen richtigen und einen falschen Weg, und der ist immer für alle gleich. Was konventionell und gesellschaftlich anerkannt ist, ist richtig, und dem ordnen wir uns unter.

Nach außen hin wird dieser Gehorsam und diese Unterwerfungsbereitschaft meist positiv honoriert, bei Abweichungen verlieren wir jedoch unser Gesicht und werden von Schuld und Schamgefühlen geplagt. Wer nicht dran glaubt, muss dran glauben, so ein Ziel von traditioneller Erziehung.

Die positive Seite dieser Haltung ist oft ein ausgeprägter Gerechtigkeits- und Gemeinschaftssinn und die Fähigkeit, sich in einer Gruppe harmonisch einzufügen und sich dabei selbst zurückzunehmen.

Das Zusammenleben wird ruhiger, disziplinierter und friedlicher. Freundlichkeit, Harmonie und soziale Nettigkeit werden hoch geschätzt, Konflikte vermieden und wir leben in eher traditionellen Geschlechterrollen. Es ist wichtig, eine makellose Fassade zu haben und sich nichts zu Schulden kommen zu lassen. Werden vermeintliche soziale Normen nicht korrekt erfüllt, stellt sich schnell ein schlechtes Gewissen ein. Bindungen werden eher oberflächlich eingegangen. Ein rebellisches Andersseinwollen als Gegenreaktion kann ebenso konformistisch und Ausdruck dieser Haltung sein.

Die andere Seite dieser Haltung zeigt sich in der Missbilligung anderer Menschen und ihres Fehlverhaltens – bezogen auf ihr Aussehen, ihr Anderssein, ihr Handeln oder Nichthandeln. Dies kann zu endlosen Monologen führen, deren Themen sich gerne wiederholen und die meist nur aus bekannten Phrasen bestehen. Wir beschweren uns über jemanden, und diese Person dient kurz darauf als willkommene Adresse für weitere Beschwerdetiraden gegen andere Personen. Die eigenen inneren Zustände werden eher über Allgemeinplätze in einfacher Sprache wahrgenommen, was hülsenhaft wirkt. Man ist traurig, wütend, glücklich oder fröhlich, so wie man eben ist. Die Wörter „man“ und „muss“ werden intensiv verwendet. Wir nehmen zwischenmenschliche Beziehungen eher durch das wahr, was Menschen tun, als durch das, was sie fühlen.

Typisch für diese Haltung ist das ständige Reden als Ausdruck der permanenten Suche nach Zustimmung und Zugehörigkeit, ohne wirklich an einem Austausch interessiert zu sein. Es kann vorkommen, dass wir nur ab und zu „ja“ sagen und unser Gegenüber sich am Ende für das nette Gespräch bedankt.

Die Wahrnehmung der anderen und der eigenen Person ist eher stereotyp. „Das ist so einer ...“, „Ich bin wie meine Oma“, „Bei uns in der Familie sind alle so“, „Das haben wir schon immer so gemacht, weil man das so macht“. Veränderung wird als Bedrohung empfunden. Ein Bewusstsein für die eigene Individualität und die Fähigkeit, zu unterscheiden, was eigene Gedanken und Gefühle sind und was von außen an einen herangetragen wird, sind noch nicht vorhanden.

In uns allen steckt der Wunsch nach Zugehörigkeit und wir passen uns gerne an, um Konflikte zu vermeiden. Wir stellen im Smalltalk Gemeinsamkeiten her, um ein „Wir“ zu etablieren, was die Reizbarkeit dieser Haltung reduziert. Die gut integrierten Bedürfnisse dieser Haltung ermöglichen es uns, uns in Gruppen wohlzufühlen und soziale Kontakte zu knüpfen.

Rationalistisch-Funktionale Haltung

Diese Erweiterung der Haltung wird auch als Stadium des beginnenden Selbstbewusstseins beschrieben. Wir beginnen zu merken, dass wir als Individuum nicht den stereotypen Eigenschaften entsprechen, die in der vorherigen Haltung noch identitätsbildend waren. Dadurch entsteht erneut eine Spannung zwischen den wahrgenommenen Phänomenen und der bisherigen Sinnkonstruktion. Bei manchen zeigt sich diese Haltung sehr deutlich in der Zeit der Vorpubertät. C. G. Jung (1875–1961) beschreibt diesen Moment des inneren „Erwachens" in einem Interview (Face To Face, Carl Gustav Jung auf YouTube). Man nennt es auch den Beginn des psychologischen Ichs oder des rationalen Ichs, durch das wir beginnen, uns selbst zu erkennen. C.G Jung beschreibt es so, dass er das Gefühl hatte, vorher in einem Nebel gelebt zu haben, in dem er sich selbst nicht von den Dingen unterscheiden konnte. Erst jetzt entwickelt sich ein Identitätsbewusstsein. Unser Gefühl für das, „was ich bin", löst sich von dem, „was ich sein sollte". C. G. Jung beschreibt, dass er seine sehr traditionell orientierten Eltern in ihrer Begrenztheit erst erkennen konnte, als er Zugang zu einer erweiterten Haltung in sich hatte.

Die Fähigkeit, unser Innenleben in Worte zu fassen, erweitert sich und zwischenmenschliche Beziehungen werden nicht nur durch Handlungen, sondern auch durch Gefühle beschrieben. Wir reflektieren unser Selbstbewusstsein und beginnen mehr zu differenzieren, was zu uns und was zur Gruppe gehört. Der Fokus liegt auf dem, was wir können und wie wir uns durch unsere Fähigkeiten von der Gruppe abheben können. Wir sind, was wir können und bilden eigene – noch rollengebundene – Identitäten aus. In der Abgrenzung von äußeren, gemeinschaftsbestimmten Vorgaben orientieren wir uns an klaren Prinzipien und bevorzugen kausale Erklärungen und rationales Denken.

Menschen, die davon berichten, bislang in unreflektierten Konventionen gelebt haben und sich jetzt von ihrem Elternhaus oder anderen Herkunftssystemen abzugrenzen, könnten einen Haltungswechsel dieser Art durchlebt haben. Wir erkennen, dass es für uns alternative Möglichkeiten jenseits von Anpassung geben kann. Es stellt sich das Gefühl ein, die Welt endlich „logisch" verstehen zu können, sich ein eigenes Bild zu machen und es nun besser zu wissen. Diese Haltungserweiterung kann sich wie ein „Erwachen" anfühlen. In der rebellischen Variante entsteht an diesem Übergang die Wahrnehmung, nicht die Wahrheit gesagt bekommen zu haben und sich nun eine eigene Peergroup suchen zu wollen. In dieser Haltung neigen wir noch dazu, die neuen Erkenntnisse zu verallgemeinern, und sind in unserer Reflexion noch an konformistische Vorgaben gebunden.

Wir sprechen mehr in Allgemeinplätzen als von unseren eigenen konkreten Erfahrungen: „Ja, aber ..." oder „Das geht nicht, weil ...". Die Inkompetenz der anderen beschäftigt uns innerlich sehr. Wir vergleichen uns noch stark mit anderen und wollen eigene Fehler möglichst abstellen. Die zum Teil irrationalen dualistischen Vorstellungen früherer Haltungen reichen zunehmend nicht mehr aus, um unsere Wahrnehmungen in adäquate, kohärente Erklärungen zu überführen, und so werden wir zu Suchenden, die verstehen wollen.

Es entsteht der Drang, die Welt umfassender zu begreifen, wir wollen Dinge ergründen und entdecken die Naturwissenschaften. Wir haben weiterhin feste Vorstellungen davon, wie die Dinge sind und wie sie funktionieren sollten. Wir entdecken Hobbys und finden Interessen, mit denen wir unser Kompetenzempfinden bestärken – „Ich kann was" und „Ich weiß was". Einige Forscher*innen bezeichnen diese Haltung daher als „Expert*in". Durch den Wunsch, die Welt zu begreifen und sie durch Ursache-Wirkung-Denken und logische Rationalität besser zu verstehen, lösen wir uns von bisherigen Denkweisen und Welterklärungen. Wir lernen Naturgesetze kennen und kommen mit neuen Deutungslogiken in Berührung, die in den früheren Haltungen unbekannt und daher nicht integrierbar waren. Wir empfinden, dass uns Wahrheiten als gesetzt übergestülpt wurden, was jetzt einen grundsätzlichen Skeptizismus auslösen kann. Wahrheiten werden eher in vergleichenden Erklärungen über Zahlen, Daten und Fakten im Außen gesucht. Das führt zu typischen Debatten, in denen die Ausnahme gesucht wird, die dann verallgemeinert wird und damit ein ganzes Thema plattmacht, ohne etwas Eigenes dazu beigetragen zu haben. Wir wissen es besser, „man sollte, man müsste, man könnte" – aber niemand hört auf uns. Die Debatten, in denen ein Abgesang auf „Purpose", „Mindset",„Agilität" oder „New Work" gesungen wird, haben manchmal solche Züge, was auch „totpicken" genannt wird. Alles was nach innen verweist, wird noch vermieden und als esoterisch abgetan, denn emotionale Gestaltungsräume „funktionieren nicht", „bringen nichts" und „verbessern die Ergebnisse nicht". Richtig ist, was sich in Zahlen ausdrücken lässt, und nur was wir messen können, können wir auch steuern und kontrollieren.

Oft wird in dieser Haltung die Stimme des inneren Kritikers hörbar und stachelt unseren Perfektionismus an. Wir fühlen uns zum Teil getrieben, weil wir glauben, immer effizient funktionieren zu müssen. So leben wir ständig in dem Gefühl, keine Zeit zu haben und irgendwie noch auf das richtige Leben zu warten. Aus diesem Spannungsfeld der Selbstfunktionalisierung entsteht oft die Suche nach dem, was wir selbst wollen und was uns als Individuum entspricht. Dies kann der Beginn der Transformation in die nächste Haltung sein.

Eigenbestimmt-Souveräne Haltung

Die zunehmende Spannung zwischen dem, was wir fühlen, und den Sinngebungen, die bisher identitätsbildend für uns waren, löst auch diesen Entwicklungsschritt aus. Der Prozess des Vergleichens und Bewertens von sich selbst in Abgrenzung zu anderen bringt uns immer mehr in Kontakt mit unseren eigenen Wünschen und Normen. „Was will ich eigentlich und was tut mir gut?“ ist eine Frage, die auftaucht, je mehr wir unseren Blick nach innen richten können. Wir bleiben zwar noch im konventionellen Rahmen, beginnen aber, diesen mit Blick auf eigene Wünsche zu optimieren.

Wir sehen mehr Alternativen und eröffnen uns zusätzliche Perspektiven. Es geht nicht mehr um richtig oder falsch, sondern darum, persönliche Prioritäten zu setzen und dabei auch die Interessen anderer stärker zu berücksichtigen. Manche Menschen können diesen Übergang an markanten, konkreten Erlebnissen festmachen: „Da wusste ich – jetzt mache ich mein Ding“, „Da war klar, keinen Tag länger ...“ oder „Dann habe ich mich selbstständig gemacht“.

Im Berufsleben folgt jetzt oft ein Rollenwechsel aus dem Spezialistentum ins Management. Bisher waren wir noch davon überzeugt, alles selbst am besten können zu müssen. Mit wachsender Souveränität lernen wir nun zu delegieren, die Stärken anderer mehr wertzuschätzen und uns auf unsere individuellen Ziele zu besinnen. Wir können unser Innenleben nun differenziert beschreiben und konzentrieren uns dabei stark auf die positiven Aspekte, denn wir wollen gut drauf sein. Wir nehmen andere Menschen differenzierter wahr und werden toleranter gegenüber Unterschieden. Wir entwickeln persönliche langfristige Ziele, versuchen Idealen gerecht zu werden und uns gewissenhaft zu verbessern.

Mit dem zunehmenden Gefühl, eine eigenbestimmte Wahl zu haben, fühlen wir uns von äußeren Umständen weniger getrieben. Wir wünschen uns Freiheit und Glück als dauerhaften Zustand und unser Streben bezieht sich immer noch stark auf äußere Aspekte, die das positive, gute Leben aufrechterhalten sollen. Wir schätzen Leistung, unternehmerisches Denken und wollen in der Welt etwas bewegen. Voller Tatendrang übernehmen wir oft Führungsrollen und gehören häufig zu den Leistungsträger*innen und Entscheider*innen. Oder wir suchen den Weg in die Selbstständigkeit, weil wir ein Leben nach eigenen Maßstäben bevorzugen und Arbeit als Möglichkeit sehen, etwas zu leisten und uns selbst zu verwirklichen. Unsere Perspektive geht über das Persönliche hinaus und umfasst auch die Gesellschaft. Die Kehrseite dieses Antriebs und Verantwortungsgefühls für die Sache kann sich in Burn-on, Burn-out oder Depressionen manifestieren.

Unseren eigenen Schatten erkennen wir noch nicht. Wir wollen noch nicht alles über uns wissen, weil wir ständig an einer Lieblingsversion unseres Selbstbildes arbeiten. Die sozialen Medien bieten enorme Möglichkeiten für unsere kuratierten Selbstgeschichten, in denen wir uns möglichst schön, erfolgreich, einzigartig und bewundernswert zeigen. Die Freiheit von den anderen ist uns wichtig, wir haben es gepackt und Schwächen – ob im Innen oder Außen – passen weniger gut ins sorgfältig kuratierte Selbstbild. Wir zeigen unsere Welt von ihrer schönen Seite – ohne Blick hinter die Kulissen. Durch schöne Reisen, gutes Essen und die Dinge, die uns umgeben, beweisen wir uns selbst, dass wir ein gutes Leben führen.

Unser Status ist uns wichtig und unser „Ego" ist in dieser Haltung am stärksten ausgeprägt. Dies ist nicht zu verwechseln mit der reinen Selbstbezogenheit der ganz frühen Haltungen. Vielmehr spiegelt sich hier ein Ideal unserer Gesellschaft wider, das sich auch in der amerikanischen Verfassung wiederfindet: The pursuit of happiness in freedom – das Streben nach Glück in Freiheit. Die Idee der individuellen Freiheit prägt unser Selbstbild, denn von ihr scheint alles Gute auszugehen. Wir fühlen uns innerlich viel freier, blicken zurück auf das, was wir gewesen sind, und empfinden das vielleicht als engstirnig und kleinkariert. Wenn es nach uns ginge, würde es allen Menschen gut gehen, denn alle haben die Chance, sich selbst zu verwirklichen und ihr Potenzial voll auszuleben. In Unternehmen ist das oft der Reifungsschritt, der in der Führungskultur ansteht. Ein stärkenorientierter Blick hin zu mehr Empowerment, mehr individueller Freiheit, mehr Eigenverantwortung, mehr Mitbestimmung und mehr Vertrauen.

Unsere Sprache wird inkludierender und wir respektieren individuelle Unterschiede mehr, hinterfragen Verabsolutierungen und beziehen unser Gegenüber mit seiner Perspektive ein. Wir sprechen vermehrt in Ich-Formulierungen aus unserer persönlichen Perspektive und können mit Sowohl-als-auch-Aussagen Gegensätze miteinander verbinden und so Win-win-Situationen schaffen. Unsere Wahrnehmung von Zusammenhängen und individuellen Eigenheiten wird komplexer, weil auch unsere eigene Innenwelt für uns immer komplexer wird. Irgendwann reichen auch die vielschichtigen Wirklichkeitskonzepte dieser Haltung nicht mehr aus, um die emotionalen Spannungen in uns sinngebend zu harmonisieren. Es tauchen Fragen auf wie: „Was ist mir noch wichtig, außer Leistung und Status?" Ein befreundeter erfolgreicher Unternehmer, der mehrere rote italienische Autos besaß, beschrieb diesen Moment so: „Ich fragte mich, was ich am Wochenende machen würde, und eine Stimme in mir sagte, dass die Autos wieder bewegt werden müssten. Mein bisheriges Leben erschien mir in diesem Moment plötzlich absurd, ich verkaufte die Autos und fahre seitdem einen VW Touran. Dann begann ich zu meditieren."

Relativierend-Individualistische Haltung

Jede Haltungserweiterung fügt unserer Innenwelt eine neue Perspektive hinzu. Wir werden neugieriger auf unsere innere Welt und spüren, dass uns etwas fehlt, wenn wir sie ignorieren. Anfangs beginnt die Neugier vielleicht noch mit dem Wunsch nach Selbstoptimierung. Wir meditieren, um auch diesen Bereich zu beherrschen und auch dort top zu sein – Karrieredenken findet auf allen Ebenen statt. Der Wunsch nach guten Gefühlen, die von der Außenwelt erzeugt werden sollen, bringt uns unweigerlich mit einem größeren Gefühlsspektrum in uns in Verbindung. Eine Freundin erzählte mir, wie nach Jahren gewissenhaften Leistungsstrebens mit einem immer volleren Terminkalender eine Stimme in ihr immer lauter wurde, die sagte: „Ich will auch ein Leben haben." Das unbedingte Aufrechterhalten einer positiven Fassade ist anstrengend und entspricht nicht dem, was wir auch in uns fühlen und was auch Teil der Welt ist. Aus der Selbstoptimierung entsteht der Wunsch nach Selbsterfahrung. Psychologisches Denken und Persönlichkeitsentwicklung rücken in den Mittelpunkt. Hatten wir vorher eine statische Vorstellung von einem zu optimierenden Ich, so entwickeln wir nun die Fähigkeit, unsere innere Vielheit zu beobachten und uns in unserer Widersprüchlichkeit zu erkennen. Das Konzept der Teilpersönlichkeiten, das uns früher als absurde, grüblerische Psychotechnik erschien, gewinnt an Attraktivität, weil wir erkennen, dass es die Phänomene, die wir in uns beobachten, beschreiben kann. Beziehungen und die damit verbundenen Abhängigkeiten, seien sie körperlicher, finanzieller oder emotionaler Natur, können nun differenzierter unterschieden werden.

Es entwickelt sich ein Selbst als eine Art beobachtende Instanz, die uns in unseren rollengebundenen Ichs reflektierend beobachten kann. Der Sinn für Individualität, für unsere Persönlichkeit als Ganzes und für unterschiedliche Lebensstile wächst. Bedürfnisse von Minderheiten, die vorher nicht gesehen wurden, treten ins Bewusstsein und es entsteht das Bedürfnis, möglichst vielen dieser Perspektiven Raum zu geben. Wir beginnen zu erkennen, dass gleiche Sachverhalte unterschiedliche Bedeutungen haben können, was uns bisher als übertriebener Relativismus erschien, der die Dinge unnötig kompliziert macht. Der Blick auf unsere innere Gefühlslandschaft, auch auf die noch weniger beleuchteten Schattenseiten, öffnet sich. Was bisher im Dunkeln lag – sei es in uns selbst oder in der Außenwelt – kann nun beleuchtet werden. Nach innen werden wir flexibler, relativieren, nach außen nehmen wir die Welt in größerer Komplexität wahr. Wir sind bereit, hinter die Kulissen des Lebens zu schauen, und der Fortschrittsoptimismus der früheren Haltung erscheint uns weniger plausibel. Diese Phase wird auch als postkonventionell bezeichnet, weil wir gesellschaftliche Konventionen nicht mehr als alleinigen Maßstab für unsere eigene Sinnfindung ansehen.

Wir sind nicht mehr auf eine bestimmte Version von uns fixiert und können besser mit der Unterschiedlichkeit von anderen umgehen, weil wir in uns selbst unsere wandelbare Vielheit erleben. Thomas Binder beschreibt dies in seiner Doktorarbeit zur Ich-Entwicklung so: „Innere und äußere Konflikte und Widersprüche werden mehr zugelassen, allerdings noch häufig außerhalb des eigenen Selbst verortet. Situationen und Menschen werden jetzt prozesshafter und damit weniger statisch wahrgenommen, so dass auch insgesamt mehr auf Entwicklung geachtet wird. Es werden unterschiedliche Arten von Abhängigkeiten kontrastiert und mehr Unterschiede zwischen dem benannt, wie etwas äußerlich erscheint und wie es möglicherweise tatsächlich ist."

Ideen wie die des Konstruktivismus beginnen Sinn zu machen, da wir erkennen, wie wir unsere Realität konstruieren und die Bedeutung unserer eigenen Konstrukte und Werte infrage stellen können. Wir verstehen, wie unsere Kultur uns geprägt hat und unsere subjektive Sicht der Welt beeinflusst. Wir sind in der Lage, Sachverhalte auf verschiedenen Ebenen zu betrachten, während wir uns vorher sehr stark als einzigen Maßstab gesehen haben. Ein realistischerer Blick auf uns selbst ist weniger belastend, weil das, was ist, interessanter wird als das, was sein sollte. Unser Motto lautet: „Lebe jetzt, experimentiere und erfahre dich in deiner Vielfalt".

Unsere Werte und unser Empathievermögen treten stärker in den Fokus, nicht auf der Ebene des moralischen Appells, sondern als Verhaltensorientierung für uns selbst. Aus dieser Haltung heraus ändern wir unsere Lebens- und Konsumgewohnheiten, ernähren uns anders, gehen anders mit unserer Zeit um. Weil wir Konflikte deutlicher spüren, denken wir auch anders über Zusammenhänge nach. Mit anderen Worten: Wir beginnen zu fühlen, was wir vorher intellektuell wussten, und richten unser Verhalten stärker an den zusätzlich gewonnenen Informationen aus. Unsere Kommunikation verbessert sich, weil wir verschiedene Standpunkte einnehmen können und unsere Ichs als rollengebundene Teilpersönlichkeiten objektiver erkennen. Die Kontexte erweitern sich, was wir gesellschaftlich an Debatten über Diversity, Nachhaltigkeit, Minderheiten, Kolonialismus, Bildungsgerechtigkeit oder Equity erkennen können. Wir fangen an, systemische Zusammenhänge zu erkennen und dass unsere Subjektivität nur einen kleine Teil von Wirklichkeit abbilden kann.

Gewaltfreie Kommunikation, Redestäbe, Spiralgespräche oder Check-ins sind Ansätze, Interaktionen vermehrt in einer erweiterten Haltung zu gestalten. Die Erhöhung der Besprechbarkeiten ist ein wichtiges Merkmal dieser Erweiterung.

Systemisch-Autonome Haltung

Die Fähigkeit der vorherigen Haltung zur Selbstreflexion und Hinterfragung stärkt unser beobachtendes Selbst. Wahrgenommene Widersprüche und Konflikte verorteten wir da noch im Außen, was zu einer Art Weltschmerz führen kann. Diese Spannung löst sich nun durch die tiefere Einsicht in die Subjektivität der eigenen inneren Beobachtungsinstanz und durch ein beginnendes Konstruktionsbewusstsein. Wir erkennen, wie wir unsere inneren Konflikte durch unsere Subjektivität mitproduzieren, und geraten dadurch weniger in Abwehr, sondern werden in unserem Wunsch nach innerer Selbstentwicklung bestärkt. Prozesshaftes Wahrnehmen in größeren Dimensionen und Multiperspektivität sind Fähigkeiten, die sich mehr und mehr entwickeln. Insbesondere die emotionale Dimension von Interaktionen ist uns präsenter, weil wir in Systemen und zirkulären Verbindungen denken. Das weitet den Zeitrahmen der Selbstwahrnehmung auf die im Hintergrund mitschwingende eigene biografische Geschichte.

Wir bekommen eine größere Bewusstheit für unseren individuellen Entwicklungsweg und ahnen, wer wir sind, wenn wir nicht mehr versuchen, jemand zu sein. Es ist eine Phase der Versöhnung, in der wir erkennen, wer wir geworden sind und welche Handlungslogiken wir hinter uns lassen konnten. Es gelingt uns, Widersprüche und Konflikte als vollständig in uns vorhanden anzuerkennen, ohne von ihnen überwältigt zu werden oder das Bedürfnis zu haben, sie aufzulösen oder nach außen zu projizieren. Wir können besser mit Paradoxien und Dilemmata umgehen, die uns in früheren Haltungen unvereinbar erschienen und die wir nun in neue Sichtweisen integrieren können. Aus dieser Haltung heraus entstehen oft ungewohnte Sichtweisen und neuartige Ansätze, die uns über den Tellerrand hinausblicken lassen.

Das bewusste Erkennen der Prozesshaftigkeit von Entwicklung lässt uns unsere Fehler und die der anderen wohlwollender betrachten. Wir erkennen, wie wir durch unser Zutun alle Wahrnehmungen einfärben und dass die Dinge uns nicht erscheinen, wie sie sind, sondern eher ein Spiegel dafür sind, wie wir sind. Diese Einsicht stärkt einerseits unsere Wahrnehmung der Autonomie unseres Bewusstseins und andererseits erkennen wir, dass alles in Verbindung entsteht. Es gibt uns nicht losgelöst von der Mitwelt und gleichzeitig erinnern wir uns an unser autonomes Selbst, das diese Verbundenheit wahrnimmt. Diese Selbstwahrnehmung ist einerseits neu und andererseits vertraut, als wären wir mehr wir selbst. Unser Selbst erkennen wir als Teil von etwas, das nicht aus uns selbst heraus existiert, denn wir sind mannigfaltig in die Welt, in unsere eigene Geschichte und die Selbstgeschichten, die wir über uns generieren, eingewoben.

Im Wahrnehmungsraum unseres biografischen Systems existieren wir gleichzeitig in verschiedenen Zeitschichten. In jedem Moment können in uns Muster aus der Kindheit aktiv werden, ein bestimmter Geruch kann uns mit Momenten aus der Vergangenheit verbinden oder wir werden durch Assoziationen an alte Emotionen erinnert. Das mitfühlende Interagieren mit diesen Zeitebenen und das Fühlen angehaltener Emotionen ist Teil einer tieferen inneren Klärung. Die bewusstere Interaktion mit unserem biografischen System verändert die emotionalen Verbindungen und damit die Natur der Erfahrung. Durch diese Biografiearbeit gelingt es uns zunehmend, unser Verhalten zu modulieren und alte Muster aufzulösen.

Es gelingt uns besser, die Komplexität realer Menschen und Situationen zu akzeptieren, ohne innerlich vereinfachende Lösungsfantasien zu generieren. Wir erkennen, dass Konflikte zwischen Sehnsüchten und Bedürfnissen nicht vollständig lösbar sind, und entwickeln ein stabiles Selbstempfinden, das auch Widersprüchlichkeiten inkorporiert. Dadurch wächst unser Respekt vor der Autonomie des Einzelnen und wir gestehen anderen ihren eigenen Lernweg zu – einschließlich der Aspekte, die wir als Fehler interpretieren. Jeder Mensch ist auf seiner eigenen individuellen Lernreise und ist in Entwicklung. Wir sind nicht so oder so, sondern noch so. Die Versöhnung mit uns selbst und unseren vermeintlichen Unzulänglichkeiten schafft Raum für ein tieferes Ankommen bei uns selbst. Im Dzogchen-Buddhismus gibt es dafür den schönen Ausdruck „Zuflucht bei sich selbst finden".

Dieses Gefühl innerer Unabhängigkeit vertieft den Wunsch nach innerer Entwicklung, die zu einem zentralen Anliegen dieser Haltung wird. Gleichzeitig akzeptieren wir die Abhängigkeiten und Vernetzungen, denen wir in der Welt ausgesetzt sind. Wir unterstützen eine entwicklungsorientierte Perspektive, ohne einem unrealistischen Verantwortungsgefühl zu folgen, das uns in früheren Haltungen gebunden hat. Wir denken komplexer und freier als in dem Möglichkeitsraum, der uns in den früheren Gewohnheitshaltungen zur Verfügung stand. Manchmal wird diese Phase auch als „Aufräumen" bezeichnet. Unsere Weltsicht wird multiperspektivisch und wir erkennen, wie unterschiedliche Haltungen unterschiedliche Überzeugungen hervorbringen.

Entwicklung ist ein Prozess, in dem jede Haltung durchlaufen werden muss, und jede Haltung ist als Station richtig und wichtig. Was wir trotz des beginnenden Konstruktbewusstseins noch nicht erkennen, sind „die geschickten und überaufmerksamen Machenschaften zur Selbsterhaltung des Ichs", wie Jane Loevinger es formuliert. Wir glauben immer noch, „Ich" zu sein.

Die transpersonalen Haltungen

Die späten Haltungen werden auch als transpersonal bezeichnet, weil die Notwendigkeit, ein „Ich“ zu konstruieren, an Bedeutung verliert. Viele Menschen erleben solche inneren Zustände in einzelnen Leuchtturmerfahrungen. Das können kurze Momente sein, die eine sehr hohe Erfahrungsdichte haben und uns persönlich wichtige Erkenntnisse und Gefühle offenbaren. Die Beschreibungen solcher Erlebnisse sind sehr individuell: ozeanische Entgrenzung, Verschmelzung mit der Gegenwart, „zur rechten Zeit am rechten Ort“, Harmonie, Bedürfnislosigkeit, All-eins-Sein, allumfassende Liebe, Einheit mit der Natur. Wir erleben uns in Kontakt mit unserer Innenwelt, schauen durch das Tor der Augen und sind mit der Außenwelt verbunden – vom Dasein durchströmt. Wir sind auf eine besondere Weise präsent und es ist eine einzigartige Präsenz in uns.

Der amerikanische Psychologe und Philosoph William James (1842–1910) hat diese Erfahrungsräume bereits 1902 in seinem Buch „Die Vielfalt religiöser Erfahrungen“ beschrieben. Diese Erfahrungen der Ich-Losigkeit werden, wenn sie erzählt werden, wieder Teil einer Ich-Identität und eines kulturellen Kontextes. Eine christlich geprägte Person wird die Erfahrung anders erzählen als ein Mensch, der von Hinduismus oder Materialismus geprägt wurde, denn jede Beschreibung dieser Progressionserfahrungen ist von der eigenen Subjektivität und Haltung durchfärbt. Bei den späten Haltungen, wo es um Wahrnehmungen geht, die vor den Worten liegen, ist die verbale Vermittlung am schwierigsten. Persönliche Referenzerlebnisse stellen die beste Option dar, denn Verallgemeinerungen inhaltlicher Art sind nicht möglich. Wege zu solchen neuartigen Erfahrungen sind Atmung, Meditation, Körperarbeit, Yoga, Sexualität, Psychedelika, Trance oder Hypnose. Oft entstehen solche Zustände spontan in Alltagssituationen oder in emotional intensiven Momenten. Diese ungewohnten Erfahrungen und die Gefühle, die mit der Auflösung des Ich-Konstrukts einhergehen, können uns zunächst wie ein Sterben vorkommen, denn die Art, wie wir unser Ich bislang interpretiert haben, wird dekonstruiert. Aus der erweiterten Perspektive erkennen wir unsere gewohnte Gefühlswelt objektiver und haben plötzlich eine Distanz zu unserem gewohnten Identitätsbild, das sich als unvollständig und eher inkohärent erweist. Manchmal werden solche Potenzialräume von dem Gefühl begleitet, wirklich wir selbst zu sein und mit der Liebe als Kraft in Kontakt zu sein, was zu tiefen inneren Versöhnungen führen kann. Wenn wir solche Erfahrungen integrieren, erleben wir, dass wir das, was wir früher im Außen gesucht haben, jetzt alleine im Inneren herstellen können, und uns zeigt sich eine inspirierende Richtung für unsere Selbstentfaltung. Schon Theresa von Avila (1515–1582) spricht in ihrem Buch „Die innere Burg“, das von innerer Entwicklung handelt, dabei von „Gnade“.

Darauf angesprochen, berichten viele Menschen von eigenen derartigen Erfahrungen, und die meisten empfinden sie als besonders bedeutungsvoll, als Geschenke des Lebens auf ihrem Entwicklungsweg. Wir können diese Momente ebenso wenig erzwingen wie unsere Entwicklung in spätere Haltungen. Statt die späteren Haltungen anzustreben, empfiehlt die Ich-Entwicklungsforscherin Susanne Cook-Greuter, die jetzige gewohnte Haltung vollständig auszufüllen, die erweiterten Haltungen werden dann von selbst emergieren. Die möglichst vollständige Integration einer Haltung ist die Grundlage für die weitere Reifung. Humberto Maturana geht so weit, zu sagen, dass Spiel und Liebe die entscheidenden vergessenen Grundlagen unseres Menschseins und unserer Entwicklung sind.

Ähnlich wie beim Greenwashing sehen wir beim Haltungswashing, dass ein Teil von uns spätere Haltungen imitieren möchte oder Aspekte dieser Erfahrungsräume zu einer Identität formen will. Wir verwenden dann Ideen und Worte aus späteren Haltungen, ohne sie vollständig verinnerlicht zu haben. Diese Vorstellungen von diesen Zuständen reifen dann durch die einzelnen Haltungen. So kann die Idee, zu meditieren, um mit tieferen Ebenen in sich selbst in Kontakt zu kommen, stark an Regeln gebunden sein, zu einer strengen Disziplin mit Perfektionsanspruch ausarten, als Statussymbol und Selbstgeschichte nach außen getragen oder mit dem Ziel selbst verwechselt werden. Mit jedem Reifungsschritt werden diese Vorstellungen in ihren komplexeren und multiperspektivischen Bedeutungen erkannt. Aussagen wie „Ich bin erwacht/nicht dual/transpersonal“ sind deshalb paradox, weil ich für meine Ich-Identität eine vermeintliche Ich-Losigkeit in Anspruch nehme. Der Unterschied zwischen einem vergangenen temporären Zustand und einer integrierten Haltung zeigt sich in der Art, wie wir solche Peak-Erfahrungen deuten.

Die Dialektik als Erweiterung des Dualismus

Transpersonale Haltungen werden auch als dialektisch bezeichnet. Im Gegensatz zum logischen Denken betrachtet das dialektische Denken den Widerspruch und die Spannung zwischen Gegensätzen als wesentliches Merkmal aller Dinge. „Richtig“ kann nur gedacht werden, wenn es auch „falsch“ gibt. In der Logik geht es also um Ja und Nein, in der Dialektik um Ja, Nein und Vielleicht. Oder wie es Georg Wilhelm Friedrich Hegel (1770–1831) ausdrückte: Die Dinge sind in einem dreifachen Sinn aufgehoben: aufgehoben als Negation und Auflösung, aufgehoben als Bewahrung und positive Bejahung von etwas und aufgehoben im Sinne einer Erhöhung und möglichen Umdeutung. Andere sprechen von drei Perspektiven, einer These, einer Antithese und einer Synthese, die im dialektischen Denken zunehmend als gleichzeitig wirkend erkannt werden.

Integriert-Selbstaktualisierende Haltung

In dieser Haltung wird uns bewusst, dass jede Erkenntnis konstruiert ist, und es wird uns auch bewusst, dass alles Wissen konstruiert ist und uns von der zugrunde liegenden, zusammenhängenden, nicht dualen Wahrheit trennt. Je mehr wir unsere Bedeutungen durchschauen und uns dieser Konstrukte bewusst werden, desto aufmerksamer werden wir für die tiefen Spaltungen und Paradoxien, die dem rationalen Denken innewohnen.

Jane Loevinger führt dazu aus: „Der linguistische Prozess, alles in polare Gegensätze zu spalten und die damit verbundenen immanenten Werturteile können nun bewusst werden. Gut und Böse, Leben und Tod, Schönheit und Hässlichkeit erscheinen als die beiden Seiten der einen Medaille. Sie benötigen einander und definieren sich gegenseitig. Überdies führt das konstante Beurteilen davon, was gut ist und was nicht, zu einem Großteil der Spannung und Unzufriedenheit im normalen Wachbewusstsein."

Es wächst unser Interesse, mit dem unmittelbaren Gewahrsein vor den Grenzen unseres wortgebenden Verstandes in Berührung zu kommen und zu erfahren, wie wir uns jenseits von Konditionierungen, Automatismen und Etikettierungen erleben können. Wir erkennen die Begrenztheit und Absurdität vieler Vorstellungen und Zukunftsannahmen.

Der Dichter Rainer Maria Rilke (1875–1926) beschrieb dies in der neunten seiner Duineser Elegien mit folgenden Worten: „Sind wir vielleicht hier, um zu sagen: Haus, Brücke, Brunnen, Tor, Krug, Obstbaum, Fenster, – höchstens: Säule, Turm ... aber zu sagen, verstehs, oh zu sagen so, wie selber die Dinge niemals innig meinten zu sein. Ist nicht die heimliche List dieser verschwiegenen Erde, wenn sie die Liebenden drängt, dass sich in ihrem Gefühl jedes und jedes entzückt?"

In dieser Haltung stehen wir als wahrnehmende Wesen in der Zeit, haben Kontrollillusionen aufgegeben, können das Unbekannte zulassen und uns mehr auf die Spontanität des Seins einlassen. Unser wahrnehmendes Selbst aktualisiert sich mit den Umständen der Gegenwart und generiert sich nicht mehr aus den Vorstellungen einer Ich-Identität. Auf dieser neuen Ebene der Differenzierung wird der Seins-Zustand nun verstanden als ein immer wieder neu erscheinender Bewusstseinsraum in einem menschlichen Körper, der durch die Gegenwart treibt, erfüllt ist von sich verändernden Selbstgeschichten, Gefühlen, Mustern und Erinnerungsfragmenten und in Interaktion mit einem äußeren Strom von sich verändernden Phänomenen steht. Wir erkennen die Funktion der Ich-Konstrukte als den Bezugspunkt unserer Identität und als zentralen Prozessor der Verarbeitung aller Stimuli.

Ein Ich, das wir aus dieser Perspektive als stabil beschreiben könnten, scheint sich aufgelöst zu haben. Die Notwendigkeit, dieses zu formulieren, nimmt ab, da die Natur der Sprache durch ihr Vorsortieren und Abstrahieren schon als Einschränkung der zugrunde liegenden Einheit wahrgenommen wird. Dieser Aspekt der Integration unserer Vielheit beinhaltet das Loslassen des statischen Selbstbildes. Unser Hauptinteresse gilt der inneren Auseinandersetzung mit existenziellen Paradoxien und grundsätzlichen Problemen der Sprache und Bedeutungsbildung.

Jane Loevinger beschreibt dies so: „Infolgedessen kehrt sich die Aufmerksamkeit immer mehr darauf, die Grenzen des immer wachsamen und alle Erfahrungen strukturierenden Ichs zu überwinden. Man versucht zunehmend, den eigenen automatisierten Denkmustern und Denkprozessen auf die Spur zu kommen." Der Blick auf sich selbst und die Welt wird sanfter.

Meine Freundin Anndora Nielsen erlebte kurz vor ihrem Krebstod eine Phase, in der sie frei war von dem Bemühen, ein irgendwie geartetes Ich unter Kontrolle zu halten oder Selbstbestätigung im Außen zu finden. Der Grad der inneren Freiheit und der eigenen Modulationsfähigkeit nimmt zu, wenn wir niemand mehr sein müssen. Es entsteht der tiefe Wunsch, „bewusst zu sein". In ihrem Essay „Eine neue Haltung zum Leben" schrieb Anndora: „Ich habe mich entschieden, bewusst zu sterben. Bewusst sterben heißt für mich, seelisch nicht zu leiden. Ich lerne die innere Landschaft in mir immer besser kennen und frage mich, wo in dieser Landschaft, auf welcher Ebene, ich in mir leben möchte. Ich entscheide, was ich denken und fühlen möchte: Ich suche die Ruhe in mir. Und weil ich nicht wegrenne, erfahre ich eine ganz neue Innigkeit mit mir selbst, voller Liebe und Mitgefühl. Oft staune ich, wie viel Liebe mich umgibt und dass ich der Liebe auf ganz neuen, unerwarteten Wegen begegne und sie neu verstehen und erfahren darf."

Wenn wir diese Haltung einnehmen können, stehen uns gleichzeitig alle anderen Haltungen mit ihren Logiken offen. Und eben weil wir nicht mehr an ein explizites System von Werten, Einstellungen und Praktiken gebunden sind, können wir Erfahrungen jeweils neu bewerten und unser Verhalten modifizieren. Uns geht also nichts verloren und wir können auch die Paradoxien, die im Zusammenspiel der Haltungen entstehen, gut integrieren. Diese große innere Freiheit ermöglicht es uns auch, unseren eigenen Aufmerksamkeitsfokus bewusster wahrzunehmen und zu modulieren. Dadurch können wir auch Interpretationen selbstaktualisierend verändern und sind flexibler gegenüber unseren eigenen Mustern. Die freie Form der Präsenz erfährt nach den Forschungen von Susanne Cook-Greuter eine weitere Erweiterung, wenn wir aus dem Sein in den Strom des Seins eintauchen.

Fließend-Akzeptierende Haltung

Der Erfahrungsraum dieser Haltung vermittelt sich den meisten Menschen in Momenten. Während wir in der systemisch-autonomen Haltung noch stark auf unsere Selbst-Entwicklung und die innere Klärung fokussiert sind, fällt es uns in der integriert-selbstaktualisierenden Haltung leichter, bewusst zu sein. Unser Raum weitet sich zu einem einfachen „Sein". Wir nehmen uns als Teil des Stromes der inneren und äußeren Wahrnehmungen wahr und kommen in Kontakt mit direkten Erfahrungen des Nichtsprachlichen und dem manchmal symbolhaften Verstehen. Alles in der Welt ist in ständiger Veränderung und interagiert mit- und untereinander, wie in einem hochkomplexen Netzwerk. Es gibt keine greifbare, statische Realität, die mit Worten schlüssig beschrieben werden kann.

Thomas Binder formuliert es in seiner Doktorarbeit so: „Eines der vertracktesten Probleme bei dem Versuch, über diese ungewöhnlichen Modi der Erfahrung zu sprechen, ist das Fehlen eines Vokabulars, das die gestalthafte Natur und Nichtlinearität der dabei benutzten Konzepte widerspiegelt. Von einer universellen Perspektive aus gesehen gibt es nur eine unteilbare Realität, ein zusammenhängendes Netz von Phänomenen. Vor der Sprache gibt es kein Höher oder Niedriger, kein Früher oder Später, kein Gut und kein Schlecht."

In diesem Raum des Selbst-Erlebens sind die Reizbarkeiten früherer Haltungen nicht mehr präsent. Wir sind frei von dem Wunsch, uns selbst oder andere zu kategorisieren oder zu bewerten, und verzichten auf die Konstruktion eines Ichs, das sich von anderen abgrenzen will. Dieses Eins-Sein mit dem, was ist und sich zeigt, empfinden wir auch als ein Fließen im Strom der Gegenwart, eingebettet in den Schicksalsstrom unserer Zeit und die Bedingtheiten unserer Ahnenreihe. Untrennbar eingebettet in ein temporäres Zeitfenster im Lauf der Weltgeschichte, das unsere Filter und Wahrnehmungen mitgestaltet.

Indem wir unsere eigene Subjektivität erkannt und die Bedingungen der Umstände unserer Existenz akzeptiert haben, können wir uns leichter zwischen verschiedenen Perspektiven, Zeithorizonten und Bewusstseinszuständen hin- und herbewegen. Alle Erfahrungen sind Teil unserer Seins-Erfahrung und es geht nicht mehr darum, sie als besser oder schlechter, glücklicher oder unglücklicher zu klassifizieren. Susanne Cook-Greuter beschreibt einen der qualitativen Aspekte dieser Haltung folgendermaßen: „Gefühle der Zugehörigkeit und Gefühle des Getrenntseins und der Einzigartigkeit werden ohne übermäßige Spannung erlebt."

Wir erkennen, dass unsere Sprache, unsere Fantasien darüber, wie die Umstände oder andere Menschen sind oder sein sollten, unsere Urteile und Kategoriebildungen uns tief von der Erfahrung unserer eigenen Gegenwärtigkeit trennen. Wir erkennen, dass Teil von dem zu sein, was gerade wirklich ist, eigentliches Dasein bedeutet. Dadurch werden wir zu staunenden Zeug*innen unseres Lebens und geben die Vorstellung auf, es kontrollieren oder erklären zu können. Gleichzeitig ist dieses unmittelbare Erleben der Gegenwart kein dumpfer Zustand, sondern es werden Schichten subtilerer Wahrnehmung und tieferen Verstehens freigelegt. Wir sind direkter mit unserer sinnlichen Wahrnehmung verbunden, wenn wir nicht in der Einbildung gefangen sind oder das Empfundene stets direkt mit Worten und Wertungen belegen. Die Wahrnehmung eines Baumes kann je nach Haltung ganz unterschiedliche innere Resonanzen erzeugen. Es gibt diese Momente, in denen wir das Besondere im scheinbar Banalen erkennen und unsere Mitwelt auf außergewöhnliche Weise mit uns zu interagieren scheint. Das ist nicht das Wirken einer äußeren Autorität, eines deterministischen Plans oder eines neuen Ursache-Wirkung-Denkens, sondern einfach die Wahrnehmung des Wunders des Lebens in uns und um uns herum.

Haltungen können eine ansteckende Wirkung haben. Wenn wir mit Menschen zusammen sind, denen es leichter fällt, die späteren erweiterten Haltungen einzunehmen, spüren wir, dass sie sich einen Raum innerer Freiheit erschließen, der sie scheinbar weniger von anderen Menschen trennt, sondern in eine tiefe Akzeptanz, mit dem was ist, versetzt. Wir erleben, dass in diesem Raum des Erlebens, der andere in uns ist und wir in dem anderen. Auf die Frage: „Wie sollten wir andere behandeln?" antwortete der indische Weise Ramana Maharshi (1879–1950), ein Vertreter des Advaita-Vedanta, der Lehre der Nicht-Dualität, mit dem Satz „Es gibt keine anderen."

Unsere Reise beginnt mit dem Erwerb der Sprache. Sie bringt die ersten Ich-Konstruktionen hervor, die sich bis zur eigenbestimmt-souveränen Haltung zu einer Ich-Identität, einem Ego, aufbauen. Unsere rollengebundenen Ichs werden durch die erweiterte Perspektive der postkonventionellen Haltungen wahrgenommen als ein in sich eingebettetes beobachtendes Selbst. Unsere Ichs werden dekonstruiert und die an sie gebundenen emotionalen Reizbarkeiten verflüssigen sich. Wir werden durchlässiger für feinere Wahrnehmungen, unser beobachtendes Selbst erkennt sich zunehmend als Teil eines lebendigen Seins-Stroms, der in Abhängigkeit von Bedingungen und Bestandteilen in der Leere erscheint. Auch dieses letzte hier beschriebene Stadium ist nicht final, sondern der potenzielle Übergang zu einer Selbsttranszendenz. Hier ist die mögliche Erfahrung interessanter als die Hypothese.

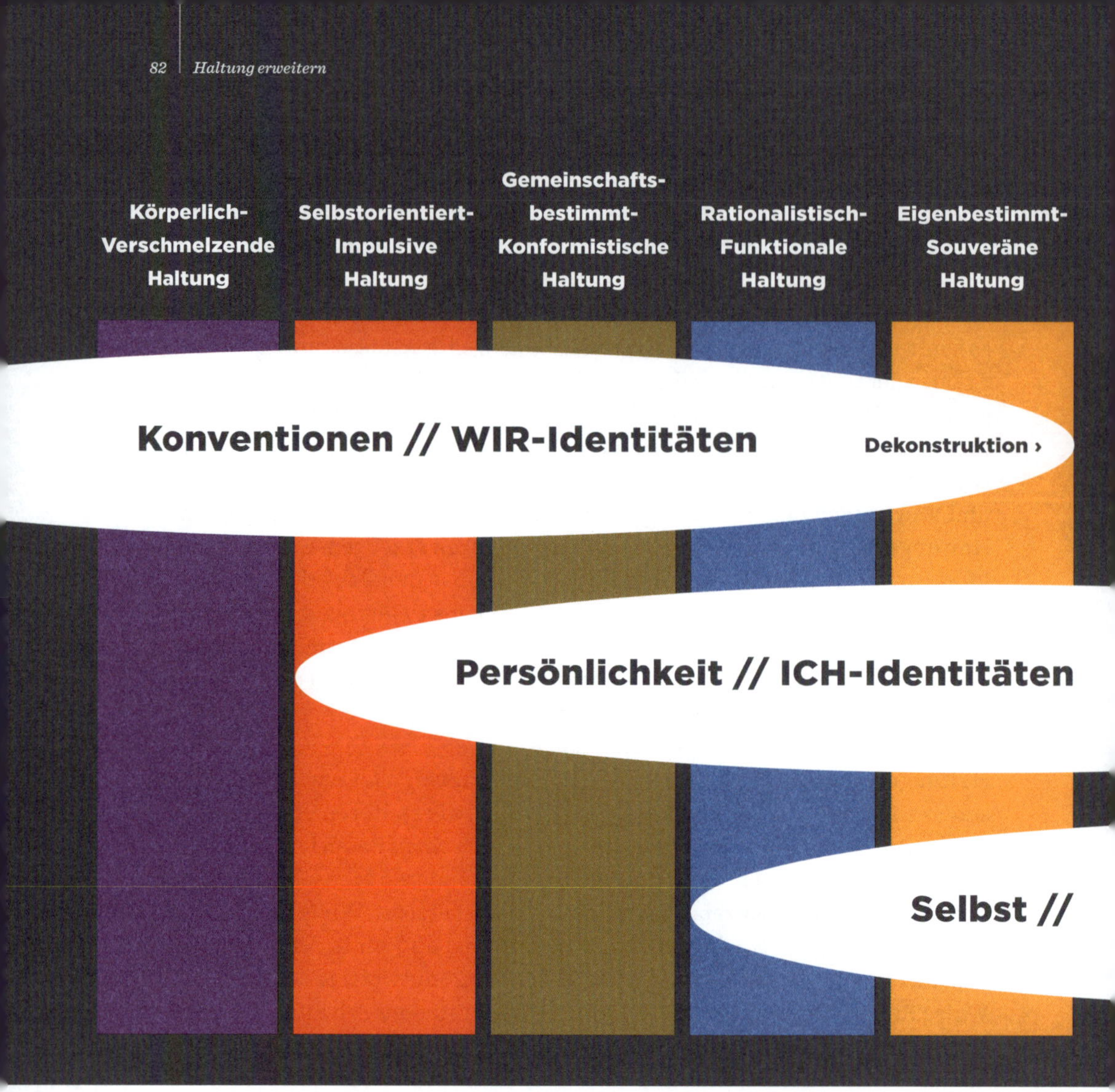

1.4 Konstruktion und Dekonstruktion von Seins-Qualitäten

Wir werden in eine Welt hineingeboren und sind dem Zeitgeist unserer Kultur ausgesetzt. Das Meer der Worte und Deutungen, in das unser Geist eingewoben wird, suchen wir uns nicht aus. Diese kulturellen, sozialen und familiären Prägungen sind der WIR-Raum, in dem wir geistig schwimmen lernen. Zunächst übernehmen wir die Konventionen und Konstrukte, die uns angeboten werden. Am stärksten wirken die kollektiven Konventionen in der gemeinschaftsbestimmt-konformistischen Haltung in uns. Hier werden wir vom WIR unserer Umgebung dominiert. Aus diesen Konventionen formen wir unsere rollengebundenen Teilidentitäten, die zunächst noch von den

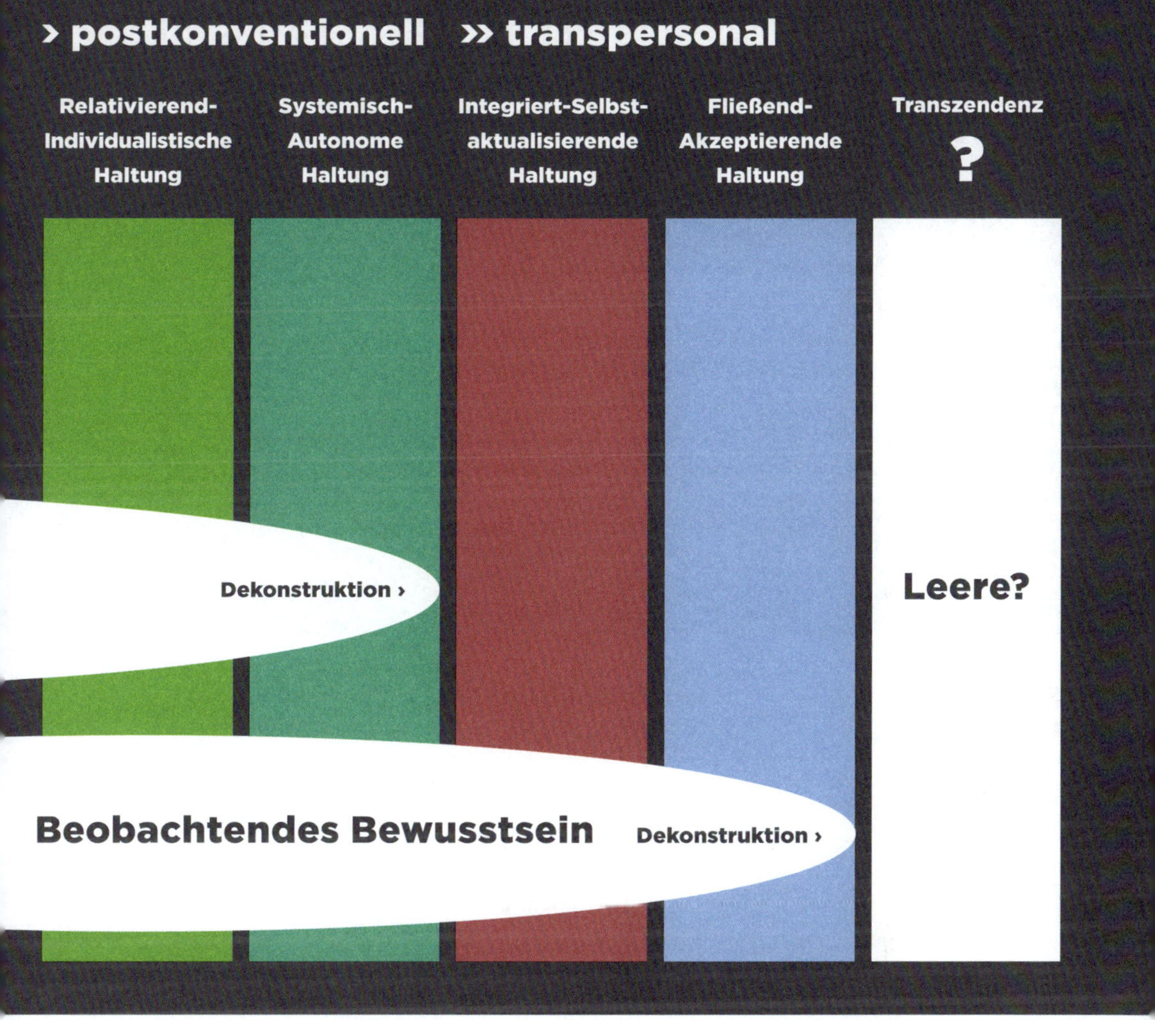

äußeren Konventionen bestimmt sind. Mit dem Wunsch nach individueller Freiheit von den Erwartungen anderer verändert sich unsere Persönlichkeit und wir konzentrieren uns stärker auf unser ICH. Ab den postkonventionellen Haltungen werden wir uns der Wirkung von Konventionen auf unsere Sinngebung bewusster und dekonstruieren sie. Am Ende des Prozesses werden die ICH-Identitäten als Filter erkannt, und die Notwendigkeit, überhaupt ein Ich zu konstruieren, wird aufgegeben. Der Teil in uns, hier SELBST genannt, der uns erkennen und reflektieren kann und sich in der rationalistisch-funktionalen Haltung zeigt, wird präsenter. Wir erkennen, wie die Sprache uns vom Gewahr-Sein des Jetzt trennen kann. In gewissem Sinne war das SELBST schon immer da und wir erinnern uns an es nur als den Teil, der wir schon immer waren und sind. Dann folgt möglicherweise die Leere als Erfahrungsraum jenseits der Worte und des SELBST.

Die Selbstperspektive in Sprache bringen

„Wann erlebst du dich in deinem beruflichen Umfeld als wirksam?“, diese Frage als Check-in zu einem Workshop macht in den Antworten das eigene Kompetenzempfinden im Rahmen der eigenen beruflichen Gewohnheitshaltung sichtbar. Dabei kommen jeweils die integrierten Aspekte einer Haltung zum Ausdruck.
Hier eine Sammlung von haltungstypischen Aussagen und Metaphern, die auf eine Haltung hindeuten können – wobei es nicht um wissenschaftliche Exaktheit geht. In unserer Sprache wird die Perspektive deutlich, die wir in Bezug auf unser Ich einnehmen, und es zeigt sich, welchen Aufmerksamkeitsfokus unsere aktuelle Sinngebung in unserer beruflichen Rolle hat. Die einzelnen Aussagen verweisen darauf, ob die Bedürfnisse dieser Haltung gerade gesehen werden, gereizt oder integriert sind.

Selbstorientiert-Impulsiv

- In sich geborgen sein
- Man selbst sein dürfen
- Den Arbeitsplatz als sicher empfinden
- Für sich selbst einstehen
- Nicht kleinkriegen lassen
- Wohl in der eigenen Haut fühlen
- Sich freuen wie ein Kind
- Außer sich sein
- Jemanden nicht mehr sehen können
- Einen dicken Hals haben
- Sich vor Wut nicht mehr kennen
- Aus der Haut fahren
- Von Sinnen sein
- Der Elefant im Porzellanladen sein
- Fuchsteufelswild werden
- Sich selbst der Nächste sein
- Es denen da oben zeigen
- Sich nichts gefallen lassen

Gemeinschaftsbestimmt-Konformistisch

- Sich angenommen fühlen
- Sich zugehörig fühlen
- Das Miteinander schätzen
- Sich nicht wichtig nehmen
- Rituale pflegen
- Die Regeln respektieren
- Traditionen ehren
- Tief verwurzelt sein
- Brav wie ein Engel sein
- Seinen Mann stehen
- Ein Loblied singen
- Scheuklappen aufhaben
- Das Gesicht verlieren
- Auf Durchzug schalten
- Den Kopf in den Sand stecken
- Den Moralapostel spielen
- Es zusammen durchstehen
- Schuld in die Schuhe schieben
- Das Sonntagsgesicht aufsetzen
- Datenschutz beachten

Rationalistisch-Funktional

- Gut organisieren können
- Dinge im Griff haben
- Klar denken und handeln
- Für Struktur und Klarheit sorgen
- Den Tatsachen ins Auge sehen
- Den Hebel umlegen
- Sich am Riemen reißen
- Der Motor im Getriebe sein
- Kein Blatt vor den Mund nehmen
- Im Hamsterrad sein
- Keine Zeit haben
- Auf die Gefühlsebene abrutschen
- Sich nicht in die Karten gucken lassen
- Kein Land mehr sehen
- Bis über beide Ohren in Arbeit stecken
- Was wegarbeiten
- Dinge erledigen

IMPULS: Potenzialfragen
Welche Selbstgeschichten erzählen wir uns? Die Potenziale, die wir für uns sehen, geben Hinweise darauf, welche Haltungen im Fokus stehen und welche wir gut integriert haben. Eher negative Schilderungen zeigen, in welchen Haltungen aktuell Reizbarkeiten vorhanden sind. Je früher die Haltung, desto explosiver kann die damit verbundene Energie sein. Wir alle erleben diese Regression durch die stufenspezifischen Reizbarkeiten in unterschiedlichem Ausmaß. Es geht nicht darum, perfekt, richtig oder besonders entwickelt zu sein, sondern um „die Kunst, sich selbst auszuhalten", wie der Managementtrainer und Jesuit Michael Bordt (* 1960) in seinem gleichnamigen Buch empfiehlt.

Wir können uns zwei Fragen stellen:
Was magst du an deinem beruflichen Wirkungsfeld besonders?
Welche Potenziale und Talente von dir werden dadurch gefördert?

Eigenbestimmt-Souverän

- Menschen fördern wollen
- Etwas im Leben erreichen
- Sich erfolgreich fühlen
- Sich selbst verwirklichen
- Eigene Lebensziele verfolgen
- Seinen Weg gehen
- Herr seiner selbst sein
- Sich ständig selbst neu erfinden
- Sein Leben selbst in die Hand nehmen
- Dem eigenen Gefängnis entfliehen
- Sich nicht das Ruder aus der Hand nehmen lassen
- Sein Licht nicht unter den Scheffel stellen
- Eine gute Zeit haben
- Alles geben
- Mit Leidenschaft bei der Sache sein
- Unternehmerisch denken

Relativierend-Individualistisch

- Übersetzer zwischen den Menschen sein
- Verbinden können
- Zu sich selbst kommen
- Mit sich selbst ringen
- Etwas in einem anderen Licht sehen
- In seiner Mitte stehen
- Auf gleicher Augenhöhe sein
- Die gleiche Wellenlänge spüren
- Seine Schattenseiten kennen
- Verschiedene Perspektiven integrieren
- Sich auf Experimente einlassen wollen
- Selbsterfahrungen machen
- Sich selbst in die Arme nehmen
- Sich überflüssig machen und Macht abgeben
- Alle integrieren wollen
- Sich hinterfragen

Systemisch-Autonom

- Zuflucht bei sich selbst finden
- Ganz wir selbst sein
- Eine neue Perspektive in den Kontexten sehen
- Den Dingen den Raum geben, sich zu entwickeln
- Das eigene Unwissen spannend finden
- Seine Widersprüchlichkeit sehen
- Die Dilemmata aushalten können
- Feedback zu den eigenen blinden Flecken wollen
- Perspektiven einbinden
- Die eigene Subjektivität erkennen
- Über den Tellerrand schauen
- Eigene Überzeugungen infrage stellen können
- Widersprüche nicht als Problem sehen

Das Modell der Haltungen als Typen

„Wie würdest du einem Kind das Modell der Haltungen erklären?“, fragte mich ein Teilnehmer unserer Ausbildungen. Ich würde eine Entwicklungsgeschichte erzählen, in der ein Protagonist jede Haltung durchläuft, oder den Haltungen bestimmte Typen zuschreiben. Jede neue Rolle baut auf den Erfahrungen der vorherigen auf. Die Idee der Typen wurde durch den Podcast mit Patrick Tobler angeregt, der ein System mit Archetypen entwickelt hat, das Teams sehr schnell in eine multiperspektivische Kommunikation bringt (www.code18.team). Typenbezeichnungen aus anderen Modellen der Ich-Entwicklung sind in Klammern aufgeführt. Die Veranschaulichung der Entwicklung über Typen hat den Nachteil, dass sie womöglich zu Festschreibungen führt. Eine Entwicklungsgeschichte wie auf den folgenden Seiten verdeutlicht, dass die „Typen“ alle zu derselben Person gehören.

JOBBER*IN

[Opportunist]
Diesen Typ stellen wir uns als spontanen, lustgetriebenen Menschen vor, der seinen unmittelbaren Wünschen folgt und keine langfristige Perspektive hat. Er ist sehr körperlich in seinen Bedürfnissen und seiner Selbstdefinition. Er steht für spontane Bauchentscheidungen, die zu unmittelbaren Resultaten führen sollen.

Mut, Lust, Stärke, Spontanität, Ungebundenheit

HANDWERKER*IN

[Conformer/Diplomat]
Dieser Typ steht exemplarisch für einen Typ Mensch, der eher bewahrend ist und dem feste einheitliche Regelungen wichtig sind. Er mag Traditionen und Rituale und legt Wert auf deren strikte Einhaltung. Er geht gerne die immer gleichen Wege und akzeptiert die gottgegebene Ordnung in der Welt, in die er sich ein- und unterordnet.

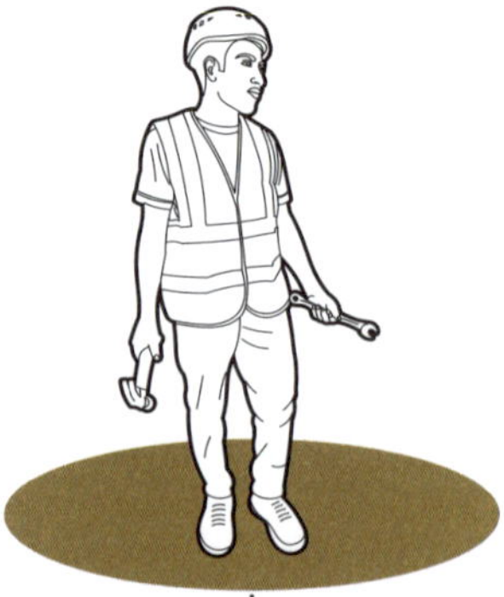

Fürsorge, Gehorsam, Zusammengehörigkeit, Ordnung, Bewahren

KAUFFRAU/KAUFMANN

[Expert/Specialist]
Dieser Mensch ist von seinen Fähigkeiten überzeugt und lässt sich in seinem Fachgebiet nicht so leicht etwas vormachen. Er denkt kalkulierend und logisch und bezieht sich auf sichtbare Resultate. Dinge, die zu viel mit Gefühlen zu tun haben, erscheinen ihm als unsachlich und sind ihm suspekt.

Expertentum, Leidenschaft, Effizienz, Optimierung, Ausführungsstärke

IMPULS: Die Perspektive der sechs Typen
Stell dir vor, die sechs Typen könnten einzeln befragt werden und jeder spräche aus seiner Perspektive zu einem bestimmten Sachverhalt. Das können Entscheidungen, konkrete Probleme oder Herausforderungen sein. Diese Übung eignet sich gut für eine kleine Gruppe, wobei erst alle aus der Perspektive der Jobber*innen sprechen, in der nächsten Runde aus derjenigen der Staatsdiener*innen usw. So zeigen sich zusätzlich unterschiedliche Perspektiven innerhalb eines Typs. Diese Übung bewährt sich in der Arbeit mit jungen Menschen besonders, weil sie sofort ein intuitives Verstehen für unterschiedlichen Denkweise entwickeln.

Was sagen wir, wenn wir jeweils in die Rolle eines der sechs Typen schlüpfen? Welche neue Perspektive sehen wir durch die „Brille“ eines dieser Typen? Was wird in den Perspektiven sichtbar?

ENTDECKER*IN

[Achiever]
Diesen Typ können wir uns als einen sehr aktiven, umtriebigen Menschen vorstellen, der viel vorhat und weiß, wie man andere begeistert und zum Mitmachen anregt. Dabei ist er eher der ungeduldige Macher in der ersten Reihe. Ihm ist das ständiges Weiterkommen wichtig und er würde am liebsten die ganze Welt mit ihren Schätzen entdecken.

Wachstum, Ruhm, Selbstoptimierung, Forschergeist

HEILER*IN

[Redefiner/Catalyst/ Individualist/Pluralist]
Ein Menschentyp, der differenziert ist und sich gut mit Menschen und deren psychologischen Bedürfnissen auskennt. Er kann sich gut in andere hineinversetzen, sieht auch die Schattenseiten klar und kennt viele Alternativwege. Ihm ist es wichtig, dass es allen gut geht und keiner übersehen wird.

Empathie, Heilung, Kommunikationsstärke, Experimentierfreude

MAGIER*IN

[Transformer/Synergist/ Strategist/Autonomist]
Dieser Typ bringt oft eine Perspektive ein, die vorher noch nicht gesehen wurde. Damit verbunden ist die Fähigkeit, scheinbare Gegensätze miteinander zu versöhnen und auf alle eingehen zu können. Magier*innen erzählen Geschichten, deren Bedeutungen vielschichtig sind.

Regeneration, Weisheit, Transformation, Inspiration, Verbundenheit

Der Entwicklungsweg von Adam

Es war einmal ein junger Mann namens Adam, der sich nach der Schulausbildung mit Gelegenheitsjobs auf dem Bau durchschlug. Adam genoss die Freiheit und arbeitete nur, wenn er musste. Er verbrachte viel Zeit in der Natur, im Spiel mit wechselnden Kumpanen und war kein Kind von Traurigkeit, sondern feierte gerne, als gäbe es kein morgen. Er konnte seinen spontanen Wünschen nachgehen und musste sich von niemandem etwas sagen lassen. Doch immer wieder ging ihm das Geld aus und er musste sich neue Jobs suchen. In gewissen kleinen Metallarbeiten war er recht begabt, was er allen wortreich zu verstehen gab. Den schweren Arbeiten entzog er sich geschickt und überließ sie lieber anderen. Aber das klappte nicht immer, und dann geriet Adam mit seinen Chefs in Streit, weil er sich ungerecht behandelt fühlte und seine Heldentaten nicht gesehen wurden. So wurde sein Leben immer schwieriger und er unzufriedener mit sich selbst.

Einer der Bauherren erkannte sein Talent für Metallarbeiten und fragte ihn, ob er nicht in seinem Betrieb arbeiten wolle. Er müsse dort nur Metallarbeiten machen und nichts anderes. Adam war sein Leben zu chaotisch geworden, er fühlte sich immer einsamer und sehnte sich nach mehr Ordnung, also sagte er zu. Er freute sich, dass sein Talent nun anerkannt wurde und er Lob dafür bekam. Ihm wurde gezeigt, wie die Abläufe waren und was genau er wie zu tun hatte. Er konnte sich die Aufgaben von anderen abschauen und musste sie nur genau kopieren. Bald wusste er, wie alles zu laufen hatte, und konnte andere auf Fehler und von der Norm abweichende Werkstücke hinweisen. Die Aufgaben wurden tagfertig erledigt und sein Leben war von Routinen und Ritualen geprägt. An den Wochenenden ging er mit der Mannschaft einen heben, sang gemeinsam Lieder und nahm an den traditionellen Festen der Region teil.

Nach ein paar Jahren spürte Adam, dass mehr in ihm steckte. Er merkte, dass er besser mit Zahlen umgehen konnte als die anderen. Er erkannte, dass die Arbeit bei den Lieferanten viel mehr Geld einbrachte. Von früher kannte er die Metallpreise, wusste, was die Firma zahlte und welche Margen das Geschäft bot. Also bildete er sich engagiert und lernbegierig weiter und wechselte als Kaufmann zu einem der Zulieferer. Sofort machte er sich akribisch an die Arbeit und nutzte seine Branchenkenntnisse, um Prozesse zu optimieren und Preise noch effizienter zu gestalten. Alles mit dem Ziel, Marktführer unter den Lieferanten zu werden. Die Arbeit nahm ihn voll in Anspruch, er versuchte immer besser zu werden, war sehr selbstkritisch und hatte nie Zeit. Doch der Erfolg sprach für ihn und er wurde als Experte hochgeschätzt, auch wenn manchen seine Rechthaberei und kühle Zahlenfixiertheit, die zu harten Entscheidungen führen konnten, missfielen.

Eines Abends, als er wieder einmal Überstunden gemacht hatte, fragte sich Adam, für wen er das alles tat. Er hatte das Gefühl, nur noch in einem System zu funktionieren. Niemand schien sich für seine neuen Ideen zu interessieren, sein Potenzial wurde nicht gesehen. Also beschloss er, sein eigenes Ding zu machen, er wollte frei sein und machte sich selbstständig. Das neue Unternehmen gestaltete er nach seinen eigenen Vorstellungen. Aus den besten Mitarbeitern seines ehemaligen Arbeitgebers und weiteren Experten formte er ein hocheffizientes Team, das den Handel auf eine neue Ebene hob. Er schaffte es, andere für seine hohen Ziele und seine Vision zu begeistern und zu motivieren. Sein Unternehmen wuchs stetig, Adam bereiste die Welt, lernte neue Kulturen schätzen und führte ein erfolgreiches Leben mit allen materiellen Annehmlichkeiten. Obwohl er sich kurze luxuriöse Auszeiten von seinem rastlosen Leben gönnte, fühlte er sich stark verantwortlich für den weiteren Erfolg, wollte noch mehr erreichen, sein volles Potenzial ausschöpfen und – hatte einen totalen Burnout.

Erst in der langen Auszeit wurde Adam bewusst, wie sehr er vor lauter Leistungsdenken seinen eigenen Bedürfnissen keinen Raum mehr gegeben hatte. Besonders vermisste er die Zeit in der Natur und die innere Ruhe, die er früher dort empfunden hatte. Sein Leben war zu voll gewesen. Beim Wandern und in langen Gesprächen mit neuen Freunden lernte er sich neu kennen und kam in tieferen Kontakt mit sich selbst. Er spürte, wie sehr sein Streben nach Erfolg vom Wunsch nach Anerkennung, vor allem durch seinen Vater, geprägt war und dass er Liebe und Glück immer im Außen gesucht hatte, weil er noch zu wenig Selbstliebe besaß, um Liebe in sich zu spüren. Adam öffnete sich seinem Innenleben, begann vieles in einem neuen Licht zu sehen und entdeckte, wie er mit seinen Stärken für sich und die Welt wertvoller umgehen konnte. Er gab seine Rolle als Unternehmer auf und machte seine neuen Erkenntnisse in Beratungen und Vorträgen anderen zugänglich.

Die Zeit als Berater und die Begegnung mit vielen Kulturen haben ihn spüren lassen, dass sein Lebensweg und die dabei gewonnenen Erkenntnisse wertvoll sind, und gleichzeitig, dass jeder Mensch auf seinem eigenen autonomen Entwicklungsweg mit seiner eigenen Geschichte unterwegs ist. Im Spiegel dessen spürte er die eigene Subjektivität, die sich auch darin zeigte, wie er sich selbst und andere reflektierte. Gleichzeitig fand er ein neues Interesse an der Andersartigkeit dieser Weltwahrnehmungen und wie er sich in immer neuen Facetten darin spiegelte. Durch das Loslassen von Vorstellungen über sich selbst kam er mehr in Kontakt mit der sinnlichen und gegenwärtigen Wahrnehmung seiner selbst. Adam spürte, wie sich daraus ein mehrdeutiges Bild der wechselseitigen Bedingtheit von individuellen und systemischen Entwicklungen ergab, was ihn zu einem geschätzten Gesprächspartner in Transformationen und Unsicherheiten machte.

Bildung und Auflösung des ICHs im Selbst

Wir kommen ohne Sprachbewusstsein auf die Welt. Nach und nach entwickelt sich in uns ein wahrnehmendes Bewusstsein, das sich zunehmend als individuelles Ich definiert. In der Selbstreflexion erkennen wir auch seine konstruktive, subjektive Natur und finden Zuflucht in einem Selbst als wahrnehmende Instanz jenseits unserer rollengebundenen Ich-Identitäten.

In dieser Phase ist uns unsere eigene Identität noch unbekannt. Wir erleben eine starke Unstetigkeit und innere Willkür, sind getrieben von äußeren Reizen, sowohl positiven als auch negativen. Wir können uns in Wut oder Freude „verlieren“. Unser Ich-Empfinden scheint frei von Konventionen zu sein. Dies ist ein sehr körperlicher Zustand, den wir aus unserer frühen Kindheit kennen. Manchmal scheint es verlockend zu sein, in dieses vorkonventionelle Stadium zurückzufallen, um uns von unserem konventionell konstruierten Ich zu befreien.

WECHSELHAFTE IDENTITÄTEN

Unsere Identität wird von äußeren Kontexten dominiert, denen wir glauben, entsprechen zu müssen, um „richtig“ zu sein und dazuzugehören. Die Bereitschaft, sich unterzuordnen, kann sich in innerer Strenge, Selbstverurteilung und selbst auferlegtem, unnötigem Leid äußern, aber sie zeigt sich auch in dem harmonischen Gefühl der Zugehörigkeit und darin, im Außen ein Zuhause zu haben. Unbewusst sind wir innerlich mit Erwartungen an uns selbst und andere beschäftigt, oft ohne sie mitteilen zu können. Eigene Gefühle und Gedanken drücken wir lieber nicht aus.

NOCH KEINE EIGENE IDENTITÄT

Wir beginnen zu erkennen, was zu uns gehört, und entwickeln ein neues Verständnis unserer Identität als wahrnehmenden Prozess, der sich in Vergleichen und Abgrenzungen in Bezug auf konventionelle Standards definiert. Unsere rollengebundenen Teilidentitäten erleben sich noch als stark voneinander getrennt. Innere Widersprüche werden kaum gesehen, weil alles, was zu sehr nach innen weist, vermieden wird. Es gibt noch keine integrierte Sicht auf uns selbst. Gleichzeitig gibt es ein stärkeres Gefühl für die eigene Handlungskompetenz und die Bereitschaft, die eigene Meinung zu vertreten.

UNVERBUNDENE ROLLEN-ICHS

IMPULS: Geteilte Aufmerksamkeit – Selbsterinnerung
Wir können im Alltag üben, uns an unser beobachtendes Selbst zu erinnern. Dazu teilen wir unsere Aufmerksamkeit und richten einen Teil nach innen und einen Teil nach außen. Es ist, als würden wir die Welt durch unsere Augen betrachten, also mit dem Außen verbunden sein, und gleichzeitig wissen wir, dass wir in uns selbst leben und das Leben diese Verbindung ist.

Wer sind wir, wenn wir uns nicht an das Selbst in uns erinnern?

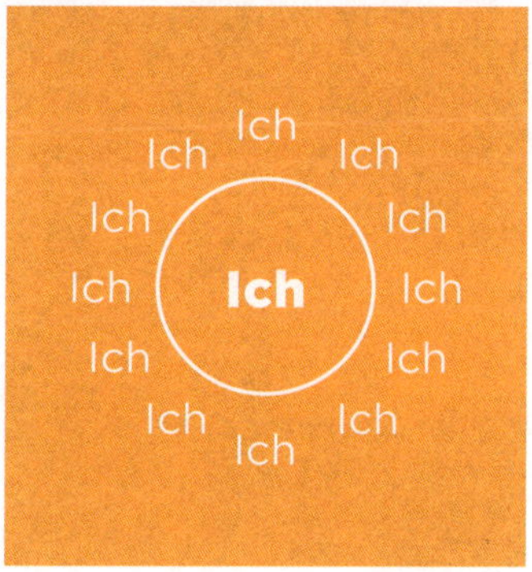

Unsere eigenen Gedanken werden differenzierter wahrgenommen und bestimmte Identitäten werden verstärkt. Ideen der Ich-Verwirklichung im Außen führen uns zu Konzepten der Selbstoptimierung und -gestaltung. Wir orientieren uns an bevorzugten eigenen Teilidentitäten. Wir wollen unsere weniger beliebten Ichs noch nicht sehen. Das Leben soll uns gute Gefühle machen und uns erfüllen. Die kuratierte Selbstdarstellung nach außen findet ihre Entsprechung in den Selbstgeschichten, mit denen wir uns selbst und anderen unsere Identität erzählen.

GESTALTENDES ICH

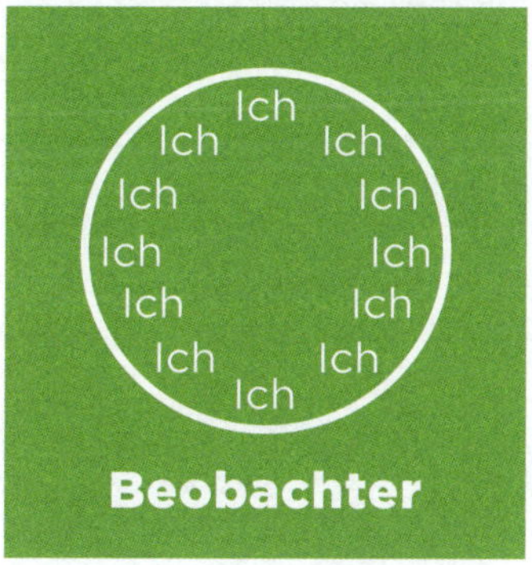

Selbstreflexion und die Bereitschaft, mehr über uns selbst zu erfahren, nimmt zu. Wir erkennen unser Selbst hinter unseren vielen Ichs und werden hinterfragender. Wir sehen unsere eigenen Widersprüchlichkeiten und entwickeln dadurch unsere Fähigkeit, mit Gefühlen umzugehen. Das lässt uns Teile unserer konventionellen Selbstgeschichten loslassen. Wir beobachten uns dabei, wie wir wahrnehmen. Es etabliert sich eine Meta-Ebene, ein Beobachter, der ein wahrnehmendes Selbstempfinden jenseits der Ichs entstehen lässt. Wir nehmen unsere Innenwelt in all ihrer Vielheit wahr.

BEOBACHTER, DER ICHS SIEHT

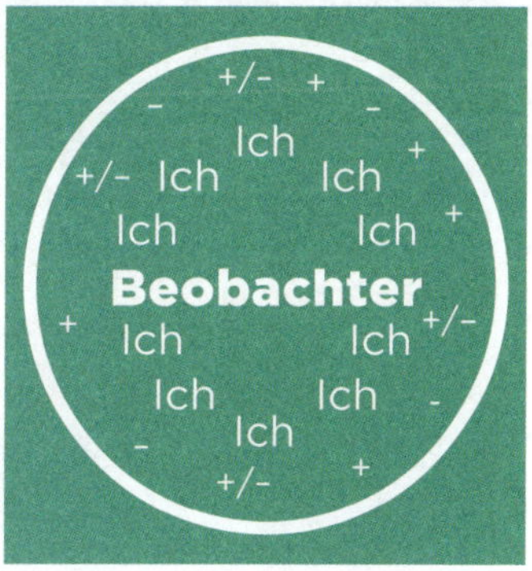

Der innere Raum der Selbstwahrnehmung wird in seiner Gesamtheit von Phänomenen wahrgenommen. Wir erinnern uns an unser Selbst, das schon immer da zu sein schien und doch erst jetzt präsent erscheint. Wir beginnen Phänomene der Prägungen, rollengebundene Ichs und Selbstgeschichten als subjektive, vorübergehende Konstrukte zu erkennen. Es fällt uns leichter, Paradoxien und Dilemmata aus der Perspektive des beobachtenden Bewusstseins zu betrachten. Es etabliert sich eine Meta-Meta-Ebene, die die Subjektivität auch des eigenen Beobachters erkennt.

BEOBACHTENDES BEWUSSTSEIN

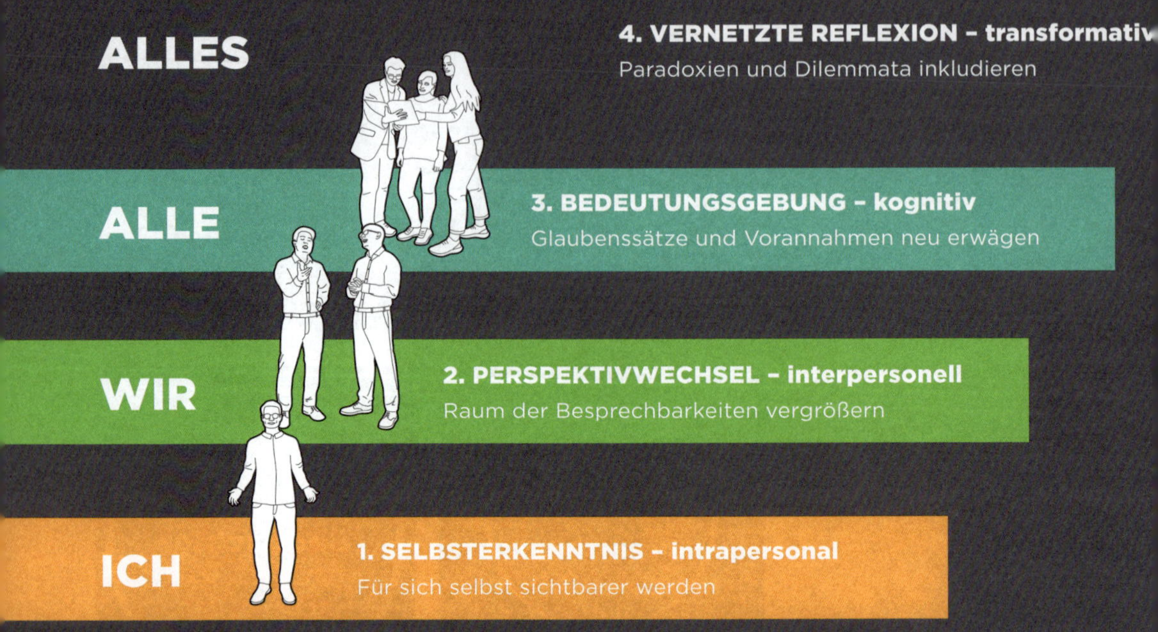

1.5 Die 4 Ebenen der Erweiterung

Wer zu neuen Ufern aufbricht und seine innere Haltung zum Leben und zu sich selbst erweitern möchte, dem kann ein Blick auf die 4 Ebenen der Entwicklung hilfreich sein. Dies sind zunächst die 3 Ebenen der Selbstentwicklung (ICH), der Interaktion und Beziehung mit anderen (WIR) und der Beziehung zur uns umgebenden Kultur (ALLE). Diese 3 Entwicklungsebenen erfordern eine zunehmende Fähigkeit, mit Paradoxien und Dilemmata umzugehen, da die Phänomene der Haltungen auf allen Ebenen gleichzeitig auftreten. Es gibt keinen linearen Entwicklungspfad oder eine Art Karriereleiter der kontinuierlichen Optimierung. Systeme und Strukturen erzeugen Verhalten, Verhalten prägt Persönlichkeiten und umgekehrt prägen Persönlichkeiten Verhalten und beeinflussen Systeme und Strukturen. Alles ist miteinander verwoben und bedingt sich gegenseitig. Im Laufe eines Entwicklungsprozesses steht mal die eine, mal die andere Ebene im Vordergrund. Der Blick auf ALLES als 4. Ebene und die Akzeptanz der damit verbundenen Dilemmata und Paradoxien hilft uns, nicht frustriert zu werden und länger an unserem Transformationsprojekt dranzubleiben.

1. ICH // SELBSTERKENNTNIS – intrapersonal

Auf der ersten Ebene geht es darum, den Selbstkontakt zu erhöhen und uns mehr über uns selbst wissen zu lassen. Wir erkennen unsere Teilpersönlichkeiten und verfallen weniger in unsere eigenen Katastrophisierungen, die meist aus frühen Denkmustern herrühren. Der „erwachsene", beobachtende Teil von uns wird größer und hinterfragender. Die Selbstbeobachtungen helfen uns, gelassener durch Veränderungen zu gehen, weil wir sehen, wie innere Phänomen, unsere Gedanken und Gefühle, kommen und gehen und wir uns nicht mit ihnen identifizieren müssen.

2. WIR // PERSPEKTIVWECHSEL – interpersonell

Das Einnehmen neuer Perspektiven im Austausch mit anderen hilft uns, multiperspektivischer und empathischer zu werden. Der Raum des Besprechbaren wird erweitert und bisher Tabuisiertes kommt zur Sprache. Wir respektieren, dass wir uns auf unterschiedlichen Etappen unseres individuellen Lebens- und Lernweges befinden. Was uns gestern noch als Wahrheit erschien, stellen wir heute vielleicht aus einer neuen Perspektive infrage.

3. ALLE // BEDEUTUNGSGEBUNG – kognitiv

Die Art und Weise, wie wir die Welt verstehen und unseren Erfahrungen einen Sinn geben, hängt stark vom kulturellen Kontext ab, in dem wir leben. Wir fühlen uns oft kognitiv überfordert in einer Medienrealität, in der wir scheinbar machtlos sind. Die permanente Stimulation unserer Reizbarkeiten bindet unsere Aufmerksamkeit, doch Aufmerksamkeit ist der Treibstoff, den wir für unsere Entwicklung brauchen. Dazu gehört es, Überzeugungen zu ändern und Vorannahmen zu hinterfragen. Das hilft, eine kreative Haltung gegenüber unserer gemeinsamen Zukunft einzunehmen und Umstände als gestaltbar zu erkennen.

4. ALLES // VERNETZTE REFLEXION – transformativ

Vernetzte Reflexion bedeutet, unsere drei Intelligenzsysteme Verstand, Herz und Intuition zu nutzen. Sie braucht uns, ein Gegenüber und den Kontext. Die drei Ebenen ICH, WIR und ALLE erfordern die Fähigkeit, mit Paradoxien und Dilemmata umzugehen. Mit Appellen und unrealistischen Erwartungen an uns selbst und andere erreichen wir meist nichts. Schwarz-Weiß-Denken, Cancel Culture, Blaming und Shaming ersticken einen Entwicklungsprozess, der die vorhandenen Phänomene in uns selbst, in anderen und in der Welt einbeziehen kann. Vermeintliche Gegensätze nehmen wir in einer erweiterten Haltung oft nicht mehr als Gegensätze wahr.

Vertikale Entwicklung in vier Dimensionen

Vertikale Entwicklung auf den Ebenen ICH, WIR, ALLE und ALLES kann in jeweils vier Dimensionen stattfinden. Diese sind: Charakter, interpersoneller Stil, Fokus und kognitiver Stil. Dementsprechend haben wir die Impulse zur Erweiterung in diesem Buch organisiert.

ICH // SELBST-ENTWICKLUNG

Charakter
Umgang mit eigenen Impulsen und Maßstäben:
von impulsgesteuert zu selbstregulierend

Interpersoneller Stil
Art und Weise, mit anderen zu interagieren:
von manipulierend zu tragfähig und die Autonomie respektierend

Bewusstseinsfokus
Bereiche, auf die sich die Aufmerksamkeit richtet:
von extern (Autoritäten) zu intern (Motive, Gefühle)

Kognitiver Stil
Art und Weise der Denkstrukturen:
von undifferenziert zu komplex, multiperspektivisch

WIR // TEAM-ENTWICKLUNG

Team-Charakter
Umgang mit Werten und Besprechbarkeiten:
von impulsiv zu selbstorganisiert

Umgangsstil im Team
Umgang im Miteinander:
von Machtspielen zur Integration aller

Team-Fokus
Was als wichtig und relevant wahrgenommen wird:
vom Dienst nach Vorschrift zum Sinn

Kognitiver Stil im Team
Typische Denkstrukturen und -muster im Team:
von Gemeinplätzen zum differenzierten Austausch

IMPULS: Wo fangen wir an?
Wir empfehlen, sich zunächst einen Überblick über die Transformationsimpulse zu verschaffen und zu schauen, auf welcher Ebene und in welcher Dimension der Fokus derzeit liegt. Dieses Buch kann sowohl linear als auch quer gelesen werden und eignet sich zum Nachschlagen.

ALLE // ORGANISATIONS-ENTWICKLUNG

Organisations-Charakter
Umgangsformen und Arbeitsorganisation:
vom Patriarchat zur Selbstorganisation

Umgangsstil in der Organisation
Führungsstil und Mitsprache:
von Seilschaften zu Transparenz

Organisations-Fokus
Worum es der Organisation im Kern geht:
von Unabänderlichkeiten zum Purpose

Kognitiver Stil in der Organisation
Wie Kommunikation stattfindet:
von verallgemeinernd zu vernetzt systemisch

ALLES // KONTEXT-ENTWICKLUNG

Kontext-Charakter
Die Welt, die wir erschaffen wollen:
vom starken Mann zu internationaler Kooperation

Umgangsstil im Kontext
Wie wir globale Vereinbarungen treffen:
vom Populismus zu integrierenden Vereinbarungen

Kontext-Fokus
Wie wir auf die Welt schauen:
von der Apokalypse zur Weltregeneration

Kognitiver Stil im Kontext
Wie wir Kooperation organisieren:
vom Ausschließen zur vernetzten Einbindung

Eigenschaften der Haltungen in den vier Dimensionen

Für die integrierten Eigenschaften und Reizbarkeiten jeder Haltung auf den Ebenen (ICH, WIR, ALLE und ALLES) ist hier für alle vier Dimensionen der Entwicklung beispielhaft jeweils ein Begriff aufgeführt.

INTEGRIERTE EIGENSCHAFTEN

ICH		
unbekümmert »	sich kümmernd »	strukturierend »
spielerisch »	rücksichtsvoll »	sachlich »
direkt »	wertebewusst »	faktenorientiert »
unbedarft »	simpel »	logisch »
TEAM		
lebendig »	regelkonform »	prinzipientreu »
spontan »	sich anpassend »	wissbegierig »
kurzfristig orientiert »	harmoniebewusst »	effizienzorientiert »
einfach »	pflichtbewusst »	vergleichend »
ORGANISATION		
strukturfrei »	ordnungsliebend »	funktionsorientiert »
gradheraus »	sich kümmernd »	prozessoptimierend »
alles durchstehend »	gebend »	renditeorientiert »
unverblümt »	regelgläubig »	sachbezogen »
WELTSICHT		
arglos »	bewahrend »	analytisch »
vertrauensselig »	loyal »	wissenschaftlich »
naheliegend »	verlässlich »	umsetzungsorientiert »
hemdsärmelig »	stabil »	realistisch »

REIZBARKEITEN

ICH		
« unbeherrscht	« selbstbeschuldigend	« perfektionistisch
« manipulativ	« herrisch	« abgespalten
« engstirnig	« angepasst	« pedantisch
« abkanzelnd	« dualistisch	« normierend
TEAM		
« chaotisch	« unflexibel	« funktionalisierend
« willkürlich	« antriebslos	« rechthaberisch
« sprunghaft	« tratschend	« scheineffizient
« beschränkt	« rigide	« bewertend
ORGANISATION		
« ungeregelt	« bürokratisch	« gefühlsignorant
« aggressiv	« zwanghaft	« fehlerfixiert
« kämpferisch	« fanatisch	« monokausal
« streitlustig	« regelungswütig	« kontrollierend
WELTSICHT		
« naiv	« reaktionistisch	« berechnend
« leichtgläubig	« unterdrückend	« expertengläubig
« machtversessen	« obrigkeitshörig	« zahlenfixiert
« maßlos	« erstarrt	« mechanistisch

IMPULS: Reizbarkeiten und Potenziale finden

Welche Wortbereiche sind im Moment in unserem Leben, in unserem Team oder in unserer Organisation aktiv?
Welche Wörter beschreiben Aspekte, die wir entwickeln wollen?

tolerant »	offen »	modulierend »
motivierend »	empathisch »	geklärt »
selbstverwirklichend »	reflektierend »	selbstentwickelnd »
pragmatisch »	hinterfragend »	paradoxietolerant »
stärkenorientiert »	experimentell »	integrierend »
chancenorientiert »	einbindend »	freiwillig »
priorisierend »	sensibel »	entwicklungsorientiert »
zielorientiert »	vielfältig »	multiperspektivisch »
ermunternd »	divers »	selbstorganisiert »
Freiraum schaffend »	transparent »	kokreativ »
erfolgreich sein »	zukunftstauglich »	systemisch »
leistungsorientiert »	agil »	komplexitätsfähig »
befähigungsorientiert »	umsichtig »	mehrdeutig »
unterstützend »	Vertrauen aufbauend »	weltverbunden »
wachstumsorientiert »	nachhaltig »	gesamtheitlich »
zukunftsoptimistisch »	inkludierend »	ambivalenztolerant »

« ehrgeizig	« schonungslos	« grüblerisch
« fordernd	« distanzlos	« belehrend
« leistungsgetrieben	« zögerlich	« erkenntnissüchtig
« oberflächlich	« überabwägend	« unverständlich
« konkurrenzdenkend	« übersichtslos	« überfordernd
« fordernd	« vereinnahmend	« orientierungslos
« karrieristisch	« empfindlich	« überlastend
« zielfixiert	« verwässernd	« verkomplizierend
« kompetitiv	« relativistisch	« erwartungsintensiv
« ungezwungen	« ausufernd	« fordernd
« siegorientiert	« überengagiert	« nicht detailliert
« leistungsfixiert	« sich verzettelnd	« abstrakt
« chancendefizitignorant	« konsequenzlos	« unpragmatisch
« selbstgerecht	« weltbeleidigt	« weltverzweifelt
« wachstumsblind	« reglementierend	« gestaltungsillusionär
« problemignorant	« idealisierend	« überkomplex

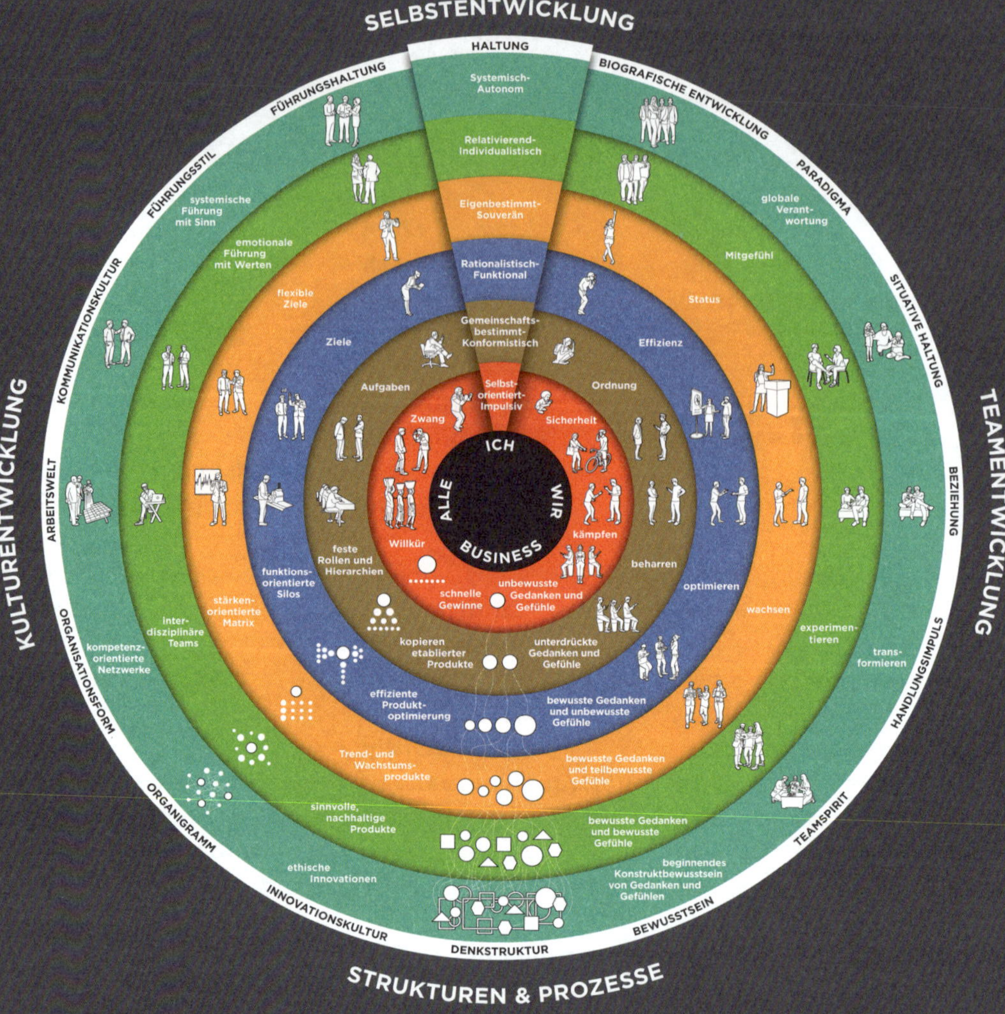

Das Target „Haltung erweitern"

Wie sich Möglichkeitsräume erweitern, veranschaulicht diese Grafik, die als Poster im SHORT CUTS Shop erhältlich ist. Das Poster bietet wunderbare Kommunikationseinstiege, die das Interesse für eine Erweiterung der Haltung auf den Ebenen ICH, WIR, ALLE und BUSINESS wecken – auch ohne Kenntnis des Modells.

Das Poster bieten wir bei uns im Shop an:
https://shop.short-cuts.de

Mein Erfolg ist das Ergebnis meiner Leistungsbereitschaft.

Bei Einschätzungen versuche ich die Subjektivität meiner Gedanken und Gefühle mitzudenken.

Wenn jeder für sich selbst sorgt, ist für alle gesorgt.

Mich interessiert die Vielheit in meinem Inneren und im Außen.

Fleiß und Struktur sind das Geheimnis meines Erfolges.

Ich finde, wenn jeder macht, was er will, haben wir Chaos.

Schnelleinstieg mit dem Quick-Check

Einen spielerischen Einstieg bietet unser Quick-Check, bei dem Team-Mitglieder gemeinsam aus jeweils sechs Aussagen, die für sie passendste wählen. Der Quick-Check ist als Kartenspiel im Shop erhältlich und auch als Online-Variante verfügbar. Spannend ist dabei nicht so sehr das Resultat, vielmehr sind es die Gespräche, die beim Abwägen und Auswählen der Aussagen entstehen. Im Austausch kommen wir in Kontakt mit unseren gefühlten Wahrheiten und machen sie besprechbar.

quickcheck.haltung-entscheidet.de

2. Ich

Selbst-Entwicklung

Bisweilen wird Selbst-Entwicklung als Versuch der Selbstoptimierung zu einer imaginierten Lieblingsversion von uns selbst betrachtet. Wir verstehen Selbst-Entwicklung eher als Entwicklung aus den Verwicklungen, die unsere frühen verbalen Ich-Konstrukte in uns erzeugen. Diese Ent-Wicklung legt nach und nach ein Selbst frei, das als eine Art beobachtende Bewusstseinsqualität jenseits der Worte in uns erscheint und sich immer mehr stabilisiert.

„Wenn dir etwas nicht gefällt, ändere es. Wenn du es nicht ändern kannst, ändere deine Einstellung!“

Maya Angelou (1928–2014)

Sich von sich selbst mehr wissen lassen

Ein Teilnehmer unserer mehrmonatigen Kulturexpeditionen brachte seine Verwunderung darüber zum Ausdruck, dass es bei der Arbeit mit dem Modell der sechs Haltungen so viel um die eigene Person gehen würde. Seine Idee war, dass er gezeigt bekommen würde, wie er die Haltungen in Teams verändern könnte, damit es mit der Agilität endlich besser klappen und sich die anderen anders verhalten würden. Die Annahme, dass wir selbst reifer sind als unser Umfeld und dass sich deshalb doch bitte die anderen entwickeln sollten, scheint mir nach vielen Prozessen in Unternehmen eher die Regel als die Ausnahme zu sein – besonders bei Führungspersönlichkeiten. Interessanterweise denken die Mitarbeitenden ähnlich, oft höre ich daher bei der Vorstellung des Modells: „Das müssten Sie mal dem Top-Management zeigen. Die behandeln uns wie Kindern und gängeln uns mit Kontrolle, Mikromanagement und lauter Reports, die uns nichts bringen und uns nur von der Arbeit abhalten." Beide Seiten laden ihre Änderungsfantasien beim Gegenüber ab und vergessen, dass die Unternehmenskultur und die darin vorherrschenden Haltungen in der Kommunikation eine Kokreation aller Beteiligten ist. Um die These „Ändern sollen sich die anderen" aufrechtzuerhalten, fokussieren wir auf die Ausnahmen, auf skurrile Führungskräfte, besonders schwierige Mitarbeitende und ungünstige Umstände. Wir übersehen dabei, dass wir Teil dieser Umstände sind, die wir in der Regel freiwillig gewählt haben.

Den eigenen Spielraum erkennen

Sobald wir den Schock überwunden haben, dass es auch um uns selbst geht, entsteht ein weicheres, offeneres Experimentierfeld. Wenn ich gefragt werde, wer an einer Workshopreihe teilnehmen sollte, lautet die Antwort: „Laden Sie Menschen ein, die sich für Selbstentwicklung interessieren, aus dem gesamten Unternehmen, quer durch alle Abteilungen und Hierarchieebenen." Denn wer sich selbst als voll entwickelt betrachtet, wird Ideen zur Selbstentwicklung als uninteressant oder eher als persönlichen Angriff bzw. als Abwertung empfinden und mit entsprechendem Widerstand reagieren. Bis zur rationalistisch-funktionalen Haltung neigen wir dazu, unsere Entwicklung als etwas von außen Getriebenes zu erleben, bei dem es darum geht, den Anforderungen des Lebens besser gerecht zu werden und mehr Kompetenzen zu erwerben. Erst mit der Priorisierung der eigenen Ziele und der Selbstermächtigung, dafür einzustehen, erkennen wir die Spielräume, die sich ergeben können, wenn wir uns mehr in eine gestaltende Haltung gegenüber unserem inneren und äußeren Leben begeben. Anregungen für dieses Spiel geben wir in diesem Kapitel.

SELBST-ENTWICKLUNGS-VERHINDERER

1. Vermeintlicher Zeitmangel

Einer der Haupteinwände gegenüber der Möglichkeit, sich selbst zu entwickeln, ist die Annahme, keine Zeit dafür zu haben. Zeit zu haben ist eine Frage der Priorisierung. Selbst-Entwicklung braucht keine zusätzliche Zeit, sie braucht nur einen anderen Umgang mit Aufmerksamkeit und Präsenz.

2. Innere Blockaden

Emotionale Energie ist der Treiber für eine neuroplastische Entwicklung. Sie ist oft in uns angehalten oder verkapselt. Wir entscheiden uns lieber dafür, in ungünstigen Mustern zu leben, als unsere emotionalen Widersprüche zu fühlen und einer erweiterten Sinngebung Raum zu schaffen.

3. Ungünstiges Umfeld

Unser soziales, berufliches und privates Umfeld neigt dazu, uns in unseren bisherigen Haltungen zu stabilisieren. Deswegen hatten wir es gewählt oder fühlten uns zu diesem Feld hingezogen. Manchmal hilft ein Wechsel.

4. Mangelndes Wissen

Unser Bildungssystem ist auf eine weitere Entwicklung im Erwachsenenalter wenig ausgerichtet. Teilweise sind Konzepte der Selbstentwicklung als ein möglicher Weg für Reifung und innere Freiheit noch unbekannt.

5. Fehlende Vorbilder

Äußere Vorbilder, mit denen wir in Resonanz gehen und die uns inspirieren, und innere Referenzerfahrungen, die uns eine andere Version von uns selbst zeigen, dienen als Orientierung. Manchmal fehlt beides noch.

6. Ignoranz

Die Option, sich zu entwickeln, wird manchmal als Abwertung des Status quo begriffen und folglich abgelehnt. Gerade frühe Haltungen empfinden es als Affront, dass wir alle unfertige Wesen sind, die sich im Prozess befinden.

7. Identitätsgefühl

Unsere aktuelle Gewohnheitshaltung repräsentiert unsere Art der Sinngebung und Ich-Bildung. Sie potenziell infrage gestellt zu sehen, kann eine Angst vor Identitätsverlust auslösen. Neu werden heißt auch, alte Glaubenssätze und Identitätsvorstellungen loslassen.

SELBST-ENTWICKLUNGS-ERMÖGLICHER

1. Entwicklungswille, Eigenmotivation

Selbst-Entwicklung ist immer ein freiwilliger Prozess. Wir können den individuellen Entwicklungswillen unterstützen und einander begleiten. Es ist keine Methode oder eine Kompetenz, die einem von außen beigebracht werden kann. Die Autonomie des Einzelnen gilt es zu respektieren.

2. Zugang zu Gefühlen

Wir haben viele kognitive Einsichten und sie sind relativ leicht herzustellen. Die Kraft zur Entwicklung entsteht, wenn wir Zugang zu unseren Gefühlen finden und diese mit unseren Einsichten in Verbindung kommen. Die Wahrnehmung und Benennung unserer Gefühle ist der erste Schritt.

3. Positive Experimentierkultur, Supervision

Für die Selbstreflexion und den Austausch mit Wachstumsgefährt*innen braucht es einen Raum, in dem Verletzlichkeit gut aufgehoben ist. Dieser ist manchmal mit Menschen außerhalb unseres Kontextes leichter zu finden.

4. Kenntnisse der Möglichkeiten von Entwicklung

Entwicklung wird oft als der Erwerb von Kompetenzen oder als Selbstoptimierung verstanden. Modelle können helfen, ein erweitertes Bild von den Potenzialen der eigenen Entwicklung vor Augen zu haben.

5. Selbstwirksamkeit, positive Referenzerlebnisse

Eigene Referenzerfahrungen in erweiterten Haltungen fördern die eigene Entwicklung am wirksamsten. Diese Erfahrungen geben uns innere Orientierung und eine Ausrichtung.

6. Aktives Üben, Verändern von Automatismen

Wir können Möglichkeitsräume schaffen, in denen wir neuen Haltungen Raum geben. Neben der Schaffung neuer Erfahrungsräume erweisen sich Musterbrüche im täglichen Tun als besonders hilfreich

7. Emotionale Spannungen nutzen

Selbst-Entwicklung entsteht in den Bereichen, in denen wir unterschiedlichen Logiken in uns spüren, was uns in Spannung versetzt. Die Wahrnehmung von unterschiedlichen Wertesystemen und Glaubenssätzen in unseren eigenen rollengebundenen Teilpersönlichkeiten ist ein Wachstumsmotor.

Selbstgeschichten konstruieren unser Ich

Wir konstruieren unser „Ich“ über die Art und Weise, wie wir uns uns selbst erzählen. Diese Ich-Konstruktion ist nicht als bewusster Prozess zu verstehen, sondern als ein unbewusster, in dem Erfahrungen mehr oder weniger konsistent geordnet und aufeinander bezogen werden. Wir nennen diese Ich-Konstruktionen auch Ich-Geschichten oder Selbstgeschichten. Sie setzen sich zusammen aus Interpretationen von Lebenssituationen aus der Vergangenheit, die wir für uns als prägend definieren. In Kennenlerngesprächen können wir auf solche Sätze achten:

- „Ich war immer ...“
- „Bei mir war das in der Familie so ...“
- „Meine Eltern haben mich gelobt, wenn ...“
- „Als Kind galt ich als ...“
- „Andere sagen über mich, dass ich ...“
- „Ich bin gut in ... und mache gerne ...“

Gerade bei sich anbahnenden Partnerschaften findet über Selbstgeschichten oft ein intensiver Abgleich statt. In diesem Sinne kreieren wir unsere Identität mit dem Blick auf unsere Vergangenheit. Wir wissen, dass unsere biografischen Erinnerungen keine fortlaufende Geschichte sind, sondern eine Sammlung von Episoden, die wir für uns selbst als relevant ansehen. Manchmal konstruieren wir Deutungen, um unsere aktuellen Lebensumstände zu erklären oder ein bestimmtes Bild von uns zu erzeugen.

„Jeder Mensch erfindet sich früher oder später eine Geschichte, die er für sein Leben hält.“

Max Frisch (1911–1991)

Unsere Haltung fungiert dabei als Filter – sowohl bei der Speicherung als auch bei der Erinnerung, denn jede erlebte Erfahrung wird selektiv gespeichert. Aus der Gedächtnisforschung wissen wir, dass die in unserem Gedächtnis gespeicherten Lebenserinnerungen eine entscheidende Rolle für unser heutiges Denken und Verhalten spielen. Die Deutungen dieser Erinnerungen können sich jedoch verschieben. Was uns einst als Glück erschien, wird aus einer späteren Perspektive zwiespältig gesehen, und was wie eine Krise aussah, kann zu einer Kraftquelle werden.

Was wir sehen können, ist also nicht die objektive Realität oder Wahrheit, sondern ein Konglomerat von Interpretationen unserer fragmentarischen Erinnerungen, die sich verändern, mit neuen Erfahrungen verknüpft werden und damit eine andere Bedeutung bekommen können.

> Ein Bekannter wuchs ganz klassisch in einer Familie mit zwei Geschwistern auf. Mit 28 Jahren erfuhr er, dass sein Vater nicht sein leiblicher Vater war. Eine Information, die sein ganzes System aus der Bahn warf und große innere emotionale Irritationen auslöste. Plötzlich fühlte sich sein Leben für ihn anders an, Erfahrungen wurden neu gedeutet und umgeschrieben. Die bisherige Geschichte seiner Identität kam ins Wanken. Er sah sein Selbstverständnis infrage gestellt, weil die überraschende Information ihn dazu aufforderte, das Erlebte neu sinngebend zu deuten.

Erfahrungen, die innere Widersprüche erzeugen, bringen wir in eine neue Ordnung. Wir können emotionale Spannungen ausgleichen, indem wir sie versprachlichen und unsere Erlebnisse in abstrakte kohärente Erklärungen überführen. Erinnerungen sind niemals objektiv und auch nicht statisch, denn sie können sich auf verschiedene Weise verändern und neu erzählt werden. Darin liegt auch die Chance, uns selbst neu zu verstehen, unsere eigene Geschichte als subjektiv zu erkennen und aus erweiterten Haltungen heraus neue Perspektiven auf unser Leben zu entwickeln. Mit größerem Bewusstsein für die eigenen Realitätskonstrukte sehen wir klarer, dass jede Selbstgeschichte nur eine von vielen möglichen Perspektiven auf unser Leben darstellt.

„Es ist nie zu spät, um eine glückliche Kindheit gehabt zu haben.“

Milton H. Erickson (1901–1980)

In diesem Sinne ist auch das berühmte Zitat von Milton Erickson zu verstehen. Mit jeder Erweiterung der Haltung öffnen sich neue Möglichkeits- und Deutungsräume von vergangener „Realität“. Im Laufe unseres Lebens erweitern wir diese Perspektive. Wir erkennen vielleicht klarer, welchen Begrenztheiten die Bezugspersonen unserer Kindheit unterlagen, und können aus dieser Erkenntnis Vorwürfe, Vorstellungen und enttäuschte Erwartungen loslassen. Wir erkennen, wer wir trotz der Hindernisse geworden sind, und können alte Emotionen eher in der Vergangenheit lassen – in dem Wissen, dass sie zum damaligen Zeitpunkt richtig und wichtig waren, aber unsere aktuelle Realität nicht mehr adäquat erfassen.

Die Verbalisierung spielt bei der Bewusstmachung und der Harmonisierung von emotionalen Spannungen eine wichtige Rolle. Die Bereiche, die wir noch nicht in Sprache bringen können oder wollen, die noch außerhalb unserer uns selbst offenbarten Selbstgeschichten liegen, binden emotionale Energie. Werden sie berührt, führt dies oft zu emotionalen Spannungen und Reizbarkeiten. Es sind Schatten die noch unbeleuchtet und unsichtbar sind.

„Man wird nicht erleuchtet, indem man sich Lichtfiguren vorstellt, sondern in dem man sich der eigenen Dunkelheit bewusst wird"

Maria Sanchez (* 1968)

Wenn wir uns entfalten wollen, können wir reflektieren, welche Haltungen wir durchlaufen haben, welche Übergänge und Krisen es gegeben hat und wie wir zu der Person wurden, die wir heute sind. Die Beschäftigung mit der eigenen Biografie zeigt uns auch, was vielleicht noch vor uns liegt und welche Anteile von uns wir noch nicht bewusst integrieren konnten. Es gibt kaum ein Führungskräfte-Coaching, in dem nicht früher oder später die Konstellation in der Herkunftsfamilie zum Thema wird. Fehlende Anerkennung und unerfüllte Liebe durch Eltern und andere frühe Bezugspersonen verursachen häufig offene Wunden und führen zu Entwicklungsblockaden. Bildungsbiografien, die von äußerem Druck, Erwartungshaltungen und Anspruchsdenken gekennzeichnet sind, können sich ähnlich auswirken.

Aussöhnung ist das Fundament für Entwicklung

Viele persönliche Lebensgeschichten der erzählten Vergangenheit binden Energie im Jetzt. Das hält uns in früheren Entwicklungsphasen oder löst Reizbarkeiten aus, die uns in eine frühere Haltung regredieren lassen. Ohne eine Klärung und Aussöhnung mit uns selbst können wir uns nur zeitweise in den erweiterten Haltungen halten, weil wir in dem Moment, wo unsere Triggerpunkte berührt werden, sofort in alte Logiken zurückfallen. Dadurch entstehen unbalancierte Persönlichkeiten, die in Teilen große Reife zeigen und dann wieder ein Verhalten an den Tag legen, das Verwunderung auslöst und Rätsel aufgibt. Da die Selbst-Entwicklung kein linearer Vorgang ist und Teilpersönlichkeiten in uns unterschiedliche Reifegrade haben können, lässt sich das nicht verhindern. In diesem Fall gilt es, die Motivation und die Neugier aufrechtzuerhalten. Sich die eigenen unbeleuchteten Stellen anzuschauen, vergrößert den inneren beleuchteten Raum. Biografiearbeit ist in diesem Fall sehr hilfreich.

Einen Raum für Entwicklung finden

Biografiearbeit braucht einen Rahmen, in dem Verletzlichkeit gut aufgehoben ist. Das ist nur zum Teil innerhalb einer Organisation möglich und braucht bisweilen einen privateren Rahmen, Coaching oder therapeutische Betreuung. Alles, was geschieht, ist absolut freiwillig und respektiert die Autonomie des Einzelnen. Immer mehr Menschen verfügen bereits über Erfahrungen mit Selbst-Entwicklung, weshalb ich immer wieder positiv überrascht bin, welche Tiefe und Offenheit auch im Businesskontext entstehen kann. Oft einfach nur dadurch, dass Menschen von sich erzählen und die anderen zuhören und teilhaben.

Biografiearbeit ist nicht im Sinne der verkopften analytischen Herangehensweisen von Sigmund Freud (1856–1939) zu verstehen. Biografiearbeit ist mehr als nur die kognitive Auseinandersetzung mit der Vergangenheit. Es geht darum, Punkte mit sogenannten Verkapselungen, auch Mini-Traumata genannt, zu entdecken, in denen Energie emotional gebunden ist. Diese Punkte gilt es fühlbar und besprechbar zu machen, um sie versöhnlich in unsere Lebenscollage zu integrieren. Durch Gespräche und Reflexionen werden Ereignisse, Prägungen und Entscheidungen der Vergangenheit beleuchtet und können neu kontextualisiert werden. Damit ist nicht die detektivische Suche nach dem einen alles bestimmenden Ereignis zu verstehen, das wir entlarven, damit alles anders wird. Meist entdecken wir Konglomerate von Vorannahmen und Glaubenssätzen, die uns noch prägen. Dann geht es weniger darum, ihren Ursprung zu ergründen, als vielmehr darum, eine neue Haltung zu den damit verbundenen Emotionen zu finden. Neuere Entwicklungsansätze stellen daher die Entwicklung einer Haltung, die zu mehr psychologischer Flexibilität führt, in den Mittelpunkt.

Wir sind nicht einer, sondern viele

Sigmund Freud brachte mit seinem Modell von Es, Ich und Über-Ich die ersten Konzepte von einer Vielschichtigkeit der Psyche in die Forschung ein. Carl Gustav Jung (1875–1961) differenzierte mit seiner Lehre von den Archetypen die Idee der Teilpersönlichkeitsanteile weiter aus. Der Ansatz der Psychosynthese von Roberto Assagioli (1888–1974) und seinem Schüler Piero Ferrucci (* 1946) sah in der menschlichen Psyche eine Ansammlung von individuell sehr unterschiedlichen Teilpersönlichkeiten, die sieben verschiedene Bewusstseinsbereiche bilden (Selbst, Höheres Unterbewusstes, Mittleres Unbewusstes, Ich, Bewusstes, Unteres Unbewusstes, Kollektives Unterbewusstes). Eric Berne (1910–1979), der Begründer der Transaktionsanalyse, geht davon aus, dass jeder Mensch drei Ich-Zustände hat: Eltern-Ich, Erwachsenen-Ich und Kind-Ich. Die Transaktionsanalyse untersucht intrapersonale und interpersonelle Kommunikation dieser Anteile.

Transaktionsanalyse und Haltungen

Das Modell der Transaktionsanalyse lässt sich gut mit dem Modell der Haltungen in Bezug setzen. Die frühen Haltungen repräsentieren unsere kindlichen Anteile (Kind-Ich). Die gemeinschaftsbestimmt-konformistische und die rationalistische-funktionale Haltung können verstanden werden als die Anteile, die stark von außen mitgeprägt werden und deren innere anteilige Repräsentanten wir in unserem biografischen System als innere „Eltern" oder Autoritäten erleben. Das Kind-Ich differenziert Berne in drei Teile, das Eltern-Ich in zwei, was sehr gut sowohl mit den integrierten als auch mit den nicht integrierten Aspekten der früheren Haltungen korreliert. Der Ich-Zustand des Erwachsenen-Ich entspricht dann eher den erweiterten Haltungen.

Freies Kind-Ich (spontan, kreativ, energiegeladen)
Rebellisches Kind-Ich (trotzig, aufbrausend, übergriffig)
Angepasstes Kind-Ich (Unsicher, regelgehorsam, ängstlich)

Kritisches Eltern-Ich (korrigierend, zurechtweisend)
Fürsorgliches Eltern-Ich (bevormundend, umsorgend)

Erwachsenen-ICH (Selbstkenntnis, Überblick, Reflexion)

Das innere Team

Im Businesskontext ebenfalls bekannt ist das „Innere Team", das der Kommunikationspsychologe Friedmann Schulz von Thun (* 1944) einführte. Er beschreibt die verschiedenen Seelen in unserer Brust als Teammitglieder mit unterschiedlichen Normen und Werten, die insbesondere in inneren Konflikt- und Entscheidungssituationen aktiv werden. Auch hier lassen sich Parallelen zu den verbalen Konstrukten aus den unterschiedlichen Haltungen ziehen.

Der innere Konferenzraum

Ein ähnliches Modell ist der innere Konferenzraum. Er eignet sich für Themen, mit denen wir uns in emotionaler Spannung befinden und bei denen wir unterschiedliche Meinungen in uns spüren. In einem tiefenentspannten Zustand können wir diesen Raum etablieren, in dem alle Standpunkte zu Wort kommen dürfen. Jede Perspektive verbalisieren wir von einem anderen Stuhl aus, bis alles, was innerlich zu dem Thema an Ansichten vorhanden ist, präsent ist. Meist sind dann 5–8 Stühle von unterschiedlichen Charakteren besetzt. Das Erleben dieser Charaktere in einer Entspannungstrance erzeugt jeweils ein eigenes Körpergefühl, eine eigene Sprache und Energie, die energetisch, neutral oder erschöpft sein kann. Sind die Charaktere etabliert und haben ihre Bedürfnisse formuliert, können sie untereinander verhandeln.

Erst Jahre später erkannte ich mögliche Parallelen zum Modell der Haltungen. Ähnlich den Haltungen stehen die im Konferenzraum Anwesenden für bestimmten Sinngebungen, Logiken und Glaubenssätze, die typische Merkmale der Haltungen aufweisen und für bestimmte Entwicklungszeiträume stehen können. Die Repräsentation der eigenen Psyche in Teilpersönlichkeiten kann uns helfen, Bedürfnisse aus früheren Haltungen besser zu identifizieren und mit diesen Anteilen in unserem biografischen System in Kommunikation zu treten. Wie beim Modell der Transaktionsanalyse stehen die einzelne Teile in einer biografischen Entwicklungsfolge.

Die genannten Modelle sind einige der vielen möglichen Pfade zur Verflüssigung angehaltener Emotionen, die ansonsten permanent Triggerpunkte darstellen. Sie verdeutlichen, dass die Zuschreibung einer bestimmten „Entwicklungsstufe“ als Dauerzustand irreführend ist, auch wenn sie einer idealisierten Selbstvorstellung sehr entgegenkommen.

Die Kenntnis des Modells wirkt schon verändernd

Allein die Kenntnis des Modells der sechs Haltungen – und das mag für viele Modelle gelten – kann schon einen großen Einfluss auf unsere Wahrnehmung haben, weil wir dadurch anders auf uns selbst, unser Team und unsere Organisation schauen. Unsere kognitiven Fähigkeiten reichen nicht aus, um die Komplexität unserer Psyche in ihrer Gesamtheit zu erfassen. Daher sind Modelle hilfreich, weil wir durch die Vereinfachung und Abstraktion, die sie uns bieten, eine Sortierung vornehmen zu können.

In diesem Sinne sind auch alle Grafiken dieses Buchs zu verstehen. Als Hilfe, um in unseren Köpfen ein mentales Modell für uns selbst zu erzeugen und als Unterstützung, wenn wir uns mit anderen über diese komplexen Zusammenhänge austauschen. Die Grafiken bieten eine mögliche Übersetzungshilfe, wobei wir uns bewusst sind, dass die abstrahierten Phänomene wesentlich komplexer sind als in den vereinfachenden Orientierungskarten beschrieben. Einige Leser*innen des Buchs „Haltung entscheidet“ haben uns das Feedback gegeben, dass ihnen besonders die Illustrationen geholfen haben, eigene Beobachtungen in einen neuen Zusammenhang zu stellen. Gleichzeitig bitte ich um Verzeihung für die Unschärfen, die an manchen Stellen entstehen und den wissenschaftlichen Ansprüchen mancher Leser*innen nicht genügen können. Ich bin davon überzeugt, dass entwicklungsorientierte Modelle und ihre Wirkung noch in vielen Bereichen erforschenswert sind, und freue mich über eine wachsende Anzahl von Masterarbeiten und Forschungen zu diesem Thema. Entscheidend sind eigene Erfahrungen und die Lust, sich auf die Reise der Selbst-Entwicklung zu machen, deren Ziel uns noch verborgen ist.

Psychologische Flexibilität

Das Konzept der psychologischen Flexibilität hat Steven Hayes (* 1948) innerhalb seines Ansatzes zur Akzeptanz- und Commitmenttherapie (ACT) formuliert. ACT ist eine Sammlung von Vorgehensweisen, die sich in der Verhaltenstherapie bewährt haben. Ihr Hauptfokus liegt auf der psychischen Flexibilität und der damit verbundenen Haltung, sich situationsabhängig immer wieder in Richtung zu mehr innerer Freiheit und Lebendigkeit auszurichten. Die Verhaltenstherapie entwickelte sich in drei Wellen, an denen sich gut die Reise durch die Haltungen ablesen lässt.

Die erste Welle der Verhaltenstherapie konzentrierte sich auf das sichtbare Verhalten und auf die Frage, wie wir lernen und konditioniert werden. Im Zentrum stand der Wunsch, über Messbarkeiten die Psychologie zu einer Wissenschaft zu machen und Therapieformen wie die Psychoanalyse, die eher einer von Koryphäen ausgeübten Kunst entsprach, zu versachlichen. Exemplarisch für diese erste Welle stehen Iwan Pawlow (1849–1936) und Burrhus Skinner (1904–1990).

IMPULS: Psychologisch flexibel werden
Den ACT-Ansatz zur Auflösung von Aspekten psychologischer Inflexibilität lernte ich über Martin Bonensteffen (* 1963) kennen. Einen leichten Zugang eröffnen folgende sechs Fragen:

1. GEGENWÄRTIGKEIT
Wie präsent bin ich gegenüber meiner gegenwärtigen Innen- und Außenwelt?
2. WERTE
Wie bewusst sind mir meine Werte und wie richte ich mich nach ihnen aus?
3. COMMITMENT
Wie setze ich meine Energie für meine Entwicklung ein?
4. BEOBACHTER
Wo unterscheide ich zwischen meinem Ich-Konstrukt und meinem Erleben?
5. DEFUSION
Wo erkenne ich meine Gedanken als temporäre subjektive Phänomene?
6. AKZEPTANZ
Kann ich auch schwierige Gefühle als Phänomene in mir wahrzunehmen?

Durch kleine Experimente können wir jedes der sechs Lebendigkeitsprinzipien stärken und unsere psychologische Flexibilität als Grundlage für eine mögliche Selbst-Entwicklung weiten. Mehr Anregungen bietet actpraxis.de.

In der zweiten Welle kam eine Perspektive hinzu. Jetzt wurde auch berücksichtigt, wie unser Denken unser Verhalten mitbestimmt. Die daraus entstandene kognitive Verhaltenstherapie wurde unter anderem von Aaron Beck (1921–2021) stark propagiert.

In der dritten Welle wurde erkannt, dass auch die Gefühle für unser Verhalten von Bedeutung sind. Im Businesskontext kennen wir aus dieser Welle Ansätze zur Stressreduktion und Resilienzstärkung MBSR (mindfulness-based stress reduction), MBCT (mindfulness-based cognitive therapy) und eben auch ACT. Anstelle der Veränderung und Umstrukturierung negativer Gedanken und Gefühle steht deren Akzeptanz im Vordergrund. Auch Mindfulness, die Praxis einer absichtsvollen, nicht wertenden Gegenwärtigkeit, können wir diesen Strömungen zuordnen. ACT ist ein entwicklungsorientierter Open-Source-Ansatz, der offen ist für Impulse aus anderen Richtungen. Psychologische Flexibilität unterstützt, ebenso wie die Positive Psychologie, die Erweiterung unserer Haltungen dadurch, dass wir unseren Aufmerksamkeitsfokus nicht regressiv binden, sondern unsere innere Beweglichkeit und Gestimmtheit erhöhen. Im Englischen heißt es auch Accept, Choose, Take action, (akzeptiere, wähle, handle).

Psycho-Logiken der Selbst-Entwicklung

Auch unser Verständnis von Selbst-Entwicklung reift mit der Erweiterung unserer Haltung. Diese Übersicht ist eine noch unfertige Skizze, die anregen will, zu reflektieren, durch welche Brille wir psychologische Entwicklung betrachten. Sie stellt keine starre Zuschreibung dar, insbesondere nicht eine solche der exemplarischen Personen. Es macht einen Ansatz nicht falsch oder schlechter, dass er einer früheren Logik folgt. Gerade bei der Verhaltenstherapie sehen wir, wie ein Ansatz das Fundament für den nächsten erweiterten Ansatz ist.
Die verschiedenen Ansätze von Coaching und Therapie eignen sich für unterschiedliche Übergangsstadien. Die Philosophie des jeweiligen Ansatzes gibt ebenso wie die Haltung der Person, die Coaching oder Therapie anbietet, Aufschluss darüber, welche Möglichkeit für ein bestimmtes Anliegen passend ist. Ursprünglich ist die Ich-Entwicklung von Jane Loevinger als diagnostisches Instrument entwickelt worden, um die passenden Therapieansätze für die Entwicklung einzelner Individuen auswählen zu können.

Selbstorientiert-Impulsiv	Gemeinschaftsbestimmt-Konformistisch	Rationalistisch-Funktional
Aberglaube Wahrsagungen Opfergaben Selbstidealisierungen prärationales Denken ... ?	**Sigmund Freud** Psychoanalyse Die Autorität deutet Dualität des Es (Befriedigung) & Über-Ich (Moral) und dazwischen ein Ich (Sinngebung) Dogmatische Lehren Militärdrill Gehorsamkeitslehren Klient ist unwissend ... ?	**Burrhus Skinner** Verhaltenstherapie mit wissenschaftlichen Tests **Iwan Pawlow** sichtbares Verhalten Konditionierungen Symptomorientierung Quantifier Um-zu-Logiken ... ?
Wir müssen dem Coach glauben **IRRATIONALE WIRKUNGSANNAHMEN**	*Coach hat die Deutungshoheit* **ELITÄRES WISSEN**	*Coach ist Expert*in und erklärt die Ergebnisse* **ÄUSSERE MESSBARKEITEN**

IMPULS: Was passt zu meinem Entwicklungsschritt?
Der Religionsphilosoph Alan Watts (1915–1973) bemerkte: „Schon in der Vorstellung, ich muss mich bessern, steckt die offensichtliche Schwierigkeit, dass wenn ich der Besserung bedarf, das ich, das sich ans Werk der Besserung macht, ist das ich, das verbessert werden muss. Um mich ändern zu können, müsste ich mich schon geändert haben und ein anderer sein."
Da wir nicht ein Ich sind, sondern jede Haltung einen eigenen Ich-Identitätsraum darstellt, ist dieses paradox erscheinende Rätsel lösbar. Wir sind gleichzeitig die Person, die sich entwickeln sollte, als auch die, die sich gerade entwickelt, als auch die, die dagegen Widerstand leistet. Je nach verbalem Ich-Konstrukt, mit dem wir uns temporär identifizieren und unsere Identität verleihen. Das Modell der Haltungen kann hierfür lebenspraktische Erklärungen liefern.

Bezogen auf emotionale, komplexe, spannungsreiche Themen in uns, welche Anteile gibt es in uns und wie diskutieren die miteinander?

Eigenbestimmt-Souverän

Abraham Maslow
Humanistische Psychologie, Entwicklungsorientierung

Martin Seligmann
Positive Psychologie, sich Zeit nehmen und auch auf Stärken eingehen

Aaron Beck
Kognitive Verhaltenstherapie, Verbindung von Denken und Verhalten
... ?

Coach hat Interesse und gibt Anregungen
DENKMUSTER EINBEZIEHEN

Relativierend-Individualistisch

Noam Chomsky
Linguistische Ansätze untersuchen den Raum zwischen Stimulus & Response

Schulz von Thun
Inneres Team, Teilpersönlichkeitskonzepte

Viktor Frankl
Logotherapie, Werte

Achtsamkeit, ACT, Schematherapie
... ?

Coach hilft Gefühle und Muster zu erkennen
BEWUSSTES FÜHLEN

Systemisch-Autonom

Milton Erickson
Hypnotherapie

Gunter Schmidt
Hypno-systemischer Ansatz

Gregory Bateson
System- und Familientherapie

Richard Schwartz
Internal Family System

Wholeness Work, Aufstellungsarbeit, Ich-Entwicklung
... ?

Coach gestaltet Räume für neue Wahrnehmungen
INTUITIVES ERFORSCHEN

ENTWICKLUNGS-FRAGEN

1. Bewusstheit hinsichtlich der gewünschten Entwicklung
Wie lautet unser Ziel in seiner positiven Formulierung?
Was glauben wir damit zu erreichen?
Woran werden andere erkennen, dass wir unser Ziel erreicht haben?
Wer wollen wir gewesen sein, wenn wir aus der Zukunft zurückschauen?

2. Freiheit und Entwicklungsraum erkennen
Wer oder was hindert uns daran, es zu tun, zu haben, zu sein?
In welchen Bereichen ist das Thema am stärksten spürbar?
Auf welche Stärken in uns können wir vertrauen?
Wie haben wir das Ziel in der Vergangenheit bereits punktuell erreicht?

3. Eigenmotivation in Bezug auf die gewünschte Entwicklung
Was ist drin für uns? Was motiviert uns?
Welches Potenzial sehen andere in uns?
Welche Personen sind für uns Vorbilder, an denen wir uns orientieren können?

4. Verantwortung für sich übernehmen
Wie lange gibt es das Thema bereits?
Welches Gefühl in uns bestärkt uns im Wunsch, uns entwickeln zu wollen?
Können wir das Thema oder die damit verbundenen Gefühle hervorrufen?
Wo wollen wir in fünf Jahren in Bezug auf die gewünschte Entwicklung sein?

5. Freude an unserem Entwicklungswunsch leben
Was macht an der gewünschten Entwicklung Spaß?
Was an der Vision ist für uns erstrebenswert?
Wie würde jemand die Begeisterung für unsere Entwicklung beschreiben?

6. Kraft und Ressourcen aufbauen und nutzen
Wer in unserem Umfeld unterstützt die Veränderung?
Welche Vorerfahrungen sind vorhanden? Was hat funktioniert, was nicht?
Welche Ressourcen haben wir und welche werden gebraucht?
Wie lange wollen wir an der gewünschten Entwicklung arbeiten?
Wie wichtig ist sie uns wirklich?

7. Entwicklungswille konkretisieren
Welche zeitlich konkreten Ziele könnte es geben?
Welche Möglichkeiten gibt es noch, um Entwicklung zu erreichen?
Wie stellen wir sicher, dass wir den gewünschten Weg auch wirklich gehen?
Was können erste Schritte in die gewünschte Richtung sein?

Obwohl ein jeder von sich strebt

*Und doch, obwohl ein jeder von sich strebt
wie aus dem Kerker, der ihn hasst und hält, –
es ist ein großes Wunder in der Welt:
ich fühle: alles Leben wird gelebt.*

*Wer lebt es denn? Sind das die Dinge, die
wie eine ungespielte Melodie
im Abend wie in einer Harfe stehn?
Sind das die Winde, die von Wassern wehn,
sind das die Zweige, die sich Zeichen geben,
sind das die Blumen, die die Düfte weben,
sind das die langen alternden Alleen?
Sind das die warmen Tiere, welche gehn,
sind das die Vögel, die sich fremd erheben?*

Wer lebt es denn? Lebst du es, Gott, – das Leben?

Rainer Maria Rilke (1875–1926)

2.1

Charakter

Ein Bereich, in dem sich unsere vertikale Entwicklung vollzieht, ist unser Charakter. Unser Umgang mit eigenen Impulsen und Maßstäben kann sich von impulsgesteuert zu selbstregulierend entwickeln. Unsere Biografie und die auf unserer inneren Reise erfüllten oder unerfüllten Bedürfnisse prägen unseren Charakter stark, ebenso wie unser Umgang mit den erlebten Traumata – kleine und große seelische Fehlbelastungen und Verletzungen. Umgangssprachlich drückt sich die Haltungserweiterung des Charakters in Formulierungen aus wie zum Beispiel: „Der ist ein kindlicher Charakter", „Ein eher angepasster Typ", „ Das ist ein Kopfmensch", „Eine, die weiß, was sie will ...", „Ein reife Persönlichkeit ..." oder „Die ist schon ziemlich weit".

„Im Widerstand entdecke ich mich, die Menschen und die Welt neu; wenn ich das Unbekannte hinter dem Widerstand ergründen will."

Remo Rusca (* 1970)

Konfliktbewältigungskompetenz

Unsere vertikale charakterliche Entwicklung wird für uns selbst anschaulich in unserem Konfliktverhalten und anhand der Optionen, die uns zu deren Bewältigung zur Verfügung stehen. Das Spektrum erweitert sich mit der Zeit, und großen Anteil daran hat, wie wir mit uns selbst in den inneren Dialog gehen können. Wir erleben in Konflikten, wie innere Teilpersönlichkeiten in Konkurrenz um die Deutungshoheit über die Reizverarbeitung gehen. Je nach Emotion, die aktiviert wird, melden sich unterschiedliche Zeitschichten und versuchen sich in Sinngebungen, die in den früheren Haltungen eher zu impulsgesteuerten, niederkomplexen Aussagen führen und in reiferen Haltungen konstruktive Diskussionen ermöglichen.

In einer unserer Ausbildungen wurde einer Teilnehmerin klar, wie sich ihr eigener Umgang mit Konflikten im Laufe ihrer Biografie und durch die Entfaltung ihrer Haltungen verändert hatte.
In ihrer Kindheit hatte ihr Vater immer das letzte Wort und immer recht. Das hatte in ihr Ohnmachtsgefühle und Wut ausgelöst, die sie auch heute noch erlebt, wenn Obrigkeiten ihr rechthaberisch begegnen und sie sich mundtot gemacht fühlt.
Dieser Phase folgte eine Phase der Rebellion, in der sie mit Mutter und Schwester ein Bündnis gegen den Vater schloss, um ihm ein stärkeres Wir entgegensetzen zu können.
Erst nach dem frühen Auszug von zu Hause lernte sie im Internat der Fachhochschule durch Gesprächskreise, in denen Meinungen freien Ausdruck fanden, dass Konflikte auch in Debatten argumentativ ausgetragen werden können.
In der frühen Ehe kam eine neue Qualität hinzu. Die Partnerschaft war sehr unterstützend und stärkenorientiert und zeigte ihr, dass Konflikte in Beziehungen auch wertschätzend und liebevoll gelöst werden können. Sie erlebte, dass man nicht immer einer Meinung sein muss und trotzdem miteinander klarkommen kann.
Die Erfahrungen in ihren Beziehungen nach der Ehe weiteten ihre Perspektive für unterschiedliches Konfliktverhalten und ließen sie ihre eigenen Werte klarer erkennen. Sie begann, für diese Werte einzustehen, ohne ihr Gegenüber in seiner Individualität infrage stellen zu müssen.
Ihr Konfliktbewältigungsverhalten war geschmeidiger geworden und sie lernte aktuell, entspannter mit Momenten der eigenen Unreife umzugehen, die immer noch sporadisch auftauchten.

Haltungen umhüllen einander

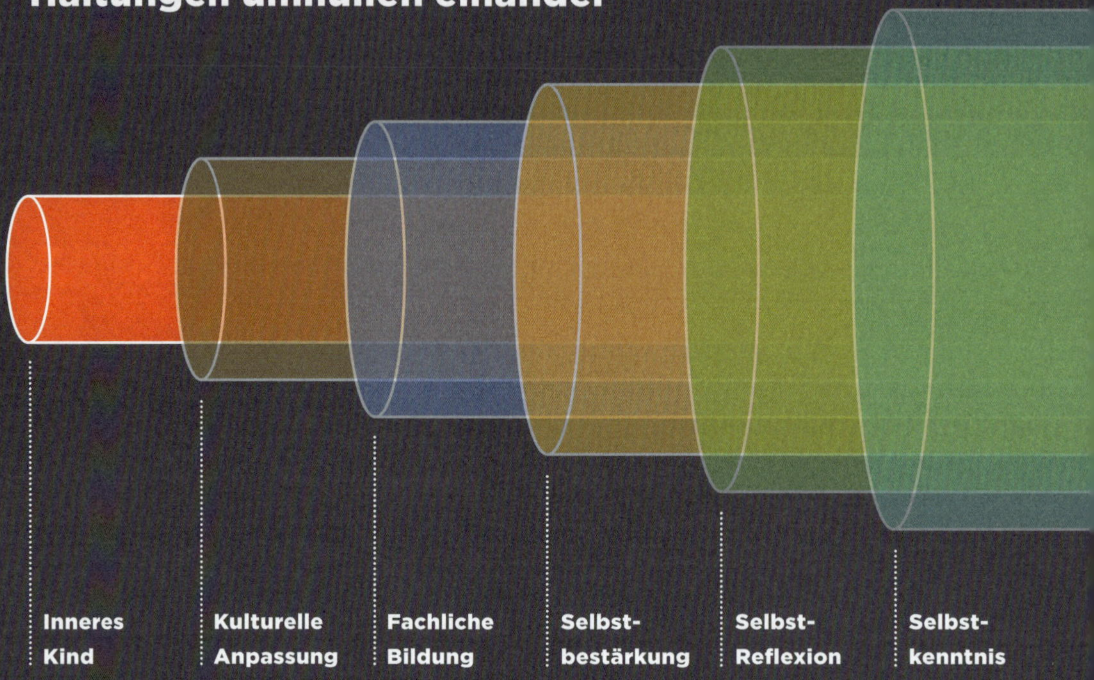

Unser biografischer Raum

Unsere Psyche existiert in koevolutionärer Beziehung zu unserem Organismus und den uns umgebenden sozialen Systemen samt der darin stattfindenden Kommunikationen. Keines dieser Systeme ist statisch. In unserer Psyche addieren sich Erfahrungen aus unterschiedlichen Zeitschichten und Haltungen. Daraus formt sich unser sich veränderndes Ich-Bewusstsein. Der innere Strom des Selbstgewahrseins ist keineswegs linear, sondern springt in seinen Bezugsebenen assoziativ durch unseren Erfahrungsraum. Ein Geruch weckt eine Erinnerung an eine Person, die uns an eine schöne Zeit erinnert, was uns innerlich das Bild eines fernen Ortes sehen lässt, was sich wiederum mit einer Nachricht von gestern aus diesem Land verbindet, was uns an etwas Dringliches erinnert, was wir doch noch tun wollten, usw.

Unsere Psyche existiert in einem großen inneren biografischen Raum, der selbst ein System von Kommunikationen darstellt. Die Anteile, die wir in den früheren Haltungen erlebt haben, verschwinden nicht einfach, wenn wir unsere Haltung erweitern, sondern bleiben in uns und werden umhüllt. Wir können diesen Persönlichkeitsanteilen bestimmte Überzeugungen,

IMPULS: Unser Biografiesystem

Der Blick auf unsere Biografie kann helfen, haltungsspezifische Reizbarkeiten zu identifizieren. Veränderungen in unserem Ich-Empfinden entstehen oft in Krisen, in denen eine innere Neuordnung stattfindet. Das kann verbunden sein mit wichtigen Wendepunkten im Leben. Es gibt dann für uns die Zeit vor diesem Ereignis, in der wir uns auf eine bestimmte Weise erlebt haben, und die Zeit danach, in der sich unser Blick auf die Welt und uns selbst verändert hat.

Bei Workshops bringen wir die Teilnehmenden über solche Erlebnisse in Austausch. In den Geschichten zeigt sich, wie vielfältig Entwicklungswege sein können. Das Modell wirkt in seiner theoretischen Vereinfachung manchmal etwas schematisch, die Buntheit der Lebensgeschichten bringt eine facettenreiche Erfahrungsbreite hinzu. Formen des gegenseitigen Geschichtenerzählens und -zuhörens, des Storytellings und Storylistenings, machen die Entwicklung der Haltungen begreifbarer .

Wenn wir unsere Lebensgeschichte mit den wichtigsten Ereignissen von Neuordnungen und Neuorientierungen aufschreiben: Bei welcher unserer typischen Reizbarkeiten können wir einen biografischen Bezug erkennen?

Ansichten, innere Stimmen und Bedürfnisse zuordnen. Auf die Beschreibung eines emotionalen Konflikt folgt im Coaching-Kontext daher oft die Frage „Kennst du das von früher?“, gefolgt von „Wie alt warst du da?“. Wir sind in unseren psychologischen Mustern keineswegs immer erwachsen. Viele unserer Treiber, die hinter unserem Ehrgeiz und unseren Sehnsüchten liegen, stammen aus frühen Prägungen, die uns gelehrt haben, wie wir den Anforderungen unseres Herkunftssystems gerecht werden können oder wie in diesem System Liebe gezeigt bzw. gegeben wurde, und funktionieren noch nach diesen alten Logiken. Der Wunsch, die Liebe der Mutter und den Stolz des Vaters in sich wahrzunehmen, sind große Treiber hinter vielen Persönlichkeitsmustern. Sie können ein zentrales Motiv eines Lebens bleiben, auch wenn wir schon lange erwachsen sind. Eine andere klassische Coaching-Frage ist, „Wem musst du noch etwas beweisen?“ Das Modell der Haltungen kann helfen, im eigenen inneren System leichter navigieren zu können und eine reflektierende Distanz zu den noch emotional gebundenen Anteilen zu entwickeln. Diese Perspektiverweiterung erlaubt uns, die darin gebundenen Gefühle zu fühlen, ohne von ihnen absorbiert zu werden. So werden mit der Zeit emotionale Verkapselungen besprechbar und wir können sie in einen neuen sinngebenden Kontext stellen.

Ich sehe nicht, was du siehst

Ein Kleinkind hält sich die Augen zu und glaubt, niemand sieht es. Es kennt nur seine eigene Perspektive und glaubt, das ist die ganze Welt. Später spielen wir gerne mit kleinen Kindern das Spiel, bei dem wir Dinge hinter unserem Rücken verstecken und fragen: „Wo ist der Ball?“ – „Weg“, wird das Kind sagen, solange es noch nicht weiß, was Objektpermanenz ist. Hat es einmal begriffen, dass Objekte sich nicht in Luft auflösen, sondern dass sie auch noch da sind, wenn wir sie nicht mehr sehen, wird es nicht mehr auf unseren Trick reinfallen und sagen: „Hinter deinem Rücken.“ Vorher können wir uns nur vorstellen, was wir selbst sehen. So erweitert sich unsere Fähigkeit, uns immer komplexer werdende Perspektiven der Wirklichkeitswahrnehmung zu erschließen. Wenn wir drei Gegenstände auf einen Tisch legen und ein Kind uns gegenüber setzen, kann es die Gegenstände aus seiner Perspektive erfassen und ab dem Vorschulalter rudimentär malen. Bitten wir es, die Gegenstände aus unserer Perspektive zu zeichnen, muss es sich in uns hineinversetzen und überlegen, wie die Dinge aus der gegenüberliegenden Position aussehen. Sich in die optische Perspektive des Gegenübers zu versetzen, gelingt erst ab einem viel späteren Alter. Bevor wir die Kapazität zum Perspektivwechsel haben, mag es uns wütend machen und Unlustgefühle auslösen, mit der Aufgabe konfrontiert zu sein. Wenn wir verstanden haben, worauf es dabei ankommt, entwickeln wir Begeisterung und spielerische Lernfreude.

Die Erweiterung unseres Wirklichkeitskontakts

Auch unsere sozialen Fähigkeiten entwickeln sich schrittweise. Mit ungefähr zwei Jahren erkennen wir uns im Spiegel und lernen langsam das Wort „Ich“ zu benutzen. Ab dem vierten Lebensjahr entwickeln wir die Fähigkeit, auch offen gezeigte Grundgefühle anderer wahrzunehmen. Wir fangen an zu erkennen, dass Gefühle sich ändern können, und nehmen die Ursachen von Gefühlen in einfachen Situationen wahr. Diese Fähigkeit entwickeln wir immer weiter. Bis wir zehn Jahre alt sind, lernen wir, uns selbst als Objekt der Wahrnehmung durch andere zu begreifen, was uns eine Wechselseitigkeit des Denkens ermöglicht: „Ich habe geglaubt, du glaubst, ich glaube, dass du mich nicht magst ...“. Wir betrachten und reflektieren zunehmend differenziert unser eigenes Verhalten von außen und schätzen ein, wie es auf andere wirkt. Unsere Empathiefähigkeit erstreckt sich nun auch auf ganze Gruppen. Wir sind berührt vom Leid, das andere Menschen durch Krieg, Hunger oder Flucht erfahren müssen und wollen helfen. Die Voraussetzung dafür, Gefühle anderer wahrnehmen zu können, ist, dass wir das jeweilige Gefühl selbst schon einmal gefühlt haben und es auch benennen können. Die Häufigkeitsverdichtung solcher neuen Erfahrungen führen dann zu wiederholten großen Paradigmenwechseln, die in den Haltungserweiterungen beschrieben werden.

Die Bereitschaft zur Selbstentwicklung

Bei Kindern können wir diese Fortschritte in der Perspektiverweiterung leicht nachvollziehen. Wir sehen regelrecht, wie der Groschen fällt und das Gelernte auch nicht mehr vergessen wird, während bei uns Erwachsenen die Veränderungen komplexer sind und die Entlarvung mehrere fallende Groschen braucht. Es reicht eben nicht, eine neue gewünschte Perspektive zu proklamieren, damit sie von anderen als die eigene übernommen wird.

> Eine Behörde in Baden-Württemberg hatte mit großen Spannungen innerhalb der Organisation zu tun, wie sie für viele Verwaltungen typisch sind. Digitalisierung und Fachkräftemangel erhöhten die Fortbildungs- und Arbeitslast, und während die Engagierten immer mehr Verantwortung übernahmen, gab es andere, die durch Krankheit, Unwillen und schwarze Bildschirme bei Videocalls in Erscheinung traten. Modernisierungswillen standen Arbeitsfrust und Rentenlust gegenüber. Der Ressortleiter meinte: „Wir müssen den Menschen mal sagen, wie schön es doch ist, zur Arbeit zu gehen, und wie gut man sich hier entwickeln kann. Was wir schon alles für unsere Mitarbeiter in den letzten Jahren getan haben und dass wir eine sinnvolle Aufgabe für die Gesellschaft hier haben. Es muss ein Ruck durch die Belegschaft gehen." Aus seiner eigenbestimmten Perspektive als Führungspersönlichkeit erschien ihm das total offensichtlich und er konnte nicht verstehen, wie man sein kostbares Leben in einer Beschwerdehaltung verbringen konnte. Sich zum Opfer zu machen war für ihn keine sinnvolle Option mehr, und es war ihm ein Rätsel, warum andere die aus seiner Perspektive für alle Beteiligten ungünstige Lebensperspektive wählten. Es braucht eine große Anzahl von emotionalen Referenzerlebnissen für einen Perspektivwechsel im Sinne einer Erweiterung unserer Haltung.

Sind genügend Groschen gefallen, weil wiederholt Erfahrungen mit neuen Perspektiven gemacht werden, werden diese Übergänge oft als ein „Erwachen" beschrieben: „Wie konnte ich nur so leben", „Warum habe ich es so lange ausgehalten, mich so von mir selbst behandeln zu lassen" oder „Wie konnte ich mich als Führungskraft nur so plump verhalten" oder „Darüber habe ich früher gar nicht nachgedacht". Das, was vorher normal erschien, wird uns in einer erweiterten Logik fremd.

„Wenn neue Denkweisen sich attraktiver als die bisherigen anfühlen, entwickeln wir uns."

Angela Fabeck (* 1980)

Integration der Bedürfnisse der Haltungen

Das Fundament jeder Haltung ist die positive Integration der Bedürfnisse der vorgehenden Haltung. Wenn die jeweiligen Bedürfnisse vollständiger integriert und in uns befriedet sind, sind wir weniger reizbar und tendieren nicht mehr dazu, uns in regressiven Momenten wieder mit den Logiken und Sinngebungen dieser früheren Haltungen zu identifizieren.

SICHERHEIT

Wenn wir uns in uns sicher und angenommen fühlen, sind wir eher bereit, die Regeln eines Wir zu akzeptieren.

Wir empfinden es nicht mehr als persönliche Bedrohung, dass wir uns an Regeln halten, damit in einer Gruppe eine gemeinsame Richtung möglich ist.

Die Zugehörigkeit befriedet das Bedürfnis nach Sicherheit und Gesehenwerden.

ZUGEHÖRIGKEIT

Wenn wir uns zugehörig fühlen, verlieren wir die Angst, ausgeschlossen zu werden, weil sich Strukturen ändern und Dinge nicht mehr so sind, wie sie immer schon waren.

Wir können dann gemeinschaftlicher, rationaler und effizienter miteinander handeln und irrationales Schwarz-Weiß-Denken loslassen.

Wir verstehen den Nutzen von Regeln und Moral, ohne sie zum alleinigen Maßstab für unser Handeln machen zu müssen.

FACHLICKKEIT

Wenn wir das Gefühl haben, die Dinge um uns zu verstehen und in Strukturen sinnvoll eingebunden zu sein und wenn wir uns in unseren Kompetenzen erleben, fällt es uns leichter, uns und andere in den jeweiligen Stärken zu sehen.

Wir erleben es nicht mehr als drohenden Kontrollverlust, wenn Dinge flexibler gehandhabt werden und nicht alles nach Plan geschieht.

Perfektionismus erscheint nicht mehr als der effektivste Weg, um die eigene Expertise wirksam zu machen.

IMPULS: Wo sind meine Reizbarkeiten?
Unsere Reizbarkeiten können wir anhand unserer negativen Gefühle identifizieren. Gefühle, die sich immer wieder aufs Neue präsentieren, bis sie gesehen und durchfühlt werden und das Bedürfnis dahinter erkannt wird.

In welchen Haltungen erlebe ich Reizbarkeiten?
Wie erkläre ich mir diese Reizbarkeiten?
Wie könnte ich diese Reizbarkeiten aus einer erweiterten Haltung vielleicht auch sehen?

BEDEUTUNG

Wenn wir uns in unseren Stärken sehen, fällt es uns leichter, uns nach innen zu wenden und zu schauen, welche Gefühle uns begleiten und was noch in uns steckt, was wir bisher noch nicht gesehen haben.

Wir erleben es nicht mehr als Schwäche, uns mit dem eigenen Innenleben zu beschäftigen und schwierige Aspekte für uns selbst sichtbar zu machen.

Wir fühlen uns mehr mit der Fülle verbunden und unser Fokus kann sich vom Außen mehr inneren Aspekten zuwenden.

EMPATHIE

Wenn wir einen innerlich geklärten Raum haben, in dem unsere Gefühle für uns sichtbar und besprechbar sind, fällt es uns leichter, zu sehen, wie sich unsere Gedanken und Gefühle in Mustern konstruieren und kommen und gehen.

Wir sehen es nicht mehr als ausgrenzend, Unterschiede in der Art der Wirklichkeitskonstruktionen bei Menschen zu erkennen, weil wir uns selbst in unserer subjektiven Vielfalt erkannt haben und qualitative Unterscheidungen treffen können.

ENTWICKLUNG

Sobald wir erkennen, wie wir die Gedanken und Gefühle immer wieder durch unsere Selbstgeschichten erzeugen und diese unsere Wahrnehmung filtern und durchsättigen, tut sich die Möglichkeit einer weiteren inneren Freiheit auf, indem wir unser Identitätsempfinden von diesen Selbstgeschichten lösen. Weil wir uns mit ihnen ausgesöhnt haben, müssen wir sie nicht mehr sein.

Der Wunsch nach Selbstentwicklung wird größer, nicht, weil wir einem Außen entsprechen wollen, sondern weil wir Spannungen in uns als gegeben akzeptieren und sie sinnvoll integrieren möchten.

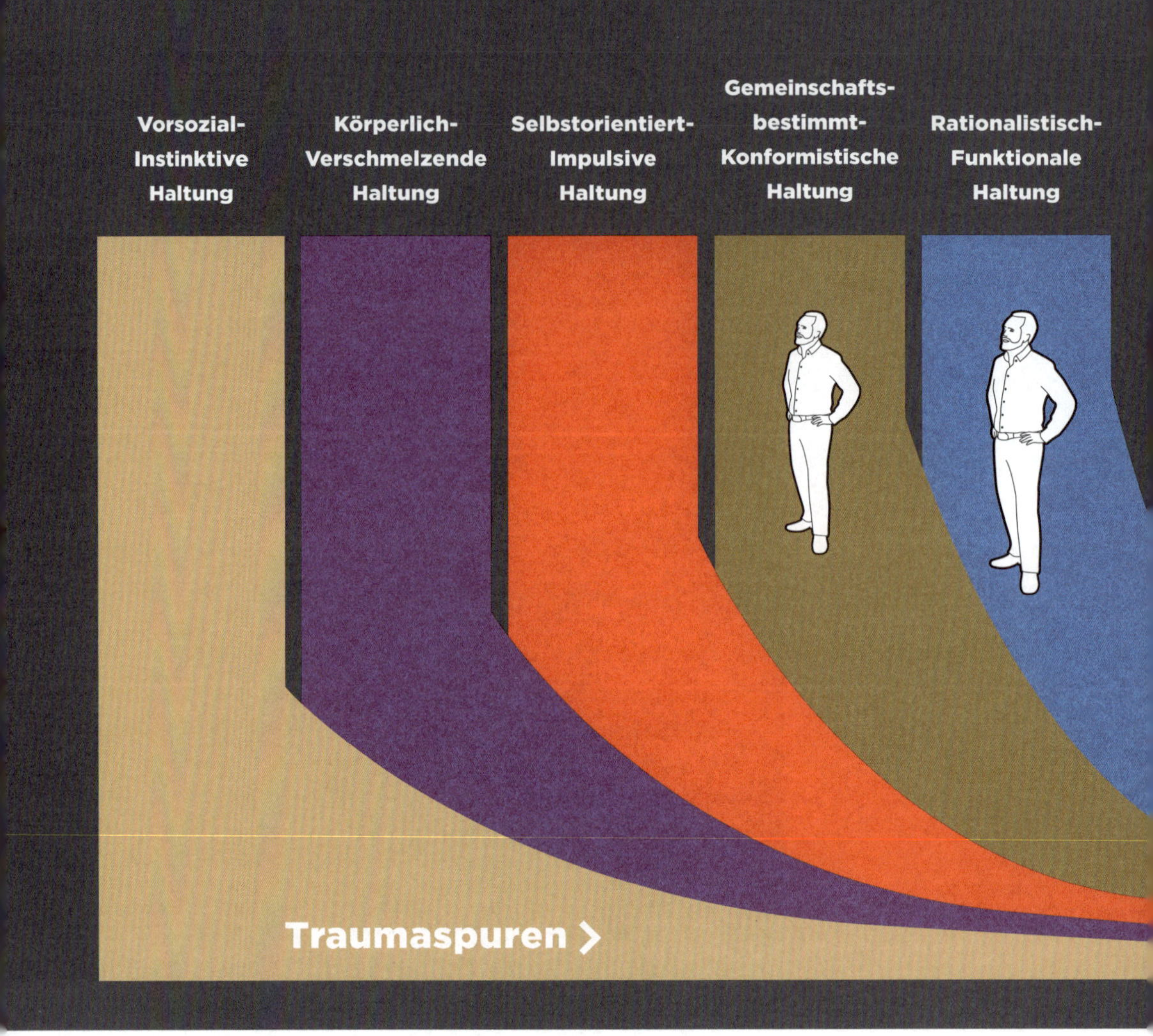

Mini-Traumata binden Energie

Ein Trauma wird in einer psychischen Ausnahmesituation ausgelöst, in der die Bewältigungsmechanismen noch nicht ausreichen, um mit einer derartigen Situation umgehen zu können. In selteneren Fällen sind das überwältigende Ereignisse wie Gewalt, Krieg oder Katastrophen, viel häufiger entstehen Traumata durch kleinere Ereignisse, in denen wir unseren Wahrnehmungen keinen schlüssigen Sinn geben können, der unsere Gefühle erklärt und sie harmonisch miteinander verbindet. Diese biografischen Fragmente entwickeln ein Eigenleben und überlagern manchmal die aktuelle Realität. Uns fehlen dann die Worte, um unser Erleben in unserer Gewohnheitshaltung auszudrücken, und wir agieren aus Mustern der früheren Haltungen.

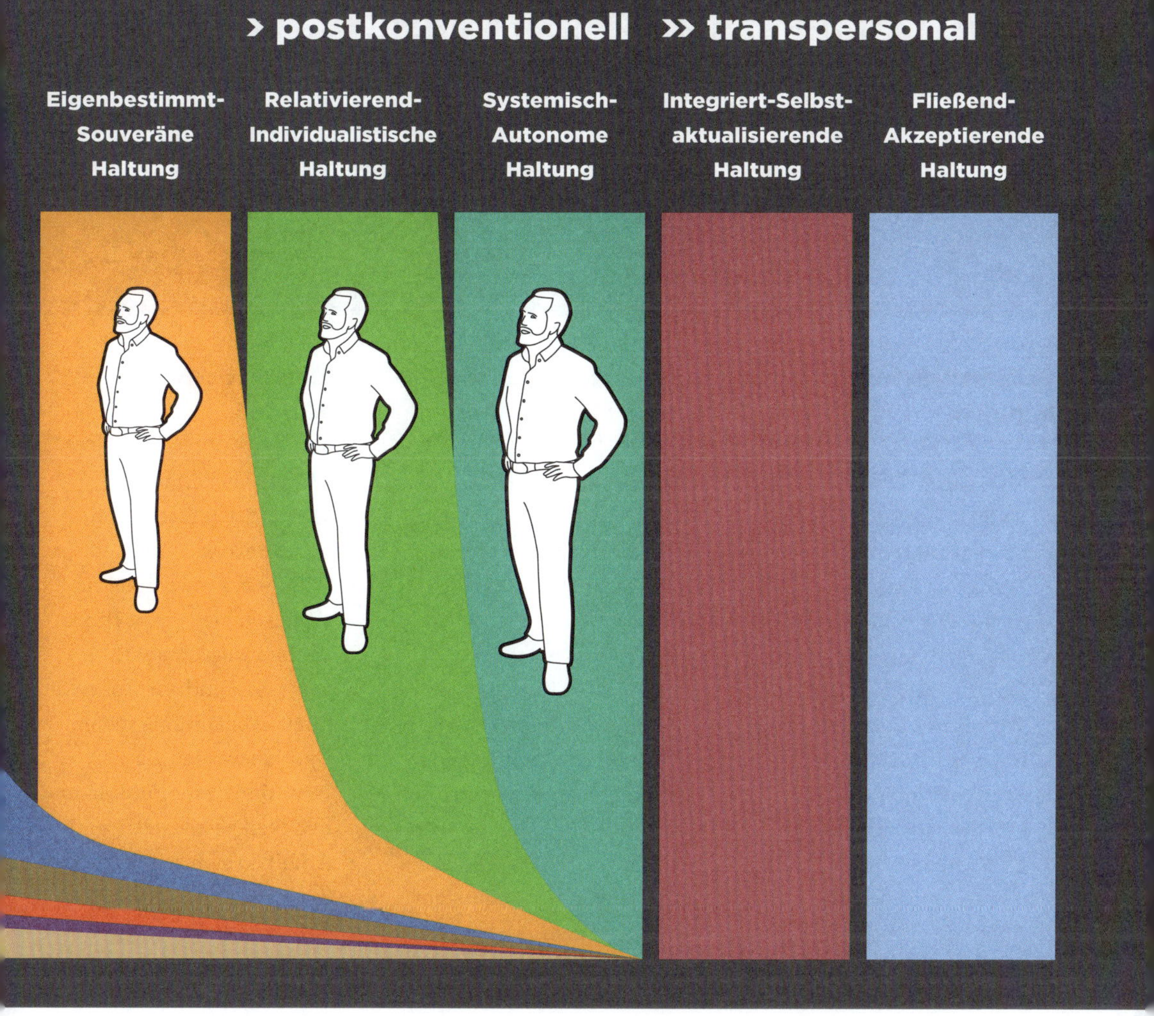

Wir sehen, was hinter uns liegt, und das vor uns noch nicht

Alte ungeklärte Konflikte färben unser Verhalten ein und wir beobachten in uns Teilpersönlichkeiten, die in ihrer Sinngebung unter Stress plötzlich aggressiv, dogmatisch und unversöhnlich werden, was den frühen Haltungen entspricht. Krisen wie Corona bringen solche Phänomene ans Licht. Menschen wurden zu dogmatischen Impfverfechtern oder -gegnern, erkannten plötzlich das Wirken unbekannter Mächte, mal himmlischer, mal irdischer Art. Die verhärteten Meinungen hatten zwar kontroverse Inhalte, waren aber in ihrer Vereinfachung und Dualität teilweise strukturell ähnlich. Mini-Traumata binden emotionale Energie und erzeugen eine stufenspezifische Reizbarkeit. Die Kapazität unserer Selbstbeobachtung wird mit unserer Entwicklung größer. Mit der Integration von schwierigen Gefühlen nimmt unsere Reizbarkeit aus früheren Haltungen ab.

Der Umgang mit dem „Kind“ in uns

Maria Sanchez (* 1968) beschreibt in ihrem Buch „Die revolutionäre Kraft des Fühlens“, wie wir im Umgang mit kindlichen Gefühlen reifen. Das haben wir als Anregung für diese Übersicht genutzt. Haltungen haben eine unterschiedlich weite Perspektive auf die Anteile, die uns als „geliebtes“ oder „ungeliebtes“ Kind gespiegelt wurden und die bei unserer emotionalen Prägung zu unbewussten Grundmustern geführt haben.

Selbstorientiert-Impulsiv

- Nein sagen dürfen zu den Bedürfnissen der Eltern.
- Abgrenzung von der Mutter/Bezugsperson.
- Sich selbst spüren lernen.
- Die Vertreibung aus dem Paradies mit dem Beginn des Wortes und dem Gefühl des Getrenntseins von der Symbiose mit der Welt.
- Wir brauchen in dieser Phase innere Orientierung und keinen äußeren Absolutismus.
- Wir suchen Selbstbestimmung.
- Wir wollen uns ausprobieren.

Gemeinschaftsbestimmt-Konformistisch

- Lobprogrammierung von außen für unsere „guten“ Seiten. Ein Bild von der „richtigen“ Version von uns entsteht.
- Geliebtes Kind und ungeliebtes Kind werden dualistisch gespiegelt.
- Verleugnung und Unkenntnis der eigenen Bedürfnisse.
- Der kindliche Glaube an das Gute in der Welt lässt uns irrationale Vorstellungen übernehmen.
- Wir folgen Ideologien, weil wir die von anderen artikulierten Gefühle für unsere eigenen halten.
- Der Konflikt mit der Ungeborgenheit in der Welt wird mit der Geborgenheit in der Ideologie kompensiert.
- Das Nichtgeliebtsein durch unser Umfeld lässt uns auf Liebe von Unterdrückern hoffen, die die Macht der Wahrheit und Liebe verkörpern.
- In Unkenntnis von wahrer Selbstliebe unterwerfen wir uns in Hoffnung auf Liebe.

Rationalistisch-Funktional

- Wir wollen kompetent sein und den Eltern und Vorbildern entsprechen.
- Was beim Funktionieren stört, soll nicht sein, Dinge werden weggemacht, vergraben und wir wollen nicht über Gefühle reden.
- Gefühle werden als Irritation unser Funktionsfähigkeit gespiegelt.
- Arbeit an sich selbst ist noch kein Konzept.
- Erleben von innerer Dressur mit Ausbruchsphasen.
- Fehler sind zu beheben und ausmerzen.
- Verhalten muss ständig optimiert werden.
- Wir verbergen Anteile von uns aus Furcht, dass der andere gehen würde, wenn er entdecken würde, wer wir wirklich sind. Das Resultat ist Eifersucht.

IMPULS: Unsere Perspektive auf unsere Verletzlichkeit und unser „inneres Kind“

Wie blicke ich auf meine vermeintlichen Unzulänglichkeiten?
Wofür wurde ich geliebt und anerkannt?
Welchem Bild von mir selbst eifere ich nach?

Eigenbestimmt-Souverän

- Versuch der Optimierung hin zu dem vermeintlich geliebten Kind, die Vorzeigeversion von uns als glücklichen Menschen.
- Wir sind in unserer Vorstellung eine glücklichere, schlauere Version von Mensch und glauben, weiter zu sein als andere.
- Wir erkennen noch nicht, dass unser Realitätszugang ähnlich beschränkt ist und Wertungen unterliegt wie der von Menschen, die wir für weniger entwickelt halten.
- Unbewusst wollen wir einer Vorstellung von uns selbst entsprechen.
- Depressionen und Burn-out als Kehrseite des Leistungsstrebens.
- Spirituelle Praxis wird genutzt, um die Vorstellungen des geliebten Kindes zu bedienen. Wir wollen mit dieser Praxis und ihren Statussymbolen gesehen werden und darüber Bedeutung erzeugen.
- Wunsch nach Glückseligkeit.

Relativierend-Individualistisch

- Der Schattenteil, den wir bis jetzt noch nicht betrachten wollten, wird als uns zugehörig empfunden und nicht mehr als fremd.
- Es muss nichts mehr weggemacht werden und wir sind entspannter mit der eigenen Vielheit.
- Das verwundete Ego wird nicht überwunden, sondern heilend integriert.
- Offenes Erkunden der eigenen biografischen Gefühlslandschaft.
- Mitgefühl schließt den als ungeliebtes Kind empfundenen Anteil mit ein.
- Zur ehrlichen inneren Kontaktaufnahme braucht es die Demokratie der Teilpersönlichkeiten und deren Kommunikationsfähigkeit untereinander.
- Wahrnehmungs- und Präsenzübungen schulen unsere Reflexionsfähigkeit

Systemisch-Autonom

- Wir sehen die Zusammenhänge scheinbarer Gegensätze.
- Geliebtes und ungeliebtes Kind gehören zusammen.
- Ein innerer wohlwollender reflektierter Erwachsener kann sich etablieren.
- Wir erkennen uns als biografisches System.
- Wir hinterfragen auch unsere positiven Motivationsgründe und erkennen die Vorstellung eines geliebten Kindes als inneren Treiber.
- Alles in uns ist richtig und eine Information.
  Die Bewertung entsteht durch unser Zutun.
- Erkennen der „verbotenen“ Gefühle, die sich unserer Wahrnehmung entziehen.
- Wir sehen die Richtigkeit der Bedürfnisse des Kindes in uns. Der Wunsch nach einer schönen, wahren Welt ist ein aufrichtiges Anliegen.
- Gefühle werden zu einem Wahrnehmungsorgan und sind kein Ziel oder Hindernis.

2.2

Interpersoneller Stil

Die Art und Weise, wie wir mit anderen interagieren, ist ein weiterer Bereich unserer vertikalen Entwicklung. Während wir in den frühen Haltungen noch dazu neigen können, zu manipulieren und andere zu übervorteilen, zeigen wir in den späteren Haltungen einen interpersonellen Stil, der die Autonomie unseres Gegenübers respektiert und zu tragfähigen Lösungen für alle Beteiligten kommen kann. Die unterschiedlichen Kommunikationsstile der Haltungen zeigen sich auch im Selbstgespräch und darin, wie wir uns innerlich führen. Auch was wir hören, wie wir mit inhaltsgleichen Aussagen in Resonanz gehen und ihnen Bedeutung geben, wird von unserer inneren Haltung gefiltert. Oft müssen wir zwischen den Sprachkonstrukten der interpersonellen Stile übersetzen, um verstanden zu werden.

„Wissen kann man mitteilen, Weisheit aber nicht."

Hermann Hesse (1877–1962)

Stil ist nicht Inhalt

Unser interpersoneller Stil lässt sich nicht daran festmachen, worüber wir reden, sondern wie wir miteinander reden und welche Facetten dabei als Teil unseres verbal ausgedrückten Wahrnehmungsraums sichtbar werden. Ein Phänomen, das uns intuitiv sehr bekannt ist und uns mit dem Modell der Haltungen bewusster wird.

Eine Teilnehmerin an einer unserer Ausbildungen bemerkte, dass sie mit dem Modell der Haltungen ihre Dating-Erlebnisse vollkommen neu einordnete. Dating-Plattformen filtern alle Kandidat*innen mit dem gleichen inhaltlichen Filter, bevor sie als potenzielle*r Partner*in vorgeschlagen werden. Die Kandidat*innen sind also sportlich, haben bestimmte Hobbys, reisen gern usw. Theoretisch müssten sie sich also alle ähneln und damit infrage kommen. Doch die Teilnehmerin bemerkte schnell, dass die Unterschiede gigantisch waren und sich das am interpersonellen Stil ablesen ließ. So reflektierte sie, dass ein Großteil schon dadurch herausfiel, dass diese Menschen schnell ins Meckern verfielen, auf den Job und die Regierung schimpften. Im Kern ging es diesem Personenkreis darum, schnell zur Sache zu kommen und in dieser verkorksten Welt wenigstens Spaß zu haben. Dann gab es die Gentlemen alter Schule, die sich ganz von ihrer besten Seite zeigten, in feine Restaurants einluden und große Geschenke überreichten. Die Kehrseite war, dass diese Fraktion auch Nägel mit Köpfen machen und am liebsten gleich heiraten wollte. Alles schien schon eine vorgeprägte Form zu haben, die es nun mit einer Partnerin zu befüllen galt.
Andere wiederum hatten das starke Bedürfnis, die Kontrolle zu übernehmen. Jedes Melden oder Nichtmelden wurde entsprechend interpretiert und sollte gerechtfertigt werden. Dinge hatten so oder so zu sein, weil man ja jetzt in einer Beziehung war. Damit fühlte sie sich schnell funktionalisiert. Die ganz Effizienten versuchten, ihre gerasterten Vorstellungen bei einem Kaffee abzugleichen. Das hatte etwas sehr Berechnendes, und der Vorschlag, sich mal auf einen Kaffee zu treffen, wurde damit zum Ausschlusskriterium. Diejenigen, mit denen die Kommunikation interessanter war, waren oft mit ihrer Karriere und ihren vielfältigen Interessen so beschäftigt, dass sie nicht wirklich Zeit für eine tiefere Beziehung hatten.
Auch bei sich selbst bemerkte sie eine einengende Haltung: „Passt dieser Mensch in mein Raster und bringt die Partnerschaft mich im Sinne einer Lebensoptimierung weiter?“
Es heißt, dass in guten Beziehungen die Gewohnheitshaltungen eher beieinander liegen. Schließlich gefunden hat sie ihren Partner jenseits von Dating-Plattformen – bei ungezwungenen Wanderungen in der Natur. Sie hatte bemerkt, dass Menschen in der Natur weniger prätentiös sind und dass oft auch mehr im Selbstkontakt sein kann, wer sich dort zu Hause fühlt.

Unsere innere Führung

Wenn wir das Modell der sechs Haltungen in Organisationen vorstellen, werden natürlich sofort andere Mitarbeitende bestimmten Haltungen zugeordnet – insbesondere schwierige Führungspersönlichkeiten. Spannend wird es, wenn wir die Teilnehmenden in Kleingruppen mit der Frage in Austausch bringen: „Mit welcher Haltung führen wir uns selbst?" Damit machen wir auf die eigenen inneren Stimmen aufmerksam. Stimmen, die uns unsere Unzulänglichkeiten vorhalten, sich an Rechthaberei laben, auch mal auf bockig schalten oder beständig mit dem Gefühl leben, von Erledigungen getrieben zu sein und keine Zeit zu haben. Der Austausch darüber entspannt, weil wir alle mit ähnlichen Phänomenen zu tun haben und dieses Innenrauschen normal ist. Das Echo der frühen Haltungen klingt noch lange in uns nach und ein Teil von uns bleibt innerlich in der kindlichen Rolle, dass es andere für uns richten sollen und unsere Missstimmung dem Leben gegenüber zu beseitigen haben, dass wir Anerkennung von Autoritäten möchten und dass sich endlich mal jemand um bessere Umstände für uns kümmern sollte.

IMPULS: Stellenausschreibung für die innere Führungskraft
Was wäre, wenn wir die Position für unsere innere Führungspersönlichkeit ausschreiben und nach unseren Wünschen besetzen würden? Wie unterschiede sie sich in ihrem Stil von unserer aktuellen inneren Führung?

Meist stellen wir fest, das es mehrere Chefs oder Chefinnen in uns gibt, sonst wäre Selbstführung ja auch einfach. Wir können sechs Bodenanker für jede der sechs Haltungen auslegen, uns jeweils darauf stellen und in uns hineinspüren, was der jeweilige Anteil in uns als inneren Führungsstil angemessen finden und akzeptieren würde.
Jeder Anteil und jede Haltung in uns hat unterschiedliche Bedürfnisse, die wir zunächst veranschaulichen können, um sie gegeneinander abzuwägen. Wir können uns unsere Psyche wie ein recht diverses Team unterschiedlicher Reifegrade und Alter vorstellen. Bis dato haben die Teammitglieder abwechselnd selbst das Kommando übernommen. Jetzt braucht es eine coachende, mediierende Instanz, einen wohlwollenden Beobachter, der moderierend Impulse setzen kann.

Wir experimentieren mit der Beschreibung eines Stellenprofils. Nach ein paar Wochen überprüfen wir, welche Bedürfnisse noch nicht gesehen wurden und von wem in uns diese innere Führung noch nicht akzeptiert wird.

„Ich muss mir von mir selbst nicht alles gefallen lassen!“

Viktor Frankl (1905–1997)

Gleichzeitig erkennen wir, dass wir den Ansprüchen, die wir an externe Führung haben, in der Selbstführung nicht immer gerecht werden. Während wir uns Führungspersönlichkeiten mit Eigenschaften wünschen wie „nimmt sich Zeit, hat ein offenes Ohr, ist wertschätzend und stärkenorientiert, fördert sein Team, schafft Sinn, ermöglicht Freude und hat eine hohe Fehlertoleranz“ sind wir in der Selbstführung oft kein Role-Model für diese Position. Uns ist unbewusst, dass die Position unserer inneren Führungspersönlichkeit vielleicht noch unbesetzt ist und dort wahlweise unterschiedliche Anteile Platz nehmen. Was auch erklärt, warum es uns so schwer fällt, unsere Selbst-Entwicklung aktiv zu gestalten, da ein Vorsatz von heute der inneren Chefin oder dem inneren Chef von morgen vollkommen unbekannt ist oder absolut unbedeutend zu sein scheint.

Die sich erweiternde Selbstkenntnis

Selbstkenntnis ist kein grübelnder Vorgang, sondern ein innerer Wahrnehmungsraum, der sich durch Selbsterfahrungen vergrößert. Was wir als „Ich" erleben, ist der Ort in uns, von dem wir uns beobachtend erkennen können. Mit jeder Erweiterung der Haltung wird dieser Raum größer und für uns in uns sicht- und objektivierbarer.

Selbstorientiert-Impulsiv

Ich bin so, wie ich bin. Ich muss mich nicht verstellen. Das Grübeln bringt mir nichts. Ich will mir von anderen nichts sagen lassen. Was ich denke, geht keinen was an. Da gibt es auch böse und gute Stimmen, die ich als nicht mir zugehörig empfinde.

Gemeinschaftsbestimmt-Konformistisch

Ich versuche mich richtig zu verhalten und achte auf mein Benehmen. Man weiß ja, wie man zu sein hat, und daran orientiere ich mich. Privates lässt man besser unausgesprochen. In jedem Menschen gibt es gute und böse Gedanken. Die bösen darf man nicht zulassen. Man muss sein Innenleben vor niemandem ausbreiten.
Ich übernehme noch die Gedanken meiner Umgebung.

Rationalistisch-Funktional

Ich kann meine unmittelbaren Gedanken und Gefühle sehen. Ich kann noch nicht genau erkennen, wie meine Meinung, von den Meinungen anderer und meinen eigenen Glaubenssätzen beeinflusst wird. Manche meiner Gefühle sind mir noch verborgen und ich schaue auch nicht so gerne auf mein emotionales Innenleben, das mir noch diffus und ungeordnet erscheint. Es wirkt auf mich eher störend und ablenkend.

Unbewusste Gedanken und Gefühle
OPFERROLLE

Unterdrückte Gedanken und Gefühle
BESCHWERDEMODUS

Bewusste Gedanken und unbewusste Gefühle
FÄHIGKEITENFOKUS

IMPULS: Was lasse ich mich noch nicht über mich wissen?
Eine paradoxe Frage. Um sich diesem Bereich zu nähern, gibt es eine Frage, die wir in Gruppen bei monatlichen Treffen nutzen. Sie lautet: „Worüber möchtest du aktuell noch nicht sprechen?" Über das, was dann gesagt wird, wird natürlich auch nicht gesprochen. Was offen ausgesprochen oder aufgeschrieben wird, bewegt sich langsam vom Rande der noch nicht verbalisierten Gewahrwerdung in unsere bewusstere, verbalisierte Wahrnehmung.

Eigenbestimmt-Souverän

Ich kann meine unmittelbaren Gedanken und Gefühle sehen und beobachte, wie sie von denen der mich umgebenden Kultur abweichen oder mit ihr übereinstimmen. Auch weniger akzeptierte Gefühle sind mir präsent. Mir fällt es noch schwer, die Wechselhaftigkeit meiner Gedanken und Gefühle zu erkennen, weil ich noch ein eher statisches Selbstkonzept habe. Ich kann noch nicht die subjektiven Treiber hinter meinen Gedanken und Gefühlen erkennen. Ich beschäftige mich lieber mit äußeren Konflikten als mit inneren.

Bewusste Gedanken und teilbewusste Gefühle
STÄRKENORIENTIERUNG

Relativierend-Individualistisch

Ich kann mich in meinen unterschiedlichen Teilpersönlichkeiten beobachten. Ich erkenne meine inneren Motive und wie sie kulturell und biografisch geprägt sind. Insgesamt nehme ich mein Innenleben, meine Gedanken und Gefühle in einem größeren Spektrum gegenwärtiger wahr. Die dahinterliegenden Muster sind mir noch nicht klar. Manchmal spüre ich, wie ich in der Gegenwart noch in meiner Subjektivität gefangen bin und mir Verhaltensalternativen fehlen. Auch meine Selbstgerechtigkeit wird mir bewusster.

Bewusste Gedanken und bewusste Gefühle
EXPERIMENTIERFREUDE

Systemisch-Autonom

Ich kann meine Reaktion freier modulieren und bin weniger mit Gedanken und Gefühlen identifiziert. Ich schaue wertfreier auf meine Subjektivität und die Phänomene in mir. Ich sehe, wie sich meine Gedanken und Gefühle in Muster konstruieren, und bemerke, dass mein „Ich" kein statisches Objekt ist, sondern ein sich ständig verändernder Prozess. Ich erfahre ein klareres Konstruktbewusstsein meiner Innenwelt. Mir fällt es noch schwer, die Beschränkungen zu durchschauen, die durch die derzeit noch nicht hinterfragbaren Aspekte meiner Subjektivität entstehen.

Konstruktbewusstsein von Gedanken und Gefühlen
SELBSTMODULATION

Selbstorientiert-Impulsiv

Wir reagieren stark auf die Mimik, die Körpersprache, auf besondere Verhaltensweisen und wie etwas gesagt wird. Tonfall und Klangveränderungen sind wichtiger als die Inhalte. Botschaften werden schnell als persönlicher Angriff verstanden, gegen den wir uns wehren müssen.

„Der soll sich mal einkriegen, sonst steig ich aus.“

DISKRIMINIERENDES ZUHÖREN

Gemeinschaftsbestimmt-Konformistisch

Wir vergleichen die Botschaften unbewusst mit unserem Wissen und unseren Vorstellungen und ignorieren alles, was nicht zu unseren Denkschablonen passt. Nur was uns bestätigt, nehmen wir durch unsere Voreingenommenheit wahr. Entscheidend für unsere Bereitschaft, zuzuhören, ist auch das wahrgenommene Hierarchiegefälle.

„Immer muss er der Kapitän sein.“

SELEKTIVES ZUHÖREN

Rationalistisch-Funktional

Wir achten vermehrt auf die Fakten und bemerken vermeintliche logische Fehler. Unser Fokus auf die nüchterne Sachebene blendet eventuell beteiligte Gefühle als irrelevant aus. Unser Zuhören wird begleitet von dem inneren Prozess der Gegenargumentation, der sich nahtlos anschließt.

„Er hat ja recht, ich fahre los.“

FAKTISCHES ZUHÖREN

IMPULS: Die sechs Arten des Zuhörens

Die vier Arten des Zuhörens von Otto Scharmer (* 1968) in seiner Theorie U oder das Vier-Ohren-Modell von Friedemann Schulz von Thun (* 1944) sind bekannte Ansätze, um unterschiedliche innere Haltungen beim Zuhören zu illustrieren. Dem klassischen Beispiel von Schulz von Thun – sie fährt und ihr Beifahrer sagt, „Schatz, die Ampel ist grün!" – haben wir zwei mögliche Verständnisebenen hinzugefügt. Auch wenn die Zuschreibung zu den Haltungen nicht rigide verstanden werden soll, können wir die Anregungen als Grundlage nutzen, mit unserem eigenen Zuhören und unserer inneren Haltung zu experimentieren. Wir beobachten, ob wir in unserem Stimulus-Response-Muster sind und nur automatisch zuhören, und ob wir unsere drei Gehirne Verstand, Gefühl und Intuition beim Zuhören nutzen.

Eine Übung, die keine Zeit kostet und Aufmerksamkeit in die Gegenwart bringt:
Wir wählen abwechselnd für je einen Tag eine der sechs Haltungen für das Zuhören aus, mit der wir an diesem Tag experimentieren.

Eigenbestimmt-Souverän

Uns interessieren die grundsätzlichen Ansichten unseres Gegenübers, und wir sind nicht mehr daran interessiert, die Schwachpunkte des Gehörten herauszustellen. Durch aktives Spiegeln in eigenen Worten verdeutlichen wir, was wir inhaltlich verstanden haben.

„Danke für den Hinweis, ich war gerade abgelenkt."

AUFNEHMENDES ZUHÖREN

Relativierend-Individualistisch

Wir spüren teilnahmsvoll, welche Gefühle in unserem Gegenüber und in uns selbst aktiv sind, und können sie als relevante Dimension in die Kommunikation einbringen, ohne von ihnen überwältigt zu werden. Wir können die Perspektive des Gegenüber leichter einnehmen.

„Ich nehme eine Verstimmung in ihm wahr."

EMPATHISCHES ZUHÖREN

Systemisch-Autonom

Kontext und Rahmenbedingungen werden als relevante Faktoren für das Verstehen hinzugezogen. Wir achten auch darauf, was implizit gesagt wird und wie wir darauf gestaltend, bezogen auf eine gewünschte gemeinsame Zukunft, reagieren können. Wir integrieren das große Ganze in unsere zuhörende Perspektive.

„Er ist nervös, weil wir zu spät zu seinem Chef kommen."

SCHÖPFERISCHES ZUHÖREN

2.3

Bewusstseinsfokus

Im Laufe unserer vertikalen Entwicklung verlagern wir unsere Aufmerksamkeit allmählich von außen nach innen. In den frühen Haltungen sind wir fast vollständig mit dem Außen beschäftigt und glauben, die Autoritäten der Welt müssten das Außen ändern, damit wir anders sein könnten. In den späteren Haltungen wandert dieser Fokus mehr zu unseren eigenen Motiven und Gefühlen. Uns wird bewusster, dass wir selbst durch unsere Selbstkonstrukte die Welt und ihre Deutungen miterzeugen. Welchen Fokus wir setzen, erkennen wir unter anderem an unseren Zielen und an der Art unseres Selbstbildes. Um unseren Bewusstseinsfokus mehr auf unsere inneren Vorgänge richten zu können, eignen sich Musterbrüche. Sie erzeugen in ganz normalen Alltagssituationen eine erhöhte Aufmerksamkeit. Aufmerksamkeit ist der Rohstoff für jede Art der Entwicklung.

„Die Freiheit ‚hat' man nicht – wie irgend etwas, das man auch verlieren kann –, sondern die Freiheit ‚bin ich'."

Viktor Frankl (1905–1997)

Wir sind unser Erleben

Wenn wir unseren Bewusstseinsfokus verschieben, können wir eine Situation neu deuten, also reframen. Die Dinge sind nicht, wie sie zu sein scheinen, sondern oftmals so, wie wir sie deuten. Je reifer unsere Haltung bereits ist, desto leichter fallen uns diese Fokusverschiebungen.
Gerade in einer polarisierenden Medienwelt, in der eine angekündigte Katastrophe auf die nächste folgt, in der im Außen immer apokalyptische Bedrohungen zu herrschen scheinen, fällt es schwer, zwischen eigenem Erleben und hypnotischen Suggestionen zu unterscheiden. Diese ständigen Aufgeregtheiten im Außen erzeugen, wenn wir uns mit ihnen identifizieren, viel unnötiges Leid, das weitgehend nur in unseren Vorstellungen existiert. Um so bemerkenswerter ist die Fähigkeit in reiferen Haltungen, mit realem Leid umgehen zu können, es durch Fokusverschiebung flexibler zu deuten und seine dialektische Natur zu erkennen. Kaum jemand hat dies bei der Erforschung der Psychologie unserer möglichen Entwicklung in solche Tiefen geführt wie Viktor Frankl, dessen profunde Erkenntnisse mich immer wieder tief beeindrucken.

Im Jahr 1990 hielt Viktor Frankl, der berühmte Psychiater und Philosoph, der im KZ den Holocaust überlebte, einen Vortrag auf einer großen Psychotherapie-Konferenz in Anaheim, Kalifornien.
Er schilderte in diesem Vortrag eine Episode aus dem düstersten Teil seines Lebens, in größter Todesnähe. Im Winter 1943 war er mit einer Gruppe KZ-Häftlinge auf einem Marsch von der Feldarbeit ins Lager, als er zusammenbrach. Frankl war krank, er trug nur Fetzen am Leib, hatte keine Socken an und Löcher in den Schuhen. Er hustete sich die Seele aus dem Leib, wahrscheinlich hatte er eine Lungenentzündung.
Ein Wächter begann, mit einem Stock auf ihn einzuprügeln. Wenn er nicht sofort aufstünde, würde er zum Sterben zurückgelassen. Frankl spürte, dass er keine Energie mehr zum Überleben hatte. Das war's dann mit dem Leben, ging es ihm durch den Kopf, hier endet es.
Im gleichen Moment spürte er aber auch etwas anderes – die Zukunft. Er imaginierte in seinem Fieberwahn eine Szene, in der er im vollen Hörsaal einer Universität stand. Der Krieg war vorbei und er hielt eine Vorlesung mit dem Titel „Die Psychologie der Todeslager und die Psychologie des Sinns". Er visionierte die ganze Szene, das erwartungsvolle Publikum, den Applaus, den ganzen Text. Er sprach über einen Mann, der auf dem Feld liegen blieb, um zu sterben, dann aber seine eigene Zukunft wählte. Er stand auf und schleppte sich weiter, brach auf seiner Pritsche zusammen. Und überlebte.

(Zitiert nach Matthias Horx und Linda Metcalf, The Miracle Question)

Innere Rollen und ihre Potenzialräume

Manche unserer Rollen geraten durch unsere unterschiedlichen Bedürfnisse miteinander in Widerspruch. Diese Übung hilft, alle Rollenperspektiven sichtbar zu machen und miteinander abzugleichen.

Eine sehr ähnliche Übung wird oft als Ikigai bezeichnet. Das japanische Wort Ikigai fand bereits im 14. Jahrhundert Verwendung und wurde damals noch nicht mit den vier Kreisen und den dazugehörigen Fragen verbunden. Die intensive Selbsterforschung auf der Suche nach dem persönlichen Ikigai („iki" für „Leben" und „gai" für „Wert") hat in Japan einen hohen Stellenwert. Findet ein Mensch seinen Lebenswert, stellt sich ein Gefühl der „Infriedenheit"in ihm ein.

Wir nutzen diese Übung, um aus vier Perspektiven jeweils durch die Brille einer Haltung mit anregenden Fragen auf unser Potenzial zu schauen.

1. Rationalistisch-funktional

Was sind meine Fähigkeiten? Wo erlebe ich mich als kompetent? Worin bin ich eine Expertin, ein Experte? Wo fragen mich andere nach fachlichem Rat? Wofür interessiere ich mich besonders?

2. Eigenbestimmt-souverän

Wie möchte ich mich entfalten? Wofür werde ich bezahlt? Was ist das Fundament meines gesellschaftlichen Status? Worauf bin ich stolz? Mit welchen Geschichten stellt sich meine Eitelkeit gerne da? Wo erlebe ich mich als Macher*in? Was will ich erreichen? Was macht mich ehrgeizig?

3. Relativierend-individualistisch

Was sind meine Werte? Was liegt mir am Herzen? Was berührt mich? Wo erfahre ich mich in meiner Vielheit? In welchen Bereichen experimentiere ich gerne mit Selbsterfahrung ? Wann geht es meinem inneren Kind gut? Welche Erfahrungen sind mir in meinem emotionalen Erleben wichtig?

4. Systemisch-autonom

Was erlebe ich als sinnhaftes Wirken? Wer will ich gewesen sein, wenn ich heute einen Nachruf auf mich selbst schreiben würde? Wie will ich in der Kette meiner Ahnen und Nachfahren gewirkt haben? Wie verstehe ich meine Rolle in den Kontexten, in denen ich mich befinde? Auf welche mir noch unbekannte Version meines Selbst bin ich neugierig? Was würden andere sagen, in welchem Bereich ich wirksam für die Welt sein könnte?

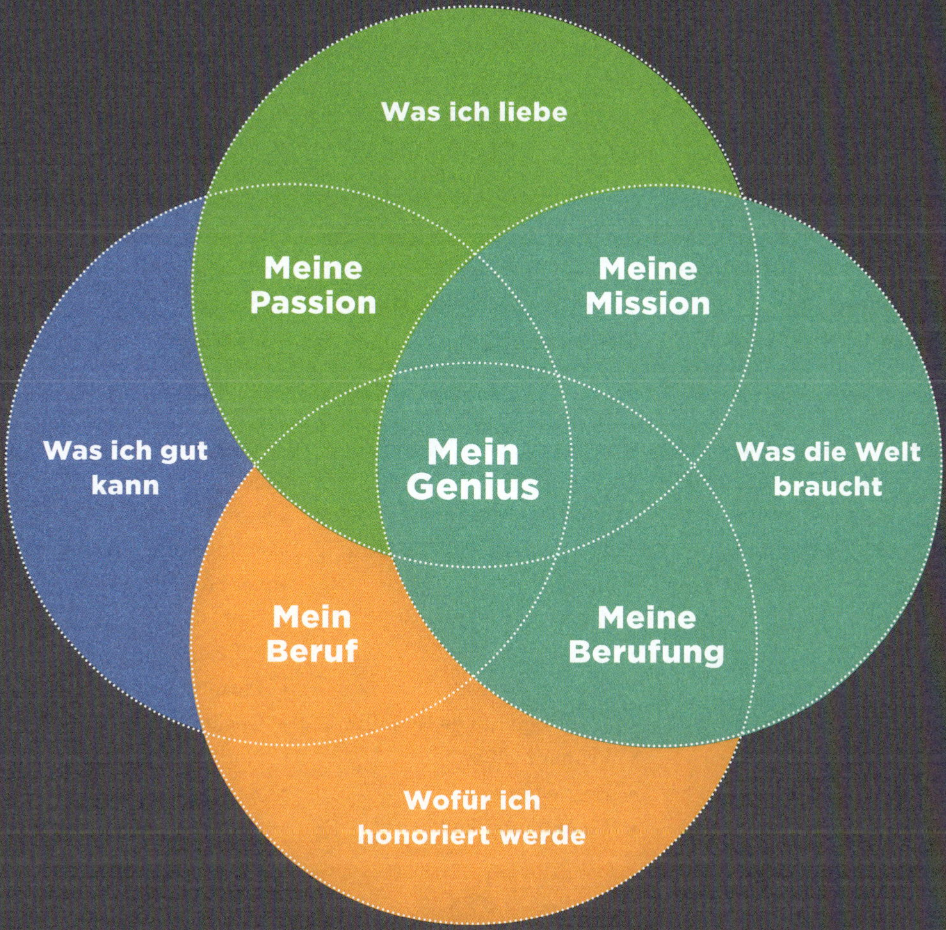

Impuls: Potenzialkreise

Wir nutzen die Fragen aus den vier Perspektiven und sammeln die Antworten in vier Listen. Die Gemeinsamkeiten, die wir jeweils in zwei Listen finden verdichten wir zu den Punkten Passion, Mission, Beruf und Berufung. Dann nehmen wir in den Blick, was unser Genius, unsere schöpferische Kraft, unser Motto oder unser Potenzialschwerpunkt zum jetzigen Zeitpunkt sein könnte. Diese Erkenntnisse können wir mit vertrauten Menschen reflektieren und das Bild auf diese Weise immer weiter verfeinern.

Ziele aus der Perspektive der Haltungen

Die Art, wie wir mit Zielen umgehen, sagt auch etwas darüber aus, mit welcher Haltung wir auf unsere Selbstentwicklung schauen. Wer will sich eigentlich in uns warum entwickeln? Auch hier ist die Zuordnung nicht schematisch zu verstehen, sondern eher als Anregung, über die eigenen, ganz persönlichen Zielsetzungen zu reflektieren.

Selbstorientiert-Impulsiv

Probleme werden eher den anderen und den Umständen zugeordnet. Die Idee einer Arbeit an sich selbst und mit Zielen wird weniger wahrgenommen.

- Weniger wütend sein
- Mehr Geld

Ziele? Wozu?

ICH BIN ICH.

Gemeinschaftsbestimmt-Konformistisch

Ziele sind eher generischer Art, man sagt, was man auf solche Fragen eben so antwortet. Die individuelle, ganz persönliche Perspektive wird dabei nicht sichtbar.

- Keine Süßigkeiten
- Weniger Stress
- Mehr Zeit mit der Familie
- Früher ins Bett
- Zufrieden sein
- Mehr Sauberkeit

Generische Ziele

EIN BESSERER MENSCH WERDEN

Rationalistisch-Funktional

Äußere Umstände regen zu Verbesserungen an, und wir haben den Eindruck, dass wir besser sein sollten. Eine Obsession mit Messbarkeiten kann entstehen.

- Effizienzsteigerung
- Performance erhöhen
- Gesünder ernähren
- Neue Kompetenzen
- Excel-Listen-Ziele
- Fachlich besser werden

Messbare Ziele

BESSER FUNKTIONIEREN

IMPULS: Finde Ziele für jede Perspektive

Bei einem Treffen mit Managern zu Jahresbeginn sprachen wir über Jahresziele. Nur ein Drittel hatte persönliche Ziele, alle anderen hatten nur Ziele, die an ihrer Organisation ausgerichtet waren. Erst mit der Eigenbestimmung rücken persönliche Entwicklungsziele in den Fokus.

Experimentiere mit eigenen kleinen Zielen für jede Rubrik.

Eigenbestimmt-Souverän

Wir streben nach der besten Version von uns selbst und wollen das Maximum aus uns und dem Leben herausholen. Persönliche Ziele sind wichtig und werden mit Ehrgeiz verfolgt.

- Sportleistungen steigern
- Bucketlist
- Persönliche Weiterbildung
- Highlights setzen
- Biohacking
- High Performance

Selbst- und Zeitoptimierung

MEHR AUS SICH RAUSHOLEN

Relativierend-Individualistisch

Gefühle und unser Innenleben rücken in den Fokus und wir merken, dass wir im Außen gar nicht so viel brauchen. Hohe Experimentierfreude, sich selbst neu zu erfahren.

- Beziehungsgestaltung
- Emotionale Ziele
- Dankbarkeitstagebuch
- Selbstkontakt
- Qualitätszeit
- Events außerhalb der Blase

Innere Ziele

DAS INNENLEBEN GESTALTEN

Systemisch-Autonom

Der Wunsch nach Aussöhnung mit uns und die Bereitschaft, uns auch schwierigen inneren Themen zu stellen, um die eigene Subjektivität besser zu durchschauen.

- Aufmerksamkeitsübungen
- Zukunftsimagination
- Musterbrüche
- Wirksam in der Welt sein
- Selbstreflexion
- Wer will ich gewesen sein?

Wahrnehmungsziele

KREATIV MIT EIGENEN PARADOXIEN UMGEHEN

Musterbrüche erzeugen Aufmerksamkeit

Verhaltensmuster erweitern

Wachstum findet außerhalb der gewohnten Zone statt. Das Phänomen, dass Einsichten im Denken meist nicht zu neuem Verhalten führen, kennen wir nur zu gut. Zudem steht uns der dominante Glaubenssatz „Ich habe keine Zeit" permanent im Wege. Ein Trick ist, Musterbrüche in Bereichen auszuprobieren, wo es unkritisch ist und wir keine Extra-Zeit brauchen. Wir machen nichts zusätzlich, versuchen kein Problem zu lösen oder in irgendetwas besser zu werden, sondern wir brechen mit kleinen Verhaltensmustern und erhöhen so den Grad der Alltagsaufmerksamkeit. Aufmerksamkeit ist der Treibstoff für jede Art der bewussten Selbstentwicklung.

„Es ist einfacher, uns durch Verhaltensexperimente neue Wege des Denkens zu zeigen, als uns durch Denken zu neuem Verhalten zu bringen."

Karen Ellis (* 1970)

IMPULS: Musterbrüche nutzen
Es gilt, ein Muster zu finden, in dem wir uns in Spannung mit uns selbst befinden. Im ersten Schritt lassen wir das Muster, wie es ist, aber wir ändern eine Kleinigkeit in unserem Verhalten um dieses Muster herum. Sei es, sich auf besondere Weise hinzusetzen, etwas in der Hand zu halten oder Ähnliches. Sophia Rödiger, Mitautorin von „Logbuch Digitale Achtsamkeit“, erzählte in einem Podcast bei uns, dass sie vor einem Meeting vier bewusste Atemzüge nimmt und sich damit kurz einstimmt.

1. *Atmen*
2. *Körper spüren*
3. *Warum bin ich hier?*
4. *Wie ist meine Verbindung zu den anderen?*

Kleine Musterbrüche legen das Fundament für Gegenwärtigkeit. Mit erhöhter Aufmerksamkeit können wir unsere Muster erkennen. Wir üben, uns zu beobachten, ohne sofort etwas ändern zu wollen. Ist der Raum der Aufmerksamkeit stabil etabliert, erscheint meist ganz von alleine ein anderes Verhalten und ein neues Denken.

Der Verhaltenstherapeut Jens Corssen (* 1942) sagt, er gibt den Menschen am Anfang nur ganz kleine Ziele wie, die Hände einmal zu heben, bevor sie aus der Tür gehen. Nach seiner Erfahrung wird das meiste andere sowieso nicht gemacht und erhöht nur die Frustration. Es braucht ein Minimum an Aufmerksamkeit und Selbstkontakt, um überhaupt unseren Bewusstseinsfokus wahrzunehmen und ein Muster verändern zu können. Ausgehend von diesen kleinen Verhaltensänderungen lernen wir in einem sicheren Raum, was es heißt, mit uns in Kontakt zu sein und etwas auf eine neue Art und Weise zu tun. Auch lehrt es uns Demut gegenüber unseren Ansprüchen an andere, ihr Verhalten zu ändern, wenn wir erkennen, dass wir selbst bereits in Kleinigkeiten stark an unsere Muster gebunden sind.

Wir sollten anderen nur das zumuten, was wir uns selbst zumuten. Mit kleinen Musterbrüchen im Alltag üben wir, Dinge gegenwärtiger zu machen in Bereichen, in denen wir emotional nicht so stark gebunden sind und in denen wir spielerisch experimentieren können. Auch entdecken wir, wie viel Zeit wir plötzlich haben, wenn wir die Momente beim Gehen, in Aufzügen, im Auto oder beim Essen nutzen, um mit kleinen Irritationen unsere Alltagsaufmerksamkeit zu erhöhen.

Kleine tägliche Herausforderungen – Daily Challenges

Mit den Daily Challenges trainieren wir unseren Bewusstseinsfokus und stärken unsere Neugierde. Oft sagen wir, dass wir an Entwicklung interessiert sind und uns ihr gerne widmen, wenn erst mal der Stress vorbei ist. Jemand drückte das so aus: „An sich bin ich ganz anders, ich komme nur nicht dazu“. Daily Challenges brauchen wenig oder gar keine Zeit. Wir können Routinetätigkeiten auf eine Art und Weise tun, wie wir sie noch nie zuvor getan haben, z. B. Getränke in der linken Hand halten oder etwas essen, was wir noch nie gegessen haben. Selbst im Miteinander reichen mitunter kleine Impulse, um mit mehr Aufmerksamkeit in der Gegenwart zu sein. Einen ruhigen Atemzug zu nehmen, bevor wir antworten. Oder mehr Fragen zu stellen als Antworten zu geben. Oft reicht das bereits, um uns eine Auszeit von der gewohnten Version von uns selbst zu gönnen. Meditation kann dabei helfen, die innere Welt als einen Raum zu entdecken, der gestaltet werden kann.

„Wenn wir nicht ganz wir selbst in der Gegenwart sind, verpassen wir alles.“

Thich Nhat Hanh (1926–2022)

Bei all diesen kleinen Übungen geht es nicht darum, etwas zu erreichen. Sie öffnen eher den Raum für die Fähigkeit der absichtslosen neutralen Beobachtung unserer Innenwelt. Der Verhaltenspsychologe Jens Corssen, der in seinen Büchern zum Selbst-Entwickler zahlreiche Übungen vorschlägt, sagt sogar, dass es umso besser ist, je sinnfreier eine Übung ist.

Ein absichtlicher Schritt aus der Komfortzone

Das Interesse an einem Thema ist ein hervorragender Katalysator für forschende Neugierde. Vor vielen Jahren belegte ich Kurse bei einem Bildhauer. Eine der faszinierendsten Beobachtungen für mich war, wie sich meine Wahrnehmung von Gesichtern veränderte, wenn ich gerade versucht hatte, eines aus Ton oder Wachs zu formen. Es war, als würde ich Nasen, Augenhöhlen, Übergänge zum Nasenbein, Lippen usw. zum ersten Mal sehen. Als hätte jemand einen Scheinwerfer angeknipst und mir gezeigt, was es bedeutet, Gesichter wirklich zu sehen. Mir wurde klar, wie sich die Aufmerksamkeit in jedem Moment erweitern kann, und dass es in der Gegenwart immer genug „Zeit“ gibt, um „dabei“ zu sein. Die Wahrnehmung des „Sehens“ wurde von dem Gefühl begleitet, innerlich leer und weit zu sein. Keine eigenen Gedanken mischten sich ein. Vielleicht ist das ein Hinweis darauf, worum es bei der Daily Challenge gehen kann.

Freude am Erweitern des inneren Spielraums finden

Eine Beobachtung, die während der täglichen Übungen auftreten kann, ist die einer Unruhe und Nervosität. Wir haben das Gefühl, dass wir keinen Platz für unsere Aufmerksamkeit haben und dass die Übung uns jetzt ablenkt. Das ist der Punkt, an dem viele aufgeben. Gewohnheiten, auch wenn sie uns nicht gut tun, haben bekanntlich ein hohes Beharrungsvermögen. In dem Glauben, mentale Energie sparen zu müssen, vergeuden wir Lebenszeit in unbewussten Mustern, obwohl wir uns in ihnen noch nicht einmal besonders wohlfühlen. Genau deshalb ist es hilfreich, zielfrei und spielerisch zu sein, weil unser Beharrungsvermögen dann weniger innere Widerstände produziert oder anfängt, Gegenargumente aufzubauen.

Die US-amerikanische Psychologin und Achtsamkeitsexpertin Ruth Baer empfiehlt in diesem Fall: „Wenn dich etwas stört, deine Gedanken nicht zur Ruhe kommen, versuche, dich der inneren Welt mit freundlicher Neugier zu nähern. Anstatt deinen inneren Aufruhr zu ignorieren oder zu unterdrücken, öffne dich ihm gegenüber. Diese sanft forschende Haltung wird dir helfen, dich ständig weiterzuentwickeln." Wir wissen, dass wir für neuroplastische Veränderungen emotionale Energie brauchen. Diese kann durch Begeisterung oder durch Irritation erzeugt werden, beides führt uns aus unserer Komfortzone heraus. Dieser bewusste Schritt aus der Komfortzone ist das, was der Bewusstseinslehrer G. I. Gurdjieff (1866–1949) „absichtliches Leiden" nennt und dem „unnötigen Leiden" gegenüberstellt, das wir unbewusst in unser Leben lassen und das unsere Aufmerksamkeit in unkreativen Wiederholungsschleifen bindet. Daily Challenges sind ein Raum zum Experimentieren und Lernen, den wir für uns selbst kreieren. Sie sind kleine Schritte auf dem Weg zur Gegenwärtigkeit. Es geht nicht darum, sie „perfekt" oder „richtig" zu machen. Es ist nicht ungewöhnlich, dass wir sie vergessen – dann ist es interessant, wer in uns das merkt und wo unser Bewusstseinsfokus, der sich vorgenommen hatte, gegenwärtig zu sein, den ganzen Tag über war. Im gewissen Sinne ist das vermeintliche Scheitern genauso ein Möglichkeitsraum. Eine alte orientalische Geschichte über dieses Gefühl stammt vom Mathematiker und Philosoph John G. Bennett (1897–1974).

> Ein Mann hatte sich gefreut, dass ein weiser Sufi in die Stadt kam, und war losgegangen, um sich seine Predigt anzuhören. Als er sich der Versammlungshalle näherte, kamen ihm viele Menschen entgegen. Er wandte sich an einen älteren Herrn und fragte, wo die Predigt des Sufis stattfinden würde. Der alte Mann sagte: „Du kommst zu spät, die Predigt ist vorbei und der Sufi hat die Stadt bereits verlassen." Der Mann sagte zutiefst enttäuscht: „Ach!", woraufhin der ältere Herr erwiderte: „Gib mir dein „Ach" und ich werde dir alle meine Gebete geben."

ÜBUNG: Daily Challenges

Wir empfehlen, die Übungen 100 Tage lang immer von montags bis freitags zu machen. Die Beispiele lassen sich variieren, sie sind Anregungen für die eigene Fantasie. Am besten funktioniert die kleine Selbsterfahrungsreise, wenn wir ein bis drei Wachstumsgefährt*innen finden, die uns bei den Daily Challenges begleiten wollen. Zusammen macht es mehr Spaß, wir kommen besser in die Umsetzung und können uns mit den anderen über unsere Beobachtungen austauschen. Jede*r Teilnehmer*in schlägt rotierend eine Übung vor. Das kann gut digital über WhatsApp oder ähnliche Medien organisiert werden. Wichtig ist, dass die Übungen klein und einfach umsetzbar sind. Manche Übung mag banal wirken. Wenn wir sie ernst nehmen, kann auch eine Kleinigkeit uns auf eine spannende innere Reise schicken. Vielleicht bemerken wir, wie viel Platz – oder auch nicht – wir eigentlich in unserem Leben für Wachstum und Experimente haben. Die entstehenden Beobachtungen sind wichtiger als das Tun.

Vorschläge für Daily Challenges

- Mache heute ein „Aber“-Fasten. Nutze „und“ statt „aber“.
- Wähle heute einen ungewöhnlichen Weg zur Arbeit.
- Öffne heute jede Tür, durch die du gehst, mit der linken Hand.
- Beobachte, was dir heute Freude macht, und notiere es.
- Schaue den Menschen beim Augenkontakt in das linke Auge.
- Mache heute ein Kompliment mehr als sonst.
- Wenn du sitzt, setze heute deine Füße flach auf dem Boden.
- Lass bei allem, was du trinkst oder isst, etwas übrig.
- Schreibe heute Abend drei Dinge auf, für die du dankbar bist.
- Verteile zehn Likes in einem Netzwerk oder Intranet.
- Ruf einen guten alten Freund oder eine Freundin an.
- Schreibe morgens drei Dinge auf, die du an dir magst.
- Stelle drei Kolleg*innen heute bewusst drei Fragen.
- Plane heute fünf Minuten Stille für dich ein.
- Spende heute mindestens fünf Euro.
- Hinterlasse eine positive Botschaft für jemanden.
- Frage jemanden, wie es ihm geht.
- Stecke dir eine 10-Cent-Münze in den Schuh.
- Trage heute zwei unterschiedliche Socken.
- Lächle heute zehn Menschen bewusst an.
- Mache dir selbst morgens fünf Komplimente.
- Zähle still Hundert deiner Atemzüge mit.
- Schaue heute bewusst durch deine Augen.
- Achte heute auf die Tiere, die du hörst oder siehst.

- Erzähle heute einen Witz.
- Frage heute gezielt nach Feedback.
- Bewege die Arme beim Gehen möglichst wenig.
- Mache beim Gehen etwas größere Schritte als normalerweise.
- Achte heute auf Stimmmelodien bei dir und anderen.
- Singe heute.
- Halte den Augenkontakt heute länger als sonst.
- Bring jemanden zum Lachen.
- Lass in Gesprächen kurze Sprechpausen.
- Fasse dir heute nicht ins Gesicht.
- Gib drei Leuten heute bewusst recht.
- Iss heute etwas für dich Ungewöhnliches.
- Stell dir vor, alles ist heute für dich inszeniert.
- Studiere heute die Augenfarbe von Menschen, denen du begegnest.
- Schaue heute auf Nasen, als wolltest du sie zeichnen.
- Iss heute besonders langsam.
- Trinke heute nur Wasser.
- Nutze heute das Wort „Ich“ nicht.
- Halte dich heute penibel an alle Verkehrsregeln.
- Verzichte heute auf Nachrichten.
- Stell dir vor, du würdest heute permanent gefilmt.
- Steck dir einen Glücksbringer ein und beobachte glückliche Momente.
- Beobachte, wann in dir Gedanken sind, die glauben, „keine Zeit“ zu haben.
- Lass dein inneres Kind heute Spaß haben.
- Wenn du gehst, gehe, ohne daran zu denken, wo du hin willst.
- Entspanne deine Stirn, sooft du kannst.
- Streck dich heute öfters.
- Lächle dich vor dem Spiegel an.
- Achte auf wertschätzende Botschaften für dich selbst.
- Ändere deinen Bildschirmhintergrund.
- Lies ein Gedicht.
- Schau, wo du deinem Vater in deinen Ansichten oder deinem Verhalten ähnelst.
- Trink zwei Liter Wasser.
- Beobachte – der Atem bleibt, alles andere kommt und geht.
- Nimm drei bewusste Atemzüge an jeder roten Ampel.
- Fasse heute Pflanzen an.
- Erinnere dich an dich selbst.
- Wenn du merkst, dass du nicht gegenwärtig bist, hebe kurz den Finger :)
- ...

2.4

Kognitiver Stil

Im Laufe der Erweiterung einer Haltung entwickelt sich unsere Kognition von sehr einfach und wenig differenziert hin zu einer immer größer werdenden konzeptionellen Komplexität. Wir können multiperspektivisch denken und mit Widersprüchen umgehen. Diese Fähigkeit alleine stellt noch keine gelungene Ich-Entwicklung dar, denn die vier Bereiche entwickeln sich nicht unbedingt immer parallel. In den frühen Haltungen sind unsere Denkstrukturen eher stereotypisierend, vereinfachend, und viele Gedanken und Meme scheinen uns unnötig kompliziert. Die Reife unserer Herkunftskultur prägt, welche Meme wir gewohnt sind, und binden uns zum Teil an dualistisches, bewertendes Denken, von dem wir uns in späteren Haltungen, wenn wir mit komplexeren Memen umgehen können, distanzieren.

„Vertrauen ist die Vorwegnahme der Notwendigkeit, emotionale Spannungen sprachlich in Ausgleich bringen zu müssen."

Jaime Tadeo Mikan (1962–2008)

Es ist so und auch anders

In der vertikalen Entwicklung unseres Wahrnehmens und Erkennens zeigt sich, wie wir im Laufe der Zeit auf die gleichen Phänomene anders blicken und sich dadurch die Bedeutung, die wir ihnen beimessen, immer wieder wandelt. Was wir als Erfolg ansehen oder mit guter Führung verbinden, sind klassische Beispiele dafür, wie sich unsere Sicht verändert.

Diese zum Teil komplett anderen Deutungsräume der Haltungen kennen wir alle, wenn wir uns die Entwicklung unserer Beziehung zu unseren Eltern anschauen. Blicke ich zurück, wie ich als Kind meinen Vater begriffen habe, dann war er für mich der starke Mann, der mich hochheben konnte, mich versorgte, mir Schutz gab, mir Sachen beibrachte und mit dem ich tollen und spielen konnte. Später erschien er mir als unterstützende Autorität, die mir erklärte, was ich zu tun und wie ich mich zu verhalten hatte – bis ich diese Verhaltensweisen infrage stellte und begann, die Dinge differenzierter zu betrachten. In der Pubertät wurden meine Freunde, meine Clique, als Bezugspunkte wichtiger und mein Vater eher Verhandlungspartner in finanziellen und Erlaubnisfragen. Er blieb immer noch wichtig, wenn ich verstehen musste, wie das Leben mit seinen mannigfaltigen Anforderungen so funktionierte. Die Phase der Loslösung und Eigenständigkeit ließ dann eher die vermeintlichen Unterschiede zwischen mir und meinem Vater ins Bewusstsein treten. Gleichzeitig konnte ich ihn für das wertschätzen, was er mir ermöglicht hatte.
Als ich selbst Vater wurde, erschloss sich mir eine neue Bedeutungsschicht des Vaterseins. Mir wurde bewusst, welch gutes emotionales Feld mein Vater für mich in seinem Sein gestaltet hatte. Diesen Aspekt hatte ich vorher nicht so wahrgenommen und spürte nun, wie viel von seiner Kraft unbewusst in mir lebte. Unbewusst, weil ich sie für selbstverständlich hielt, weil das ja ich war und ich diese Kraft als Teil von mir empfand. Auch wurde mir klarer, in welches Mem-Feld sein Geist eingebunden war – er wurde 1931 geboren – und wie stark seine Werte waren, die ihm geholfen hatten, mit Sanftmut durch schwierige Zeiten zu gehen.
Eine ganz neue und tiefe Ebene, die mir noch verborgen geblieben war, konnte ich an seinem offenen Sarg wahrnehmen. Ich konnte ihn als Teil einer Reihe von Ahnen sehen und die Kraft spüren, mit der er jetzt den Tod angenommen hatte. Gleichzeitig sah ich mich selbst als Glied in einer Kette des Lebens, ebenso eingewoben in eine Zeit und deren Mem-Welt, in der ich für kurze Zeit auftauche und doch als Tropfen nur ein Teil eines großen Flusses in der Verbindung mit dem Sein bin.
Neben mir saß mein Sohn und der mögliche Moment seines Abschieds von mir ist seitdem untrennbar mit diesem Moment verbunden. Auch sein Blick auf mich wandelt sich mit jeder Veränderung in seinem kognitiven Stil.

Kulturelle Meme unserer Herkunftsfamilie

Eingewoben in den aktuellen Mem-Teppich

Wir werden in einen Mem-Teppich hineingeboren, in ein Gewebe aus Gedanken, Sprache, Wortschatz, Wissen, kulturellen Prägungen und Kommunikationen. Bestimmte Filter, Vorannahmen, Sprachgrenzen, Vorurteile, Wahrnehmungsfenster, Überzeugungen, Glaubensvorstellungen und Wahrheitsannahmen sind für uns dadurch selbstverständlich. Niemand sucht sich diese kognitive Erstbefüllung des mentalen Systems aus. Obwohl alles von außen kommt, die meisten unserer Gedanken also Kopien sind, empfinden wir diesen Raum als unser originäres Ich – unsere Welt. Wir glauben, neutral beobachten zu können, und sind doch eingebettet in unsere Herkunftskultur. Erst im späteren Alter und mit zunehmender Erfahrung entwickeln wir die Fähigkeit, unsere soziale Prägung zu hinterfragen. Im interkulturellen Kontext werden die Unterschiede in der Realitätsdeutung besonders offensichtlich. Was wir wie zu essen oder wie wir uns zu kleiden haben – auch wie wir Führung und Zusammenarbeit verstehen – ist durch die in unserer Kultur dominanten Haltungen geprägt. Ähnlich wie bei den Genen, nutzt das Konzept der Meme das Bild von der Weitergabe durch Kopieren und der Veränderung durch Mutation. Bestimmte Bewusstseinsinhalte aus der

IMPULS: Ein Kolumbus-Moment

Spannend sind die Momente, in denen wir die Begrenztheit unseres Denkgewebes erkennen und wie es unsere Wahrnehmung filtert. In meiner Mem-Welt war Christoph Kolumbus (1451–1506) immer als Held konnotiert, bis mir die Expertin für Globales Lernen Birgit Brenner (* 1978) mit dem einfachen Satz „Was glaubst du, was seine Ankunft für die Native Americans bedeutete?" die Einseitigkeit meiner kulturellen Brille vor Augen führte. Aus dieser Perspektive war es der Beginn des Verlustes von Sprache, Schrift, Ritualen, Gesundheit, Land, Rechten, Religion und so ziemlich allem, was ihre Kultur ausmachte. Ich war über mich selbst erschrocken, wie lange mir diese Perspektive emotional nicht präsent war, obwohl sie doch so offensichtlich ist. Seitdem bin ich auf der Suche nach diesen „Kolumbus-Momenten", die unhinterfragte Aspekte unserer subjektiven, aber auch kollektiv-westlichen Sicht offenbaren. Einmal erkannt, wundern wir uns, warum wir diese Perspektive noch nicht sahen und ganz selbstverständlich an übernommenen Vorstellungen festhielten.

Zu welchen Vorstellungen aus der Generation deiner Großeltern und Eltern hast du eine ergänzende oder neue Perspektive gefunden, die auf eine Haltungserweiterung hindeutet?

Generation unserer Großeltern haben wir übernommen, andere verändert, andere sind ausgestorben. Wir können nur die Sprache entwickeln, die wir vorfinden. Der Prozess der Evolution von Memen in unserem Sprachraum lässt sich mit jeder neuen Ausgabe des Dudens beobachten, in der jährlich ca. 1.000 Wörter hinzukommen und ein Teil verschwindet. Was keinen Begriff hat, wird noch nicht als relevantes Phänomen angesehen. Einige Neuaufnahmen in der Ausgabe von 2020 waren: Achtsamkeitsübung, Disruption, Flugscham, gendergerecht, Hatespeech, Insektensterben, Klimanotstand, Mikroplastik, Pfandbecher, Prepper und ressourceneffizient.

Wir können unsere Wertvorstellungen nicht auf vergangene Generationen übertragen und sie mit unseren aktuellen Maßstäben beurteilen, ebenso wie wir nicht den Maßstab zukünftiger Generationen kennen, mit dem sie auf unser Handeln schauen werden. Wir ahnen, dass sie eine Menge blinder Flecken monieren werden, die für uns mit unserem Mem-Filtersystem noch nicht sichtbar sind. Auch wenn uns bei der Vorstellung manche Blindheit intellektuell sofort in den Sinn kommt, hatten wir als Individuen noch nicht genügend emotionale „Kolumbus-Momente", um diese Einsichten auch wirklich zu fühlen und unser Handeln kollektiv neu auszurichten.

Bemängeln als Kulturgut

Das Eingebundensein in ein kulturelles Gewebe aus vorgegebenen Bewusstseinsinhalten wird vielen in der eigenen Kindererziehung deutlich. Plötzlich hören wir uns Sätze sagen, die original von unseren Eltern kommen, und schauen uns selbst zu, wie wir kulturelle Meme weitergeben. Frühere Haltungen neigen dazu, Erfahrungsräume zu reglementieren, setzen auf überlieferte Rituale und vorgegebene Erklärungen.

Eine befreundete Ergotherapeutin führt mit vielen ihrer Klient*innen ein Experiment durch, an dem ich auch mit einem meiner Kinder teilnahm. Ein Elternteil mit Kind werden dabei gefilmt, wie beide drei Situationen durchspielen. In der ersten Situation geht es darum, das Kind für etwas zu loben, in der zweiten, etwas gemeinsam zu planen, und in der dritten Situation soll der Elternteil das Kind kritisieren. Der Film wird anschließend gemeinsam gesichtet und fast immer zeigt sich das Gleiche. In der Situation, in der Kritik geübt wurde, gibt es den direktesten Augenkontakt, die meiste Berührung und die stärkste körperliche Zugewandtheit. Beim Kind ist in den Aufnahmen meist auch zu erkennen, dass es in der Kritiksituation am

IMPULS: Pro Tag einmal mehr loben als üblich
Einige Gruppen von CEOs begleite ich schon über Jahre. Wir machen immer wieder kleine Verhaltensexperimente und tauschen unsere Erfahrungen darüber aus. So experimentierten wir damit, über zwei Monate hinweg jeden Tag ein Lob mehr zu geben, als wir dies üblicherweise tun würden. Nur einer schaffte es, und das nur, weil er seine Partnerin einbezogen hatte und sich abends mit ihr über die Erfahrungen mit der Übung austauschte. Obwohl alle motiviert waren, stießen die anderen CEOs schnell an die Grenzen ihrer inneren Prägungen und Vorannahmen. In ihnen tauchten Sätze auf wie „Damit mache ich mich doch lächerlich", „Das ist doch nicht authentisch", „Dann fordern die doch direkt mehr Gehalt", „Ich muss in Distanz bleiben, weil ich auch harte Entscheidungen zu treffen habe" und „Das ist mir irgendwie peinlich und ich fühle mich schwach". Mit durchgreifen, Kritik üben und Ansagen machen haben wir in unserer Kultur in der Regel weniger Probleme. Auch wenn die Übung nicht jeden Tag „geschafft" wurde, der Erkenntnisgewinn war enorm. Denn bei solchen kleinen Musterbrüchen geht es vor allem darum, innere Grenzen zu eruieren und Spielräume zu vergrößern.

Welches innere Spiel entsteht in uns, wenn wir jeden Tag ein Lob mehr geben, als wir es normalerweise tun? Was können wir in uns beobachten?

präsentesten zu sein scheint. Wir sind es gewohnt, über Kritik zu erziehen, weil wir es oft selbst so erfahren haben. Die Forschung geht davon aus, dass wir bis zu unserem 18. Lebensjahr ca. 180.000 negative Botschaften und Rückmeldungen über uns selbst bekommen haben, das sind ca. 30 pro Tag. Viele Menschen sagen, das Wichtigstes in ihrem Leben seien ihre Kinder. Kommen wir nach Hause und die Kinder spielen schön, gehen wir oft nicht hin, um mitzuspielen. Erfahren wir, dass sie sich schon den ganzen Tag streiten, bekommen sie erzieherische Aufmerksamkeit.
Ähnlich verhalten wir uns gemäß unserer kulturellen Prägung in der Führung. Schwierige Mitarbeitende bekommen tendenziell mehr Aufmerksamkeit von der Führung als unterstützende oder besonders leistungsstarke Teammitglieder. Wie für fast jeden Elternteil waren auch für mich die Videoaufnahmen ein kleiner Schock, weil das Gesehene nicht meiner Vorstellung von mir entsprach. Auch ich war in der Kritik am intensivsten mit meinem Kind in Kontakt. Seitdem versuche ich, gewünschtes Verhalten mit Aufmerksamkeit, Berührung und Worten zu belohnen und unerwünschtem Verhalten wenig Aufmerksamkeit zu schenken. Nach Vorträgen bekomme ich oft das Feedback: „Ich glaube, ich muss meine Haltung zu meinen Kindern und ihrer Erziehung überdenken."

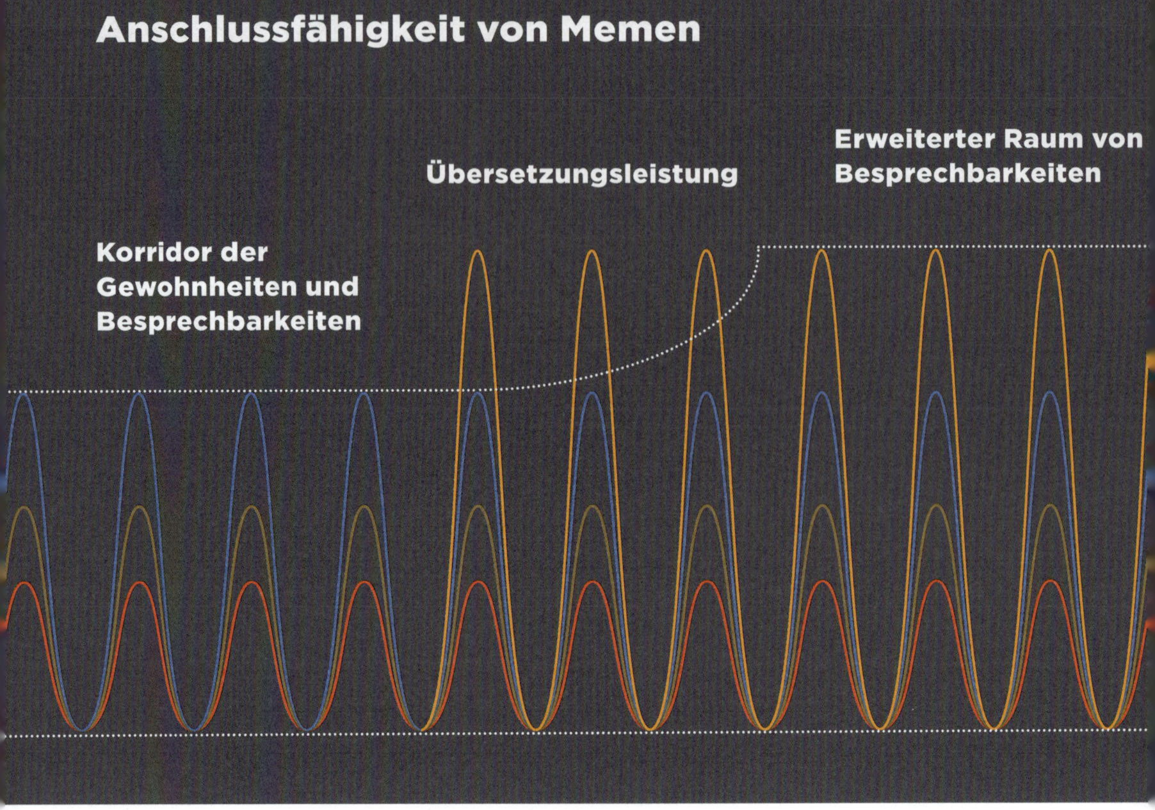

Erweiterte Haltungen generieren Meme

Meme sind kulturelle Muster, die sich durch Kopie und Imitation in menschlichen Hirnen und Gesellschaften ausbreiten, hier als Frequenzkurve dargestellt. Je höher die Kurve, desto komplexer wird ein Mem wahrgenommen. Je nach Komplexität hat ein Mem eine Passung zu einer Haltung, die vom Inhalt unabhängig ist. Sich selbst erhaltene Systeme wie Organisationen oder kulturelle Gruppen stoßen Meme ab, die sie nicht kennen oder die ihren Selbsterhalt auch nur scheinbar in Gefahr bringen. Welche Meme jeweils als zugehörig oder nicht betrachtet werden, bestimmt die Haltung mit. Innerhalb der Systeme kommt es zu emotionalen Spannungen zwischen Haltungen, die auf unterschiedlichen Sinngebungen beruhen und entsprechende Meme anziehen. Was Personen in einer Haltung als richtig erscheint und emotional entspannt, löst bei Personen in anderen Haltungen heftigen Widerspruch aus. Über Sprache und die daraus entstehenden neuen Meme versuchen wir, unser Verhalten und unsere Handlungen in Bezug auf diese Emotionen wieder zu koordinieren. Die Vorgehensweise dieser Sinnfindung ist je nach Haltung unterschiedlich. Sie reicht von der Festlegung von Regeln über argumentative Debatten bis zu konsensorientierten Dialogen.

IMPULS: Führen heißt Übersetzen

Unseren eigenen Raum der Besprechbarkeiten erweitern wir meist in spannungsarmen, symptomfreien Zonen mit Menschen, mit denen wir relativ offen reden können und nicht das Gefühl haben, unsere Wahrnehmungen entweder zurückhalten oder übersetzen zu müssen, um ans jeweilige Kommunikationssystem anschlussfähig zu sein. Kommunikation findet nicht linear zwischen Sender und Empfänger statt. Sie unterliegt einem dreifachen Selektionsprozess, bei dem wir erstens die Information auswählen, die wir kommunizieren wollen, zweitens die Art, wie wir uns mitteilen, und drittens entscheidet die Verständnisebene des Gegenübers darüber, wie die Kommunikation verstanden wird. Je unterschiedlicher die Haltungen der Beteiligten sind, desto höher wird die Anforderung an die Übersetzungsleistung – ebenso wie die Wahrscheinlichkeit von Missverständnissen.

Führung besteht in vielen Aspekten darin, dafür zu sorgen, dass diese Übersetzungsleistung gelingt. Je erweiterter die eigene Haltung ist, desto mehr anschlussfähige Sprachräume stehen uns potenziell zur Verfügung.

Wie benutzen wir in unterschiedlichen Kommunikationszusammenhängen unterschiedliche Sprachräume? Manchmal lassen sie sich auch durch Stimmmelodie und Tonhöhe differenzieren.

Fremdkörper und Fremdwörter

Ein aktuelles Beispiel ist das Gendern. Egal wie man zu dem Thema steht, an ihm lässt sich das Erregungspotenzial der unterschiedlichen Haltungen und deren Sinngebung gut nachvollziehen. Ist es ein Ausdruck von Gleichstellung oder eine Bevormundung? Ist es Sprachweiterentwicklung oder Sprachverhunzung? Der neue Sprachraum, der durch die Beschreibung vorher nicht wahrgenommener Phänomene entsteht, wird zunächst als befremdend abgelehnt. Eine differenzierte Sicht scheint die Dinge unnötig komplizierter zu machen. Dualistische, verabsolutierende Haltungen lassen sich für beide Positionen finden, und es tauchen logische Argumentationsketten auf, die nun final belegen sollen, was richtig ist und warum es sinnlos oder sinnvoll sei, zu gendern. Ähnliches können wir für Wörter wie Nachhaltigkeit oder Agilität beobachten, die auf komplexe Phänomene verweisen und in den früheren Haltungen abgelehnt, debattiert oder uminterpretiert werden. Haltung zeigt sich auch über den Sprachraum. Zwischen den Haltungen ist viel Übersetzungsarbeit notwendig, um Kommunikation zu ermöglichen, auch weil der Raum der Besprechbarkeiten variiert.

Mem-Evolution durch die Haltungen

Meme aus erweiterten Haltungen differenzieren unsere Wahrnehmung aus und erweitern den Raum dessen, was an Phänomenen wahrgenommen und in Kommunikation gebracht werden kann. Wir können diese Reise anhand von Begriffen wie Macht, Autorität, Homosexualität, Gleichberechtigung, Strafrecht oder Mitbestimmung in ihren historischen Bedeutungsveränderungen nachvollziehen.

Selbstorientiert-Impulsiv

Impulsivität und Selbstorientierung. Jeder, wie er will und kann. Keine Grenzen, präkonventionell. Missbrauch und Willkür-Gefahr.

Gemeinschaftsbestimmt-Konformistisch

„Befriedung" durch Unterwerfung unter mentale Konzepte und dualistische normierte Vorstellungen. Verbote und Strafen.

Rationalistisch-Funktional

Leitlinien und Prinzipien sollen Verhalten regeln. Soziale Ächtung und Bewertung von allem, was nicht zur Norm passt.

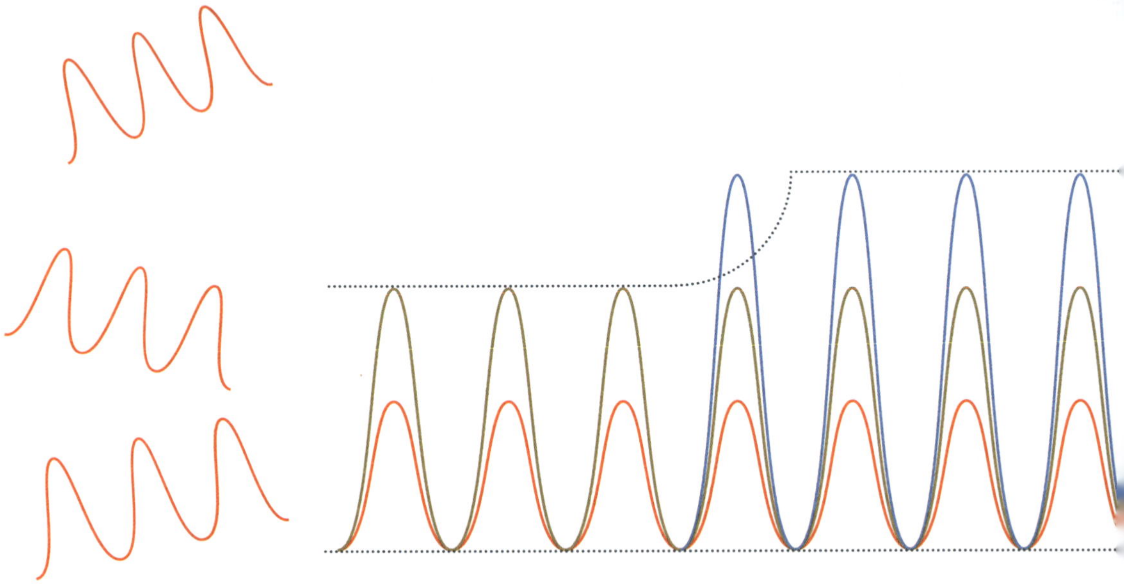

Es zählt, was der Mächtigste für richtig hält.

MACHT-MEME

Eine Norm gibt vor, was dazu gehört und was nicht.

NORMIERTE MEME

Ausweitung der Norm über vergleichendes Denken.

VERGLEICHENDE MEME

IMPULS: Wortfremdeln

Welche Begrifflichkeit gibt es, mit denen wir uns oder unser Umfeld in Spannung erleben oder deren Deutung stark variiert?
In welcher Haltung wird jeweils auf diese Begrifflichkeit geschaut?
Welches Bedürfnis ist hinter der jeweiligen „Meinung" verborgen?
Welche Klärungsansätze werden vorgeschlagen?
Welche Möglichkeiten gibt es, auf diese Bedürfnisse einzugehen?

Eigenbestimmt-Souverän

Liberalisierung, individuelle Freiheiten und Freiheitsideale. Stärken in der Unterschiedlichkeit werden erkannt.

Relativierend-Individualistisch

Recht auf Gleichstellung, Transparenz, Offenheit, Anerkennung der Individualität und der Natur.

Systemisch-Autonom

Erkennen aller Haltungen als Entwicklungsstationen.

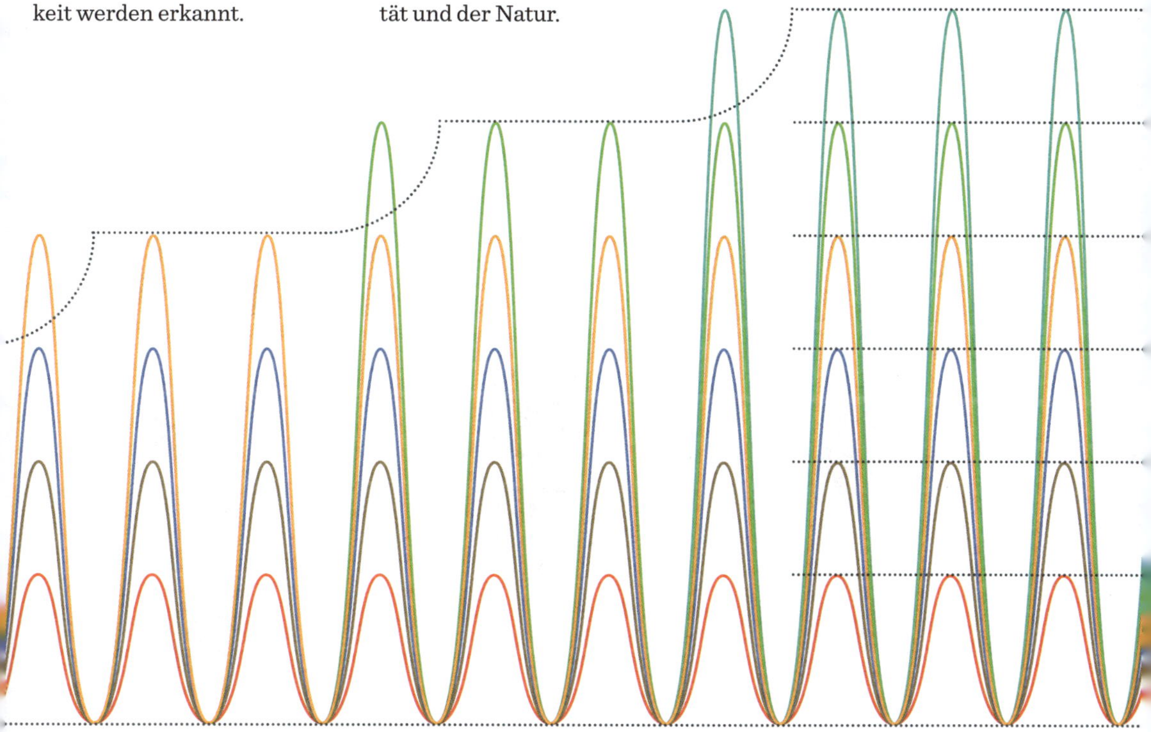

Eigene Perspektiven bekommen mehr Geltung.

UNGEZWUNGENE MEME

Ambiguität wird zugelassen und anerkannt.

MEHRDEUTIGE MEME

Die Gleichzeitigkeit mehrerer Sinngebungen wird erfasst.

INTEGRIERENDE MEME

Komplexität verstehen lernen

IMPULS: Ein Thema durch sechs Denkmuster deklinieren
Wir nehmen ein Thema, eine Meinung, von der wir überzeugt sind, und deklinieren durch die verschiedenen Denkmuster.

Selbstorientiert-Impulsiv

Was ich jetzt sage, zählt. Der Rest ist irrelevant, inklusive dessen, was ich gestern gesagt habe.

Gemeinschaftsbestimmt-Konformistisch

Wir lernen, eine zweite Meinung zu akzeptieren. Unser Denken richtet sich noch stark an Vorgaben aus, über die wir nicht hinausgehen.

Rationalistisch-Funktional

Logisches Denken nach Ursache-Wirkung-Prinzipien. Oft entstehen verkürzte Logiken, die vieles weglassen und vereinfachen, um es passend zu machen.

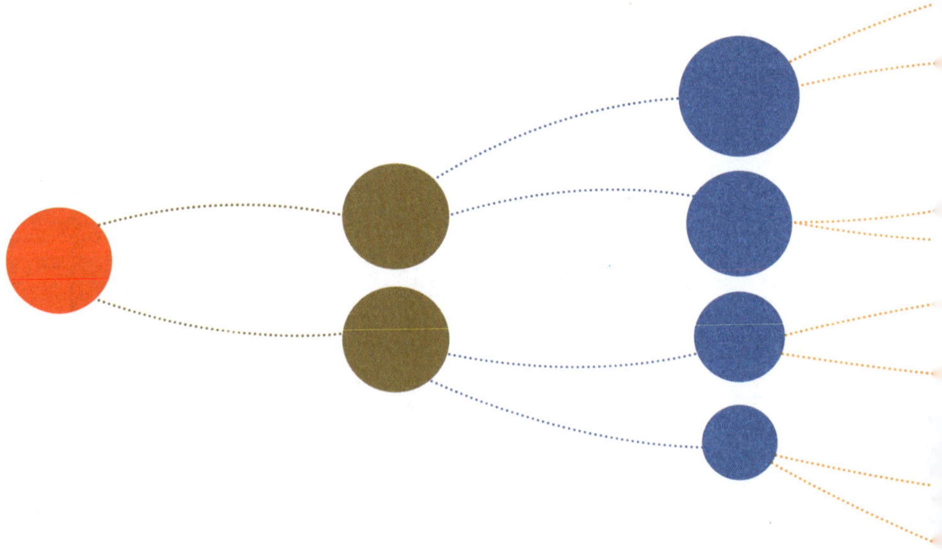

Gefühlte „Wahrheiten“, Macht/Ohnmacht
PRÄRATIONAL

Richtig-falsch, klischeehaft, unreflektiert, imitierend
DUALISTISCH

Ursache-Wirkung, Ausnahmen und Generalisierungen
LOGISCH

1. *Wovon bist du total überzeugt? Welches Gefühl ist damit verbunden?*
2. *Was wäre eine gegenteilige Meinung, die du eher ablehnst?*
3. *Welche Argumente sprechen für deine Meinung und welche dagegen?*
4. *Welche Kompromisse könnten möglich sein?*
5. *Wie sähe das Thema für eine Person aus, die dadurch vielleicht Nachteile hat?*
6. *Welche Rahmenbedingungen könnten verändert werden?*
   Wie würde ein weises außerirdisches Wesen mit dem Problem umgehen?
   Welche Vorannahmen begleiten deine Überzeugung?

Eigenbestimmt-Souverän

Höhere Variabilität innerhalb von konventionellen Denkformen und Maßstäben.

Relativierend-Individualistisch

Postkonventionelles Denken, das Phänomene differenzierter und gesamtheitlicher erkennen kann.

Systemisch-Autonom

Prozesshaftes Erleben, das die dahinterliegenden Muster aus den früheren Logiken erkennt.

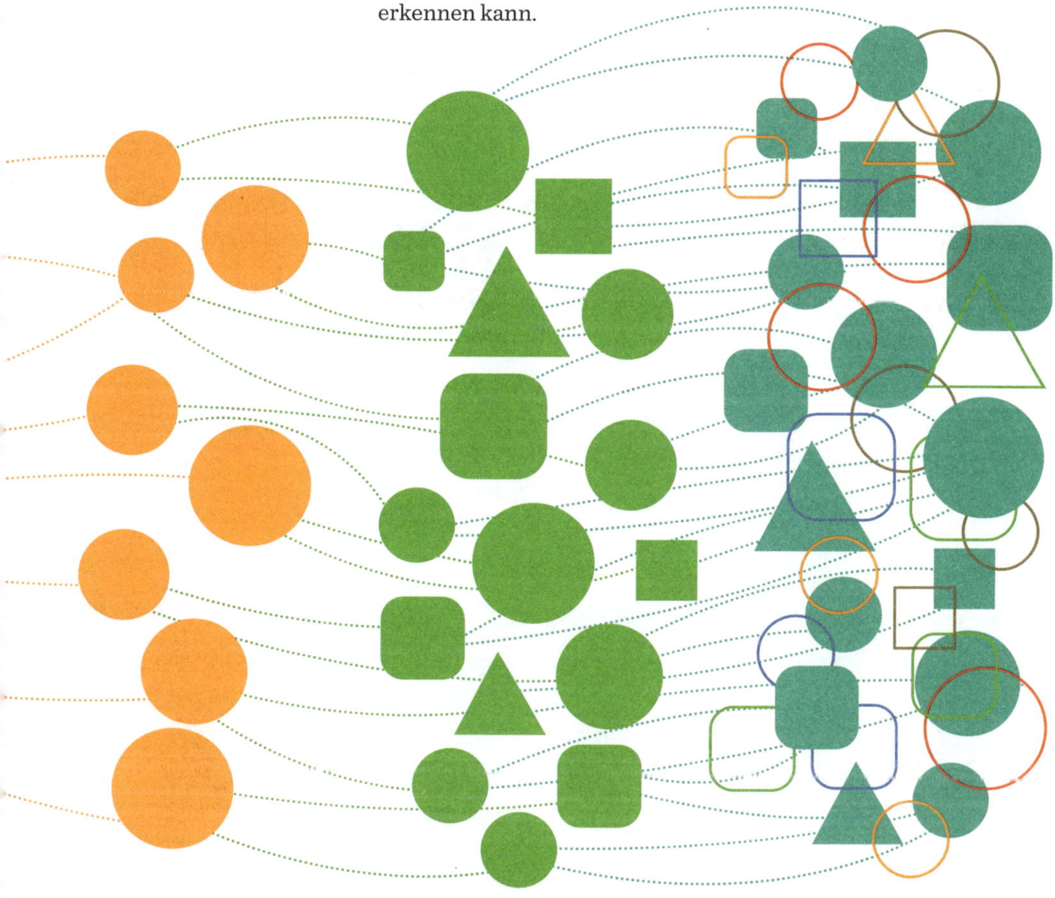

Abwägen, mehr Optionen, konventionell, zielorientiert
DIFFERENZIERT

Vielheit erkennen, gesamtheitlich, mehrdimensional
FLEXIBEL

Perspektivwechsel, komplex, vielschichtig, ungewöhnlich
VERBINDEND

Pokern als Komplexitätsbeispiel

Der ehemalige Profi-Pokerspieler Jan Heitmann (* 1976) hält Vorträge zum Thema Führen und Komplexität. Ich lernte ihn bei einer Veranstaltung kennen und seine Beispiele regten diese Übersicht zum Pokerspiel an. Unser kognitiver Stil und der Umgang mit Komplexität sind nur eine Dimension der Haltungserweiterung, das Pokern ist eine anschauliche Möglichkeit, diesen Bereich spielerisch zu verdeutlichen.

Selbstorientiert-Impulsiv

Was habe ich für Karten?

Blindes Risiko

DAS OFFENSICHTLICHE SEHEN

Gemeinschaftsbestimmt-Konformistisch

Was denke ich, was mein Gegenüber für Karten hat?

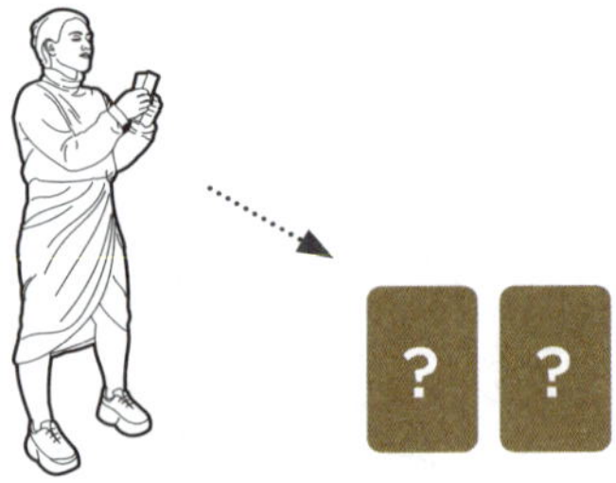

Bedenken Raum geben

DIE GEGENSEITE EINBEZIEHEN

Rationalistisch-Funktional

Was denke ich, was mein Gegenüber denkt, was ich für Karten habe?

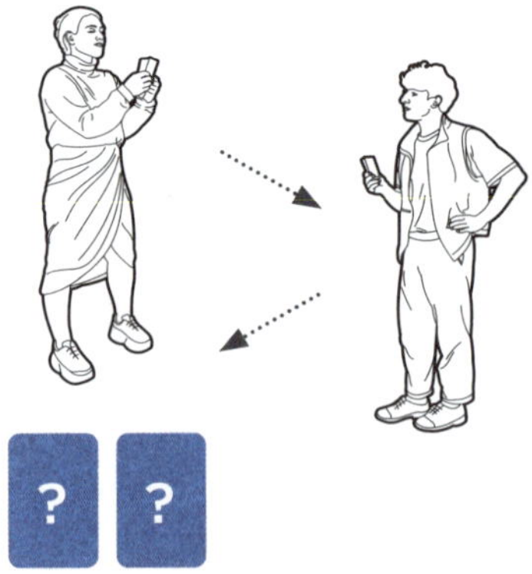

Taktieren und abwägen

REFLEXION DER GEGENPERSPEKTIVE

IMPULS: Ein Pokerturnier ausrichten

Spielen ist eine hervorragende Möglichkeit, in Rollen zu schlüpfen und sich außerhalb der eigenen Muster zu erleben. Es bietet Gelegenheit, sich beim Umgang mit Komplexität in einem spielerischen Kontext zu beobachten. Gewieft Poker zu spielen ist nicht unbedingt mit einer erweiterten Haltung gleichzusetzen, aber erweiterten Haltungen fällt der Umgang mit Komplexität auch im Spielen leichter – und spielend etwas lernen ist immer schön.

Eigenbestimmt-Souverän

Was denke ich, was mein Gegenüber denkt, was ich denke, dass er hat?

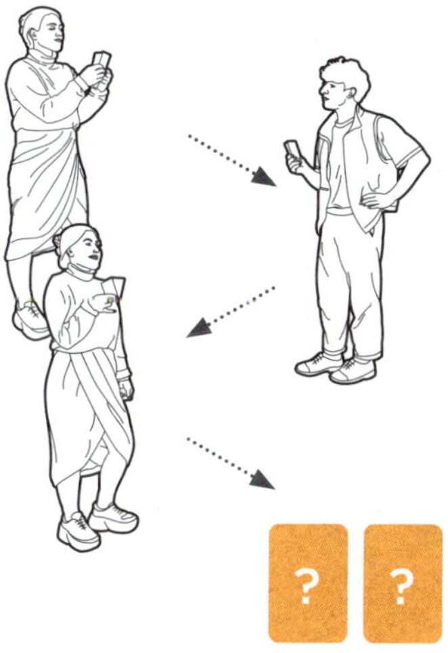

Strategisches Vorgehen

REFLEXION VON GEGEN- UND EIGEN-PERSPEKTIVE

Relativierend-Individualistisch

Was denke ich, was mein Gegenüber denkt, was ich denke, dass er denkt, was ich für Karten habe?

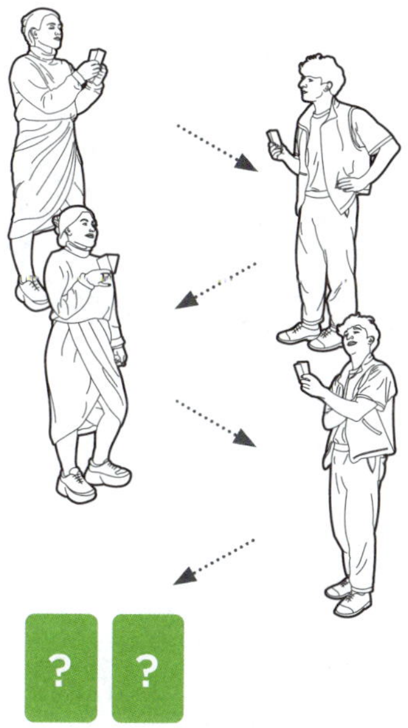

Psychologische Komponente einbeziehen

REFLEXION VON GEGEN- UND EIGEN-PERSPEKTIVE AUS DER METAPERSPEKTIVE

Systemisch-Autonom

Was bemerke ich über das, wie ich denke, was mein Gegenüber denkt, was ich denke, dass er denkt, was ich für Karten habe?

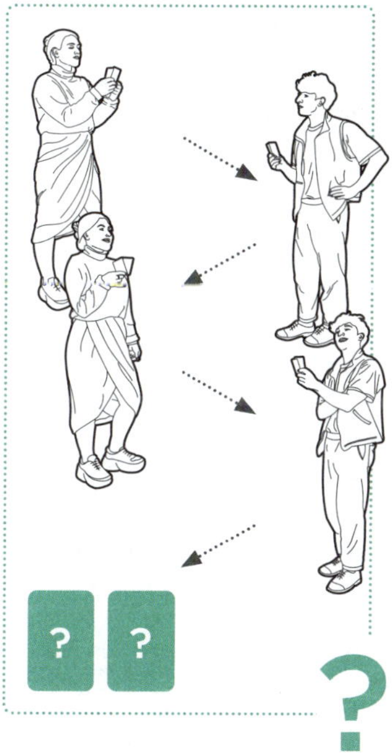

Die eigenen Denkmuster durchschauen

REFLEXION DER ART, VERSCHIEDENE PERSPEKTIVEN ZU REFLEKTIEREN

3. *Wir*

Team-Entwicklung

Der Prozess der Erweiterung unserer Haltungen auf Teamebene ähnelt dem auf der Ebene der Selbst-Entwicklung. Wir brauchen den interpersonellen Kontakt, um zu wachsen. Teams können der ideale Nährboden für unsere Entwicklung sein. Sie konfrontieren uns mit eigenen Widersprüchen und wir sind gemeinsam in einem kontinuierlichen Prozess, über Sprache unsere Sinngebungen miteinander in Abgleich zu bringen.

„Wenn wir in Verbindung gehen, verlieren wir individuelle Freiheiten und bekommen eine gesteigerte Form der Freiheit zurück."

Axel Honneth (* 1949)

Das Ich wächst im Wir

In der Zeit des Coronalockdowns konnten wir erfahren, wie wichtig es für uns ist, uns selbst in der Interaktion mit anderen zu erleben. Ob beruflich oder privat, wir befinden uns in einem ständigen emotionalen Abgleich mit den Menschen, mit denen wir zu tun haben. In vielen kleinen Mikrokommunikationen erfahren wir Zuspruch und Anerkennung oder registrieren Spannungen. Diese Kommunikation ließ sich nun schwieriger organisieren, was viele Menschen in einen Zustand von Erschöpfung und Entfremdung versetzt hat, manche verloren die innere Orientierung.

Wenn wir uns die Erlebnisse, die für unsere Entwicklung bislang wichtig waren, vor Augen führen, stellen wir fest: Sie sind meist interpersoneller Art und mit der Interaktion mit anderen verbunden. Die Rahmenbedingungen für diese Entwicklungserfahrungen sind: Umstände, die neue Denkweisen erfordern, neue Rollen, ein Gruppenklima, das fördert und fordert, soziales Lernen durch Beobachtung anderer, Musterwechsel und Verlassen der Komfortzone, Feedback und Austausch.

Fragen wir Menschen nach wichtigen Entwicklungsphasen in ihrem Leben, in denen eine Persönlichkeitsentwicklung sichtbar geworden ist, dann nennen sie oft Erlebnisse im Beruf und in ihren Teams. Für viele gehört die Coronazeit dazu und für manche Teams ist es danach ein bisschen wie nach den großen Sommerferien nach der zehnten Klasse. Wir haben viel erlebt in einem schier endlos erscheinenden Sommer und treffen nun auf alte Bekannte in neuer Konstellation. Einige haben die Schule gewechselt, die alten Klassen sind aufgelöst und alles sortiert sich neu. Wir wissen, dass es nicht mehr so ist wie früher, und sind noch dabei, uns in die neue Form der hybriden Unternehmenskultur einzufinden. Dieses Gefühl des richtungssuchenden Aufbruchs begegnet uns in vielen Unternehmen. Da wir noch kein klares Bild von dem Neuen haben und uns die Referenzerfahrungen fehlen, versuchen wir alte Muster wiederzubeleben, beenden das mobile Arbeiten und plötzlich kommen neue Krisen mit Lieferengpässen, Krieg und Energiepreissteigerungen und schon entgleiten uns die alten Routinen wieder. Wir befinden uns wieder in einer Situation, die neue Denkweisen erfordert – perfekte Bedingungen für vertikale Entwicklung.

Veränderungen beginnen immer im Kleinen, und die idealen kleinen Laboratorien für das Experimentieren mit erweiterten Haltungen sind Teams. Das können Teams in Form von Arbeitsgruppen sein oder standortübergreifende Kleingruppen von Führungskräften, die für sich sichere Räume für Austausch und Reflexion schaffen. Beim Automobilzulieferer Bosch, bei dem mehr als 15.000 Führungskräfte arbeiten, waren wir Teil einer solchen Entwicklungsreise mit mehr als 1.500 Personen. In dieser neunmonatigen Reise gaben wir jeden Monat einen Impuls. Unter anderem zu Achtsamkeit, Storytelling, Neuroplastizität, Haltungserweiterung und persönlichen Zielen. In Vierergruppen tauschten sich international vernetzte Führungskräfte regelmäßig zu diesen Themen aus.

Statt der üblichen Methodentrainings mit Impulsvorträgen etablierten wir die Logik der Entwicklungspsychologie und setzten darauf, dass der vertrauliche Austausch mit anderen in sicheren Räumen und kleinen Teams der beste Nährboden ist, um die Diskussionsfähigkeit zu erhöhen und die eigenen Perspektiven zu erweitern. Das Bosch-Programm „transform2grow" wurde mit dem St. Galler Leadership Award 2022 ausgezeichnet. Wollen wir die Logiken in einer Organisation erweitern, ist die freiwillige Erweiterung der Haltung der Führungskräfte wichtig. Die Häufigkeitsverdichtung von realem Erleben neuen Führungsverhaltens beeinflusst die Unternehmenskultur nachhaltiger als Methodenschulung. Die Wirkung entfaltet sich durch neue Referenzerfahrungen einer Bewegung innerhalb der Organisation. Oft sind es diese Art von Graswurzelbewegungen, die kulturell wirksam werden.

Ein Kollege berichtete, dass er privat eine Coachingausbildung absolviert hatte. In seinem beruflichen Kontext in Deutschland stieß dies zunächst auf wenig Interesse, und er erhielt keine Unterstützung, um dieses Wissen einbringen zu können. Coaching war eher etwas für höhere Positionen, für die externe Coaches engagiert wurden. Als er dann für einige Jahre nach China versetzt wurde, war das Interesse an allem, was aus dem Westen kam und nützlich erschien, sehr groß. Nun könnte man annehmen, dass Coaching in unserer individualistischen Kultur eher akzeptiert wird als in einer kollektivistischen, aber das Gegenteil war der Fall. Dort herrschte die Haltung vor: „Wenn wir etwas lernen können, was dem Kollektiv hilft, dann machen wir das natürlich." Anders als bei uns wird das Kollektiv nicht als Bedrohung der individuellen Freiheit gesehen, sondern als Möglichkeitsraum für mehr Wohlstand, der nur gemeinsam geschaffen werden kann. Die angebotenen Instrumente des kollegialen Coachings wurden dankbar angenommen und verbreiteten sich im gesamten chinesischen Teil des Konzerns. Durch diese hohe Akzeptanz sensibilisiert, änderte sich auch der Blick des Managements in Deutschland, und heute ist kollegiales Coaching unter den Mitarbeitenden, wo es passt, ein weit verbreitetes Angebot. Viele haben ihre privat erworbenen Kenntnisse jetzt auch in ihren Teams in Wirkung bringen können und die Bewegung wächst weiter.

TEAM-ENTWICKLUNGSERMÖGLICHER

1. Safe Spaces

Die Grundvoraussetzung für jede Team-Entwicklung sind Räume, in denen wir uns sicher fühlen und offen kommunizieren. Sie liegen oft jenseits von hierarchischen Reportingstrukturen und müssen aktiv gestaltet werden.

2. Besprechbarkeiten erhöhen

Vieles von dem was wir wissen und fühlen, liegt als Entwicklungskraft noch im Tabubereich, weil wir uns nicht trauen, die „rosa Elefanten“ in unserer Organisation anzusprechen, die bremsend wirken.

3. Not-to-do-list

Solange wir altes Verhalten beibehalten, hat neues keinen Platz. Deshalb ist es wichtig, ritualisierte Demotivationstatorte aufzulösen, unsinnige Regeln abzuschaffen, Reports und Dokumentationspflichten zu hinterfragen.

4. Neue Kommunikationsformen

Meetings, in denen nur die Führungskräfte zu Wort kommen, erweitern unsere Haltungen nicht. Mit agilen Methoden und neuen Ritualen wie Check-in und Check-out brechen wir mit der herkömmlichen Meetingkultur.

5. Buddy Groups

Nichts fördert unsere Entwicklung so stark wie der Austausch mit anderen. Coaching, kollegiales Coaching und Supervision sind Möglichkeiten, Gefühle zum Thema zu machen und sich auf Augenhöhe auszutauschen. Dann schwindet auch der Eindruck, dass wir mit unserem Entwicklungswunsch allein sind.

6. Feedforward + Feedback

Mit Retrospektiven, Stimmungsbarometern oder Skalierungsfragen können wir von pauschalisierenden Zuschreibungen zu prozesshafteren Entwicklungswahrnehmungen kommen.

7. Führung der vielen

Wenn wir Macht teilen, wird auch mehr Eigenverantwortung übernommen und Entscheidungen können dort getroffen werden, wo die Kompetenzen sind und die Probleme wahrgenommen werden. Die digitale, transparente und asynchrone Projektzusammenarbeit definiert die Rolle von Führung neu.

Ein neue Wir-Identität zulassen

Am Anfang eines Wunsches nach Transformation steht der Blick auf den Status quo, auf die Rahmenbedingungen und die gewünschte Entwicklungsrichtung. Die Erkenntnisse der Entwicklungspsychologie und das Modell der sechs Haltungen eröffnen uns einen neuen Blick auf unser „Wir" und lassen uns reflektieren, wie wir dieses „Wir" verstehen. In Teams gibt es immer ein Spannungsfeld zwischen dem Bedürfnis nach Autonomie und dem Wunsch, dazuzugehören und gemeinsam an etwas Größerem zu arbeiten. Dies wird auch in unseren Haltungen sichtbar, die ihren Aufmerksamkeitsfokus mal im „Ich" und mal mehr im „Wir" haben. Wie ein vorgeschlagenes Workshop-Du aufgenommen wird, sagt viel über die Haltungen in einer Organisation aus. Es ist aufschlussreich, welche Befindlichkeiten, Rollenidentitäten und Vorannahmen jeweils in den Teams sichtbar werden.

> Der Hashtag #gerneperDu wurde 2018 von Mitarbeitenden der BMW Group in München ins Leben gerufen. Es war eine Graswurzelbewegung mit dem Ziel, anderen im beruflichen Kontext freiwillig das „Du" anzubieten. Man wartete dazu nicht auf die Erlaubnis von oben oder einen Beschluss der Chefetage, sondern etablierte selbst eine neue Umgangsform, die angemessener erschien und für mehr Augenhöhe sorgte. Ein Beispiel für Führung von unten. Andere Konzerne haben diese Initiative in ihre Unternehmenskulturprogramme übernommen und mittlerweile ist der Hashtag #gerneperDu ein allgemeines Kulturartefakt.

Im Privaten lehnen wir bestimmte Kommunikationsstile und Zumutungen ab, die wir im Beruf für normal halten und dulden. Dieser Widerspruch fällt uns oft gar nicht auf und wir schieben es auf die Umstände. Wir glauben in beruflichen Rollen oft, so sein zu müssen oder uns verstellen zu müssen, erkennen dies aber oft nicht, weil es unbewusst geschieht.

Teams im Wandel

Erfährt eine vertraute Handlungslogik eine starke Irritation, bilden sich in Teams oft mehrere Lager, in denen die unterschiedlichen Haltungen sichtbar werden. Die einen wollen auf vertraute Logiken zurückgreifen, die anderen richten den Blick darauf, was aus den Krisenerfahrungen Neues gelernt werden kann und wo sich vielleicht größere Möglichkeitsräume auftun. Beide haben recht. Wirklich Neues entsteht, wenn sich die Art und Weise ändert, wie wir kommunizieren und darüber sprechen können, wie wir miteinander reden. In komplexen Situationen sind Entscheidungen, die im Zusammenspiel mehrerer Intelligenzsysteme getroffen werden, adäquater. Das Modell der Haltungen kann helfen, den unterschiedlichen Logiken ihren berechtigten Raum zu geben und sie in ihrer Gleichzeitigkeit zu akzeptieren.

Neue Kommunikationsweisen zulassen

Wichtig für die Entwicklung neuer Kommunikation ist es, reflexhafte Abwertungen aus den früheren Haltungen zu vermeiden. Wenn Führung ihre Haltung wechselt, kann das unser Kompetenzempfinden kränken, uns mit Gefühlen der Verunsicherung konfrontieren und Reizbarkeiten auslösen.

> In einem Unternehmen ging der langjährige CEO aus der Eigentümerfamilie in den Ruhestand. Der neue, erstmals extern besetzte CEO stellte sich im Intranet mit einem Video vor. Er erzählte Persönliches, nannte auch seine Schwächen und wie er mit Coaching und Selbstreflexion an sich arbeitet. Für seinen Vorgänger war das ein Schock: „Wer Coaching braucht, kann seinen Job nicht machen, und wer als Chef Schwächen zeigt, macht sich lächerlich und angreifbar.“ Nur mit Mühe konnte die fristlose Kündigung abgewendet werden, das Video musste jedoch gelöscht werden. Nach überstandener Erstirritation konnte sich im Laufe der Zeit eine neue Führungskultur etablieren. Der neue CEO ging mit gutem Beispiel voran und machte es damit auch anderen möglich, neue Wege zu gehen. Schrittweise wurde der Raum der Besprechbarkeiten immer größer. Mit dem Modell der Haltungen konnten die Beschäftigten den Konflikt in sich sinngebend neu verstehen.

Digitale Teams im hybriden Umfeld

Die hybride Kultur der Zusammenarbeit stellt für die meisten Teams ein weiteres Entwicklungsfeld dar. Ähnlich revolutionär wie einst die Einführung des Computers oder der E-Mail, müssen für diese Zusammenarbeit neue Verhaltensweisen eingeübt werden. Eine Teilnehmerin eines Workshops zur Einführung von Microsoft 365 brachte es auf den Punkt: „Wenn eine Führungskraft auf dem Flur ein Kompliment erhält, lächelt sie ihr Gegenüber an und drückt ihre Wertschätzung und ihren Dank aus. Wird sie in der digitalen Kommunikation im Intranet gelobt, vergisst sie ein Like oder einen Kommentar.“ Was in der analogen Kommunikation zum guten Ton gehört und für einen wertschätzenden Umgang sorgt, gilt es in der digitalen Kommunikation als Verhaltenspraxis neu zu etablieren.

Agilität „geht“ (noch) nicht

Viele unserer Mandate bekommen wir von Organisationen, „weil das mit der Agilität nicht klappt“. Die Sicht auf die Haltung hilft, unterschiedliche Sichtweisen in Einklang zu bringen. Agilität ist keine Methode, sondern kann eine Form des Denkens, Führens, Arbeitens und Kommunizierens sein, in der wir unterschiedliche Reifegrade integrieren und zur Wirkung bringen können, wenn wir unsere Haltungen erweitern. Auch dazu geben wir in diesem Kapitel transformative Anregungen.

Safe Spaces für neue Kommunikation

Wir alle neigen dazu, in Gruppen nicht unangenehm aufzufallen. Deshalb passen wir uns an, um nicht das Gesicht zu verlieren. Einer unserer Podcast-Gäste, der ehemalige Pilot und Keynote-Speaker Peter Brandl (* 1966), gibt in seinen Vorträgen Beispiele von Situationen, in denen Co-Piloten sich nicht getraut haben, dem Piloten zu widersprechen, und lieber den Absturz des Flugzeugs in Kauf genommen haben, als ihren Vorgesetzten zu korrigieren. In diesem Sinne wirken die frühen Haltungen wie ein Fluch, der uns stumm macht. Wir wollen nicht unwissend sein, also stellen wir keine Fragen. Um nicht als inkompetent zu gelten, ziehen wir es vor, nicht auf Fehler hinzuweisen, denn wir könnten uns ja irren und niemand sonst sieht darin ein Problem. Zu viele Ideen einzubringen, könnte als übergriffig angesehen werden und wer zu kritisch ist, gilt schnell als negativ oder ehrgeizig.

Gerade in großen Organisationen können diese subtilen Formen der Gesichtswahrung viel Energie binden. Wir sind dann mehr damit beschäftigt, den äußeren Eindruck aufrechtzuerhalten, als die Organisation voranzubringen oder den Kundennutzen im Auge zu behalten. Den Menschen innerhalb einer Organisation fällt das oft gar nicht auf, aber von außen wirken solche internen Verstrickungen und politisch notwendigen Abstimmungen oft völlig absurd.

Im Rahmen der Einführung einer Kollaborationsplattform gaben wir den Führungskräften eines Konzerns Impulse zur digitalen Führung. Wir stellten ihnen unser Modell vor, diskutierten Beispiele für die Emotionalisierung der digitalen Kommunikation und Möglichkeiten zur Stärkung der informellen digitalen Kommunikation. Die Workshops kamen gut an, vor allem der kollegiale Austausch wurde geschätzt.
Dann kam ein Anruf von der Person, die sich allein für die Weiterbildung der Führungskräfte verantwortlich fühlte, das Thema digitale Kommunikation bisher als nicht relevant angesehen und sich nicht an der Kollaborationsplattform beteiligt hatte. Er erklärte, dass er der Einzige sei, der Führungskräftetrainings organisieren dürfe, und dass diese einem von ihm entwickelten didaktischen Format entsprechen müssten. In unseren Workshops sollte nicht über Führung gesprochen, sondern nur die Software erklärt werden. Statt gemeinsam das Thema voranzubringen, ging es nun um Verfahrensfragen und Kompetenzscharmützel, die Energie banden. Eine Einladung zur Hospitation in einem unserer Workshops entspannte die Situation glücklicherweise schnell.

Unerwartete Ergebnisse können ein gutes Zeichen sein

Eine Atmosphäre, in der wir uns nicht sicher fühlen, sondern mit taktischen Überlegungen beschäftigt sind, hemmt die gemeinsame Entwicklung des Teams. Um das Risiko eingehen zu können, etwas Neues auszuprobieren, brauchen wir einen kommunikativen Raum, in dem wir uns verletzlich zeigen können und in dem die Irritationen der frühen Haltungen befriedet werden.

Die Harvard-Professorin Amy C. Edmondson (* 1959) hat in ihren Forschungen herausgefunden, dass erfolgreiche Teams ein offenes Kommunikationsklima haben und viel mehr über Fehler und Irrtümer sprechen als Teams, in denen sich die Menschen unsicher fühlen. Von außen sieht es also so aus, als würden erfolgreiche Teams mehr Fehler machen, weil mehr über Fehler gesprochen wird. In der Logik der frühen Haltungen werden möglichst wenige Fehler als Erfolg gewertet. Dabei wird übersehen, dass Fehler dann einfach vertuscht, verschwiegen oder verleugnet werden. Die Bereitschaft zur Verbesserung und zur gemeinsamen Reflexion steigt mit der Erweiterung unserer Haltung. Drei Faktoren sind dabei entscheidend:

1. Arbeit als Lernprozess begreifen

Wir begreifen Arbeit nicht als reines Ausführungserlebnis, sondern als kontinuierlichen Lernprozess, zu dem auch unerwartete Ergebnisse gehören. Je mehr Intelligenzsysteme wir involvieren, desto wahrscheinlicher können wir Fehler erkennen. Fehler zu brandmarken, führt nicht dazu, dass sie nicht gemacht werden, sondern dazu, dass darüber nicht gesprochen wird.

2. Fehlern in Form von unerwarteten Ergebnissen Raum geben

In den erweiterten Haltungen gelingt es uns leichter, nicht mehr dualistisch in richtig oder falsch zu unterscheiden. Vielmehr können wir gezielt eigene blinde Flecken aufdecken, weil sich unsere Identität nicht mehr aus unserem vermeintlichen Perfektionismus und unserer Fachexpertise konstruiert.

3. Neugierig und experimentierfreudig sein

Auch der Umgang mit Unsicherheit und Unwissen fällt uns in späteren Haltungen leichter. Das führt zu einer Kommunikation mit mehr Raum für Experimente und Neues.

Vertrauen lässt sich leichter erreichen, als wir annehmen

In Unternehmen sind sichere Räume innerhalb formaler Strukturen oft selten. Über informelle Strukturen lassen sie sich jedoch häufig viel einfacher herstellen als gedacht. Wir laden zu unseren Workshops und Kulturexpeditionen daher explizit alle ein, die an Selbst-Entwicklung interessiert sind – unabhängig von ihrer Funktion im Unternehmen – und arbeiten viel in festen Buddy Groups. So entstehen schnell Räume mit hoher Vertraulichkeit.

Merkmale eines Safe Space

1. SICHERHEIT	*Kannst du im Team Risiken eingehen, ohne dich in Gefahr oder Verlegenheit zu bringen?*
2. ZUVERLÄSSIGKEIT	*Können wir auf jedes Teammitglied zählen und werden Zusagen im Team prinzipiell eingehalten?*
3. KLARHEIT	*Besteht unter uns ein Einvernehmen und Klarheit über Rollen, Vorgehensweisen und Ziele?*
4. SELBSTBESTIMMTHEIT	*Ist die Arbeit für uns persönlich von Bedeutung und erleben wir uns in unseren Potenzialen?*
5. WIRKUNG	*Fühlen wir, dass unsere Arbeit etwas Positives bewegt und wertgeschätzt wird?*
6. SINN	*Sehen wir uns in unserem beruflichen Handeln sinnstiftend mit unseren Werten verbunden?*

Wie das Team den Safe Space einschätzt

Der Begriff „Safe Space“ ist unter anderem durch Amy C. Edmondson und ihre Arbeit für Google bekannt geworden. Safe Spaces und psychologische Sicherheit sind wichtig, wenn Menschen mit Ungewissheit und gegenseitiger Abhängigkeit konfrontiert sind – zwei Begriffe, die häufig fallen, wenn über die digitale Transformation gesprochen wird. In der Forschung zu erfolgreichen Teams haben wir fünf Prädiktoren, also Vorhersagevariablen, identifiziert, die wir im Teambarometer als Merkmale abbilden. Dabei haben wir die psychologische Sicherheit als „Sicherheit“ definiert und den Aspekt „Sinn“ ergänzt. Aus dem Teambarometer lässt sich ableiten, wie sich die spezifischen Reizbarkeiten einer Haltung sich potenziell befrieden lassen. Je weniger reizbar wir sind, je besser unsere Bedürfnisse integriert sind, desto größer ist die psychologische Sicherheit und der Raum für eine offene Kommunikation. Diese Betrachtung regt an, Unausgesprochenes in Bewegung zu bringen und so die Besprechbarkeit zu erhöhen. Ein Klima offener, konstruktiver Kritikfähigkeit in einem Unternehmen ist ein hohes Kulturgut und die Basis für Agilität und Selbststeuerung. Safe Spaces sind Räume, in denen Verletzlichkeit möglich ist, weil sie unter besonderem Schutz stehen.

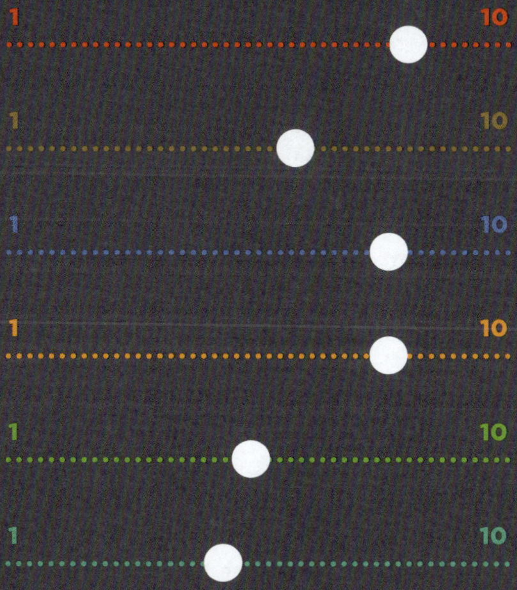

IMPULS: Teambarometer

Einmal im Monat schätzen die Teammitglieder auf einer Skala von 1 bis 10 ein, wie sie den jeweiligen Aspekt gerade empfinden. 10 bedeutet: Wir haben unser Potenzial voll ausgeschöpft. Eine Person, die eine 1 vergibt, sieht einen großen Nachholbedarf. Die Einschätzungen werden gemeinsam besprochen und es wird im Team diskutiert, was aus individueller Sicht passieren müsste, damit die persönliche Einschätzung für den jeweiligen Aspekt um einen Punkt höher liegt und warum sie nicht niedriger ist.

Skalierungsfragen helfen, Schwarzmalereien zu reduzieren. Das Teambarometer im Folgemonat macht Veränderungen sichtbar. In jedem Fall ergibt sich die Möglichkeit, über einzelne Punkte erneut ins Gespräch zu kommen.

Manchmal tauchen Vorbehalte auf: In den erweiterten Haltungen würde in den Teams jeder machen, was er will, und es ginge drunter und drüber. Der erste Teil ist richtig, im Idealfall macht jeder, was er will. Der zweite Teil ist die falsche Annahme, dass wir in den erweiterten Haltungen keine Regeln hätten. Das Gegenteil ist der Fall: Safe Spaces brauchen Schutz, und jedes Team ist gut beraten, sich eine Reihe von Regeln zu überlegen, die zu ihm passen, oder sich sogar eine Art Verfassung zu geben.

In einem Team von Führungspersönlichkeiten gab es folgende Regeln:

- Für jede Minute Verspätung fünf Euro in die Kasse
- Alle haben die gleiche Redezeit zur Verfügung. Pro Beitrag max. 4 Minuten
- Handys aus, Kameras an und keine Nebenbeschäftigung bei Video-Calls
- Nur von eigenen Erfahrungen sprechen, keine Ratschläge geben
- Das Wort wird im Kreis herumgegeben, keine*r darf andere unterbrechen.
- Absolute Vertraulichkeit nach außen – sonst Ausschluss aus der Gruppe

Regeln helfen nicht nur unreifen Menschen. Reife Menschen verabreden Regeln, um den Safe Space vor den eigenen unreifen Anteilen zu schützen.

Safe Space und Reizbarkeiten

Stufenspezifische Reizbarkeiten verhindern die Entstehung von Safe Spaces und schränken damit die Kommunikation ein. Meistens bestehen in Teams aus unterschiedlichen Haltungen heraus subtile Reizbarkeiten. Wenn wir die dahinterliegenden Bedürfnisse transparent machen, kommen sie in Bewegung und können integriert werden.

Selbstorientiert-Impulsiv

In unsicheren Situationen werden die frühen Haltungen reizbar. Als Grundlage für einen Safe Space braucht es das Gefühl von Gesehen werden und Respekt. Mobbing, Willkür, die Bedrohung durch ausbleibende Lohnzahlungen oder den Verlust des Arbeitsplatzes verhindern das oft. Es braucht eine psychologische Sicherheit, die Teammitglieder erlaubt Risiken einzugehen und sich mit Fragen und Kritik vor anderen zu zeigen. Fehlt diese, werden Themen nicht in Kommunikation gebracht.

Teammitglieder respektieren einander.

SICHERHEIT

Gemeinschaftsbestimmt-Konformistisch

Wenn wir uns aufeinander verlassen können, entsteht im Team ein Wir-Gefühl und eine Grundsolidarität. Sind Teammitglieder zuverlässig und entsprechen ihre Leistungen oder Fachkenntnisse den Anforderungen, ist diese Haltung weniger reizbar. Ansonsten wird versucht, die Harmonie aufrechtzuerhalten und die Arbeit vermehrt um diese Teammitglieder herum zu organisieren. Darauf angesprochen, herrscht oft betretenes Schweigen, weil alle, um die Beziehungsebene zu schützen, offene Konflikte vermeiden möchten.

Teammitglieder halten Zusagen ein.

ZUVERLÄSSIGKEIT

Rationalistisch-Funktional

Um Reizbarkeiten in dieser Haltung zu reduzieren, brauchen wir das Gefühl von klaren Zuständigkeiten und Prozessen. Wir wollen möglichst ungestört unsere Kenntnisse anwenden und „in Ruhe arbeiten". Unklarheiten lösen Unsicherheit darüber aus, ob wir die Dinge richtig machen, und reizen unser Kompetenzempfinden. Ziele sollen möglichst eindeutig sein und einem Plan mit folgen, an den sich alle halten sollten. Reizbarkeiten dieser Haltung erkennen wir an häufigen Verfahrensfragen.

Rollen, Vorgehensweisen und Ziele sind klar.

KLARHEIT

IMPULS: Reifungsfelder identifizieren

In Team stehen die Bedürfnisse der Haltungen manchmal in Konkurrenz zueinander. So kann der Wunsch nach individueller Karriere das Gemeinschaftsgefühl schmälern oder Harmoniesucht offenes Feedback verhindern.
Welche Bedürfnisse sind in unserem Team gut integriert?
Wo nehmen wir Reizbarkeiten wahr?
Stehen Bedürfnisse eventuell im Konflikt miteinander?

Eigenbestimmt-Souverän

In dieser Haltung ist uns die Selbstverwirklichung in unserer Arbeit und das Ausprobieren unserer Stärken wichtig. Der Wunsch, Karriere zu machen, gehört dazu. In Teams sind Herausforderungen wichtig und sie sollten persönlich als bedeutsam eingestuft werden und einem was bringen. Sei es in der Außenwirkung oder für das eigenen Vorankommen. Teammitglieder brauchen Raum für selbstbestimmtes Handeln und Eigeninitiative, denn sie wollen Verantwortung übernehmen.

Relativierend-Individualistisch

Für wen und mit wem ich arbeite, was mein Arbeitgeber herstellt und ob das mit meinen Werten im Einklang ist, ist für diese Haltung eine zunehmend wichtig werdende Perspektive. Wir wollen als Team eine Wirkung erzeugen, sei es für unsere Kund*innen oder in der Welt. Auch wenn unsere Ideale nicht voll durchsetzbar sind, wollen wir zumindest, dass sie gesehen, besprochen und Schritt für Schritt in Wirkung gebracht werden können.

Systemisch-Autonom

Jetzt werden solche Fragen relevant: „An welcher möglichen Zukunft arbeiten wir? Ist das die Zukunft, für die ich meine Lebenszeit geben möchte?" Ein Team bei einem Hersteller von Haushaltsgeräten arbeitete an Ansätzen zur Kreislaufwirtschaft. Erste Teilerfolge setzen eine hohe kreative Energie frei und stärkten die Identifikation mit dem Unternehmen. Das neue Sinnempfinden ließ viele andere Reizbarkeiten in den Hintergrund treten und schuf eine neue Verbundenheit.

Die Arbeit hat eine persönliche Bedeutung.
BEDEUTUNG

Die Wirkung der Arbeit wird gesehen.
WIRKUNG

Es gibt einen sinnhaften gemeinsamen Resonanzraum.
SINN

3.1

Team-Charakter

Der Charakter eines Teams zeigt sich im Sinne der Vertikalen Entwicklung unter anderem darin, worauf sich das Wir-Gefühl bezieht, wen es einschließt und wen es ausschließt. Reifere Teams finden eine gute Balance zwischen ICH und WIR, indem sie sich auf übergeordnete Werte beziehen, die mehrere Perspektiven einschließen. Ähnlich wie bei Individuen können Teams mit reiferen Haltungen leichter mit spannungsgeladenen Themen umgehen. Die Interaktion ist sehr lebendig, ohne impulsiv zu werden. Für Organisationsformen wie die Selbstorganisation braucht es Teamleiter*innen, die mit den erweiterten Haltungen und ihren Kommunikationsräumen bereits vertraut sind.

„Ein reifes Team sorgt dafür, dass alle Bedürfnisse erfüllt sind oder es einen kreativen Umgang mit deren Unerfülltheit gefunden hat.“

Maria Herbert (* 1966)

Teams entdecken sich neu

Besonders in großen Organisationen sind wir es gewohnt, sehr sachlich über kurzfristige Alltagsprobleme, die nächsten To-dos und über Zahlen zu kommunizieren. Wir übersehen dabei, dass wir uns mit dieser Art der Kommunikation ganz viele wertvolle Wahrnehmungen vorenthalten. Wenn Teams ihren Charakter erweitern, ist das ein wenig wie sich neu kennenzulernen – und das kann sehr entspannend wirken.

In einem Maschinenbauunternehmen starteten wir mit einem eintägigen Workshop, um die Bereitschaft für eine Kulturexpedition auszuloten. Eine Kulturexpedition ist ein auf sechs bis neun Monate angelegtes Format, bei dem monatliche Impulse die Teilnehmenden in Kleingruppen miteinander in Austausch bringen. Um unseren Auftraggebern die Unsicherheit zu nehmen, ob dieses Konzept für ihr Unternehmen geeignet ist, bieten wir oft an, zunächst mit einem eintägigen Workshop zu starten. In der Regel werden im Vorfeld Bedenken geäußert, dass die Leute noch nicht so weit seien und dass es viele schwierige Leute gäbe, die als wenig entwicklungsoffen gelten. In den Workshops zeigt sich dann meist ein anderes Bild, die vermeintlich schwierigen Personen sind anwesend und zeigen ein anderes Verhalten als befürchtet. In diesem Workshop kam der Kern der Teilnehmer*innen aus der oberen Führungsebene. Diese hatten wir gebeten, jeweils eine Person mitzubringen, bei der sie Entwicklungspotenzial sehen. So kam eine bunte Mischung aus allen Hierarchieebenen zusammen. Wir stellten das Modell der sechs Haltungen vor und erläuterten, wie wir es für die Selbst-, Team- und Organisationsentwicklung nutzen können. Auf jeden Impuls folgte ein Austausch in wechselnden Kleingruppen von zwei bis vier Personen, die ihre Beobachtungen anschließend im Plenum austauschten. Die Stimmung lockerte sich zusehends und der CEO meinte, dass er durch den Austausch mit den jungen Talenten mehr über sich selbst erfahren habe als durch das übliche schriftliche 360°-Feedback. Viele merkten an, dass sie noch nie so über alle Abteilungen und Hierarchieebenen hinweg miteinander gesprochen hätten. Am Ende des Workshops kam die Frage auf, wie es nun weitergehen solle. Die einen meinten, jetzt, wo das Leitbild die Richtung aufgezeigt habe, sollte festgelegt und beschlossen werden, wie sich alle in einem Jahr verhalten sollten. Eine andere Teilnehmerin sagte: „Für mich ist das ein ganz besonderer Tag und es hat sich so viel freier angefühlt, mit euch allen zu reden. Ich habe heute viele von euch neu kennengelernt. Lasst uns nicht gleich wieder ein Ziel daraus machen, sondern öfter so miteinander reden, und dann werden wir sehen, welche neue Art von Führung und Zusammenarbeit daraus entstehen kann. Ich habe heute ein ganz neues Vertrauen in meine Arbeit in dieser Organisation gewonnen." Genau dafür schafft eine Kulturexpedition Raum.

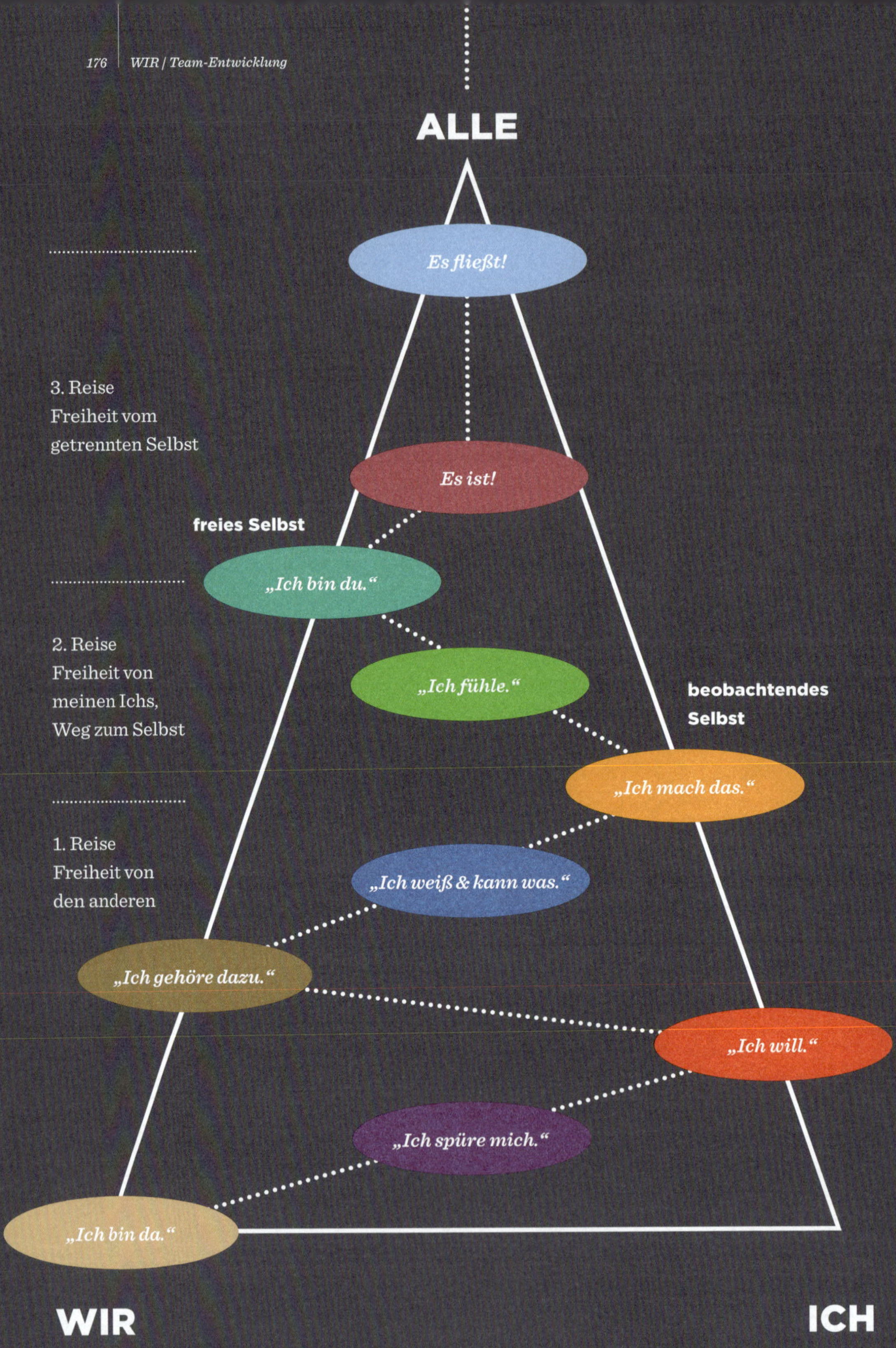

Darstellung inspiriert von Marion Quaas-Reinhard und Hermann Küster

Vom Wir zum Ich und zum Alle

Ein Teil der Spannungen in Teams entsteht, weil jede Haltung eine andere Ausrichtung in den Polaritäten von „Ich", „Wir" und „Alle" hat. Wir starten im „Wir" der Eltern, aus dem wir entstehen, und in einer vorsozial-instinktiven Haltung, in der wir noch nicht zwischen uns selbst und den Eindrücken von außen unterscheiden. Im nächsten Schritt beziehen wir uns immer mehr auf unsere Körperlichkeit und beginnen, uns immer intensiver zu spüren.

Die erste Fokussierung auf das „Ich" entsteht in der selbstorientiert-impulsiven Haltung, in der wir uns über das „Nein", „Allein", „Selber" stärker abgrenzen und uns als eigenständig erleben wollen. Mit einem „Ich will" ist eine große Lust am Leben und an der eigenen Lebendigkeit verbunden.

Der Wunsch nach Gemeinschaft und Zugehörigkeit führt zu einer stärkeren Wir-Orientierung in der gemeinschaftlich-konformistischen Haltung, in der äußere Regeln dominieren.

Die rationalistisch-funktionale Haltung löst sich aus dem „Wir" und legt den Fokus auf das sachliche Verstehen und Erklären. Unsere Identität resoniert stark mit dem, was „ich weiß & kann".

In der eigenbestimmt-souveränen Haltung ist unser „Ich" als Form des Selbstbezugs am stärksten ausgeprägt. Obwohl das Ego einen schlechten Ruf hat, ist diese Phase ein wichtiger Erkundungsraum, da wir durch die zunehmende Freiheit von anderen unabhängiger auf uns selbst schauen können.

Die relativistisch-individualistische Haltung als erste postkonventionelle Haltung hilft uns, mehr nach innen zu gehen und mit unseren Gefühlen, positiven wie negativen, sprachlich bewusster in Kontakt zu treten.

In der systemisch-autonomen Haltung nehmen wir wahr, dass wir nicht getrennt existieren, sondern in Verbindung mit der Welt um uns herum. Jede unserer Rollenidentitäten ist ein Produkt unserer Verbindungen mit anderen. Alle Selbstgeschichten entstehen in einem Erfahrungszusammenhang mit und durch die Erkundungsbewegungen in unseren subjektiven Umwelten.

Die Erfahrung eines „freien Selbst", das nicht mehr an die eigenen Selbstgeschichten gebunden ist, bildet den Übergang zu einer Möglichkeit, stabilere transpersonale Haltungen einzunehmen, die mehr auf einen übergeordneten Kontext – auf ein „Alle" – ausgerichtet sind.

Spannungen zwischen „Ich“ und „Wir“

Der unterschiedliche Fokus zwischen einer Ich- und einer Wir-Orientierung ist eine der Ursachen für viele Missverständnisse und Spannungen in Teams. Wir sind in unterschiedlichen Bezugssystemen unterwegs und halten das Verhalten der anderen jeweils für einen Übergriff.

In einem Automobilkonzern planten wir einen Workshop, um Ideen für eine innovationsfördernde Arbeitsweise in Bewegung zu bringen. Im Vorfeld wollten wir den Teilnehmenden des Workshops fünf offene Fragen dazu stellen, wie sie persönlich das Umfeld in ihren Teams erleben. Der Fokus lag dabei auf dem eigenen Autonomieerleben, ob sich die Personen in ihren Stärken erleben, wodurch sie sich eventuell eingeschränkt fühlen und welche Entwicklungspotenziale für die Teams bereits erkannt werden. Wir mussten dann feststellen, dass solche Fragen nur in Absprache mit und durch den Betriebsrat gestellt werden können und dieser in seiner Rolle eher die regelorientierte Wir-Ebene in den Vordergrund stellt. In dieser Verständigungswelt darf eben nicht jeder fragen, was er will, denn die Befragungen könnten der Bespitzelung dienen und die gewonnenen Erkenntnisse könnten gegen die Beschäftigten verwendet werden. Aus einer bestimmten Erfahrungsperspektive ist dies ein wichtiger Gesichtspunkt. Die „Alle“-Perspektive, die sich an der Sinnhaftigkeit und der Entwicklung eines größeren Zusammenhangs orientiert, kann diese scheinbar unversöhnlichen Perspektiven zusammenführen. Der Betriebsrat wurde in die Workshops einbezogen und konnte erleben, dass es für alle eine sehr verbindende Erfahrung wurde und seine Befürchtungen unbegründet waren. Die Fragen wurden nicht, wie geplant, im Vorfeld schriftlich gestellt, sondern in den Workshops gemeinsam diskutiert. Glücklicherweise stand dem keine Vorschrift entgegen.

Die einen sehen im Wunsch nach Autonomie und im Fokus auf das „Ich“ einen wachsenden Egoismus, die anderen sehen in Bezug auf ein kollektives „Wir“ Fesseln, die sie an der Entfaltung hindern. Die mögliche Lösung liegt in der Verbindung zu etwas gemeinsam Erstrebenswertem in Richtung „Alle“, also in Richtung Werte, Sinn und nachhaltige Entwicklung. Meist ist dies noch kein wirklicher Bezugspunkt, und die Versuche, Purpose, also den Zweck einer Organisation, als verbindende Kraft in Unternehmen zu etablieren, sind noch in der Entwicklung. In der Start-up-Szene haben sich dafür die Begriffe Einhorn und Zebra etabliert. Einhörner haben das Ziel, exponentielles Wachstum zu generieren und durch Disruption eine Monopolstellung zu erreichen. Es geht um „mehr“. Zebras sehen ihren Sinn in Nachhaltigkeit, Ko-Existenz und Kooperation und es geht um ein „besser und genug“. Zwei sehr unterschiedliche Haltungen zum Purpose und zu einem „Alle“.

Das freie Ich begreift sich als Teil des Wir

Die albanisch-britische Politikwissenschaftlerin Lea Ypi (* 1979) ist Professorin für politische Philosophie an der London School of Economics. Sie bietet eine interessante Perspektive auf diese Spannung zwischen der Orientierung auf „Ich“ und „Wir“. Bis zum elften Lebensjahr im Sozialismus Albaniens aufgewachsen, glaubte sie mit naiver Hingabe den Verheißungen der „Wir“-Perspektive, im vermeintlich letzten Land, das den wahren Sozialismus lebte, bis dieses Konstrukt 1990 komplett in sich zusammenfiel. Doch auch die neue freie Welt, in deren liberaler Tradition eher die „Ich“-Perspektive dominiert, hatte für Menschen aus Albanien wenig Freiheit zu bieten, und so platzte dieser Traum für viele. Die Erzählung der westlichen Welt von Freiheit meinte eben nicht die Freiheit aller. Die „befreiten“ Albaner*innen, denen immer geraten wurde, sich von ihrem System zu verabschieden, um frei zu sein, mussten leider draußen bleiben. Freiheit, die sich nur dem Individuum verpflichtet fühlt, wird so interpretiert, dass wir uns einfach nehmen können, was uns angeblich zusteht – ohne dass wir soziale Verantwortung übernehmen müssen.

Lea Ypi betont, dass Freiheit in der Gesellschaft nur in Verbindung mit anderen verwirklicht werden kann. Echte Freiheit weiß um die Bedeutung des „Wir“. Sie bezeichnet ihren Denkansatz etwas provokativ als Kantianischen Marxismus oder moralischen Sozialismus. Aus der Perspektive der Haltungen steht die eigenbestimmt-souveräne Haltung für den vernunftbegabten, aufgeklärten Menschen im Sinne Kants, der sich einem „Wir“ zuwendet, weil er weiß, dass dieses „Wir“ für die Entwicklung, auch für seine eigene, notwendig ist. In der systemisch-autonomen Haltung weitet sich unsere Perspektive und wir erkennen unsere Verbundenheit mit anderen, ohne unser Autonomiegefühl zu verlieren. Nachhaltige menschliche Entwicklung ist nur mit anderen und mit der Natur möglich. Noch immer sind wir ideologisch geprägt, diese beiden Perspektiven gegeneinander auszuspielen. Wir könnten ein neues Narrativ von einem „Wir“ in Wirkung bringen, welches das „Ich“ nicht unterdrückt, sondern sich entfalten lässt und sich an einem „Alle“ ausrichtet.

> Einen weiteren Moment meiner kulturellen Blindheit für die Perspektive der anderen erfuhr ich im Gespräch mit einer Bekannten. Wir sprachen über die Zeit der Wende und ich sagte: „Ich habe damals überhaupt nicht verstanden, warum die Menschen aus der DDR wieder dorthin zurückgingen. Ich war so geprägt von dem Bild, dass dort alle Individualität unterdrückt wird, dass ich dachte, die bleiben natürlich jetzt alle hier.“ Worauf meine sächsische Bekannte sagte: „Ich habe damals gar nicht verstanden, warum die alle in den Westen wollten, wir hatten gelebte Solidarität und gegenseitige Unterstützung. Im Westen waren die Menschen auf sich alleine gestellt.“

Wen meinen wir, wenn wir „wir“ sagen?

Das „Wir“ erweitern

Wenn von „Wir“ die Rede ist, können damit unterschiedlich große Bezugskreise gemeint sein. Bereits im zweiten Jahrhundert differenzierte Hierokles, ein Vertreter der stoischen Lehre, die Ebenen des Wir-Empfindens in immer weitere Kreise. Die Stoiker strebten ein Leben in Übereinstimmung mit der Allvernunft an, das einer gehobenen Gestimmtheit Raum gibt, in der Glück und Unglück gleichwertig erscheinen können. Hierokles empfahl, Fremde als „Bruder“ oder „Schwester“ und Ältere als „Onkel“ oder „Tante“ anzureden, um uns daran zu erinnern, dass wir alle miteinander verwandt und verbunden sind. Er erweiterte den Kreis vom Ich zur Familie, zu Verwandten, Freunden, Mitbürgern, zum Volk, zur Menschheit und zum Universum und schlug vor, uns darin zu üben, die Menschen in den äußeren Kreisen genauso zu behandeln wie die Menschen in den inneren Kreisen. Eine ähnliche Wahrnehmungsausdehnung für das „Wir“ entsteht auch mit der Erweiterung der Haltung.

In Krisen können wir beides beobachten: Wir werden uns unserer Nächsten bewusster und erkennen gleichzeitig, welche Kraft in unserer Kooperationsfähigkeit liegt. Viele Unternehmen haben die Coronakrise daher auch als positives Beispiel für Teamarbeit erlebt.

> Wir wurden gebeten, in einem großen Krankenhaus einen Prozess zu begleiten, der unter dem Motto „Wir. Gemeinsam.“ stand. In den ersten Monaten der Coronakrise gab es eine Phase der vorbildlichen Zusammenarbeit und des solidarischen Engagements. Silodenken wurde überwunden, Abteilungsdenken aufgegeben und mit hoher Flexibilität auf die Herausforderungen reagiert. Eine kollektive Referenzerfahrung, die gezeigt hat, dass Zusammenarbeit jenseits gewohnter Muster möglich ist, wenn das WIR auf das wir uns beziehen, größer wird. Nun galt es, diesen Möglichkeitsraum zu bewahren, nicht in alte Muster zurückzufallen und weiter in Richtung eines größeren WIR zu gehen. Dazu konzipierten wir eine Reihe von Workshops, in denen sich Mitarbeiterinnen und Mitarbeiter aus allen Bereichen austauschten und über alte Silos hinweg gemeinsam an Entwicklungsthemen arbeiteten. Solche abteilungsübergreifenden Gespräche hatte es zuvor meist noch nicht gegeben und so entstanden neue informelle Kommunikationsschnittstellen, die das gefühlte WIR vergrößerten und gleichzeitig bewusster machten, wie unterschiedliche WIR-Kreise miteinander interagieren. Je größer Organisationen werden, desto mehr WIR-Ebenen entstehen, zwischen denen informelle Kommunikation gestaltet werden sollte, um Silodenken aufzubrechen. Erleben ist dabei immer wirksamer als Appelle.

Die Wahrnehmung des WIR erweitert sich

Mit unserer Haltung erweitert sich zugleich der potenzielle Wahrnehmungskreis unseres WIR und die Abgrenzung zu den anderen WIRs wird tendenziell aufgeweicht. Es fällt uns leichter, andere Perspektiven in unser Weltbild zu integrieren, uns als Teil der Welt zu sehen und nicht mehr nur als externe Beobachtende.

Selbstorientiert-Impulsiv

Wenn diese Haltung reizbar ist, achten wir auf unseren Vorteil und auf unsere nächsten Blutsverwandten. Uns schert nicht, was andere denken. Wir sind für klare Ansagen, und was wir eigentlich wollen, ist uns noch nicht klar. Am Ende ist sich jeder doch sowieso selbst der Nächste. Wir gucken, was wir für uns kriegen können, und was dann ist – ist uns egal. Wir kommen zuerst und sorgen für unsere Sicherheit. Unser Wir umfasst nur eine kleine Gruppe von Menschen.

Gemeinschaftsbestimmt-Konformistisch

Wir orientieren uns an dem, was von uns erwartet wird. Mit unserer Meinung sind wir eher vorsichtig. Man muss auch nicht zu allem eine Meinung haben, man weiß ja, wie die Dinge so sind, da muss man sich zurücknehmen und zusammenreißen. Wir gehören zu denen, die so sind wie wir und nach den gleichen Regeln leben. Die anderen wissen ja gar nicht, wie es für uns hier wirklich ist. Die sollen mal schön auf sich selbst achten.

Rationalistisch-Funktional

Wir haben eine klare Meinung und vertreten sie gegenüber anderen. Gerne lassen wir uns auf sachlichen Austausch ein, finden in Debatten die Ausnahmen, wo das Gesagte nicht stimmt, und neigen zu Generalisierungen. Bei uns sind die Dinge in Ordnung und hier funktioniert alles, aber die anderen haben echt keine Ahnung und kriegen das einfach nicht hin. Es sollte sich in der Politik mal was ändern, sonst geht das hier den Bach runter.

Unreflektierte, abwehrende Behauptungen
(REAKTIV)

Gruppendenken dominiert
MAN

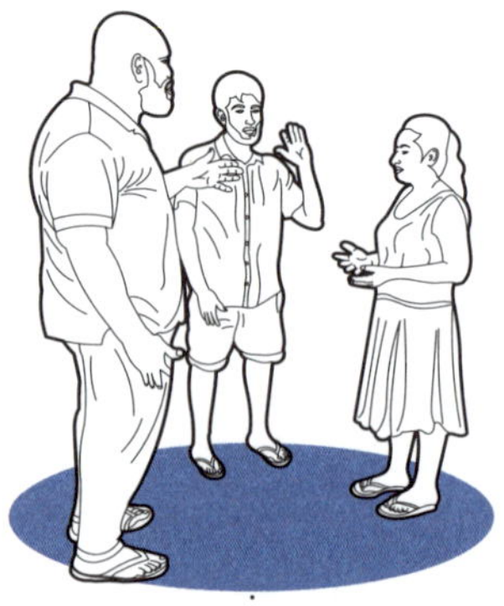

Recht haben, Ausnahmen und Verallgemeinerungen
ICH

IMPULS: Unsere Wir-Kreise reflektieren

Wir können uns in unterschiedlich großen WIR-Kreisen beobachten und reflektieren.

Wie unterscheiden sich unsere haltungstypischen Einstellungen, wenn wir zwischen unseren kleineren und größeren WIR-Kreisen vergleichen?
Ist unser Team ein WIR oder gibt es auch da noch kleinere WIRs?
Wie stehen wir zu den anderen Teams, zu anderen Abteilungen?

Eigenbestimmt-Souverän

Wir verstehen, warum andere die Dinge anders sehen, und können auch Kompromisse erzielen, die die Bedürfnisse unseres Gegenübers einschließen. Dabei haben wir aber immer unsere eigenen Interessen vor Augen. Wir sehen auch die Befindlichkeiten anderer Gruppen, bleiben aber im Verstehen manchmal in unseren Deutungsschleifen hängen. Doch haben wir den übergeordneten Erfolg der Gesamtorganisation schon im Blick.

Win-win Lösungen, Kompromissfähigkeit
ICH + DU

Relativierend-Individualistisch

Wir können aus einer beobachtenden Meta-Perspektive auf die unterschiedlichen Meinungen der diversen Interessengruppen schauen und auch die beteiligten Gefühle im System bewusster wahrnehmen und sie in die Kommunikation einbringen. Es fällt uns leichter, flexibel in unseren Meinungen zu sein, neuartige Perspektiven mit einzuschließen und unsere eigenen Vorannahmen zu hinterfragen. Wir erfassen, wie unterschiedliche WIR-Kreise miteinander interagieren.

Einbeziehen der Bedürfnisse und Befindlichkeiten
WIR + META

Systemisch-Autonom

Wir können den Kontext, in dem etwas stattfindet, mit einbeziehen und sehen, welche subjektive Perspektive wir selbst einnehmen. Aus dieser Meta-Meta-Perspektive gelingt es uns, auch größere, langfristige Zusammenhänge zu erkennen. Das erlaubt es uns, die Kommunikation der vielen Wir-Kreise und deren unterschiedlichen Wahrnehmungen abzugleichen. Mit Gleichmut gelingt es uns, eher gelassen auf die Empörung anderer zu schauen und empört und mutig auf die Gelassenheit zu schauen.

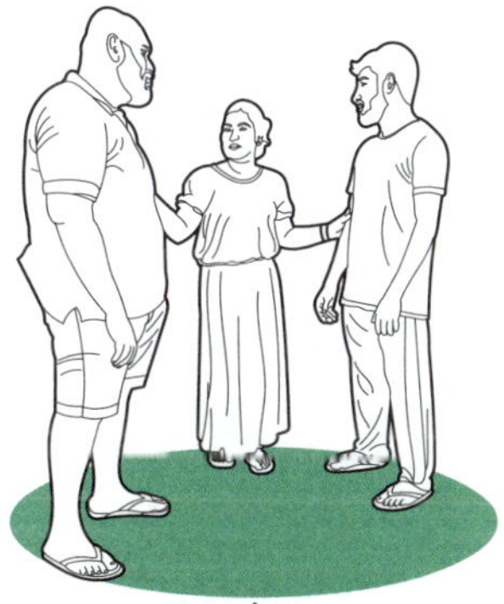

Wahrnehmung von Kontext und eigener Subjektivität
ALLE + META-META

IMPULS: Die Teamreise
In Kleingruppen zeichnen wir ein fantastisches Gefährt, auf bzw. in dem alle Teammitglieder zu sehen sind, und entwerfen dazu einen Bericht unserer Reise in die Zukunft, den wir anschließend im Plenum teilen. Als Anregungen für den Bericht dienen folgende Fragen:

1. Teammitglieder – *Was bringen die Teammitglieder an individuellen Fähigkeiten mit? Was sind Charaktereigenschaften, Requisiten oder persönliche Slogans, die für die Einzelnen kennzeichnend sind?*

2. Teamrollen – *Wer übernimmt welche Rolle? Wer lenkt? Wer sorgt für Energie? Wer beseitigt Pannen? Wer sorgt für Annehmlichkeiten?*

3. Energiequellen – *Aus welchen Quellen kommt die Energie? Was sorgt für gutes Vorankommen?*

4. Ziel der Reise – *Welches Ziel wollen wir erreichen? Woran erkennen wir, dass wir Kurs halten oder Etappenziele erreicht haben?*

5. Schwierigkeiten – *Welche Hindernisse könnten auftauchen und wie könnten wir damit umgehen?*

Die symbolische Teamreise

Geschichten eignen sich hervorragend, um gefühlte Wahrheiten spielerisch und anekdotenhaft auszutauschen. Wie wir das System unseres Teams und seine Dynamiken verstehen, erschließt sich uns erst, wenn wir Allegorien oder symbolische Bilder dafür gefunden haben. Diese haben den Vorteil, dass sie eher Gefühle und intuitives Verstehen ausdrücken. Die Methoden sind vielfältig und reichen von einfachen Fragen wie „Wenn unser Team eine Automarke, ein Land oder ein Tier wäre, was wäre es dann?" – bis hin zu komplexeren Analogien, wie z. B. ein Reisegefährt, mit dem wir als Team zu einem imaginären Ziel reisen. Das kann ein Flugzeug, ein Schiff, ein Bus oder was auch immer sein. Wer in einem solchen Bild welchen Platz einnimmt, erschließt uns ganz andere Wirklichkeiten, als es Organigramme tun können. Außerdem ist der Austausch über gemeinsame und unterschiedliche Wahrnehmungen im Team sehr aufschlussreich. Unsere Fähigkeit, das Prozesshafte zu erfassen, zeigt sich darin, wie wir beschreiben, was uns auf der Reise passiert, was uns Energie gibt oder nimmt und wie wir mit Hindernissen umgehen. Beziehungsbilder können auch dabei helfen, gefühlte Verbindungen besprechbar zu machen.

6. Erwartungen – *Welche Erwartungen haben wir aneinander? Welche davon sind vielleicht noch nicht allen bekannt?*

7. Teamwerte – *Was sind die Werte in unserem Team, die wir erlebbar machen wollen?*

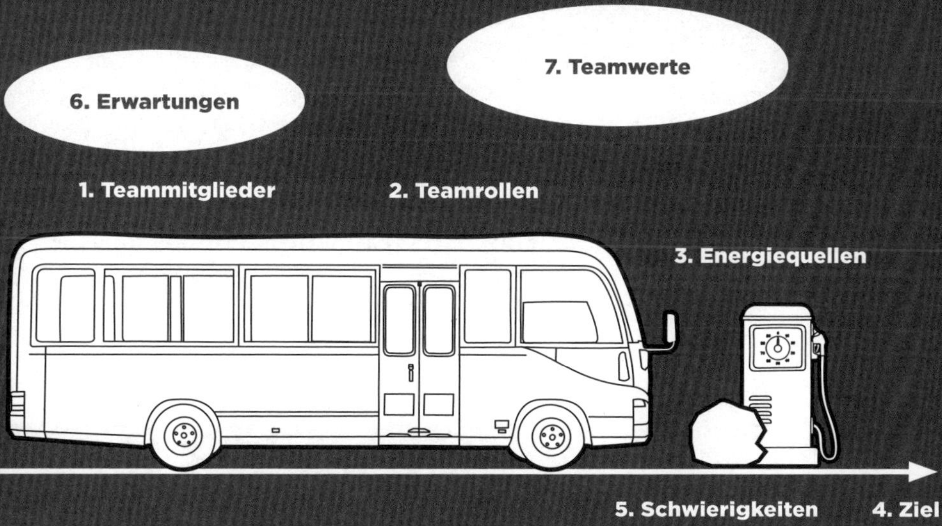

Ein Team, das Unklarheiten und Spannungen bezüglich seiner Rolle in der Organisation hatte, wurde gebeten, die wichtigsten anderen Abteilungen und Personen, mit denen es zu tun hatte, zu identifizieren und aufzulisten. Vier andere Abteilungen, drei wichtige Einzelpersonen und das Team selbst wurden genannt. Diese Rollen wurden acht Stellvertreter*innen zugewiesen, die sich frei im Raum bewegen und den Platz suchen konnten, an den sie ihrer Meinung nach im Verhältnis zu den anderen gehörten. Die Stellvertreter*innen wurden gefragt, wie sie sich fühlten, wie sie sich in ihrer gewählten Position fühlten. Es entwickelte sich eine Bewegung, in der Befindlichkeiten zur Sprache kamen, mal der Wunsch nach mehr Nähe zu Abteilung X, mal das Gefühl, jemanden unangenehm im Rücken zu haben oder nicht sehen zu können. Dann kam ein Stellvertreter hinzu, der bis dahin übersehen worden war: die Kunden. Als sie Teil des Bildes wurden und das Team sich nicht mehr nur mit internen Befindlichkeiten beschäftigte, fand sich schnell eine neue symbolische Ordnung, in der alle den Platz fanden, der ihnen richtig erschien. Bei Beziehungsbildern geht es nicht darum, zu orakeln oder Wahrheiten aufzudecken, sondern darum, subjektive Wahrnehmungen sichtbar und durch die Aufstellung besprechbar zu machen.

Bedürfnisse den Haltungen zuordnen

Zu Beginn eines Entwicklungsprozesses in einem Medienunternehmen haben wir die Mitarbeitenden gefragt, welche Aspekte ihrer Zusammenarbeit sie loslassen, bewahren und einladen wollen. Durch diesen Impuls werden oft Reifungswünsche und Entwicklungsbewegungen sichtbar, die das Team auf der Suche nach einer neuen Identität, einem anderen Charakter bereits wahrnimmt. Es gilt dabei, die Bedürfnisse der frühen Haltungen zu integrieren und den späteren Haltungen Raum zu geben.

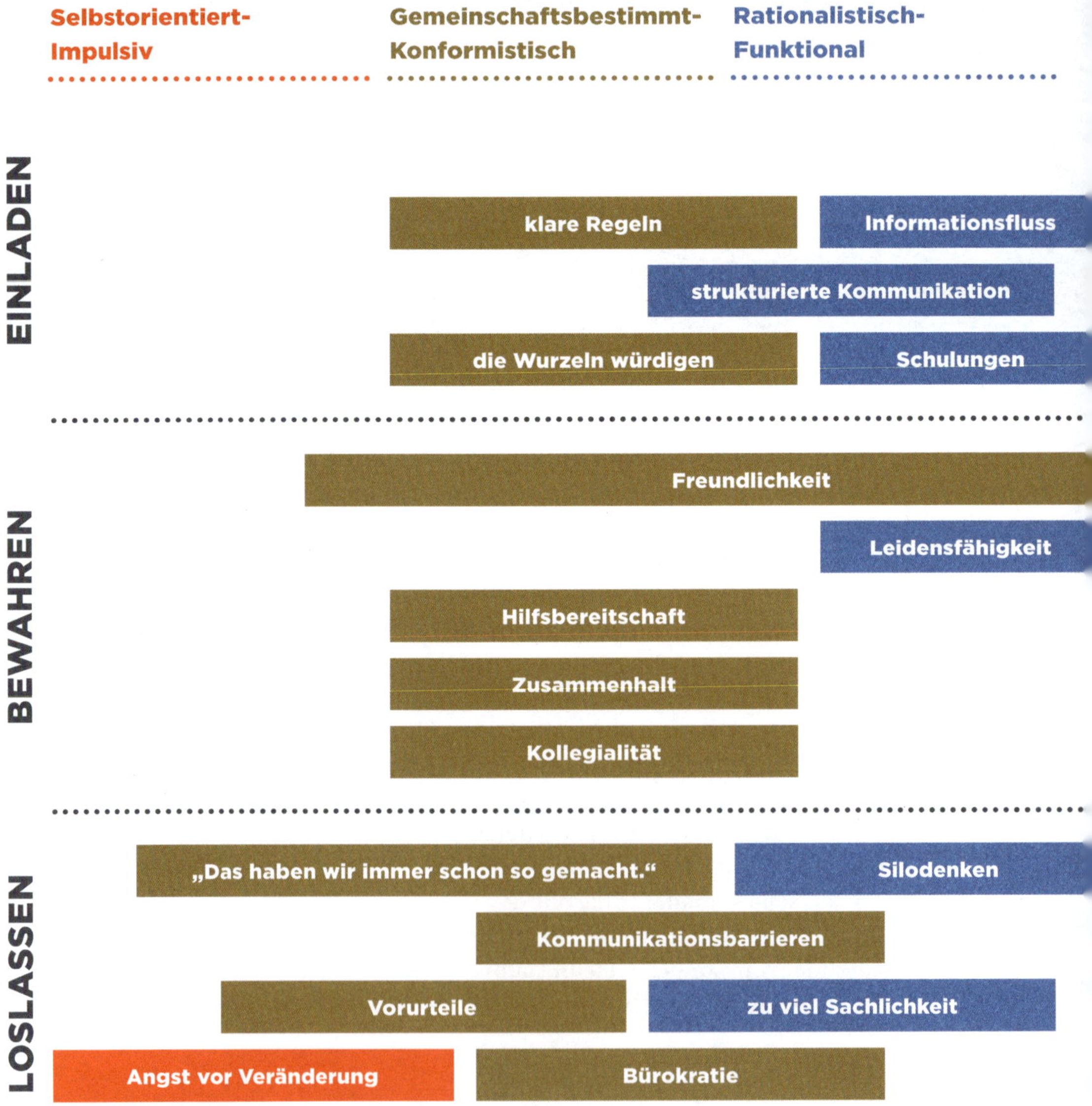

IMPULS: Loslassen – bewahren – einladen
Wir sammeln im Team, was wir loslassen, bewahren und einladen wollen. Die genannten Themen werden den Haltungen zugeordnet, wobei es eher um Tendenzen geht und nicht so sehr auf Exaktheit ankommt. Wichtig ist die Kommunikation über die mit den Aussagen verbundenen Erlebnisse und die darin enthaltenen Entwicklungswünsche und -ideen.

Welche Haltungen wollen wir stärken und welche Aspekte der früheren Haltungen können noch nachreifen oder losgelassen werden?

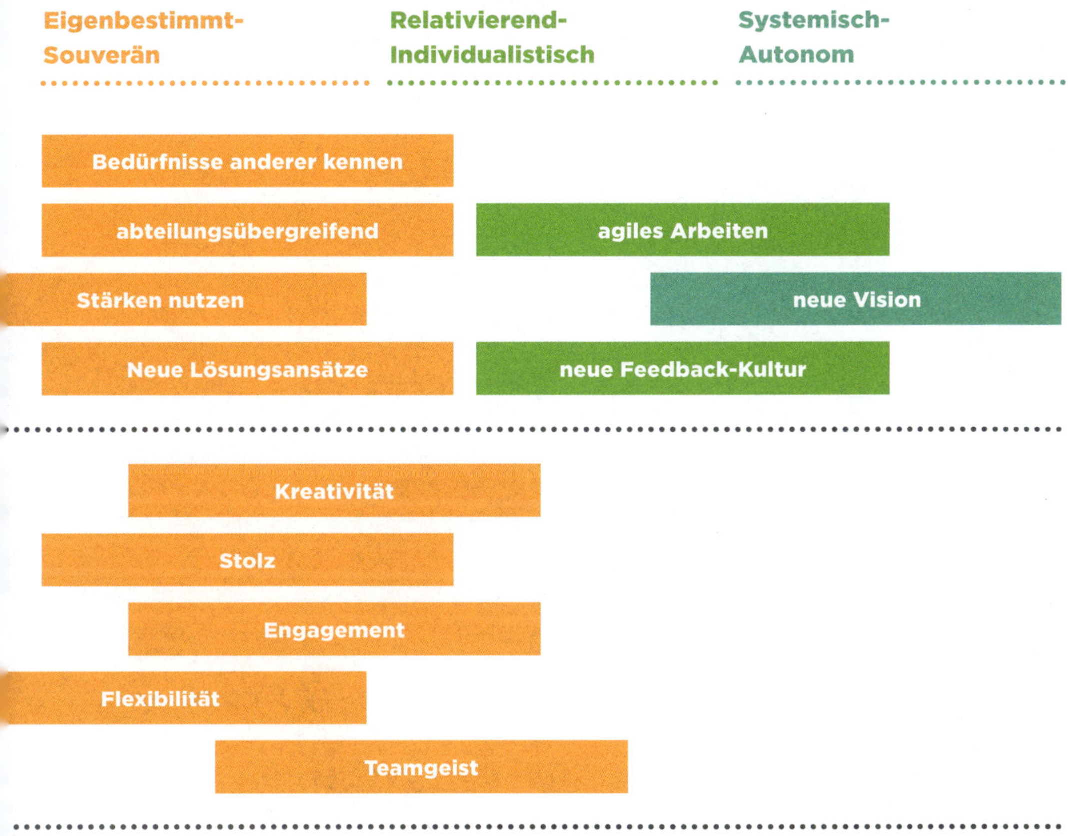

3.2

Umgangsstil im Team

Der Umgang in Teams kann je nach gelebter Haltung von Machtspielen bis zur stärken- und werteorientierten Integration aller Mitglieder reichen. Im Umgangsstil zeigt sich unsere Haltung in unserer Gesprächs- und Entscheidungskultur. Meist herrscht eine gewisse Betriebsblindheit in unserer Kommunikation. Dinge, die uns in Unternehmen zunächst fremd oder ungewöhnlich erscheinen, werden nach kurzer Zeit von uns übernommen. In den frühen Haltungen kann eine defizitorientierte, verallgemeinernde Sichtweise vorherrschen. Je später die Haltung, desto reicher und facettenreicher der Sprachraum.

„Menschen, die in uns negative Gefühle auslösen, weisen uns den Weg zu unseren verdrängten Seiten. Durch Selbstannahme und -empathie lösen sich auch die Konflikte im Aussen."

Barbara Küchler (* 1963)

Umgangsstil und Sprachraum

Wie wir miteinander reden, sagt mehr über unsere Haltung aus als das, was wir sagen. Die Fakten können die gleichen sein, aber je nach Sprachkonstrukt werden andere Aspekte sicht- und fühlbar.

Während eines Workshops mit einem Führungsteam wurde mir mitgeteilt, dass wir kurz für einen wichtigen Europa-Videocall unterbrechen müssten. Wir hatten gerade über Haltungen und Storytelling gesprochen und in diesem Videocall wurden Mitarbeitende aus verschiedenen Ländern für kurze Beiträge zugeschaltet. Ein Messebericht, neue Produkte und auch die Frauenquote waren Themen. Teilweise ließen die Redner*innen ihre Kameras aus, alle saßen wie versteinert vor den Bildschirmen und es war zu sehen, dass das Top-Management parallel mit Nachrichten auf seinen Handys beschäftigt war. Alle versuchten in ihren Kurzberichten sachlich und mit Zahlen zu kommunizieren. Auch das Thema Frauen in Führungspositionen wurde über eine Folie mit Excel-Charts kommuniziert, die zeigten, dass eine Quote von 20,3 % erreicht wurde, das Ziel für das Quartal aber bei 21,6 % lag. Es war völlig unklar, in welchem Kontext diese Zahlen standen und was nun zu tun war. Zum Schluss ermahnte der CEO alle, sich in diesem Quartal besonders anzustrengen, da die Zahlen noch nicht so gut seien, die Herausforderungen in der Welt aber groß.

Nach dem Vortrag fragte ich die Anwesenden, was sie mitgenommen hätten und welche Gefühle sie während der Stunde gehabt hätten. Betretenes Schweigen machte sich breit, denn allen war klar, dass man sich an diese kühlen Kommunikationsrituale mit Anwesenheitspflicht gewöhnt hatte. Was plötzlich auffiel, war, wie ernüchternd und demotivierend die Haltung war, in der man gewohnt war, bei diesen Treffen zu kommunizieren. Wir diskutierten daraufhin, wie man mit einfachem Storytelling die gleichen Zahlen in der gleichen Zeit viel anschaulicher, motivierender und mit emotionalem Kontext angereichert präsentieren könnte. Eine Idee war, nicht nur über Zahlen zur Frauenquote zu reden, sondern echte Geschichten zu erzählen: „Das sind Maria und Devi, sie sind zwei von 160 weiblichen Führungskräften in unserem Konzern. Wir haben sie ausgewählt, weil ..., sie sind verantwortlich für ... Unser Ziel ist es, bis 2030 weitere 640 Frauen in Führungspositionen zu bringen. Wenn ihr Frauen in eurem Umfeld habt, die wir fördern können, sprecht mit Monica aus der Personalabteilung – wir unterstützen euch." Für das Team wurde an diesem Beispiel und mit dem Blick von außen sehr deutlich, wie sehr sich alle unbewusst an einen Konzernsprachstil angepasst hatten und wie anstrengend dieser Stil war. Aus dieser Erkenntnis heraus übten sie aktiv Storytelling in ihren Meetings und unterstützten sich gegenseitig mit Ideen dazu.

Schieben wir oder bilden wir ein Peloton?

Ein Mensch will von Berlin nach Rom und macht sich auf den Weg. Eine Frau sieht ihn und sagt: „Ich habe ein altes Fahrrad, damit kommst du schneller voran. Er nimmt das Fahrrad, packt seinen Rucksack auf den Gepäckträger und schiebt das Fahrrad Richtung Rom. Es geht tatsächlich schneller. Jemand sieht ihn und sagt, wenn er die Reifen aufpumpen würde, ginge es viel leichter. Er zögert und wiegelt ab, da er stolz auf seine neue Geschwindigkeit ist und keine Zeit verlieren möchte. Schließlich willigt er ein, ärgert sich ein wenig über den Zeitverlust, pumpt das Rad auf und schiebt es weiter in Richtung Rom – es geht tatsächlich schneller.
So geht es ein paar Tage, bis ihn jemand fragt, warum er das Rad schiebt und nicht fährt. Er versteht nicht recht, was gemeint ist, lächelt und legt einen Zahn zu. An diesem Tag wird er zum ersten Mal von einem fahrenden Radfahrer überholt und staunt. Nachdem er weitere Radfahrer gesehen hat, sucht er sich eine einsame Ecke, setzt sich aufs Rad und stürzt. Als er erneut angesprochen wird, warum er nicht fahren würde, sagt er, er hätte es versucht, das sei nichts für ihn. Schon beim Aufpumpen hätte er viel Zeit verloren und jetzt sei er froh, dass das Schieben viel besser gehe. Beim Radfahren würde man sich nur verletzen, außerdem habe er gesehen, dass die anderen Radfahrer auch immer schieben müssten, wenn die Straße schlecht sei. Das Radfahren würde also furchtbar überschätzt und sei nur in besonderen Ausnahmefällen sinnvoll. Prompt kommt er an diesem Tag auf sandige Wege und sieht sich in seiner Meinung bestätigt, denn dort schieben auch alle anderen ihre Räder.
Doch in den nächsten Tagen ist der Belag viel besser und er wird von ganzen Gruppen von Radfahrern überholt. Sie scheinen viel schneller zu sein als die einzelnen Radfahrer. Also sucht er sich eine Nebenstraße, um nicht gesehen zu werden, und übt verzweifelt das Radfahren. Dabei verliert er nicht nur viel Zeit, sondern holt sich auch jede Menge blaue Flecken. Gerade als er völlig verzweifelt ist und aufgeben will, kommt eine Gruppe von Radfahrern vorbei. Sie helfen ihm mit Tipps und plötzlich hat er dieses überwältigende Gefühl von Gleichgewicht und Geschwindigkeit – er fährt tatsächlich Rad. Stolz auf seine neuen Fähigkeiten und im Geschwindigkeitsrausch, fühlt er sich unbesiegbar, bis er an eine Küste kommt, wo ein starker Gegenwind bläst. Er strampelt sich ab, will unbedingt sein gestecktes Ziel erreichen und muss schließlich völlig erschöpft eine Pause einlegen.
Wieder begegnet er Radfahrern. Er erzählt ihnen von seiner Freude am Radfahren, aber auch von den Strapazen, allein gegen den Wind zu kämpfen. Es stellt sich heraus, dass die Gruppe ebenfalls auf dem Weg nach Rom ist. Fröhlich schließt er sich dem Peloton an, genießt den Windschatten, wechselt sich in der Führung ab, und tatsächlich, so kommen sie schnell gemeinsam in Rom an.

Teams in der Transformation

Wenn wir in Workshops die Geschichte vom Romreisenden erzählen, fragen wir, an welchem Punkt der Reise sich das Team sieht. Schieben wir noch das Rad, weil wir damit lange erfolgreich waren, lernen wir gerade Radfahren und holen uns blaue Flecken oder radeln wir schon erfolgreich? Meist gibt es klare Antworten auf die aktuelle Situation des Teams.

Als Führende haben wir unsere Vision von dem, wie es in Zukunft sein sollte, und sagen: „So wird es besser und das Alte brauchen wir nicht mehr. Die Umstände verlangen, dass wir uns verändern." Die Fähigkeit zur Veränderung beginnt jedoch mit der Anerkennung dessen, was ist. Der nächste Schritt ist die Anerkennung dessen, was war, verbunden mit der Wahrnehmung der vorhandenen Stärken. Diese Gesichtspunkte werden manchmal übersehen.

> Ein Hersteller von Versicherungssoftware hatte jahrelang sehr gute Geschäfte mit einigen wenigen Kernkunden gemacht. Nach über 40 Jahren am Markt wollten sich die Gründer zurückziehen und den Umbau des Unternehmens einem jüngeren Management überlassen. Dieses stand vor der Aufgabe, das Portfolio zu diversifizieren, neue Strukturen einzuführen und die Zusammenarbeit flexibler zu gestalten. Durch wenige langjährige Kunden hatten sich „historisch gewachsene Strukturen" herausgebildet, die genau auf diese Einzelkunden zugeschnitten waren, sich aber nicht für ein modular skalierbares Geschäftsmodell eigneten. Mit motivierenden Reden versuchte der neue CEO, die Belegschaft für die Neuerungen zu gewinnen. Begeistert erklärte er, was sich in Zukunft alles ändern würde. Die Reaktionen waren eher zurückhaltend bis ablehnend. Nach einigen Wochen hatte er das Gefühl, er müsste den Ton verschärfen und der Belegschaft klarmachen, dass das Unternehmen, wenn sie sich nicht bewegte, bald in eine Schieflage geraten könnte und Arbeitsplätze gefährdet wären. Sein Kollege nahm ihn freundlich zur Seite und sagte: „Du, das sind Programmierer, glaubst du wirklich, dass du die gewünschte Motivationswirkung erzielen kannst, wenn du ihnen mit dem Verlust ihres Arbeitsplatzes drohst?"
> Der CEO war von der eigenbestimmt-souveränen Haltung in die rational-funktionale Haltung zurückgefallen und hatte versucht, mit einer Anpassungsgeschichte Druck auszuüben. An diesem Punkt starteten wir eine Workshopreihe, die eher einer relativierenden-individualistischen Haltung Raum gab, in der Altes gewürdigt und vorhandene Stärken sichtbar wurden. Gleichzeitig wurden gemeinsam neue Entwicklungsideen und konkrete Maßnahmen formuliert. Plötzlich entstand das Gefühl, gemeinsam unterwegs zu sein, und eine Aufbruchstimmung machte sich breit. Nach und nach bildete sich ein Peloton.

Teamperspektiven und Haltungen

Der Aufmerksamkeitsfokus in Teams entscheidet darüber, was wir sehen und was wir in Veränderung bringen können. Die gewählte Perspektive gibt uns einen Hinweis darauf, welche Gewohnheitshaltung wir in unserem Team leben und in welchem Bereich Nachreifung eventuell erforderlich ist.

Selbstorientiert-Impulsiv

Manche Teams fühlen sich wie ein kleines Dorf in Gallien. Das kann innerhalb des Teams eine starke Verbundenheit erzeugen, weil man einen gemeinsamen Feind im Außen gefunden hat. Manipulation und boykottierendes Verhalten gegenüber anderen gehören dann zur Verteidigungsstrategie. Innerhalb der Teams wird das eigene Unbehagen unterdrückt und man macht halt mit. Auch Ängste vor der Willkür von Vorgesetzten und die Solidarisierung gegen eben diese bringen Teams in diese Haltung.

Verhinderung von Opposition

IST JEMAND GEGEN UNS?

Gemeinschaftsbestimmt-Konformistisch

Wenn sich in Teams Lager bilden, kommt es manchmal zu der typischen Reaktion „Dann machen wir halt Dienst nach Vorschrift“. Wobei alle wissen: Wenn wir wirklich nach den Vorschriften arbeiten, wird es sehr ineffizient (was auch ein Spiegel für die Vorschriften ist). Teammitglieder arbeiten dann strikt nur Aufgaben ab und weigern sich in eher kindlichem Verhalten, eigene Gedanken oder Initiativen einzubringen. Offene Kommunikation wird vermieden.

Durchsetzung von Vorschriften

FOLGEN WIR DEN ANWEISUNGEN?

Rationalistisch-Funktional

In Teams zeigt sich diese Haltung, wenn es viel um Verfahrensfragen und Zuständigkeiten geht. Die Aufmerksamkeit ist stark auf interne Kommunikationsvorgänge und Verantwortlichkeiten ausgerichtet. Die Kundenperspektive wird dabei oft vergessen. Typische Anzeichen können auch Schuldverschiebungsdebatten und eine Absicherungskultur sein. Lösungen sollen über Kontrolle in detaillierten Plänen mit prognostizierten, aber illusorischen Resultaten entstehen.

Veränderung von Handlungen

MACHEN WIR DIE DINGE RICHTIG?

IMPULS: Welchen Aufmerksamkeitsfokus hat unser Team?
Wir können ein aktuelles Entwicklungsvorhaben im Team aus den sechs Perspektiven der Haltungen beleuchten. Das hilft uns, unsere gewohnte Handlungslogik zu erweitern und zu ergänzen.
Welche Fragen aus welcher Perspektive beschäftigen uns am meisten? In welchen Haltungen ist aktuell unsere Konflikt- und Wachstumsenergie im Team gebunden?

Eigenbestimmt-Souverän

Eine Perspektive, die diese Haltung zusätzlich einbringt, ist die Fähigkeit, zu priorisieren und selbstständig flexibel mit den gestellten Aufgaben umzugehen. Die Teammitglieder denken mit, treffen notwendige Entscheidungen selbst und stellen uneffektive Prozesse infrage. Auch die Perspektive der Kund*innen wird verstärkt zu einem Orientierungsmaßstab. Teammitglieder fördern sich gegenseitig, auch wenn das eigene Vorankommen noch im Vordergrund steht.

Veränderung von Annahmen Zielen und Werten

MACHEN WIR DIE RICHTIGEN DINGE?

Relativierend-Individualistisch

Teams in dieser Haltung sind kommunikationsstark und sie können darüber reden, wie sie miteinander reden. Gemeinsame Werte und wie sie diese in ihrem Alltag leben können, werden stärker zum Thema. Es gibt eine höhere Transparenz und mehr Menschen werden an Entscheidungen zu Gehalt, Beförderung und Projektorganisation beteiligt. Teams diskutieren das „Wie" der Zusammenarbeit und sind fähig, sich zu hinterfragen.

Veränderung von Lernfähigkeit mit mehr Perspektiven

WIE ENTSCHEIDEN WIR, WAS RICHTIG IST?

Systemisch-Autonom

In dieser Haltung zeigen Teams einen hohen Grad an Selbstreflexion und Selbstorganisation. Die Kompetenzen der früheren Haltungen – Expertise, Eigenmotivation, Kommunikationsstärke – bleiben erhalten und ermöglichen es den Teams, sich selbst als System zu reflektieren und ihr Verhältnis zu anderen Elementen der Organisation zu thematisieren. Es entsteht eine reflektierte, experimentierfreudige Teamkultur, die auch mit scheinbaren Gegensätzen umzugehen weiß.

Veränderung des Kontextes, Reflexion der Systeme

WELCHE PERSPEKTIVE SEHEN WIR NOCH NICHT?

DIE ENTWICKLUNG DER TEAMFÜHRUNG

In einer neuen Rolle lässt sich unsere Reifung besonders gut beobachten. Peter Hawkins (* 1952), Professor of Leadership at Henley Business School, hat vier Stadien der Teamführung definiert. Die Charakteristika, die er beschreibt, lassen sich gut mit den unterschiedlichen Haltungen in Beziehung setzen.

TEAM MANAGER

Als Team Manager sind wir noch stark auf die Vorgaben und die Einhaltung von Zielen konzentriert und bleiben in der Ansprache sehr sachlich. Wir wollen, dass alles funktioniert und können gut organisieren. Oft fällt es uns noch schwer, Aufgaben zu delegieren, weil wir das Gefühl haben, es selbst am besten und am schnellsten zu können. Als Expert*in mit Neigung zum Perfektionismus versuchen wir noch, weiterhin das Tagesgeschäft zu übernehmen. Dementsprechend liegt unser Fokus immer noch auf der Verteilung und Überwachung von Aufgaben und wir hoffen, durch viele Meetings gut informiert zu bleiben, den Überblick zu behalten und somit alles unter Kontrolle zu haben. Andere eigenverantwortlich arbeiten zu lassen, fällt uns noch schwer. Oft haben wir das Gefühl, nie genug Zeit zu haben, tausend Dinge erledigen zu müssen und endlose To-do-Listen vor uns zu haben.

Das Handwerkszeug einer Führungspersönlichkeit erwerben.

PROFI WERDEN

TEAM LEADER

Auf dem Weg vom Team Manager zum Team Leader verzichten wir zunehmend auf Mikromanagement und konzentrieren uns mehr auf die größeren Zusammenhänge und Ziele der Organisation. Wir stellen sicher, dass alle Teammitglieder ihre individuellen Aufgaben und Ziele kennen und verstehen. Wir sorgen für Klarheit bezüglich der übergeordneten Ziele und geben dem Team eigene Impulse, in denen unsere individuellen Stärken zum Tragen kommen. Wir wollen nicht nur die Erwartungen anderer erfüllen. Wir lernen zu delegieren, wollen Menschen gezielt entwickeln und versuchen, unser Dream-Team aufzubauen. Dabei stellen wir uns und unser Charisma manchmal zu sehr in den Vordergrund und treten mit unserem Team in Konkurrenz zu anderen Teams.

Den eigenen Stil als Führungspersönlichkeit finden.

PERSÖNLICHKEIT SEIN

IMPULS: Reifung in der Teamführung
Wenn sich die Teamleitung in den späteren Haltungen sicher fühlt, kann sich das Team gut entwickeln. Wenn nicht, kann die Führung das Team in seiner Entwicklung hemmen.

Wie nehmen wir unsere Teamführung wahr?
Passt die Haltung aktuell zu unserem Team und dessen Aufgaben?
Welche Spannungen gibt es, für die eine erweiterte Haltung hilfreich wäre?

TEAM ORCHESTRATOR

Als Team Orchestrator erweitern wir unsere Perspektive und betrachten, wie unser Team intern zusammenarbeitet und extern agiert. Wir wechseln vom Dirigieren zum Choreografieren. Wir ermutigen unser Team, die Richtung selbst zu bestimmen und Wege zu finden, die für die Organisation und die Stakeholder förderlich sind. Wir stärken das Vertrauen, sodass unser Team Verantwortung übernimmt und lernt, Probleme oder Konflikte zu lösen. Wir sehen uns nicht mehr als Maßstab und ermutigen zu neuem Denken. Wir konzentrieren uns nicht nur auf unser Team, sondern auch auf die Zusammenarbeit mit anderen Teams, und versuchen, systemische Konflikte auszugleichen. Neben der Organisation der Arbeit geht es uns um den Aufbau von Beziehungen und Verbindungen zwischen Menschen.

Mit anderen Teams als Team zusammenarbeiten lernen.
BEZIEHUNGEN SCHAFFEN

TEAM COACH

Als Team-Coach haben wir gelernt, Menschen in ihrer Entwicklung zu unterstützen und Wege aufzuzeigen, wie sie sich gegenseitig fördern können. Wir schaffen im Team Rahmenbedingungen und Strukturen, die möglichst viel individuellen Freiraum bieten, und laden das Team ein, sich zunehmend selbst zu führen und unabhängig zu werden. Unser Denken umfasst mehrere Ebenen, z. B. die gesamte Wertschöpfungskette und den gesellschaftlichen Kontext. Wir denken nicht mehr in Silos, sondern verstehen unsere Rolle ganzheitlich als Kombination aus Teamführung, Organisationsentwicklung, Beratung, Führungskräfteentwicklung und Sinnstiftung. Wir sehen, was menschliche Beziehungen leisten können und was digitale Systeme nicht leisten können. Oft geht es darum, das bisherige Business am Laufen zu halten und es gleichzeitig zu transformieren.

Führung gesamtheitlicher als Kulturrolle verstehen.
KULTUR WANDELN

Vom Mangelblick zur Potenzialerkundung

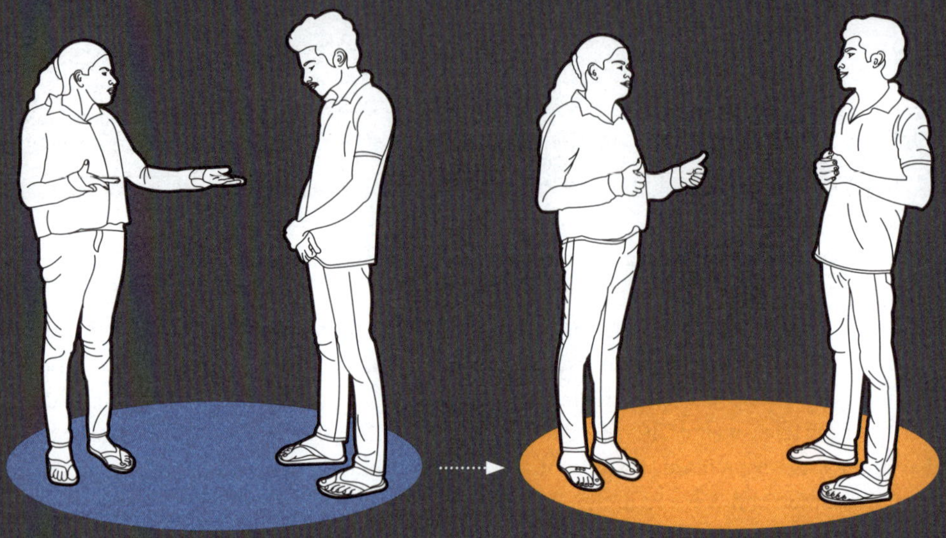

Der mangeltrainierte Blick

Wir sind darauf trainiert, Fehler zu erkennen und zu beheben. Wenn ich das Modell in Unternehmen vorstelle, heißt es oft: „Ja, das ist schon spannend, was Sie da zeigen, und wir sehen auch, dass wir da ein großes Entwicklungspotenzial hätten, aber Sie kennen den ‚Herrn Müller' nicht. Mit dem haben wir schon alles versucht, aber der will nicht. Den können sie vergessen, der wird sich nie entwickeln."

Jedes Unternehmen hat seinen „Herrn Müller". Wir neigen dazu, die schwierigen Mitarbeiterinnen und Mitarbeiter als Maßstab zu nehmen. Dabei ist es völlig normal, dass nicht alle Menschen in einer Organisation an persönlicher Entwicklung interessiert sind. Es gibt aber in jedem Team Menschen, die eine hohe Entwicklungsbereitschaft haben und sich weiterentwickeln wollen. Mit ihnen starten und pilotieren wir neue Verhaltensweisen. Meist finden sich diese Personen quer durch die Hierarchieebenen. Manche haben privat Coaching-Ausbildungen gemacht, sind Mediator*innen oder leiten Dialoggruppen. Auf diese Potenziale können wir unseren entwicklungsorientierten Blick richten.

IMPULS: Potenzialdusche

Es gibt viele ähnliche Übungen, die erste habe ich mit zehn Jahren bei den Pfadfindern gemacht. Wir saßen abends am Feuer und nacheinander durfte sich jeder in die Mitte setzen, um von allen im Kreis ein Kompliment zu bekommen. Viele Jahre später habe ich bei einer Veranstaltung in Berlin eine andere Form erlebt: In Dreiergruppen von Personen, die sich nicht kannten, haben jeweils zwei Personen der dritten abwechselnd gesagt, welches Potenzial sie in dieser Person sehen – ein Potenzial, das sie schon lebt oder das sie noch mehr leben könnte. Da wir uns nicht kannten, konnten wir nur unserer Intuition folgen und aussprechen, was uns in den Sinn kam. Erstaunlicherweise erkannten sich die meisten Teilnehmenden darin weitgehend wieder. Alle waren verblüfft, wie transparent wir für Fremde sind.

Wir bilden Gruppen von drei Teammitgliedern. Nach einer kurzen Einstimmung in der Stille erzählen zwei der dritten Person fünf Minuten lang abwechselnd, was sie von ihr gelernt haben, welche Potenziale sie wahrnehmen und wofür sie dankbar sind. Danach wird gewechselt. Zum Abschluss reflektieren alle im Plenum, was sie „unter der Dusche" im Körper gespürt, gefühlt und gedacht haben. Ein guter Abschluss für Teamevents.

> In meinen ersten Jahren als Geschäftsführer bat ich zum ersten Mal um ein anonymes schriftliches Feedback für uns Führungskräfte. In Ermangelung besserer Möglichkeiten listete ich eine Reihe von Eigenschaften auf, die ich für eine Führungskraft für wichtig hielt, und bat die Mitarbeitenden, uns mit Schulnoten zu bewerten. Es gab fast nur Noten im oberen Drittel – nur eine Rückmeldung enthielt ausschließlich Fünfen und Sechsen. Diese Bewertung zog meine ganze Aufmerksamkeit auf sich und quälte mich tagelang. Wie konnte jemand so unverschämt sein, mir ein so schlechtes Feedback zu geben? Ein Jahr später erzählte ich in einer Besprechung von meinem Leidensweg und eine Mitarbeiterin gestand mir, dass sie diese Bewertung abgegeben hatte, weil sie die Skala wohl falsch interpretiert hatte. Ich hatte mich nicht nur auf das Negative konzentriert, es war auch illusorisch und unnötig.

Besonders in den frühen Haltungen neigen wir dazu, eher die Defizite in den Fokus zu nehmen. Mit der Wahrnehmung der eigenen Stärken in der eigenbestimmt-souveränen Haltung wird unser Blick milder. Eine gute Übung für Teams ist, Stärken und Erfolgen mindestens die dreifache Aufmerksamkeit zu schenken wie den Schwächen und Irrtümern.

Konflikteskalation nach Glasl

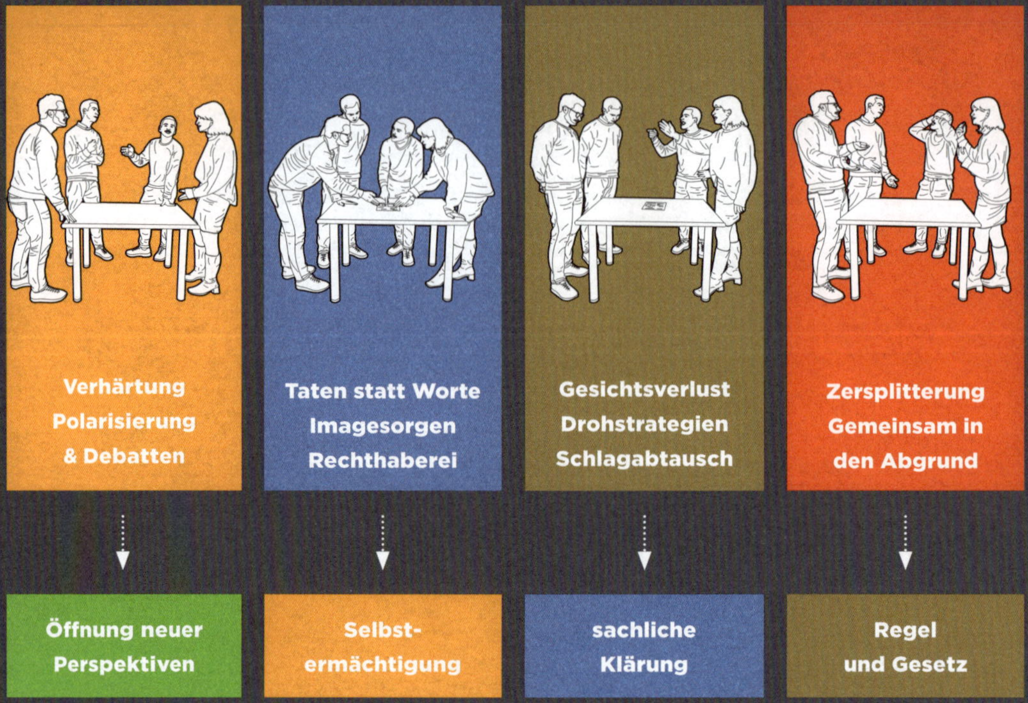

Dynamiken der Regression

Die Eskalationsstufen, inspiriert von Friedrich Glasl (* 1941), die er bereits 1980 veröffentlichte, erläutern, wie wir im Konfliktfall in unseren Logiken in frühere Haltungen zurückfallen und damit unsere Handlungsoptionen einschränken. Sprache und Sprachraum sind wichtige Indikatoren für eine Regression: Der Körper verkrampft sich, die Wahrnehmung des inneren Raumes verengt sich. Es bleibt nur noch Platz für eine Meinung.

In einer Behörde entwickelte sich eine zunehmend angespannte Stimmung. Grund dafür waren die Neuerungen, die die Digitalisierung mit sich brachte, bei gleichzeitiger Erhöhung der Arbeitsdichte durch unbesetzte Stellen. Während einige engagierte Teammitglieder versuchten, die Situation so gut wie möglich zu bewältigen, empfanden andere die gestiegenen Anforderungen als Zumutung und entzogen sich den Neuerungen, wo sie nur konnten. Die Nutzung der neuen Kollaborationssoftware wurde verweigert, man blieb konsequent bei der E-Mail-Korrespondenz und ließ bei Videokonferenzen die Kamera aus. Im Hintergrund bildeten sich Cliquen, die versuchten, Mehrheiten gegen die neuen virtuellen Arbeitsweisen zu organisieren.

IMPULS: Deeskalationschritte entsprechend der Haltung
Friedrich Glasl zeigt, wie Konflikte eskalieren und welche Möglichkeiten der schrittweisen Deeskalation es geben kann. Idealerweise wird ein Konflikt aus der Perspektive einer erweiterten Haltung gelöst.

Moderation und Coaching
Multiperspektivische Betrachtungsweisen einbringen

Externe Prozessbegleitung
Professionelle Vermittlung und Mediation
Sich wieder auf die Stärken und Gemeinsamkeiten beziehen

Externe sozio-therapeutische Maßnahmen
Schiedsverfahren oder gerichtliches Verfahren
Versachlichung und Etablierung von Fakten

Machteingriff von oben
Machtausübung durch Autoritäten und Gehorsam

Welche Konflikte im Team gibt es und wie könnten sie aus einer etwas erweiterten Haltung gesehen und deeskaliert werden?

Die Modernisierer*innen machten diese Aktivitäten der Verweigerer*innen unter Namensnennung auf der Kollaborationsplattform öffentlich und es entbrannte eine wilde verbale Auseinandersetzung inklusive diverser Drohungen, die Organisation zu verlassen. Daraufhin wurden einige Mitglieder von den neuen Kommunikationskanälen ausgeschlossen. Es ging nur noch um „Wir gegen die", der Krankenstand lag mittlerweile bei 40 % und die gesamte Organisation war dysfunktional geworden.
Um wenigstens die engagierten Mitarbeitenden zu halten, wurde mit einem externen Dienstleister ein neues Team aufgebaut. Als dieses Team erste Erfolge verzeichnen konnte, gelang es, durch Gespräche und Vermittlungsbemühungen viele Unentschlossene wieder einzubinden. Einige Mitarbeiter*innen konnten jedoch ihr Identitätsempfinden nicht von ihrem boykottierenden Verhalten lösen. Damit war eine sachliche Klärung nicht mehr möglich und sie mussten die Organisation verlassen. Regression lässt sich nie ganz vermeiden. Die Frage ist, wie weit wir sie gehen lassen und wie wir unsere engagierten Mitarbeitenden davor schützen, in Demotivationsschleifen zu geraten. „Haltung bewahren" ist in diesem Zusammenhang eine passende Formulierung. Auch wenn unser Gegenüber regrediert, können wir für uns selbst den engeren Kommunikationsraum vermeiden.

Gespräche mit Mitarbeitenden

Die Art und Weise, wie wir in Teams Mitarbeitergespräche führen, sagt viel über unsere Gewohnheiten aus. Oft folgen wir alten Ritualen, obwohl wir es eigentlich anders machen möchten und uns in den eingefahrenen Mustern eher unwohl fühlen. An der Art und Weise, wie wir diese Gespräche heute im Vergleich zu früher führen können, lässt sich ablesen, wie sich die Haltung in unseren Teams in den letzten Jahren erweitert hat.

Selbstorientiert-Impulsiv

Als Teenager habe ich in Lagern von Industriebetrieben gejobbt. Wenn dort jemand zum Chef gerufen wurde, war meist klar, dass diese Person eine ordentliche Abfuhr bekommen würde. Regelmäßige Gespräche zwischen Mitarbeitenden und Führungskräften waren noch völlig unbekannt. Auf der anderen Seite konnte die Autorität, wenn sie einer Person wohlgesonnen war, auch Privilegien für persönliche Anliegen gewähren. Ein Patriarch ist oft sein eigenes Gesetz und in solchen Gesprächen gibt es ein starkes Hierarchiegefälle und ziemlich einseitige Redeanteile.

Gemeinschaftsbestimmt-Konformistisch

Der Besuch beim Schuldirektor ist für einige von uns eine der ersten Erfahrungen mit Gesprächen mit Führungskräften. Meistens geht es dabei um Ermahnungen und den Hinweis auf Regeln und Konventionen, die eingehalten werden müssen. Die Rollen sind klar verteilt und es werden eher Worte der Anpassung und des Gehorsams erwartet. Es wird auf ein „Wir“ verwiesen, das einen bei wiederholtem Fehlverhalten ausschließt. Tadel, Entlassung oder andere Sanktionen werden angedroht.

Rationalistisch-Funktional

Aus der Logik der eigenen Bildungsbiografie heraus neigen viele Verantwortliche dazu, zu bewerten oder gar Noten zu vergeben. Mit dem Ziel, durch Messbarkeit ein klares Bild zu erhalten, werden Daten erhoben, die sich in der Regel auf Defizitbereiche konzentrieren. Daraus werden Ziele abgeleitet und mit einem Anreizsystem verknüpft. Die Mitarbeiterinnen und Mitarbeiter wollen möglichst gut abschneiden, die Vorgesetzten wollen das Ergebnis niedrig halten, um Gehaltsforderungen ablehnen zu können. Das ist für beide Seiten frustrierend.

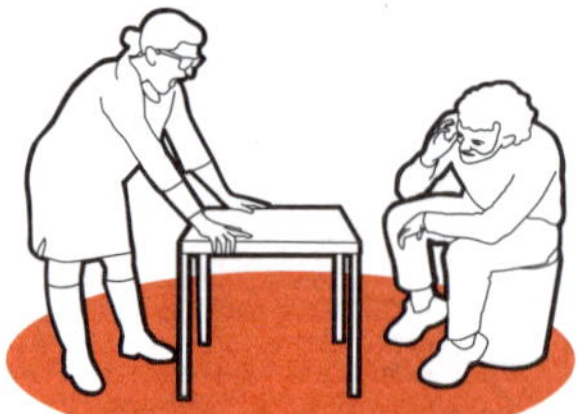

„Ich sage dir mal Folgendes.“

ANSAGEN

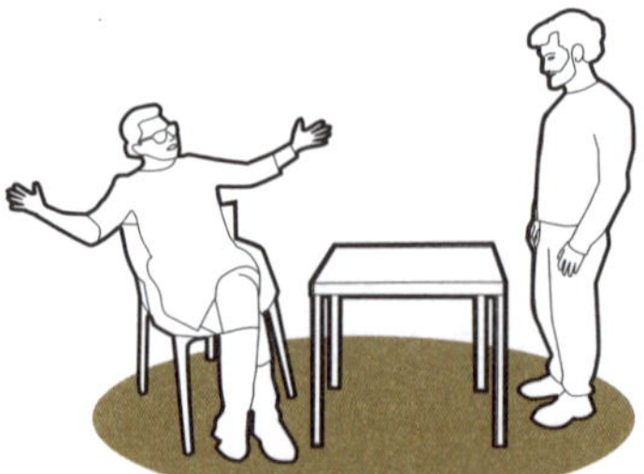

„Das geht so nicht. Sie müssen in Zukunft …“

ERMAHNUNG

„HR braucht Angaben, wie sie sich verbessern sollten.“

BEWERTUNG

IMPULS: Gesprächshaltungen experimentell simulieren

Welche Art des Mitarbeitergespräches zu welchem Team passt, lässt sich nicht pauschal sagen. Die einen wünschen sich einen sachlichen Umgang – es soll ja nicht zu persönlich werden – die anderen sind an einer offenen Kommunikation auf Herzenshöhe interessiert. Es empfiehlt sich daher, mit verschiedenen Formaten zu experimentieren und alte Routinen zu hinterfragen.

Eigenbestimmt-Souverän

In vielen Organisationen werden diese Beurteilungsrituale nur noch pro forma durchgeführt. Im Mittelpunkt steht das eigentliche Gespräch, in dem es um die Potenziale und Entwicklungsinteressen des Gegenübers geht. Entwicklungs- und Gehaltsgespräche werden eher getrennt geführt. Die Atmosphäre ist oft entspannter und wir nehmen uns bewusst Zeit. Wir fördern Eigeninitiative und wünschen uns unternehmerisches Denken, die Übernahme von Verantwortung und die Nutzung von Freiräumen. Lob und Ermutigung sind wichtiger als Bewertungen.

Relativierend-Individualistisch

In diesen Gesprächen verschiebt sich der Redeanteil oft zugunsten der Mitarbeitenden. Fragen werden wichtiger als Ratschläge und gut gemeinte Hinweise. Auch die Ausprägung der individuellen Stärken in Abhängigkeit von den Bedürfnissen in der aktuellen Lebenssituation wird thematisiert. Wir tauschen uns auf Augenhöhe darüber aus, wie es uns miteinander geht, was wir an der individuellen Unterschiedlichkeit schätzen und gemeinsam im Sinne der Organisation fördern wollen.

Systemisch-Autonom

Wie bei den anderen Haltungen kann eine Beschreibung nur einen Eindruck vermitteln, der individuell sehr unterschiedlich sein kann. In dieser Haltung fragen wir vielleicht, was unsere blinden Flecken aus der Perspektive der Kolleg:innen sind und wie wir uns selbst weiterentwickeln könnten, um gemeinsam einen Raum der Wertschätzung und Entfaltung gestalten zu können. Vielleicht ist es ein Spaziergang oder ein ungewöhnlicher Ort, an dem wir spontan zu einem tiefen Austausch auf Herzensebene zusammenkommen.

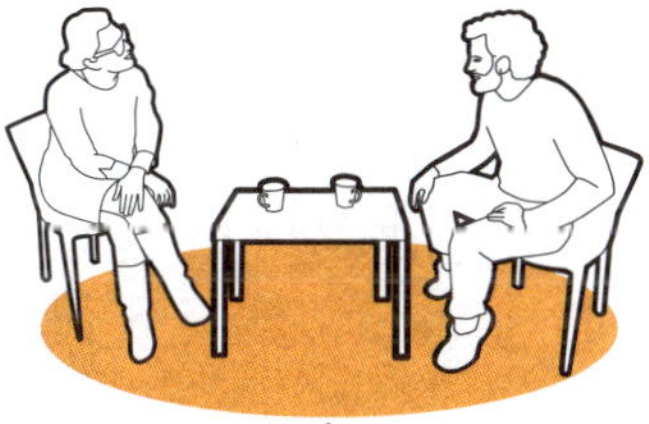

„Ich will deine Stärken fördern und dich weiterbilden."

FÖRDERUNG

„Was brauchst du, um in deinem Potenzial zu sein?"

AUGENHÖHE

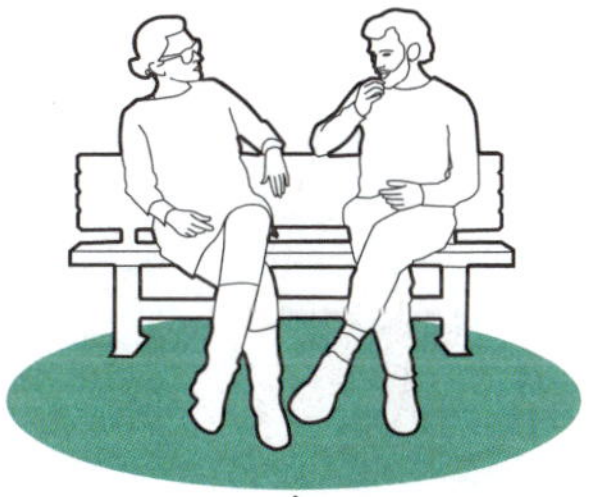

„Was kann ich tun, damit wir gut kooperieren?"

SELBSTREFLEXION

Entscheidungskulturen

Eine Organisation besteht im Kern aus Kommunikationen und Entscheidungen. Wie wir mit Macht und Hierarchie umgehen, ist mit der Art, wie wir Entscheidungen treffen, verbunden. Wer entscheidet, darf zumuten, wer entschieden wird, dem wird zugemutet, und wer nicht entscheiden will, der lässt sich zumuten. Oft gibt es gleichzeitig unterschiedliche Verfahren der Entscheidungsfindung und Mischformen zu den exemplarisch dargestellten.

Selbstorientiert-Impulsiv

Entscheidungen werden oft spontan getroffen, sind nicht nachvollziehbar und müssen hingenommen werden. Es zählt das Bauchgefühl der Person, die in einem System die meiste Macht bekommen hat, und sie kann ihre Entscheidungen auch immer wieder über den Haufen werfen. Der Boss allein entscheidet, das Team ist unbeteiligt und fühlt sich daher von jeglicher Verantwortung entbunden. So tragen wir Entscheidungen mit, die uns selbst schaden – Hauptsache, wir sind nicht verantwortlich.

Ansagen

ALLEIN-ENTSCHEIDUNG

Gemeinschaftsbestimmt-Konformistisch

Die Entscheidungen werden nach festen Strukturen von oben nach unten getroffen. Das Team kann lediglich Bedenken äußern, hat aber keine direkten Einflussmöglichkeiten. In der Hierarchie ist niemand verantwortlich, da nur das System bedient wird. Die Chefetage verkündet die „richtigen“ Entscheidungen, und auch wenn sich alle die Haare raufen, muss die Form gewahrt und die Pflicht erfüllt werden. Es muss nicht diskutiert werden, und wer Befehle ausführt, muss keine Verantwortung übernehmen.

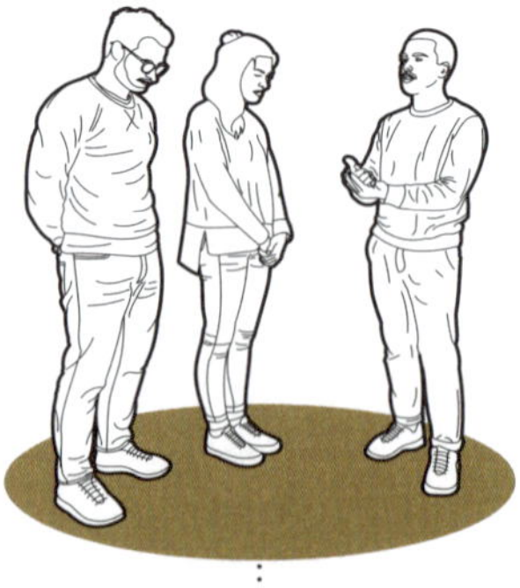

Verkünden

HIERARCHISCHE ENTSCHEIDUNG

Rationalistisch-Funktional

Die Experten geben die Richtung vor, sachliche Einwände und Diskussionen über die richtige Vorgehensweise sind erlaubt. Das Team kann die Entscheidung beeinflussen, wenn es genügend sachliche Argumente vorbringen kann. Oft wird versucht, rationale Entscheidungen durch Gutachten und Berater*innen abzusichern, damit man bei Fehlern nicht die Verantwortung tragen muss und dadurch die eigene Kompetenz infrage gestellt wird. Entscheidungen folgen einer Zahlenlogik.

Konsultieren

EXPERTEN-ENTSCHEIDUNG

IMPULS: Entscheidungsprozesse variieren
Welches Entscheidungen getroffen werden, hängt weniger vom Haltungsschwerpunkt eines Teams ab, sondern wird mehr davon bestimmt, welche Tragweite die Entscheidung hat, wie viel Zeit zur Verfügung steht und was im Vorfeld als Verfahren vereinbart wurde. Das eine richtige Entscheidungsverfahren gibt es nicht. Wenn uns nicht klar ist, wie Entscheidungen zustande gekommen sind, wollen wir keine Verantwortung für sie übernehmen.
Wie können wir mit Entscheidungsverfahren experimentieren?
Wie fühlen sich die unterschiedlichen Entscheidungsprozesse an?

Eigenbestimmt-Souverän

In dieser Haltung wird das Team in die Entscheidungen einbezogen. Die Teamleitung erklärt die Situation, zeigt Rahmenbedingungen und Alternativen auf. Das Team soll mitentscheiden und damit auch Mitverantwortung übernehmen. Nach einem offenen Meinungsaustausch entscheidet die Mehrheit im Rahmen der Vorgaben des Managements. Das Team hat hier deutlich mehr Einfluss und bringt auch eigene Vorschläge ein. Kleinere Entscheidungen werden von den Teammitgliedern direkt getroffen.

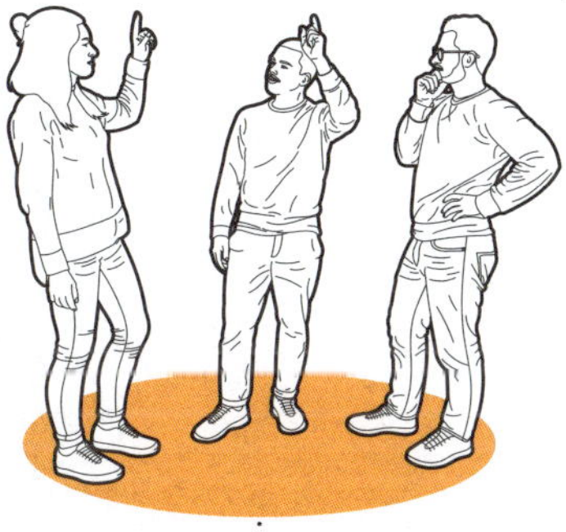

Delegieren
MANAGER-ENTSCHEIDUNG

Relativierend-Individualistisch

Viele Perspektiven fließen in die Entscheidungsfindung ein, sowohl auf sachlicher als auch auf emotionaler Ebene. Die angestrebte Lösung soll vielen gerecht werden und im Idealfall von allen mitgetragen werden. Das Team kann sich die Optionen und Wege überlegen, die ihm am geeignetsten erscheinen, entscheidet selbst und ist dann auch für die Entscheidung verantwortlich. Entscheidungen können sich in die Länge ziehen, wenn zu viele Randaspekte einbezogen werden oder überproportionale Einzelinteressen Konsens erschweren.

Übereinkommen
GEMEINSAME ENTSCHEIDUNG

Systemisch-Autonom

Nach Abwägung vieler Perspektiven wird die Möglichkeit ausgewählt, gegen die niemand starke Einwände hat. Statt Konsens wird das Systemische Konsensieren genutzt. Die Option mit dem geringsten Widerstand gewinnt. Die Teams führen sich selbst und sind eigenverantwortlich. In kollegialer Führung generieren sie ihre eigenen Projekte und organisieren sich nach ihren Talenten und im Sinne des Unternehmenszwecks.

Selbstorganisieren
KONSENT-ENTSCHEIDUNG

Raum der Teamkommunikation

Der Raum, den ein Team zur Kommunikation nutzt, ist von Team zu Team unterschiedlich groß. Meist liegt der Fokus auf der Informationsebene. Oft schlagen wir uns mit einer Ansammlung von unausgesprochenen Missverständnissen herum, die wir mit Dialogformaten, bei denen wir einander zuhören, schnell reduzieren können. Die Ebenen des Storylistening und Storydoing sind inspiriert vom Buch „Narrative Organisationen" von Christine Erlach und Michael Müller.

ANSAGEN	ANKÜNDIGUNGEN	INFORMATION
VERLÄNGERTES SELBSTGESPRÄCH	**MONOLOG**	**DEBATTE**
Nur eine Meinung zählt	Manipulative Kommunikation	Informative Kommunikation
Denunziation, Intrige	Höflicher Small Talk	Excel-Listen
Manipulation, Lügen	Verweis auf externe Autoritäten	Zahlen, Daten & Fakten
Widerspruch ist nicht erwünscht	Konfliktscheu	Scheinbare Alternativlosigkeit
Klare Orientierung in Notfallsituationen	Erhalt der Harmonie und Unterdrückung von abweichenden Meinungen	Fokus auf Sachlichkeit und Richtigkeit
		Korrekte Rechtschreibung wichtiger als inhaltliche Differenzierung

IMPULS: Schreib eine Regnose
Während eine Prognose die Realität in der Zukunft von jetzt aus gesehen beschreibt, betrachtet eine Regnose die Gegenwart aus dem Blickwinkel der Zukunft. Ausgehend von einer bereits realisierten Wunschzukunft imaginieren wir unseren Weg dort hin. Wenn wir an einer Geschichte arbeiten, die wir uns in der Zukunft erzählen wollen, ist das Storydoing.

Wähle für dein Team ein konkretes Problem und lasse alle Mitglieder ihre eigene Regnose dazu schreiben. Anschließend werden die Geschichten geteilt. Welche Gemeinsamkeiten der möglichen Zukunft werden schon jetzt erkannt?

STORY-TELLING

DISKUSSION

Differenzierte Auseinandersetzung

Win-win-Orientierung

Ermächtigung zur Eigeninitiative

Positive emotionale Narrative

Mit Anekdoten und Erfolgserzählungen gute Stimmung verbreiten

STORY-LISTENING

DIALOG

Reflektierendes Erkunden

Echter Austausch auf Augenhöhe

Fragen stellen, viele Perspektiven und Standpunkte aufnehmen wollen

Aktives Zuhören und sich in die anderen einfühlen können

Schattenthemen und Schwierigkeiten als vorhanden anerkennen

STORY-DOING

COCREATION

Kollektive Kreativität auf eine mögliche Zukunft ausrichten

Außerhalb der Box denken

Erfahrungsräume für das Neue schaffen

Möglichkeitsräume imaginieren und emergieren lassen

Konventionen überwinden und gewohnte Kontexte verlassen

Ohne festen Plan in eine konkrete Richtung gehen

Die gleiche Situation in sechs Haltungen

Wenn wir Situationen durchspielen und dabei die einzelnen Haltungen simulieren, wird das Modell der Haltungen oft erst richtig greifbar. Die Vorstellung eines neuen Teammitgliedes bietet sich dafür an. Die Simulation aus den ersten drei Haltungen fällt allen meist sehr leicht. Bei den späteren Haltungen wird es schon schwieriger. Die Grafik zeigt Textfragmente aus solchen Simulationsspielen.

Das ist Paula, sie ist erst mal auf Probe hier. Wenn sie Ärger oder Fehler macht, gebt mir sofort Bescheid. Wir haben keine Zeit für Leute, die nichts taugen. Wenn ihr fertig seid mit eurer Arbeit, kommt zu mir. Dann sag ich euch, wie es weiter geht. Also Paula, halt die Ohren steif und leg mal richtig los.

Frau Nowak, das sind ihre geschätzten Kollegen, die sie heute herzlich an ihrer neuen Arbeitsstelle begrüßen. Wir haben hier klare Zuständigkeiten, an die sich alle halten, dann gibt es keine Probleme. Um 10.15 Uhr nehmen wir hier die erste Brotzeit ein, von 12.30 bis 13.15 Uhr machen wir gemeinsam Mittag.

Frau Nowak kommt neu zu uns und bringt als echte Expertin hervorragende Referenzen und Fachkenntnisse aus unserer Branche mit. Wir haben sie aufgrund hervorragender Noten ausgewählt und glauben, dass sie perfekt unserem Anforderungsprofil entspricht. Wir glauben, dass sie unsere Prozesse schnell verstehen wird, die Zusammenarbeit gut funktionieren wird und wir damit die Teamergebnisse weiter steigern können.

IMPULS: Simulation der sechs Haltungen
Wir nehmen eine typische Situation aus der Teamkommunikation und spielen durch, wie diese Kommunikation aus den unterschiedlichen Haltungen jeweils klingen könnte. Wir können uns dabei gegenseitig Anregungen für Formulierungen geben. Auch hier geht es nicht um Exaktheit, sondern um das Ausprobieren.

1. Stelle ein neues Teammitglied vor.
2. Erkläre einem Teammitglied, dass man sich trennen wird.
3. Sage einem Teammitglied, dass du mit seiner fachlichen Leistung unzufrieden bist.

Darf ich vorstellen: unsere neue Kollegin Paula. Paula ist eine echte Bereicherung und ich glaube, sie wird unser Team richtig nach vorne bringen. Ich bin total begeistert von ihrer Einstellung und wir haben einen neuen Aufgabenbereich geschaffen, der perfekt zu ihren Stärken passt. Ich denke, wir werden viel voneinander lernen können. Das wird unserem Team einen neuen Schub geben, mit dem wir auch in diesem Jahr unsere Ziele übertreffen können. Sie ist für uns alle nochmal ein Ansporn, das Beste zu geben und richtig durchzustarten. Willkommen im Team.

So, heute ist Paula da, auf die wir uns schon gefreut haben. Ihr konntet sie ja schon alle bei ihrem Probetag und unserem gemeinsamen Essen kennenlernen. Wir alle fanden, dass die Chemie gestimmt hat und dass wir eine große Übereinstimmung in der Haltung und in unseren Werten haben. Paula, für uns ist dein frischer Blick in den ersten Tagen wichtig, weil wir von einer reflektierenden Perspektive profitieren können. Am besten stellen sich alle noch einmal vor. Anna wird dein Teambuddy für die erste Zeit der Eingewöhnung sein. Wichtig ist uns, dass du alle gut kennenlernst und wir eine offene Kommunikation etablieren, weil wir das für den Teamspirit als wichtig empfinden.

Paula, ich freue mich, dass du da bist und bei uns im Team anfängst. Mich hat an deinem Probetag besonders deine offene Art berührt und ich habe gemerkt, dass du neben deinen fachlichen Kenntnissen, die eine wichtige Ergänzung für uns sind, auch ein feines Gespür für Menschen hast und dich mit dem, was wir hier machen, verbinden kannst. Aber bevor ich hier lange rede,machen wir am besten eine kleine Tour durch unser Unternehmen und ich stelle dir dabei deine wichtigsten Ansprechpartner*innen vor. Für morgen habe ich ein Treffen mit zwei unserer vertrautesten Kund*innen organisiert, weil wir es gut finden, dir die Gelegenheit zu geben, eine persönliche Beziehung zu ihnen aufzubauen. Erzähl uns doch, was dich zu uns geführt hat und was dich an unserer Vision anzogen hat.

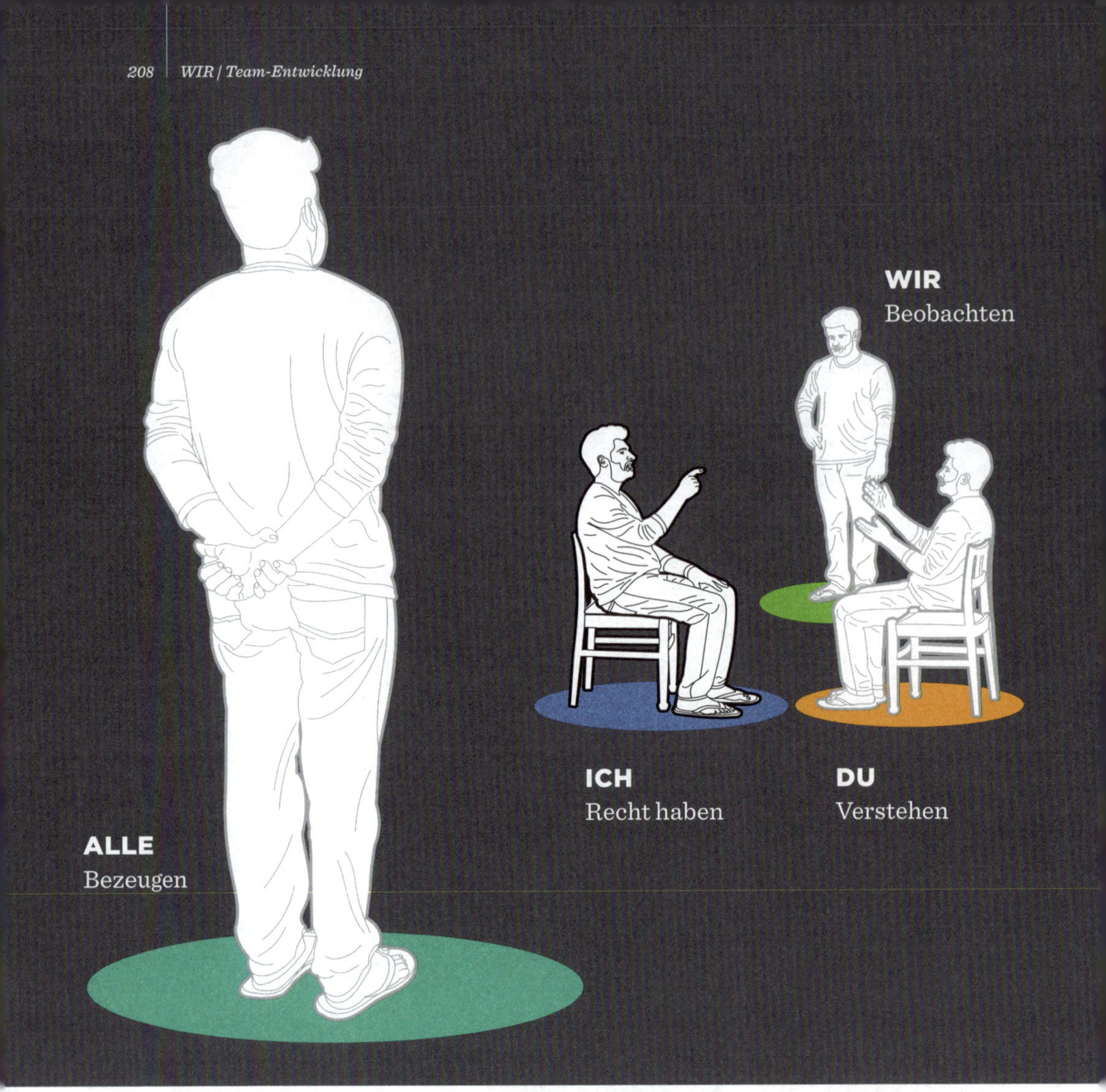

Die sich erweiternde Perspektive

Es ist nicht unbedingt notwendig, 1.000 Schritte in den Schuhen eines anderen zu gehen, wie es ein indianisches Sprichwort empfiehlt. Manchmal reicht es, wenn wir den Platz der anderen Person einnehmen und auf diese Weise unseren inneren Monolog externalisieren, den wir in persönlichen Konflikten mit anderen generieren. In Sprache gebracht, kommen angehaltene Emotionen in Bewegung und es eröffnen sich uns neue Blickwinkel. Dabei können wir auch ein Teammitglied um Unterstützung bitten. Diese Person soll keine Ratschläge erteilen, Dinge deuten, rechtfertigen oder geradebiegen. Oft reicht es aus, wenn diese Person einfach nur die wichtigsten Sätze wiederholt, die in den unterschiedlichen Rollen gesagt wurden.

IMPULS: Vier Perspektiven auf einen Konflikt

Als Beispiel nehmen wir einen konkreten Konflikt, den wir mit einer anderen Person haben. Wir stellen uns zwei Stühle gegenüber und stellen uns vor, dass die Person, mit der wir den Konflikt haben, uns gegenüber sitzt.

Im ersten Schritt sprechen wir alles aus, was uns an der*dem Konfliktpartner*in stört und teilen ihr*ihm unsere ungeschminkte Meinung zum Konflikt mit.

Im zweiten Schritt setzen wir uns auf den Stuhl der anderen Person, schlüpfen in ihre Rolle, nehmen Stellung zu dem Gehörten und erläutern unsere Sicht der Dinge. Dann setzen wir uns wieder auf unseren Stuhl und reagieren. Dieser Wechsel findet so lange statt, bis alles Wesentliche gesagt ist.

Im dritten Schritt stellen wir uns zwei Meter neben die beiden Stühle und schlüpfen in die Beobachterrolle. Was fällt uns aus dieser Perspektive auf und was können wir den beiden Konfliktparteien zurückmelden? Danach gehen wir zurück auf den einen und dann auf den anderen Stuhl und geben aus diesen Positionen jeweils Rückmeldung zu den geäußerten Beobachtungen.

Im vierten Schritt stellen wir uns fünf Meter von den Stühlen entfernt auf und schauen aus dieser Meta-Position auf die Konfliktparteien und die beobachtende Person. *Was können wir aus dieser Perspektive erkennen und der Beobachterrolle und den beiden Kontrahenten rückmelden?* Abschließend setzen wir uns wieder auf den ersten Stuhl und reflektieren das Gehörte. *Was hat sich verändert, nachdem wir drei zusätzliche Perspektiven eingenommen und miteinander kommuniziert haben?*

In einem Workshop fragten wir nach einem Beispiel für einen aktuellen Konflikt. Eine Teilnehmerin sprang sofort auf. Als sie aufgefordert wurde, ihrem imaginären Gegenüber ihre Meinung zu sagen, brach ein Strom von Vorwürfen aus ihr heraus. Auf dem Stuhl des Konfliktpartners sitzend, konnte sie nachempfinden, wie es sich für die andere Person anfühlt, mit einer solchen Ladung konfrontiert zu werden. Wir führten sie durch die weiteren Schritte und mit jedem Schritt wurde sie sanfter und sachlicher und entwickelte Verständnis für ihr Gegenüber. Aus der Außenperspektive konnte sie die Gefühle beider Personen viel besser erkennen und benennen und spürte, dass der Konflikt mehr mit ihren eigenen Themen zu tun hatte als mit dem Konfliktpartner. Aus der Meta-Perspektive erschien ihr der Konflikt geradezu kindisch. Mit dieser Einsicht entspannte sie sich.

Vier Schritte der gewaltfreien Kommunikation

BESCHREIBUNG	Als ich beim letzten Teammeeting nicht von dir gehört habe, dass ... (nicht interpretieren oder bewerten)
BEFINDEN	... war ich verwundert ... (Primärgefühl benennen)
BEDÜRFNIS	... weil mir Offenheit zwischen uns wichtig ist ... (eigenes Bedürfnis formulieren)
BITTE	Willst du mir sagen, warum du das nicht mitgeteilt hast? (konkreten Wunsch äußern)

In erweiterten Haltungen kommunizieren

Wenn wir unsere Sprache im Kontext der Wirtschaft betrachten, stellen wir fest, wie sehr sie von militärischem Vokabular durchdrungen ist. Da gibt es Vorgesetzte, eine gute Truppe, man fährt schweres Geschütz auf, schießt mit Kanonen auf Spatzen und nimmt die Dinge in Angriff. Im Eifer des Gefechts, wenn wir unser Pulver verschossen haben, brennen schon mal die Sicherungen durch. Aber wir bleiben bei der Stange und halten die Fahne hoch, um nicht ins Hintertreffen zu geraten. Hauptsache, es herrscht eine Bombenstimmung, und wenn der Durchbruch nicht gelingt, reißen wir uns am Riemen. Wir brauchen Mitstreiter, die schlagkräftig neue Märkte erobern und nicht bei jedem kleinen Störfeuer an der Kundenfront in Deckung gehen. Mit guten Totschlagargumenten schießen wir los, wenn wir ein Attentat planen und arbeiten, bis der Arzt kommt, bevor wir die Deadline reißen.

Zivile Sprachräume nutzen lernen

Der Ansatz der Gewaltfreien Kommunikation (GfK) von Marshall Rosenberg (1934–2015) ist eine wirkungsvolle Methode, um Safe Spaces in der Kommunikation zu stützen. Es gibt Unternehmen, in denen jeder neue Mitarbeitende

IMPULS: GfK für Anfänger

Als Einstieg ist es hilfreich, die eigenen Aussagen nach diesem Schema schriftlich zu formulieren. Dies kann auch eine gute Vorbereitung für schwierige Gespräche sein, selbst wenn wir die Methode noch nicht vollständig anwenden können.
Im nächsten Schritt hilft die Simulation mit einem Teammitglied in einer Situation, in der wenig emotionale Spannung in unserem System aktiv ist. Zunächst können wir uns auf einen der vier Aspekte konzentrieren. Schon das Beschreiben einer Situation und das Ausdrücken des eigenen Gefühls verändert die Art und Weise, wie wir uns selbst in der Kommunikation wahrnehmen. Das eigene unausgesprochene Bedürfnis offenzulegen, entspannt oft Konflikte und vermeidet Stellvertreterkonflikte.

Marshall Rosenberg bemerkt: „In einem Konflikt verwenden beide Parteien normalerweise viel Zeit darauf, beweisen zu wollen, dass sie recht haben und die andere Seite unrecht, statt auf die eigenen Bedürfnisse und die des Gegenübers zu achten."

Es geht nicht darum, nett zu sein, sondern taktvoll, von ganzem Herzen und in vollem Umfang die Gefühle und Bedürfnisse auszudrücken, die wirklich mit dem Konflikt zu tun haben.

ein Training in GfK bekommt, weil sich dadurch ein Umgangsstil etabliert, der Kommunikation in erweiterten Haltungen wahrscheinlicher werden lässt. Rosenberg verstand die GfK als eine Methode zur Verbesserung des zwischenmenschlichen Miteinanders, weil wir durch sie lernen, so miteinander zu sprechen, dass wir in einem menschlichen, einfühlsamen Kontakt bleiben können. Er sagt: „Urteile (auch über mich selbst) sind ein tragischer Ausdruck unerfüllter Bedürfnisse."

Die vier Bs

Die vier Schritte der GfK folgen einem einfachem Schema: Sachverhalte neutral beschreiben, unser wahrgenommenes Befinden artikulieren, unser Bedürfnis offenbaren und uns schließlich mit einer Bitte an unser Gegenüber zu wenden. Es braucht viel Training und auch Selbstmitgefühl, sich beim kommunikativen Scheitern zuzusehen, denn gerade in angespannten Situationen erscheint uns die direkte, oft militärisch anmutende Sprache viel natürlicher als der Selbstkontakt mit unseren Gefühlen. Schon der erste Schritt der GfK ist ein guter Anfang und eine lohnende Übung. Wir kommunizieren schon bewusster, wenn wir anfangen, Sachverhalte nur zu beschreiben, und uns so mit Interpretationen und Bewertungen zurückhalten.

3.3

Team-Fokus

Aus der Perspektive der Vertikalen Entwicklung wird ein Team zu dem, was wir mit unserer Aufmerksamkeit daraus machen. Der Bereich, auf den wir unsere Aufmerksamkeit richten, wird größer. Die neue hybride Arbeitskultur stellt besondere Anforderungen an die Gestaltung der Kommunikationsräume. Gerade die informelle Kommunikation, die früher nebenbei stattfand, braucht mehr Aufmerksamkeit und eine Entsprechung im Digitalen. Zu schnell konzentrieren wir uns auf die sachliche Kommunikation, reihen Videomeeting an Videomeeting und arbeiten nur noch Aufgaben ab. Die Motivation und der Bezug zu unseren Werten gehen verloren.

„Digitale Kollaboration braucht einerseits neue erweiterte Denkweisen, andererseits fördert sie diese."

Steffi Gröscho (* 1970)

Der nach außen gerichtete Fokus macht blind für das Innen

Was in einem Team Lebendigkeit und transformatorische Kraft erzeugt, liegt meist jenseits der formalen Strukturen und Planbarkeiten. Erst wenn wir diesen Bewegungen mehr Raum geben, kann sich ein Team entfalten.

Ein Softwareunternehmen wollte die interne Kommunikation unter den Bedingungen der neuen hybriden Arbeitskultur verbessern und plante daher die Einführung einer Kollaborationsplattform. Die durch Corona verloren gegangene Nähe sollte wieder hergestellt werden.
Bei der Einführung einer Kollaborationsplattform ist es oft nicht möglich, alle Mitarbeitenden für alle Eventualitäten zu schulen. Deswegen ist es wichtig, dass sich die Mitarbeiter*innen gegenseitig schulen, was gut gelingt, wenn jenseits von hierarchischen Positionen insbesondere digital affine Mitarbeitende eingebunden werden. Sie sind geeignet, die kommunikative Führung zu übernehmen. In der Startphase werden sie zu Multiplikator*innen ausgebildet und extern begleitet. Als Community Manager können sie anderen Mitarbeitenden grundlegende Funktionen und Umgangsformen vermitteln und auf die Einhaltung von Standards achten. Da dies eine Nebenrolle für digital kommunikative Mitarbeiter*innen ist, wählten die Teammitglieder geeignete Personen für diese Aufgaben aus. Alles schien sich stärkenorientiert durch Eigeninitiative und Verantwortungsübernahme zu organisieren.
Nur fühlte sich ein Vorgesetzter nicht einbezogen und stoppte das Projekt, ohne die genauen Zusammenhänge zu kennen. Er bestand darauf, allein über die Verteilung der Ressourcen zu entscheiden. Man dürfe nicht einfach Stellen vergeben, sondern müsse erst ein Anforderungsprofil für die Aufgabe und einen Plan, wann welche Aufgaben zu erledigen seien, erstellen. Mit seinem Fokus auf Kontrolle, Stellenprofile und To-do-Listen gelang es ihm, eine sich entwickelnde agile Selbststeuerung im Keim zu ersticken. Was in seinen Augen die Effizienz steigern und Chaos vermeiden sollte, führte zu hohem Abstimmungsbedarf und unzähligen Diskussionen, zu gegensätzlichen Meinungen und schließlich zur völligen Demotivation. Die zunächst hoch motivierten Mitarbeiter*innen zogen sich zurück, die von ihm neu ausgewählten Kolleg*innen waren überfordert und die To-do-Listen wurden permanent von der Realität eingeholt. Der Fokus auf Effizienz durch Kontrolle erzeugt oft Scheineffizienz.
Wenn wir uns auf die äußere Form konzentrieren, übersehen wir die inneren emotionalen Dynamiken. Genau diese sind aber in der Transformation für ein Team entscheidend.

Hybride Teams

Die verstärkte digitale Zusammenarbeit ist für die Team-Entwicklung Chance und Herausforderung zugleich. Aus den Ergebnissen einer Umfrage, die Google 2021 zusammen mit Economist Impact durchgeführt hat, ließen sich vier Typen von hybrid arbeitenden Personen ableiten.

Die Unentschlossenen (ca. 13 %), die sich nach Verbindung und Orientierung sehnen. Sie brauchen intensiven Dialog und Unterstützung bei der Überwindung technischer Hürden und persönlicher Bedenken. Ein regelmäßiges „Re-Onboarding" stellt sicher, dass sie nicht verloren gehen.

Die Pragmatischen (ca. 40 %) bilden das größte Segment, das Economist Impact identifiziert hat. Sie sehen sich mit erheblichen Herausforderungen konfrontiert und ihr Gefühl lässt sich mit „Ja, aber ..." zusammenfassen. Sie wollen, dass es gut läuft, glauben aber, dass es noch nicht gut funktioniert, und machen sich Gedanken über die unscharfen Grenzen zwischen Arbeit und Privatleben.

Die Evangelist*innen (ca. 24 %) sind begeistert von den neuen Möglichkeiten, verkünden die frohe Botschaft und wollen alle mitreißen. Sie können die Ansprechpartner*innen für die Fragen und Bedenken der Pragmatischen sein und Multiplikator*innen für Best Practices.

Die Fairen (ca. 23 %) sorgen sich um Wohlbefinden und Integration aller und nehmen die hybride Arbeit insgesamt als positiv wahr. In sozialen Netzwerken bemühen sie sich, möglichst viele Kolleg*innen einzubinden und zu berücksichtigen. Sie sind die idealen Community und Collaboration Manager.

Diese vier Typen von Mitarbeitenden lassen mögliche unterschiedliche Haltungen erkennen. Die hybride Zusammenarbeit fördert eigenverantwortliches Arbeiten und braucht mehr Vertrauen. Oft wird versucht, rationalistisch-funktional geprägte Strukturen in die digitale Teamkultur zu übertragen. Führungskräfte glauben, sie könnten über zu viele digitale Meetings die Kontrolle behalten. Es sind oft Meetings, in denen nur wenige reden und Sachen abgestimmt werden, die nur einzelne Personen betreffen. In den frühen Haltungen steht primär noch die Ausführungs- und Ergebnisorientierung im Zentrum. Die Relevanz von sozialer informeller Kommunikation wird entweder als Wert noch nicht erkannt oder im Alltagsgeschehen schlicht vergessen. Dies kann zu einer digitalen Kommunikationserschöpfung und Entfremdung führen.

In unseren Projekten zur Entwicklung der digitalen Zusammenarbeit in Teams haben wir mit Steffi Gröscho, Umsetzungsbegleiterin für Projekte im Bereich digital communication + collaboration + culture, sieben wichtige Aspekte für eine gelingende digitale Zusammenarbeit zusammengestellt.

IMPULS: Auf digital und virtuell umdenken

Was zunächst vor allem als technisches Thema gesehen wurde, hat sich schnell als wichtiges Kulturthema offenbart und damit auch als Möglichkeit, die Teamkultur zu entwickeln. In vielen Bereichen ist das ein Paradigmenwechsel, der zu einem Umdenken und neuen Verhaltensmustern führt.

1. Hohe digitale Kommunikationsfrequenz

Während wir jahrelang darauf achteten, mit E-Mails möglichst sparsam umzugehen, geht es bei Beiträgen auf Kollaborationsplattformen darum, möglichst viele relevante Informationen für alle transparent zu machen.

2. Asynchrone Kommunikation

In analogen Projektmeetings mussten alle zur gleichen Zeit am gleichen Ort sein, um synchron über ein Thema zu sprechen. In Projektkanälen kommunizieren wir asynchron – dann, wenn wir Zeit haben. Virtuelle Meetings können kürzer werden, weil zwischenzeitlich bereits Punkte geklärt wurden.

3. Selbstorganisierter Informationsfluss

Empfänger*innen einer E-Mail wurden früher sorgfältig ausgewählt. Auf Plattformen können alle alles sehen und die für sie relevanten Informationen selbst auswählen, indem sie die entsprechenden Kanäle abonnieren.

4. Tonalität emotionalisieren

E-Mails sollten im Ton eher sachlich sein. Die soziale Kommunikation in Unternehmensnetzwerken profitiert von emotionalen Inhalten wie Fotos und persönlichen Statements, von Likes und Kommentaren.

5. Wissen teilen

Digitale Zusammenarbeit birgt die Chance, Wissen transparent und für alle zugänglicher zu machen. Was früher auf einzelnen Festplatten ruhte oder in E-Mail-Anhängen unterging, kann nun Projekten zugeordnet und in Wissensspeichern zentral gesammelt werden.

6. Informelle digitale Kommunikation

Was früher an der Kaffeemaschine stattfand, braucht ein digitales Äquivalent, wie auch immer es konkret aussieht – experimentieren lohnt sich. Informelle digitale Kommunikation ist das Schmiermittel hybrider Teams.

7. Umgang mit Informationsfülle lernen

Kommentieren, liken, folgen, benachrichtigen, weiterleiten, taggen, abonnieren und erwähnen: Durch Funktionen wie diese lässt sich das Dilemma zwischen, „Wir bekommen zu viel Informationen" und „Mir sagt ja niemand was" auf einer Kollaborationsplattform auflösen.

Die Phasen der Teamreifung

Reifemodelle wie das 1965 entwickelte Phasenmodell für Team-Entwicklung von Bruce Tuckman (1938–2016) lassen sich auf die Entwicklung der Haltungen übertragen. Eine Vorphase der Ablehnung haben wir ergänzt. Oben finden sich die klassischen Beschreibungen aus dem Phasenmodell in ihrer Zuordnung zum Modell der Haltungen und unten haben wir beobachtbare Phänomene der digitalen Teamreife entsprechend eingeordnet.

Selbstorientiert-Impulsiv

- Widerständig
- Ablehnend
- Teamgedanke ist noch nicht angekommen
- Warten auf den „starken Mann"

Gemeinschaftsbestimmt-Konformistisch

- Höflich, unpersönlich
- Gespannt, vorsichtig
- Annähern, ausweichen
- Rollen und Ziele unklar
- Suche nach Orientierung
- Abhängigkeit von Führung
- Geringe fachliche Leistung

Rationalistisch-Funktional

- Unterschwellige Konflikte
- Konfrontationen
- Cliquenbildung
- Mühsam
- Hinterfragen von Normen
- Schwierigkeiten werden gesehen

Digitale Teamreife

- Kaum Nutzung
- Angst vor Überwachung
- Kameras aus, stumm
- Unzuverlässige Erreichbarkeit

- Warten auf Anweisungen
- Ruf nach Regeln
- Wissen wird nicht geteilt
- Abhängigkeit von Aktivitäten der Führung
- Öffentliches ist unerwünscht
- Vorschriften & Gesetze im Fokus

- Verfahrensfragen
- Fehlerfokus
- Technik im Vordergrund
- Dichte Meetingfolgen ohne informellen Austausch
- Konflikte über Features und Funktionen
- Zuständigkeitsgerangel

Verweigerungsphase
RIVALING

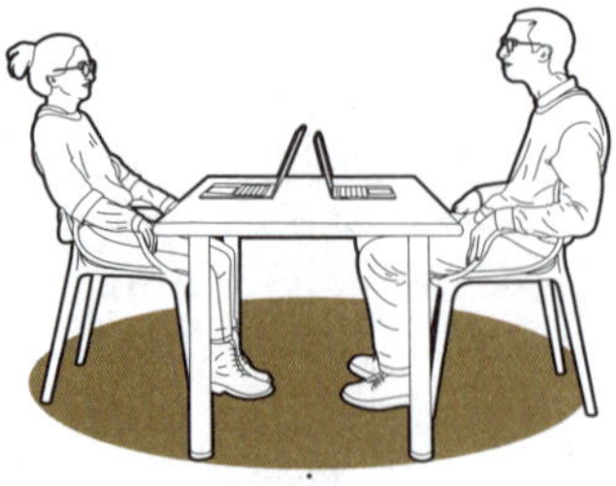

Findungsphase
FORMING

Argumentationsphase
STORMING

IMPULS: Digitale Teamreife

Digitale Zusammenarbeit wird oft nur unter den technischen Aspekten gedacht– die soziale und kulturelle Dimension wird dabei noch wenig in den Blick genommen.

In welcher Phase befindet sich unser Team in der digitalen Zusammenarbeit? Wie können wir gezielt Raum für die späteren Phasen geben?

Eigenbestimmt-Souverän

- Neue Umgangsformen und Verhaltensweisen
- Konstruktive Kritik
- Intensive persönliche Beteiligung
- Klare Rollen und Befugnisse
- Offener Meinungsaustausch

- Sichtbare Eigeninitiative
- Ideen werden eingebracht
- Gute Beispiele
- Unterhaltsames Infotainment
- Erfolgsgeschichten teilen
- Kleine Challenges
- Humor und Lockerheit
- Wertschätzung mit Likes und Kommentaren

Organisationsphase

NORMING

Relativierend-Individualistisch

- Ideenreich
- Flexibel
- Solidarisch, hilfsbereit
- Leistungsfähig
- Kooperation, Wir-Gefühl
- Vertrautheit
- Offenheit

- Persönliches einbringen
- Emotionale Erfahrungsberichte
- Learnings teilen
- Andere einbeziehen und wertschätzend erwähnen
- Social Time in der Agenda
- Aktiv Kommunikationshindernisse ausräumen
- Stimmungen gestalten

Flowphase

PERFORMING

Systemisch-Autonom

- Autonomiegefühl
- Fähigkeit, unabhängig zu werden
- Neue Aufgaben erkennen
- Abschied und Aufbruch
- Verbundenheit
- Sinnausrichtung

- Reflektierender Austausch
- Anteil der Selbstführung steigt
- Hierarchieübergreifend auf Augenhöhe
- Raum schaffen und geben
- Skalierendes Lernen ermöglichen
- Soziale Bindungen stärken

Erneuerungsphase

TRANSFORMING

Haltungstypische Aussagen zu Digital Workplaces, Social Intranet oder Mitarbeiter Apps

Selbstorientiert-Impulsiv	Gemeinschaftsbestimmt-Konformistisch	Rationalistisch-Funktional
Mögliche Einstellungen zur Einführung einer Plattform		
Intranet? Das wäre ja noch schöner, wenn alle bei allem mitreden würden.	Bisher ging es doch auch ohne so eine Plattform. Das hält doch nur vom Arbeiten ab.	Bringt uns die Plattform eine Kosteneinsparung?
Nutzungsvorstellungen der Plattform		
Wozu sollte ich das brauchen? Ich sehe nicht, welchen Vorteil ich davon habe.	Unser Chef hat selbst keine Zeit, da reinzuschauen, das wird daher wenig bringen.	Lasst uns unsere Prozesse optimieren und in der Plattform digital abbilden.
Reaktionen von Führungspersönlichkeiten		
Die sollen arbeiten und nicht im Intranet „daddeln“.	Wir brauchen Nutzungsbedingungen, klare Regeln und Verbote.	Aber dann wissen wir ja gar nicht mehr, ob auch alle den Beitrag gelesen haben.
Neue Transparenz		
Wo kämen wir denn da hin, wenn ich mich total gläsern machen würde.	In unserer Gruppe wollen wir niemanden aus einer anderen Abteilung.	Das muss schon fachlich fundiert sein, was da steht. Ich teile lieber nichts.
Blick auf Privates		
Ich lasse mich doch nicht überwachen. Das Intranet ist außerhalb der Arbeitszeit tabu..	Profilfotos wollen wir keine hochladen. Das geht niemanden was an.	Privates hat im Intranet nichts zu suchen. Da geht es um das Geschäft.
Fehlerkultur		
Ich bin umgeben von Deppen, denen kann ich das tausendmal sagen.	Wenn ich etwas Falsches schreibe, bekomme ich auch noch Ärger.	Wer kontrolliert das denn, was die Mitarbeitenden da schreiben?
Gestaltung von Regeln		
Für die Dummen müssen wir das regeln – nicht für mich.	Es braucht Regeln, deren Überschreitung nicht toleriert werden sollte.	Ohne Richtlinien keine Orientierung, ohne Orientierung kein messbarer Erfolg.

Bei der Einführung von Plattformen kommt es oft zu typischen Aussagen, die hier exemplarisch möglichen Haltungen zugeordnet sind. Diese Übersicht kann wertvolle Dienste leisten bei der Selbsteinschätzung von Teams wie auch bei der Identifikation von spannungsreichen Themenbereichen und spiegelt den Aufmerksamkeitsfokus der Teammitglieder.

Eigenbestimmt-Souverän	Relativierend-Individualistisch	Systemisch-Autonom
Wir können die Unternehmenskultur in die gewünschte positive Richtung bringen.	Wir fördern hierarchieübergreifenden Austausch und schaffen mehr Transparenz.	Durch informelle digitale Kommunikation werden schwierige Themen besprechbarer.
Im Profil und in den Communitys werden die Potenziale aller sichtbar.	Wir gestalten eine offene Kommunikationskultur, bei der jeder*jede mitmachen kann.	Teile deine Ideen und mach die Ideen anderer noch größer. Gib Raum für Neues.
Eigendarstellung und Wertschätzung sind einfach – mit einem Like oder Kommentar.	Ich kann verschiedene Facetten von mir zeigen und bin so nahbarer und verständlicher.	Wir können Dinge gemeinsam erörtern, bevor sie zu einem Problem werden.
Ich habe mein Profil ausgefüllt und mich vorgestellt und freue mich auf den Austausch.	Wir können mehr Dinge gemeinsam angehen und alle können mitmachen..	Vielfältige Perspektiven helfen uns, durch unbekanntes Terrain zu navigieren.
Erlaubt ist, was den anderen Beteiligten gefällt und die Motivation fördert.	Am beliebtesten sind die Gruppen, in denen Persönliches miteinander geteilt wird.	Der Austausch über alle Seiten der Persönlichkeit fördert Verständnis und ist befruchtend.
Online werden Fehlinformationen schneller sichtbar und wir können besser reagieren.	Wir berichten offen von typischen Fehlern und was wir daraus gelernt haben.	Zu Vorschlägen aus dem Management holen wir zusätzliche Perspektiven ein.
Grundregeln sind gut, sollten aber immer wieder überprüft werden.	Wir geben wohlwollende Orientierungsleitplanken und setzen auf Vertrauen.	Unser Werte sind unsere Orientierung. Unschärfebereiche darf es geben.

Perspektiven auf Kollaborationsplattformen

Die Einführung von Microsoft 365 oder anderen Kollaborationsplattformen kann einen Entwicklungsschub auslösen oder als Produktivitätshemmer wirken. Das Modell der Haltungen macht das Erwartungsmanagement leichter und hilft, rechtzeitig gewünschtes Verhalten zu modellieren. Meist können wir Aspekte verschiedener Beispiele in uns erkennen, wobei die späteren Haltungen die früheren in ihren Bedürfnissen erkennen und die frühen Haltungen die späteren Perspektiven noch nicht einnehmen können.

DAS NÄCHSTE ÜBEL

Ablehnung und Vorbehalte stehen im Vordergrund.

Ohnmachtsgefühle und Angst vor Kompetenzverlust.

Befürchtung von Ausgrenzung und Überforderung.

Nicht gesehen werden und nicht gefragt werden.

Wird als Zusatzaufwand gesehen und bietet keinen persönlichen Vorteil.

>> Nachteile für Einzelne sehen & vermeiden

DER ZUSATZ-AUFWAND

Befürchtung, Unterschiede und Fehler werden öffentlich sichtbar.

Fokus auf Problemen und Ruf nach festen Regeln.

Harmonie der Gewohnheiten und Routinen ist gestört.

Aufstand gegen „Like-Button", Angst vor Konkurrenzdenken und Gesichtsverlust.

Datenschutz muss beachtet werden und man darf nicht angreifbar werden.

>> Harmonie und Vertrautes bewahren

EIN WEITERES TOOL

Bemängelung von Features und Funktionen.

Optimierung von Prozessen, Aufgaben und zentrale Dokumentenablage.

Verfahrensanweisungen werden textreich dokumentiert.

Fokus auf potenziellen Kostenvorteilen.

Schulungen nur für Funktionalitäten und deren Bedienung.

Beiträge sollen hohe Fachlichkeit haben, aber dafür fehlt die Zeit.

>> Verfahrensfragen klären

Impuls: Bedürfnisse sehen, Erfahrungen austauschen
Oft wird unterschätzt, dass eine neue Kommunikationssoftware auch eine neue Kommunikationskultur erfordert und diese sich erst entwickeln muss. Neue digitale Arbeitswelten entstehen prozesshaft. Wenn wir neue Rollen einnehmen, reifen wir wieder in der Abfolge der Haltungen. In Führungsworkshops und Community Manager Meetups, in denen wir über die Art und Weise, wie wir digital kommunizieren, mit Blick auf die Haltungen sprechen, können die Mitarbeitenden ihren eigenen Blick auf das Thema reflektieren und andere Perspektiven als ebenso relevant anerkennen.

DIE NEUE FLEXIBILITÄT

Blick auf Chancen und Möglichkeiten zur Eigenverantwortung.

Höhere Flexibilität und Ortsungebundenheit und bessere Performance.

Platz für Best-Practice- Beispiele geben und diese sichtbar machen.

Wunsch nach einem schnellen unkomplizierten Start ohne Gerede.

Vertrauen auf das Machen und Einbindung von Mitarbeitenden mit Stärken.

Plattform als Bühne für Kommunikation von Erfolgen sehen.

>> individuelle Chancen aufzeigen

BESSERES TEAMWORK

Neue Vertrauenskultur stärken und Transparenz schaffen.

Persönlicher und privater füreinander sichtbar sein.

Fragen stellen und Tipps geben, durch direkte Erreichbarkeit Hierarchiegefälle auflösen.

Unterschiedlichen Bedürfnissen in hybrider Arbeitswelt gerecht werden und entsprechend schulen und begleiten.

Nichthierarchische Kommunikation fördern und dadurch agiler werden.

Informelle digitale Begegnungen anregen und sich emotional verbinden.

>> neue Kommunikation pilotieren

NEW WORK POTENZIALE

Bewusstsein, dass es nicht nur eine Software ist, sondern die Kultur verändert.

Experimente mit neuen digitalen Kommunikationspraktiken fördern.

Stärkung von Multiplikator*innen und Schaffung von Referenzerlebnissen.

Kommunikation jenseits von Hierarchie und Abteilungen möglich machen.

Die Bedürfnisse aller Haltungen als relevant erkennen und mit Unterschiedlichkeiten und Paradoxien umgehen.

Vorbild sein und die Dinge sich entwickeln lassen – in dem Bewusstsein, dass sich eine digitale Teamidentität prozesshaft formt.

>> den kulturellen Kontext gestalten

Konfliktären Aussagen konstruktiv begegnen

Das mögliche Auftauchen von konfliktären Aussagen löst oft große Bedenken aus, ob transparente Kommunikation wirklich eine gute Idee ist. Begegnen uns in der Kommunikation gereizte Aussagen aus den frühen Haltungen, führt das zu der Tendenz, unseren eigenen Fokus auch auf diese Haltung zu verschieben, belehrend zu werden und uns emotional zu verschließen. Wir können das Modell nutzen, um unseren Fokus wieder zu erweitern, indem wir sich ergänzende Aussagen für jeden Bedürfnisbereich finden.

AUSSAGE EINER UNZUFRIEDENEN PERSON

Das ist mal wieder typisches allgemeines Blabla. Die Frage ist doch. Wie will die Geschäftsführung Fachkräfte halten. Wenn sich in der Führung nichts ändert, darf man sich nicht wundern, wenn hier bald keiner mehr arbeitet. Wir arbeiten hier für zwei, da hat doch keiner Lust zu bleiben!

WIR-GEFÜHL

Polaritäten aufheben und das Wir sichtbar machen

Danke für den Hinweis, in unserer gemeinsamen Gruppe für Verbesserungsideen ...

Ein wichtiger Punkt für unsere gemeinsame Diskussion über die Entwicklung unserer Führungskultur ...

+ FAKTEN

Konkrete Fakten ohne Rechthaberei nennen

Die durchschnittliche Betriebszugehörigkeit bei uns beträgt 12 Jahre. ...

Es ist zutreffend, dass die Marktsituation angespannt ist. Wir konnten erst 75 % der Neuanstellungen realisieren ...

Die Phase der Neuausrichtung mit neuen Strukturen seit dem 1. Januar ist für uns alle herausfordernd ...

IMPULS: Bedürfnisse sehen
Wenn wir erforschen wollen, was sich in unseren konkreten Spannungen im Team als anschlussfähig erweist, können wir damit experimentieren, Antworten zu formulieren, in denen sich die Haltungen ergänzen.

Was sind typische kritische Aussagen, mit denen wir konfrontiert sind? Welche typischen Antworten generiert unsere Psyche gewohnheitsmäßig? Welche Haltungen werden darin sichtbar und welche noch nicht?

+ STÄRKEN

Möglichkeiten und Erfolge aufzeigen

Mit dem Engagement von vielen Mitarbeitenden konnten wir schon einige unserer Ziele umsetzen ...

Wir nehmen auch viel Aufbruchstimmung unter den Beschäftigten wahr ...

Im Kundenservice hat sich viel verbessert und wir bekommen positives Feedback ...

Wir freuen uns über konkrete Vorschläge ...

+ VERSTEHEN

Eigenes Erleben und Gefühle einbringen

Mir geht es da ähnlich und ich kann die Belastung in manchen Teams gut nachvollziehen ...

Mir ist eine Verbesserung unseres gemeinsamen Führungsverständnisses auch wichtig und ich sehe uns auf einem gemeinsamen Lernweg, auf dem auch unsere Defizite sichtbar werden ...

Ich sehe auch, dass wir in manchen Bereichen noch keine optimalen Lösungen gefunden haben ...

+ RICHTUNG

Prozesshaftes Vorgehen erläutern

Temporär haben wir eine Doppelbelastung, weil wir die alten Systeme aufrecht erhalten und gleichzeitig neue schaffen ...

Wir sind am Anfang einer Lernreise, bei der viele Neuerungen uns belasten, die uns aber schon bald entlasten können ...

Das ist richtig und danke für den Hinweis. In unserem Veränderungsprozess gelingt es uns noch nicht, temporäre Belastungsspitzen zu vermeiden.
Darüber sollten wir konkret reden ...

Gleiche Botschaft – andere Haltung

Wir sprachen mit Führungskräften eines Logistikunternehmens über die Kommunikation, die über die Mitarbeiter-App organisiert wird. Eine häufige Herausforderung ist die Besetzung zusätzlicher Schichten an Samstagen. In der hybriden Kommunikationskultur ist die schriftliche Kommunikation besonders wichtig. Auch hier entscheidet unsere Haltung darüber, wie wir uns ausdrücken und was unsere Aufmerksamkeit erregt. Was in der digitalen Kommunikation an Gestik und Mimik fehlt, kann durch Fotos, Headlines und wertschätzende Ansprache teilweise kompensiert werden.

Leo Kindt (Freitag, 16:47)

@Heinz, @Karl, @Thomas, @Felix, wir müssen am Samstag noch eine Schicht machen. Seid pünktlich um 6:00 da.

Antonio Schicht (Freitag, 12:00)

Samstagsschicht

Samstags müssen wir eine zusätzliche Schicht machen, da die Arbeiten nicht wie vorgesehen fertig geworden sind. In Absprache mit dem Betriebsrat wird der Teamleiter die Betroffenen bestimmen und umgehend Mitteilung geben.

Kevin Kohle (Donnerstag, 22:47)

Noch 5 % fehlen > Samstagsschicht

Die Ziele sind noch nicht erreicht und am Samstag ist wieder eine Sonderschicht nötig. Es geht wie gehabt in der Reihenfolge der alphabetischen Vertretungsliste, sodass alle Kollegen wissen, wer dran ist. (Die Schichten können nach Absprache mit der Teamleitung untereinander getauscht werden.)

Amir Bester (Mittwoch, 10:00)

Kleine Challenge für Samstag

In unserem Jour fixe heute haben wir gesehen, dass wir am Samstag wieder eine Extraschicht brauchen, denn wir wollen unsere Kunden gerade jetzt nicht enttäuschen. Es gibt wieder Zulagen, und da die Teammitglieder, die sich auf der Vertretungsliste für diesen Tag eingetragen haben,noch nicht ausreichen, brauchen wir noch 2 Freiwillige. Bitte sprecht euch hier im Kanal bis heute Abend ab.

IMPULS: Unsere digitalen Kommunikation
Zu jeder guten Kommunikation gehören das Lächeln, der Small Talk, Zeichen der Wertschätzung und die Etablierung von Gemeinsamkeiten. Dies gilt auch für die digitale Kommunikation.

Wie kommuniziert ihr im Team digital miteinander und wie in den firmenweiten Kanälen?
Versucht, bei Beiträgen die sechs Haltungen spielerisch zu simulieren. Was fällt euch leicht?

Felix Freund (Mittwoch, 10:00)
Am Samstag brauchen wir Hilfe
Danke für die gute Unterstützung an den Samstagen im letzten Monat. Es hat mich gefreut, dass wir die schwierigen Umstände als Team gut gemeistert haben. Obwohl wir die Samstage freihalten wollten, ist es durch Krankheit dazu gekommen, dass wir diesen Samstag wieder den Einsatz von 4 Teammitgliedern brauchen. Es wäre gut, wenn das nicht immer die gleichen Personen sind, sondern ihr euch hier absprecht, damit es fair bleibt. Ich verstehe, dass das besonders für die Eltern eine Belastung ist. Je besser wir das im Team verteilen, desto eher bleibt es für die einzelnen Personen die Ausnahme. Finden sich bis heute Abend nicht 4 Personen, nehmen wir, wie abgesprochen, die Vertretungsliste.

Ken Sistemich (Dienstag 16:00)
Team löst schnell Ausnahmesituation für Samstag
Auch wenn es unser Anliegen ist, die Wochenenden arbeitsfrei zu halten, haben wir am Samstag leider eine Ausnahmesituation. Danke an das Team, dass das frühzeitig untereinander organisiert hat. Dank für den Einsatz von Anando, Karla und Chung, die besonders die Väter und Mütter entlastet haben – das ist nicht selbstverständlich.

3.4

Kognitiver Stil im Team

Was bedacht werden will: Das größte Hindernis für eine Transformation in der Kommunikation, wie z. B. die Einführung einer Kollaborationsplattform oder agiler Arbeitsmethoden, ist, dass wir in unserem Identitätsgefühl, unserem Ich-Bewusstsein und damit in unserer Gewohnheitshaltung irritiert werden. Wir wissen noch nicht, wer wir in den neuen Rollen sind, und versuchen daher, alles an unser altes Rollenverständnis anzupassen. Gerade Veränderungen in der Kommunikation oder in den Entscheidungsstrukturen sind ebenso wie Selbstbestimmung und Selbstführung Aspekte der vertikalen Teamentwicklung. Wir entfalten unseren kognitiven Stil im Team, indem wir von Allgemeinplätzen allmählich zu einem differenzierten Austausch kommen und auf diese Weise höhere Komplexität immer besser bewältigen können.

„Agilität ist kein Selbstzweck, sondern eine Antwort, um mit mehr Komplexität umzugehen.“

Pascal A. Miserez (* 1970)

Komplexität braucht Vertrauen

Die Einführung digitaler Kollaborationsplattformen wird häufig der internen Kommunikation übertragen. Die Strukturen und Denkweisen, in denen diese in der Vergangenheit gearbeitet hat, unterscheiden sich jedoch stark von dem, was eine hybride Unternehmenskultur erfordert.

In einem Medienunternehmen mit 250 Mitarbeitenden wurde Microsoft Teams eingeführt. Die Verantwortlichen für die interne Kommunikation reagierten bremsend mit dem Hinweis, man habe alle Hände voll zu tun und daher keine Zeit. Außerdem wollte man die Mitarbeitenden nicht überfordern und es langsam angehen lassen. Die Leiterin der internen Kommunikation wies darauf hin, dass es klare Richtlinien für die Kommunikation geben müsse und nicht jeder schreiben dürfe, was er wolle. Eine Zusammenarbeit mit anderen Abteilungen sei nicht notwendig, da man das schon immer alleine gemacht habe und schließlich dafür zuständig sei. Den internen Kommunikator*innen fiel es schwer, externe Expertise auf einem Gebiet zuzulassen, das sie als das ihre betrachteten. In ihren Augen kam dies einem Eingeständnis von Inkompetenz gleich. Wer klüger ist als wir, wird zunächst als Bedrohung wahrgenommen. Interne Spannungen und Überforderung waren die Folge und unter diesem Leidensdruck wurde schließlich die Zusammenarbeit mit Technik und externer Beratung akzeptiert. Im Laufe des Prozesses wurde deutlich, dass die Vielzahl und Unterschiedlichkeit der Aufgaben nicht von einer Abteilung allein bewältigt werden konnte. Erleichterung machte sich breit, als die Arbeitspakete für jede*n durch die Verteilung überschaubarer wurden, das „Wir" größer und das Gefühl, für alles verantwortlich zu sein, kleiner. Diese Führung der vielen, jede*r in Teilverantwortung, löste eine neue Dynamik aus. Das gegenseitige Vertrauen wuchs und der Wunsch nach Kontrolle ließ nach. Die Mitarbeitenden übernahmen das, was sie gut konnten, und Teilaufgaben wurden auch an weitere motivierte Kolleg*innen gegeben. Das parallele Arbeiten entlastete im Gegensatz zum linearen hierarchischen Arbeiten auch dadurch, dass die Abteilung Interne Kommunikation nicht im gewohnten Silodenken alles perfekt ausarbeiten musste, sondern die anderen Teams frühzeitig in die Gestaltung einbezogen wurden. So trugen Mitarbeiter*innen aus der gesamten Organisation zum Projekt bei, was die Akzeptanz erhöhte und eine schnellere Umsetzung als erwartet ermöglichte. Wichtige Akteur*innen wurden unabhängig von den formalen Strukturen identifiziert und konnten eigenständig aktiv werden. Die Abstimmung erfolgte agil in kleinen Teams anhand der definierten Teilaufgaben. Nichts reduziert Komplexität in der Kommunikation besser als Vertrauen.

Muster zur Komplexitätsbewältigung

Das Forscherpaar Gitta und Ralf Peyn bietet auf formwelt.net System- und Komplexitätsanalysen für gelingende Beratung, zeitgemäßes Organisationsdesign und steigende Geistesklarheit an. Die von ihren Überlegungen zum Umgang mit Komplexität inspirierten Darstellungen ordnen wir hier beispielhaft den Haltungen zu.

Selbstorientiert-Impulsiv

Stark vereinfachende Selbstbezogenheit, die sich oft an Allgemeinplätzen orientiert und bekannte, anekdotische verallgemeinernde Bezüge sucht („die Frauen“, „die Männer“ usw.)

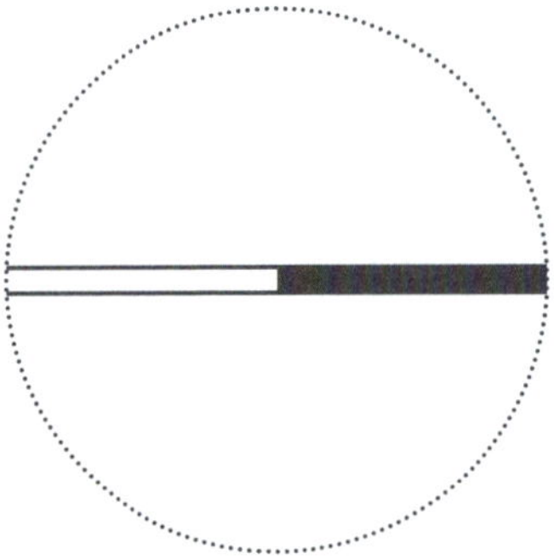

einfache Lösungen
Quick-Fix
niederkomplex

EINE DIMENSION, NIEDRIG DIFFERENZIERT

Gemeinschaftsbestimmt-Konformistisch

Differenziertheit innerhalb eines festen Rahmens, der nicht verlassen wird. Schriftauslegungen, Moralisieren und starke Bezüge auf vermeintliche Allgemeingültigkeiten, die sich auf die Perspektive der eigenen Gruppe beziehen.

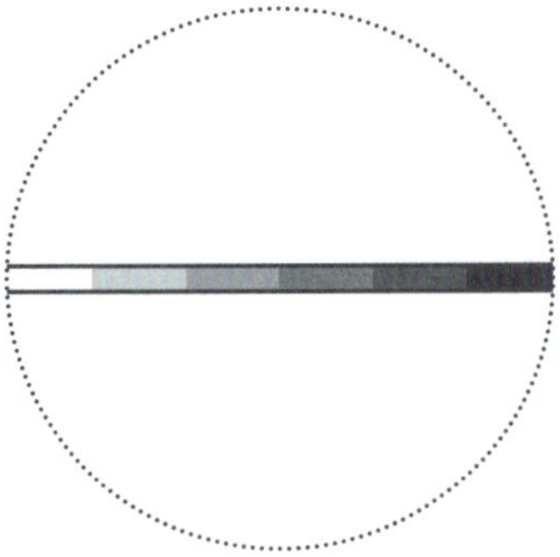

eindimensional
abwehrend
Unbekanntes vermeidend

INNERHALB EINER DIMENSION HOCH DIFFERENZIERT

Rationalistisch-Funktional

Gegenüberstellung von Gegenteilpaaren mit dem Hang zu Generalisierungen und Whataboutism. Es werden feste beweisbare Standpunkte gesucht und andere Perspektiven und Zwischentöne nur schwer akzeptiert.

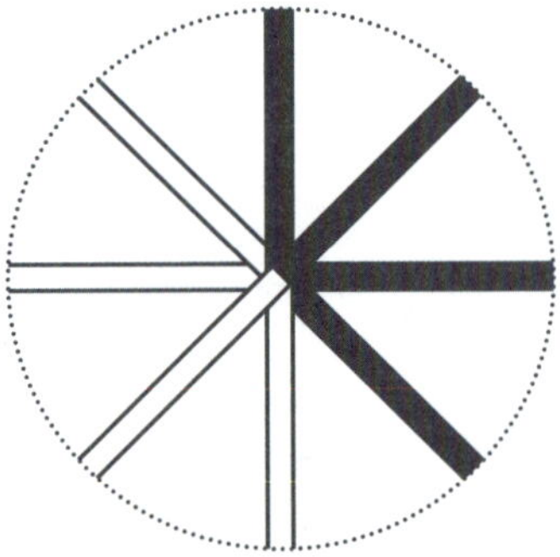

Ursache-Wirkung-Denken,
scheineffizient,
Whataboutism

MEHRERE DIMENSIONEN WENIG DIFFERENZIERT

IMPULS: Unser Umgang mit Komplexität
Herausforderungen und Problemstellungen werden sehr schnell komplex, wenn sie mehrere Menschen betreffen.

Als Team wählen wir ein wichtiges, spannungsreiches, relevantes und emotional komplexes Thema aus und notieren für jede der sechs Denkweisen, wie wir das Thema jeweils angehen könnten.

Eigenbestimmt-Souverän

Höhere Differenziertheit innerhalb von konventionellen Dimensionen. Gut im Optimieren und Einbinden von anderen Meinungen innerhalb der eigenen Denkvorstellungen. Den konventionellen Rahmen zu verlassen, fällt noch schwer.

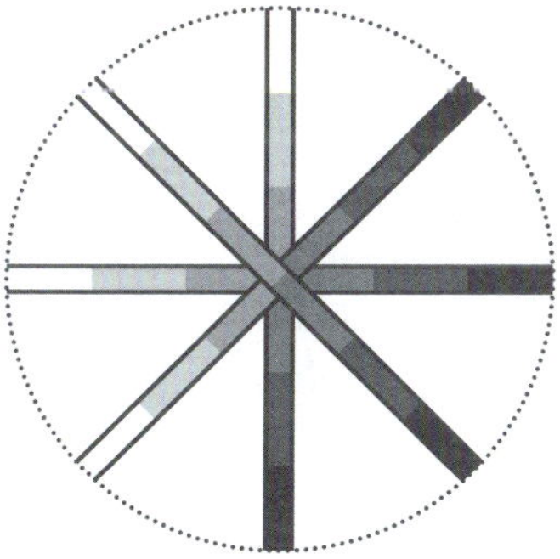

sieht neue Chancen
ignoriert Dimensionen
noch eher selbstbezogen

MEHRERE DIMENSIONEN HOCH DIFFERENZIERT

Relativierend-Individualistisch

Die Möglichkeit, Vielheit & Individualität zu erkennen und Gemeinsamkeiten zu finden. Zwischentöne hören und zulassen. Experimentierfreude, Beweglichkeit in der Perspektivverschiebung und Interesse am Unkonventionellen.

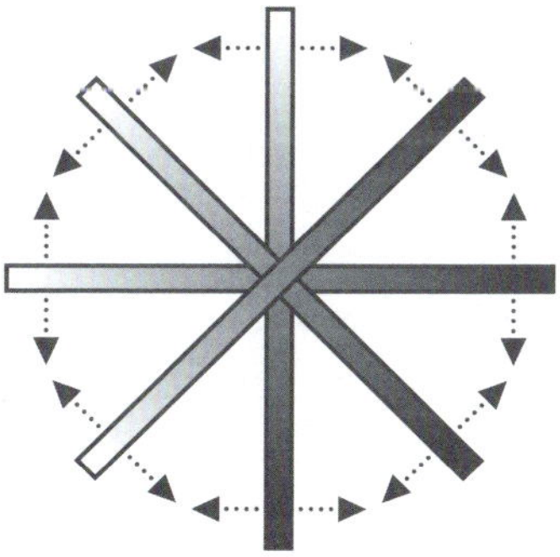

beweglich
empirisch
emergenzorientiert

VIELE DIMENSIONEN SEHR HOCH DIFFERENZIERT POSTKONVENTIONELL

Systemisch-Autonom

Komplett andere Perspektiven systemisch inkludieren können. Kontexte und Verbindungen wahrnehmen. Prozesshaftes Erleben und eher iteratives als lineares Vorgehen. Aufheben scheinbarer Gegensätze und Finden neuer Verbindungen.

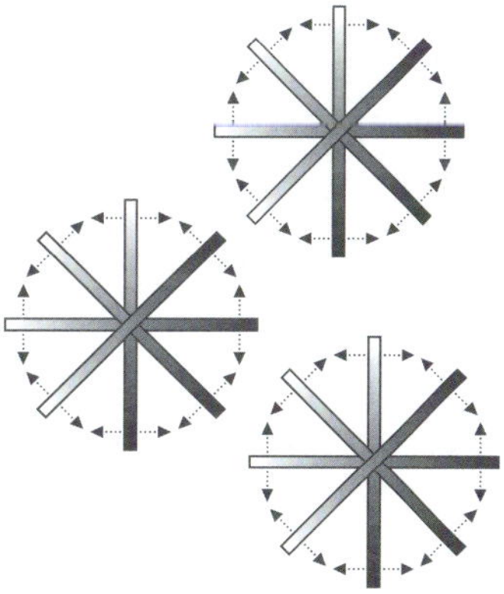

Integration aller Haltungen
transformativ
multiperspektivisch

VIELE DIMENSIONEN MEHRERE SYSTEME SEHR HOCH DIFFERENZIERT POSTKONVENTIONELL

Agilität & Digitalisierung

In manchen Unternehmen droht der Agilität ein ähnliches Schicksal wie vor einigen Jahren dem Design Thinking. Im Glauben, es handle sich um eine Methode, werden Mitarbeitende in postkonventionellen Denkweisen geschult. Das Korsett der Organisation mit ihren Berichtsstrukturen, ERP-Systemen und Machthierarchien bleibt unangetastet. So wie es damals hieß: „Hier ist Design Thinking, ich komme in zwei Monaten wieder und dann messen wir, ob ihr innovativer geworden seid", heißt es jetzt: „Wir stellen ab 1.6. auf agil um und dann geht hoffentlich alles ein bisschen schneller. Ihr wisst ja, die Digitalisierung macht keine Pause."

Was vor allem fehlt, ist eine positive Referenzerfahrung von Agilität, eine Erfahrung, die dem Team eine Vision der gewünschten Zukunft vermittelt, an der sie gemeinsam arbeiten. Die Herzen können sich nicht verbinden, wenn das Ziel diffus ist oder von einem Gefühl des Mangels getrieben wird. In diesem Raum der Ungewissheit entstehen haltungsspezifisch gefilterte Versionen dessen, was diese angestrebte Agilität nun sein soll, mit entsprechenden Widerständen und typischen Vorbehalten. Daraus resultiert ein Agilitätszynismus, bei dem wir uns unter Führungskräften erzählen, dass es mal wieder mit dieser Art von Mitarbeitenden nicht geklappt hat und von der Seite der Belegschaft, dass die Führung den ganzen Ansatz nicht verstanden und deswegen alles behindert hat.

Eine große Krankenkasse stellte Agile Coaches ein, um in einigen Abteilungen agile Prozesse einzuführen. Alles lief gut an und nach und nach wurden neue Kommunikationsformen wie Check-ins, Daily Stand-ups und Retrospektiven eingeführt, ohne die Teams direkt zu überfordern. Dem Vorstand war bewusst, dass man sich in einer sehr traditionellen Branche befand, die durch die Digitalisierung einem starken Veränderungsdruck ausgesetzt war und dass es Zeit brauchen würde, alte Verhaltensweisen zu verlernen.
Dann kam ein neuer Vorstand, der zunächst alles auf den Prüfstand stellte und den Sinn und Zweck von Agile Coaches überhaupt nicht verstand. Seiner Meinung nach machten diese Leute keine „richtige" Arbeit und hielten zudem die anderen mit neumodischem Kram von ihrer Arbeit ab. Die Agile Coaches wurden daher aufgefordert, ihre Wirtschaftlichkeit und ihre Wirkung in messbaren Größen zu reporten.
Das Team der Agile Coaches ließ sich nicht auf diese Deutungsebene in der Bewertung seiner Arbeit ein, sondern erklärte, dass die neuen Kommunikationsformen der Agilität es einem Team ermöglichen, besser mit der Komplexität in der Transformation umzugehen. Eine Vielzahl von Beispielen ermutigte dann auch den neuen Vorstand, den Prozess fortzuführen.

Agilität nutzt eine neue Sprache

Agile Prozesse wie zum Beispiel Scrum verändern die Art, wie wir miteinander reden und damit, was in unserer Kommunikation sichtbar wird. Entscheidungen werden auf anderen Wegen getroffen und mit Macht wird anders umgegangen. Ganz bewusst haben die Austauschformate in Scrum andere Namen bekommen. Es gibt Rituale und Zeremonien wie das Daily Stand-up, Sprint Planning, Sprint Review oder Retrospektiven. Die Dokumentationswerkzeuge heißen Artefakte und die Rollen haben Namen wie Scrum Master oder Product Owner. Projekte werden in Storys aufgeteilt, die wiederum in kleinere Aufgaben unterteilt werden, bis hin zu einem konkreten Ticket. Die Aufgabe von Führung ist Spannungsmanagement und Agilität ist ein Weg, Spannungen mit Dialogformaten gut zu versorgen.

Wir übersetzen Agilität in alte Logiken

Zu Beginn tendieren die meisten Teams dazu, agile Methoden in der gewohnten Haltung zu leben. Dailys werden als Meetings wahrgenommen, in denen vor allem eine Person spricht. Unerwartete Ergebnisse werden immer noch als Fehler angesehen und Fragen werden in den Dailys lieber nicht angesprochen. Retrospektiven werden ausgelassen und das Planning wird von der Teamleitung alleine gemacht, die dann den Mitarbeitenden ihre Aufgaben mitteilt. Storys erscheinen zu kompliziert und Akzeptanzkriterien sind überflüssig, weil klar ist, wann was fertig ist. Dazu kommen Vorgesetzte und Kunden mit Aufgaben, die ad hoc priorisiert werden müssen und damit Priorisierungsschieflagen erzeugen. In dieser Gemengelage reiben wir uns zwischen Verfahrensfragen und Effizienzerwartungen auf.

Agilität hat Platz für alle Haltungen

Zu den Aufgaben eines Agile Coaches gehört es, für möglichst viele positive Referenzerfahrungen zu sorgen, das heißt, das neue Verhalten in einer erweiterten Haltung in den Teams erlebbar zu machen. In vielen Projekten werden wir hinzugezogen, um die Dynamiken durch die ergänzende Perspektive der Haltungen verständlicher zu machen. Das Modell macht sichtbar, aus welcher Haltung heraus welche Vorbehalte entstehen und welche Rolle welche Haltung erfordert. Damit organisationale Agilität wirksam werden kann, braucht es eine Unternehmensführung, deren Haltungsschwerpunkt im postkonventionellen Bereich liegt. Diese ist in der Lage, für die notwendigen Rahmenbedingungen zu sorgen, geht mit gutem Beispiel voran und schafft damit Orientierung und Vertrauen. Agilität als Framework bietet Raum für jede Gewohnheitshaltung. Das befreit uns von der Vorstellung, dass sich alle Mitarbeitenden in die Haltung X entwickeln müssen. Wir können flexible Kontexte wie agile Führung so gestalten, dass einerseits jede Haltung „richtig" ist und andererseits Raum für jede Erweiterung der eigenen Haltung ist.

Agilität skalierbar machen

Mit zunehmender Größe einer Organisation stellt sich die Frage, wie Agilität skalierbar wird und welches Führungsverhalten dafür erforderlich ist. Aus der postkonventionell-agilen Perspektive kann eine Organisation als ein gewissermaßen sehr großes WIR gesehen werden, das aus einer Vielzahl kleinerer WIR besteht, die wiederum aus WIRs oder Individuen bestehen. Diese fraktalen Strukturen bilden durch ihr selbstkoordiniertes Streben nach einem gemeinsamen Zweck und der Schaffung von Werten, die mit ihren Stakeholdern vereinbart sind, eine Organisation, die als Ganzes mit einer eigenen Identität verstanden werden kann.

Pascal A. Miserez, Experte für Agilität in großen Organisationen, mit dem ich regelmäßig Seminare in Zürich durchführe, macht dazu folgende Beobachtungen: „Gemäß den Erkenntnissen des britischen Psychologen Robin Dunbar (* 1947), liegt die maximale Gruppengröße bei Menschen bei 150. Erreicht oder überschreitet ein Wir-Kreis diese kritische Größe, wird eine Aufteilung in kleinere Wir-Kreise notwendig. In postkonventionellen Haltungen verstehen sich die vielen Wir-Kreise einer Organisation als ein gemeinsames Ganzes und legen den Fokus auf die agile Interaktion. Die Organisation widersteht der Versuchung, in tayloristischer Manier lokale Optima für einzelne Wir-Kreise (früher Bereiche, Abteilungen etc.) anzustreben, und gewichtet im Zweifelsfall die nachhaltige Zufriedenheit der Anspruchsgruppen – also ihre Effektivität – höher als die punktuelle Verbesserung der Ressourceneffizienz in einzelnen Bereichen.

Das große WIR ist wichtiger als die kleinen WIRs

Die dem klassischen Lean Management entlehnten Prinzipien des Wertstrommanagements sorgen für eine Unterordnung der Partikularinteressen der beitragenden Wir-Kreise zugunsten der Erfüllung der Bedürfnisse der jeweiligen Anspruchsgruppen. Ein im postkonventionellen Handlungsraum agierendes Führungsteam bringt durch seine systemische Perspektive konkurrierende Ansprüche verschiedener Anspruchsgruppen und Märkte leichter in Einklang und kann Zielkonflikte weitsichtiger lösen. Der Fokus auf Partikularinteressen früherer Haltungen wird hier bereits erweitert. Eine postkonventionelle Haltung des Top-Managements eröffnet der Organisation neue Denk-, Gestaltungs- und Handlungsräume, um mit Dilemmata und Paradoxien besser umgehen und neue Lösungswege explorativ beschreiten zu können. In der Praxis ist immer wieder zu beobachten, dass Führungsteams diese mit postkonventionellen Haltungen einhergehenden Raumerweiterungen geschickt nutzen, um Erwartungen oder Ansprüche zu bedienen, die aus früheren Haltungen resultieren und deren Existenz sie kaum beeinflussen können.

Das Neue schaffen und gleichzeitig das Alte bedienen

Dazu gehören z. B. regulatorische oder gesetzliche Vorgaben, Governance-Standards und -Prozesse, klassische Leistungs- und Vergütungspraktiken und vieles mehr, was im Widerspruch zu Agilität zu stehen scheint. Die Vorbildwirkung eines wirklich postkonventionell-agilen Top-Management-Teams ist für den nachhaltig wirksamen Wandel einer Organisation nicht zu unterschätzen: Zum einen verkörpert das Handeln der Führung nach der eigenen Maxime nicht nur Glaubwürdigkeit („Wir wollen das"), sondern ermutigt und bestätigt auch die mit Führungsaufgaben betrauten Personen in der gesamten Organisation, es selbst zu versuchen („Wir vertrauen einander – ihr könnt das auch"). Dies schafft in der Organisation den notwendigen Raum, Haltung und Verhalten schrittweise zu entwickeln („Wir dürfen") und unerwartete Ergebnisse als Erkenntnisgewinn und nicht als Fehler zu sehen („Wir lernen im Gehen").

Mitarbeitende brauchen kein agiles Mindset – die Führung schon

Das, was Pascal beschreibt, ist eines der Grunddilemmata in vielen Organisationen. Wenn Agilität als Methode gesehen wird und sich auf eine effektivere Ausführung beschränken soll, gerät sie innerhalb und außerhalb der Organisation in den Interaktionen mit den Denkstilen der früheren Haltungen in zu viele Spannungen und kommt nicht in Wirkung. Sie wird dann als Verschlechterung gesehen und das führt zu manchen Abgesängen.

Kognitive Stile aus den früheren Haltungen erleben die kommunikativen Stile und Entscheidungskulturen der späteren Haltungen als Systembedrohung. Dinge scheinen ihre Ordnung zu verlieren, alles wird komplizierter und verwirrt. Bin ich in einer selbstorientiert-impulsiven Haltung, will ich von Regeln nichts wissen. In der gemeinschaftsbestimmt-konformistischen Haltung lehne ich Demokratie und Debatten ab. In der rationalistisch-funktionalen Haltung hat man sich an die Prozesse zu halten und muss nichts Eigenes beitragen, und die eigenbestimmt-souveräne Haltung will keine Gefühlsduselei hören, sondern sich auf Chancen und Leistung fokussieren.

Systemische Agilität erfordert nicht, dass die Mitarbeitenden sich ändern, sondern sieht die Notwendigkeit zur Entwicklung primär bei der Führung, damit diese fähig wird, alle kognitiven Stile, auch die der früheren Haltungen, kommunikativ einzubinden, und in der Lage ist, sich selbst entsprechend zu reflektieren.

Agilität und Haltung

In agilen Prozessen können wir die primär wahrgenommenen Aspekte und Bedürfnisse jeder Haltung aufnehmen und in unterschiedlichen Rollen in das Team einbringen. Gleichzeitig können die Teammitglieder in diesem offenen Rahmen reifen. Wer sich anfangs im Team nur auf seine Aufgaben konzentriert hat, kann später die Ziele mitgestalten oder sich den konkreten Kundenbedürfnissen im Projekt widmen.

Selbstorientiert-Impulsiv

Aspekte der Haltung

- Bedrohung für die vertraute Zone
- Angst vor Überforderung und zu viel Transparenz
- Unsicherheit gegenüber Neuerungen

Einbindung ins Team

- Buddy an die Seite stellen
- enge, wohlwollende Begleitung

Enge Führung

AVOIDING AGILE

Gemeinschaftsbestimmt-Konformistisch

Aspekte der Haltung

- Braucht klare Regeln und will keine Fehler machen
- Transparente Kommunikation, insbesondere über Fehler, fällt schwer.
- Agilität verunsichert, da feste Strukturen und Abläufe bevorzugt werden.

Einbindung ins Team

- Klare, strukturierte Aufgaben
- Schnelles tägliches Feedback
- Zugehörigkeitsgefühl stärken
- Aufgaben geben, die tagfertig umgesetzt werden können

Aufgaben und Tickets

OBEYING AGILE

Rationalistisch-Funktional

Aspekte der Haltung

- Versteht Agilität stark auf der Methodenebene
- Will mit Effizienzdenken Kommunikationen verkürzen
- Hat Probleme mit Kompetenzdifferenzen
- Will Aufgaben abarbeiten

Einbindung ins Team

- Störungsfreie Arbeit ermöglichen
- Fachlichen Austausch bieten
- Kann als Expert*in das Team weiterbilden
- Klare, messbare Ziele

Ziele, Zahlen, Strukturen

TALKING AGILE

IMPULS: Jeder Haltung einen Platz geben

Während herkömmliches Projektmanagement an strikte Abläufe und klare Entscheidungshierarchien gebunden ist, sind diese in agilen Prozessen flüssiger und lebendiger. Jedes Teammitglied kann die Rolle einnehmen, die seinem Entwicklungsstand entspricht.

Welche aktuellen Spannungen gibt es in euren (agilen) Teams, die durch die Perspektive der Haltungen besser verstanden werden können?

Eigenbestimmt-Souverän

Aspekte der Haltung

- Genervt von Minderleistern
- Will nicht in der Masse untergehen
- Schätzt die Fortbildung im Team
- Alle können besser werden.
- Mehr Effektivität
- Weiterkommen wollen

Einbindung ins Team

- Kann das Team motivieren
- Sieht Möglichkeiten der Einbindung anderer
- Gute*r Kommunikator*in und Multiplikator*in
- Gestaltungsräume über flexible Ziele

Flexible Ziele, Austausch

DOING AGILE

Relativierend-Individualistisch

Aspekte der Haltung

- Kommunikation über schwierige Themen ist möglich
- Mehr Transparenz und Austausch
- Positive Fehler- und Experimentierkultur
- Denkweisen hinterfragen
- Hohe Reflexionsfähigkeit

Einbindung ins Team

- Gute Haltung für die Rolle als Scrum Master, der Kommunikation organisiert
- Schafft Verbindungen
- Gestaltung von Retrospektiven mit vielen Perspektiven

Retrospektiven

THINKING AGILE

Systemisch-Autonom

Aspekte der Haltung

- Verständnis für neue Kulturpraxis, die Zeit und Unterstützung braucht
- Teams finden ihren Weg.
- Agilität als realitätsnahe Projektsteuerung
- Macht neu verteilen
- Denkweisen transformieren

Einbindung ins Team

- Kommunikation in Selbstorganisation überführen
- Kann Transformation gestalten und temporäre Widersprüche halten
- Prozesshafte Herangehensweisen

Rahmen bieten

BEING AGILE

4. Alle

Organisations-Entwicklung

In seinem Wunsch nach individueller Autonomie steht das ICH in ständiger Spannung zum Wunsch nach Verbundenheit im WIR. Diese Spannung kann durch den Bezug auf die kollektive Ebene, auf ALLE, reduziert werden. Je mehr die Beteiligten ihre Werte und Begeisterung teilen und je mehr Sinnempfinden für eine gemeinsame Entwicklungsrichtung entsteht, desto versöhnlicher kann die Ebene ALLE auf die Spannungen zwischen ICH und WIR wirken.

„Intelligenz ist die Fähigkeit, den Raum des Nichtwissens nicht mit Vorurteilen zu füllen, sondern mit Neugier."

Maren Urner (* 1984)

Vorannahmen neu erwägen

Auf dem Weg zu einem stärkeren gemeinsamen emotionalen Bezug auf ALLE begegnen uns viele Vorannahmen und Überzeugungen. Wir können sie in Geschichten erkennen, wenn wir Sätze hören wie „Das ist historisch so gewachsen ...“, „Das ist noch aus der Zeit vor ...“, „Das haben wir schon immer so gemacht ...“, „Das hat die Führung so entschieden ...“ oder „Das können wir nicht ändern, weil ...“.

> In einer Datenbank wurden die für alle Mitarbeitenden relevanten Daten verwaltet. Diese Daten waren jedoch meist nicht aktuell, da jede Änderung von der Personalabteilung bestätigt werden musste, ein Abgleich mit der Stellenbeschreibung erfolgen musste, um dann nach einer Prüfung von der internen Kommunikation eingepflegt und von der IT-Abteilung ausgespielt zu werden. Diese Mini-Aufgaben wurden von allen konsequent nach unten priorisiert. Damit zog sich ein solcher Prozess über Monate hin und war für alle ein ständiges Ärgernis. Kommunikation und Abstimmung nahmen ein Vielfaches der Zeitressourcen in Anspruch, die eigentlich notwendig gewesen wären. Das System war dysfunktional, weil insbesondere die Daten von neuen Mitarbeitenden nicht auffindbar waren. Trotzdem waren alle davon überzeugt, dass es nicht anders ginge, weil der Dienstweg eingehalten werden müsse.
> Erst als jemand auf die Idee kam, den Teams zu vertrauen, die Daten von den Teams selbst einpflegen zu lassen und auf möglicherweise kritische Informationen zu verzichten, wendete sich das Blatt. Trotz so manchen Aufschreis „Das geht nicht, weil ...“ – hat es funktioniert. Die interne Kommunikation sowie die Personal- und die IT-Abteilung wurden entlastet. Nach zwei Wochen hatten alle Mitarbeitenden aktuelle und gepflegte Kontaktdaten.

Neues kann nur entstehen, wenn wir uns von alten Vorstellungen lösen. Dabei ist es wichtig, dass wir das Erreichte anerkennen und wertschätzen können, denn jede Erweiterung einer Haltung setzt die Integration der Bedürfnisse der bisherigen Haltungen voraus. Es geht darum, die bisherige Haltung vollständig zu erleben und in ihrer Begrenztheit zu erkennen. Dieser Wachstumsprozess ist manchmal durch das Festhalten an alten Logiken gekennzeichnet, obwohl deren Dysfunktionalität längst erkannt wurde. Wir können Glaubenssätze und Vorannahmen nicht einfach löschen – unser Gehirn braucht Ersatz. Alte Überzeugungen müssen daher aktiv umgedeutet und in einen verständlichen, erlebbaren, erweiterten Sinnzusammenhang gestellt werden. Jede Transformation in einer Organisation besteht aus vielen Mini-Transformationen von Kommunikations- und Entscheidungswegen. Besonders wichtig für das interne Storytelling sind Vorher-nacher-Beispiele, die die angestrebte Transformation veranschaulichen.

Organisationsführung und Haltung

Die Gewohnheitshaltung der Führung sollte zum angestrebten nächsten Erweiterungsschritt passen. Es braucht die passende Kombination, weil sonst die Logiken von Führungsverständnis und gewünschter Organisationsentwicklung immer wieder in Konkurrenz geraten.

In einer auf die Besetzung von Top-Positionen spezialisierten Personalberatung haben wir das Haltungsmodell eingeführt. Ziel war es, ein besseres Matching zu erreichen und im Idealfall Top-Manager*innen mit postkonventionellen Haltungen in Führungspositionen zu bringen. Das Modell machte einige kritische Punkte sichtbar. Zum einen zeigte sich, dass die Fragen im Auswahlprozess noch stark an konventionellen Mustern ausgerichtet waren und sich eher am „Schneller, höher, weiter" der eigenbestimmt-souveränen Haltung orientierten.
Als psychologisch geschulte Personen waren die Recruiter*innen zwar selbst mit den späteren Haltungen vertraut, fühlten sich aber dennoch verpflichtet, bestimmte branchenübliche Denk- und Handlungsweisen zu bedienen. Aus einem unbewussten Anpassungsdruck heraus blieben sie im Rahmen der Konventionen und spielten ein Spiel mit, das sie eigentlich nicht spielen wollten, weil sie glaubten, dass es von ihnen erwartet wurde. Ein weiterer Aspekt war, dass sich viele der offenen Stellen in Familienbetrieben und an weniger attraktiven Standorten befanden. Es zeigte sich, dass die Kultur dieser Unternehmen noch eher gemeinschaftlich-konformistisch geprägt war und eine rationalistisch-funktionale Kultur erst noch etabliert werden musste. Ein postkonventionelles Management in einer relativiert-individualistischen Haltung wäre hier eine Fehlbesetzung. Die völlig unterschiedlichen Kommunikationsgewohnheiten hätten zu ständigen Missverständnissen geführt. In solchen Unternehmen wurden Manager*innen gesucht, die „aufräumen und Struktur in das historisch Gewachsene bringen". Es wurde deutlich, dass es nicht „die eine richtige Haltung" im Management gibt, sondern dass es um die Passung zum nächsten möglichen Entwicklungsschritt geht. Theoretisch können Manager*innen, die in den späteren Haltungen unterwegs sind, auch mit den Logiken der frühen Haltungen umgehen. Sie werden diese Aufgaben jedoch selten als langfristig erfüllend erleben. Aus diesen Erkenntnissen heraus veränderten die Recruiter*innen ihr Vorgehen: Ihnen war nun klar, warum Manager*innen, die sie persönlich als besonders geeignet und reif empfanden, von Auftraggeber*innen in den früheren Haltungen oft abgelehnt worden waren. Für Positionen, für die die späteren Haltungen geeigneter schienen, erprobten sie daher neue Fragen und Auswahlverfahren. In Kenntnis des Modells konnten sie nun bessere Matches für Unternehmen und Kandidat*innen finden.

ORGANISATIONS-ENTWICKLUNGS-ERMÖGLICHER

1. Offenheit

Innerhalb der Organisation braucht es Offenheit für Neues. Entscheidend ist, in welchen Beispielen wir über Entwicklung sprechen und welche Narrative über Veränderung existieren. „Können" wirkt anders als „müssen".

2. Kapazitäten

Neues braucht Zeit und weitere Ressourcen und damit die explizite Erlaubnis der Organisation, verbunden mit der Reflexion darüber, welche organisationalen Muster die angestrebte Entwicklung hemmen und deshalb aufgegeben werden dürfen.

3. Möglichkeitsräume

Neue Meetingformate erproben, Anwendungsmöglichkeiten erkunden und Gelegenheiten für erweiterte Kommunikation schaffen: Es braucht Experimentierräume, in denen wir Vielfalt zulassen können.

4. Vorleben

Wenn neues Denken und verändertes Verhalten in der Führung sichtbar wird und als Entwicklungsthema gelebt wird, wirkt dies richtungsweisend für die Mitarbeitenden und kann als Priorität erkannt werden.

5. Unterstützung

Graswurzelbewegungen und Pilotgruppen können aktiv unterstützt werden, ohne zeitgleich mit alten Bewertungskategorien abgewertet zu werden. Entwicklungspionier*innen organisieren sich optimalerweise abteilungsübergreifend.

6. Bewegungen

Die Transformation einer Organisation zielt nicht primär darauf ab, Probleme innerhalb bestehender Strukturen zu lösen, sondern Dynamiken in Gang zu setzen, die die Möglichkeiten des Systems erweitern. Dadurch verändert sich die Wahrnehmung von Spannungen und neue Lösungsmöglichkeiten werden sichtbar.

7. Machtstrukturen

Wenn wir wirkmächtige Mitarbeitende wollen, brauchen wir den Blick auf Macht- und Zumutungsstrukturen. Dabei zeigt sich, ob wir gemeinsam mit unseren Talenten und Stärken neu wirksam werden wollen oder ob wir eher daran interessiert sind, dass Mitarbeitende besser funktionieren.

	Innensicht/subjektiv	Außensicht/objektiv
individuell	**PERSÖNLICHKEIT** **VORANNAHME** **Menschen ändern sich von innen heraus selbst.** **Treiber für Entwicklung** • Haltungserweiterung • Individuelle Bildung • Neue persönliche Werte • Erweiterung mentaler Modelle • Umformulieren von Glaubenssätzen • Entwicklung persönlicher Handlungskompetenzen • Neue Sinngebungen • Persönliche Krisen • Spirituelle Erfahrungen	**VERHALTEN** **VORANNAHME** **Menschen müssen von außen beeinflusst werden.** **Treiber für Entwicklung** • Rationale Argumente • Einführen von neuen Methoden • Schulungen, Training, Bildung • Verbreitung von Informationen durch Medien • Anwendung neuer Technologien • Anreizsysteme • Sanktionen • Vorbilder
kollektiv	**KULTUR** **VORANNAHME** **Menschen ändern sich durch die Erweiterung kollektiver Denk- und Handlungsmuster und den Dialog darüber.** **Treiber für Entwicklung** • Gemeinsame Reflexion • Veränderung von organisationalen Mustern • Förderung von Partizipation • Neue kommunikative Schnittstellen • Besprechbarkeiten erhöhen • Entwicklung und Fokussierung auf kollektive Werte • Multiperspektivität fördern	**STRUKTUREN** **VORANNAHME** **Menschen, ihr Verhalten und ihre Bewusstheit werden durch äußere Strukturen und Prozesse beeinflusst.** **Treiber für Entwicklung** • Restrukturierung der Organisation • Regelsysteme reformieren • Bildung von Gremien/Organisationen/Institutionen • Neue Vorschriften/Gesetze • Änderung der Machtstrukturen • Umverteilung von Ressourcen • Andere Entscheidungsprozesse • Diversität erhöhen

Der integrale Blick auf Vorannahmen

Im Vier-Quadranten-Modell von Ken Wilber (* 1949) aus dem Integralen Ansatz sehen wir, welche Voraussetzungen für Entwicklung bestehen können. Aus der Ich-Perspektive sind es Persönlichkeit und Verhalten, aus der Wir-Perspektive Kultur und Strukturen. Manche fokussieren auf die subjektiven Ursachen, andere auf die objektiven Ursachen oder nehmen eher die individuelle oder die kollektive Perspektive ein. In der nebenstehenden Übersicht sind – angeregt durch einen Artikel von Petra Künkel, Nahide Pooya und Maria Gros in der Zeitschrift OrganisationsEntwicklung 4/2012 – die jeweils vermuteten Treiber hinter den vier Vorannahmen ergänzt.

Eine Anregung für Teams besteht darin, die Quadranten auf dem Boden zu markieren, sodass sich jede Person in das Feld mit der Vorannahme stellen kann, der sie am ehesten zustimmen würde. Dann nennt jede Person ihre Argumente, warum diese Sichtweise besonders wichtig ist. Alle vier Vorannahmen sind wahr und haben ihre Berechtigung.

Der individuelle Blick ist geprägt von unserer Persönlichkeit, unserer Haltung und unserem inneren Erleben. Entwicklung kann erleichtert werden, wenn sich unsere Filter verändern und wir eine andere Brille aufsetzen. Die äußere individuelle Dimension offenbart, inwieweit wir die Kompetenz und das Wissen haben, um unser Haltungspotenzial zu leben. Kleine Verhaltensänderungen scheinen leichter zu sein als innere Veränderungen, weil sie für uns sichtbarer und kontrollierbarer sind.

Die Systemiker*innen setzen am liebsten bei den Strukturen an. Raum zu geben, damit erweiterte Haltungen sichtbar werden, kann der größte Hebel sein. Strukturveränderungen können aber auch ins Leere laufen, wenn keine inneren Veränderungen stattfinden.

Die Kultur ist schwer direkt zu beeinflussen, da sie die Summe unserer Kommunikation, Beziehungen, Rituale, Umgangsformen und Überzeugungen umfasst und von den anderen Quadranten beeinflusst wird. Daher sind Veränderungen in allen vier Bereichen notwendig, um Entwicklung erfolgreich zu gestalten.

> Eine Organisation wollte ihre Mitarbeitenden zu innovativeren Verhaltensweisen anregen und schulte sie in Design Thinking. Die Führungskräfte nahmen nicht teil, weil sie für sich andere Prioritäten setzten. Strukturell blieb alles auf die individuelle Erledigung von Einzelaufgaben ausgerichtet und es gab keinen Raum für die Anwendung der neuen Methoden. Die Folge waren ein vergrößerter Frust bei den Mitarbeitenden und die Schlussfolgerung der Führung, dass diese Schulung nichts gebracht hatte.

4.1

Organisations-Charakter

Die Umgangsformen und die Art der Arbeitsorganisation sind Merkmale, die den Charakter einer Organisation mitprägen. Dies zeigt sich in der Art und Weise, wie kommuniziert wird, und meist bekommen wir schon nach kurzer Zeit ein Gefühl dafür, „wie die hier ticken". Im Spiegel der Haltungen lässt sich der Umgang mit Wahrhaftigkeit und Tabus verstehen. Wir erkennen, wie sich Schauseite und wahrhaftige Seite unterscheiden können. In dem Umgang mit Regeln und deren Umgehung offenbaren sich ebenfalls Charaktermerkmale der Organisation: was wir vorgeben zu tun und was wir dann wirklich tun.

„Was ich zu kultivieren versuche, ist nicht blinder Optimismus, sondern radikale Hoffnung."

Junot Diaz (* 1968)

Vom Patriarchat zur Kokreation

Der Charakter einer Organisation zeigt sich meist schon beim ersten Kontakt. Diese prägenden Erfahrungen lassen sich mithilfe des Haltungsmodells besser einordnen. Die spezifischen Eigenheiten bilden ein Konglomerat von Verhaltens- und Denkweisen, die für eine Haltung typisch sind. Der nächste Schritt auf dem Weg zu einer reiferen Organisation hängt davon ab, wo die Organisation jetzt steht. Auch Organisationen können Entwicklungsstufen nicht überspringen und die kollektive Gewohnheitshaltung bestimmt mit, was überhaupt als möglich und erstrebenswert angesehen wird.

Bei einer großen Immobilienverwaltung durften wir uns beim Inhaber vorstellen, der das Unternehmen in vierter Generation führt. Während ich sprach, schien mir mein Gegenüber nicht wirklich anwesend zu sein. Plötzlich unterbrach er mich mitten im Satz, um etwas für mich völlig Zusammenhangloses zu sagen. Zuerst dachte ich, er sei müde, bis ich bemerkte, dass er auf der mir abgewandten Seite einen Knopf im Ohr hatte und – während ich uns vorstellte – ein Telefongespräch führte. Unser Gespräch endete damit, dass wir ein Konzept entwerfen sollten, das wir dann mit seinem Team besprachen und umsetzten. Beim nächsten Treffen erfuhren wir, dass er es sich anders überlegt und jemand anderen beauftragt hatte. Das Team schwieg peinlich berührt, aber das störte ihn nicht – er wollte die bereits beauftragten Leistungen auch nicht bezahlen.
Eine andere erste Begegnung hatte ich bei einem großen Automobilhersteller, wo ich ein Konzept für einen Innovationsworkshop vorstellen sollte. Ich wurde zunächst auf dem Flur geparkt, mit Verspätung hereingelassen und bekam einen festen Zeitrahmen für meinen Vortrag. Alle Männer trugen weiße Hemden, blickten ernst und waren aufsteigend nach Gehaltsklasse aufgereiht. Das Konzept kam gut an, wurde später von einer nicht anwesenden ranghöheren Person wieder verworfen, musste erneut erstellt werden, um dann mit dem Einkauf nachverhandelt zu werden. Die Workshops waren für die Mitarbeitenden inspirierend und zugleich frustrierend, weil die engagiert generierten Ideen nicht weiterverfolgt wurden.
Ganz anders erlebte ich den ersten Kontakt bei einem großen Automobilzulieferer. Ich war zum Mittagessen eingeladen, um gemeinsam mit dem Transformationsteam über Möglichkeiten der Haltungserweiterung in dieser Organisation zu diskutieren. Wir saßen zunächst informell beim Essen zusammen, um dann in eine Diskussionsrunde zu gehen, in der jede*r von sich und aus der persönlichen Perspektive auf die Entwicklungsthemen im Unternehmen sprach. Diese Überlegungen wurden im Anschluss mit zwei Vertrauenspersonen kokreativ weitergeführt. Daraus entwickelte sich eine mehrjährige Zusammenarbeit.

Entwicklung erlaubt mehr Wahrhaftigkeit

Während ich dieses Kapitel schrieb, wurde ich vom Radical Honesty Trainer Bernhard Reingruber zu einem Podcast zum Thema „Braucht Entwicklung Ehrlichkeit?“ eingeladen. „Natürlich“, war mein erster Reflex. Aber zu welcher Art von Ehrlichkeit sind wir in welcher Haltung fähig? Meist gehen wir davon aus, dass wir ehrlich sind, wenn wir Aussagen machen, die mit den Tatsachen einer objektiven Welt übereinstimmen. Aber was wir als „Tatsachen“ wahrnehmen und was nur Meinungen sind, die sich in uns festgesetzt haben, ändert sich mit der Erweiterung unserer Haltung: Immer mehr wird besprechbar und wir sind eher in der Lage, Unwahres richtigzustellen, unser Innenleben wahrzunehmen und zu benennen, was ist. Wir taktieren weniger und das politische Geplänkel reduziert sich, weil wir uns mehr über uns selbst wissen lassen und unabhängiger von den Meinungen anderer werden. Wenn wir nicht so miteinander umgehen, wie es den Tatsachen entspricht, erzeugt das Leiden. In den erweiterten Haltungen wird es für uns selbst wichtiger, anzuerkennen, was wir vorher noch nicht (aus-)halten konnten.

Radikale Ehrlichkeit

Den Ansatz der Radikalen Ehrlichkeit entwickelte Brad Blanton (* 1940), ein Schüler des Mitbegründers der Gestalttherapie Fritz Perls (1893–1970). Radikale Ehrlichkeit gewährt dem Gegenüber freien Zugang zu den im eigenen System bekannten Fakten – ohne den Umweg über diplomatische Höflichkeit. Es gibt Studien, die besagen, dass wir aus Höflichkeit über 100 Mal am Tag lügen, und die Hoffnung ist, dass die Kommunikation klarer wird, wenn wir diesen Filter der gemeinschaftsbestimmt-konformistischen Haltung weglassen. Bei den Ansätzen der Radikalen Ehrlichkeit geht es oft darum, Tatsachen abzufragen: „Wie oft hast du das schon gemacht...“ oder „Hast du das schon gemacht ...“ oder vorübergehend vorhandene Gedanken und Wünsche auszudrücken: „Ich denke gerade, dass ...“, „Ich stelle mir vor, dass ...“ Dabei stellt sich die Frage, welche Haltung mit welcher Ich-Vorstellung eigentlich spricht. Bin ich meine Gedanken? Sind die Gedanken Teil meiner Ich-Identität, wie wir das in den früheren Haltungen erleben? Oder sind diese Gedanken nur vorübergehende Phänomene, die zwar wahrgenommen werden können, deren Äußerung aber, wenn wir uns damit identifizieren, eher zu mehr Identifikation als zu innerer Freiheit führt?

Wahrheitspraktiken nutzen

Eine gelungene Metaperspektive auf das Verhältnis von Behauptungen, Begründungen und Erzählungen in Philosophie, Wissenschaftstheorie und Alltagspraxis bietet der Philosoph Michael Hampe (* 1961) in seinem Vortrag „Wahrheitspraktiken. Über das Leiden an der Unwahrheit“. Beispiele von Wahrheitspraktiken finden sich auf der nächsten Seite.

Übereinstimmung von Gesagtem und Tatsachen

Die Übereinstimmung von Gesagtem und Tatsachen beinhaltet auch subjektive Tatsachen, die wir für wertvoll halten. Ob sie objektiv wahr sind, ist weniger relevant. Wichtig ist, dass wir mit unseren Themen und inneren Spannungen gesehen werden. Etwas von uns soll ans Licht kommen und in den Raum des Besprechbaren überführt werden. Eine Praxis, die in den sogenannten Wahrheitskommissionen in Südafrika eine wichtige Rolle gespielt hat und in Form von Erzählkreisen oder Interviewformaten auch in Organisationen entwicklungsfördernd wirken kann.

Kohärenzerleben herstellen

Die Wahrheitspraxis der Kohärenz fragt danach, ob unser Handeln den Werten entspricht, die wir leben wollen. Auch hier beziehen wir uns nicht auf äußere Tatsachen, sondern auf die innere gefühlte Wahrheit, die für uns eine wesentliche Bedeutung hat. Ein Wertekonflikt ist oft schwieriger zu lösen als ein Dissens auf der Sachebene. Die Auseinandersetzung mit Werten, Purpose, Vision und Mission in Organisationen gehört tendenziell in diese Kategorie. Radikale Ehrlichkeit hilft hier nicht weiter, denn gefühlte Wahrheiten lassen sich nicht über Fakten, sondern über Erfahrungen und Erlebnisse vermitteln. Der Wunsch nach Kohärenz und persönlicher Integrität wird ab der eigenbestimmt-souveränen Haltung für uns handlungsleitend, während wir vorher noch eher konformistisch handeln und in Inkohärenzen keinen Konflikt spüren.

Pragmatische Wahrheiten

Die pragmatische Wahrheitspraxis geht davon aus, dass sich wahre Theorien durch ihren Erfolg im Leben auszeichnen. Was jedoch als nützlich und erfolgreich erlebt wird, ist historisch veränderlich und kontextabhängig. Diese Praxis hilft zu hinterfragen, ob die theoretischen Annahmen, denen wir folgen, uns in die gewünschte Richtung bringen. Manchmal ist der Kaiser nackt und niemand sagt etwas.

Wahrheiten diskutierbar machen

Eine andere Wahrheitspraxis entsteht durch den Konsens, der im herrschaftsfreien Diskurs entstehen kann. Hier ist Wahrheit ein diskursiver Prozess, der sich durch die potenzielle Zustimmung aller anderen entfaltet. Diese Praxis bewährt sich in Situationen großer Unsicherheit und Komplexität, in denen wir nicht auf Fakten oder Erfahrungen zurückgreifen können. Ein Diskurs fällt uns in späteren Haltungen leichter, weil wir nicht mehr darauf angewiesen sind, recht zu haben. Insofern ist Ehrlichkeit eine Facette der Organisationsentwicklung. Entscheidender ist der Wunsch nach einer Wahrhaftigkeit, die sich dem Ausdruck der Wahrheit verpflichtet fühlt und sich dabei verschiedener Wahrheitspraktiken bedient.

Tabuzonen zeigen unsere Haltung

Welche Haltung in einer Organisation dominiert, erkennen wir an den Themen, die noch nicht in Sprache und Austausch gebracht werden können, Diese Tabuzonen kreieren wir stillschweigend gemeinsam und halten sie für unantastbar. Je kleiner dieser Tabubereich wird, desto einfacher fällt es uns, Offenheit und Unwissen zuzulassen.

Selbstorientiert-Impulsiv

Die Kommunikation in der Organisation wird von dem dominiert, was die Mächtigen hören wollen. Wir reden anderen nach dem Mund und vertreten keine eigene Meinung.

Offene Kommunikation kann gefährlich sein und wird vermieden. Wer nach außen kommuniziert, wird aus der Gruppe ausgeschlossen und der Kontakt wird abgebrochen. Oft gibt es Rituale und Abhängigkeiten, die zur Verschwiegenheit zwingen. Als wahr gilt, was mir Vorteile bringt. „Geheimnisse“ kommen erst ans Licht, wenn man die Organisation verlässt. Dann wird schlecht übereinander geredet.

Gemeinschaftsbestimmt-Konformistisch

Bei dieser Haltung geht es darum, den guten Ruf zu wahren und das Gesicht nicht zu verlieren. Persönliches wird zurückgehalten und auch als irrelevant betrachtet. Man macht mit, weil es alle so machen, und schweigt lieber, um Ärger zu vermeiden.

Kritik an der vorherrschenden Gruppenmeinung ist nicht erwünscht und kann zum Ausschluss führen. Es entwickelt sich ein Spiel aus Höflichkeit und Bestätigung. Schweigen gilt oft als beste Option, dafür ist noch niemand gefeuert worden. Themen werden vorgegeben und der Austausch wird obsolet. Der direkte Austausch über Konfliktthemen wird vermieden, um die Gruppenharmonie zu wahren. Umso mehr wird übereinander geredet.

Rationalistisch-Funktional

Eigenes Renommee und Fachwissen stehen im Fokus des Austausches, der rege gesucht wird und oft auf der Sachebene des Rechthabens stattfindet. Dies kann zu langen Debatten führen, in denen die Fehler der anderen im Mittelpunkt stehen. Dies ist in Organisationen oft typisch für die „politische“ Ebene mit ihren Scharmützeln und Kleinkriegen.

Was nicht zu dem vorherrschenden Realitätsausschnitt gehört, wird ausgeblendet. Für Aspekte, die nach innen verweisen und nicht Teil der angewandten Logiken sind, wird gerne das Etikett „esoterisch“ verwendet. Was sich nicht in Zahlen fassen lässt, hat keine Relevanz. Dadurch entsteht ein verengtes Diskussionsklima, das als belastend empfunden wird, aber noch nicht reflektiert werden kann.

TABUZONE

„Das geht dich nichts an.“
GEHEIMNISKRÄMEREI

„Darüber spricht man nicht.“
DISKRETION

„Das gehört hier nicht hin.“
VERSACHLICHUNG

IMPULS: Worüber können wir noch nicht reden?
Was sind Themen in unserer Organisation, die schon als relevant wahrgenommen werden, noch in der Tabuzone sind und in einer erweiterten Haltung besprechbar sein könnten?
Welche Reizbarkeiten und angehaltenen Gefühle sind damit verbunden?

Eigenbestimmt-Souverän

Ein reger Austausch, bei dem das Positive und die Chancen im Vordergrund stehen. Es geht um das Prestige innerhalb der Organisation und darum, als Macher*in und Gestalter*in gesehen zu werden. Die anderen, „die noch nicht so weit sind", werden thematisiert. Das Problem sind die falschen Leute, die „nicht aus dem Knick kommen". Für Probleme werden schnelle Lösungen gesucht, damit sie vom Tisch sind. Denn es muss weitergehen.

„Ihr könnt mit allem zu mir kommen, nur nicht mit Problemen. Ich will Lösungsvorschläge", ist eine typische Führungsaussage in dieser Haltung. Bedürfnisse und Probleme bleiben gedeckelt, weil keiner die Rolle übernehmen will „schlechte Stimmung zu machen".

„Das ist mir zu negativ."
SELBSTDARSTELLUNG

Relativierend-Individualistisch

Die Wahrnehmung der Beziehungen zwischen einzelnen Personen sowie zwischen Teams wird immer wichtiger. Wir reflektieren konstruktiv die Art und Weise, wie wir miteinander sprechen, und versuchen, gute Lösungen für alle Beteiligten zu finden. Im Bemühen, allen Perspektiven gerecht zu werden, wollen wir Urteile vermeiden und andere nicht in ein schlechtes Licht rücken. Der Dialog mit vielen Beteiligten führt zu Rücksichtnahme und Verständnis. Unser Toleranzstreben kann uns auch von direkter Kritik abhalten.

Die Fähigkeit, viele Perspektiven einnehmen zu können, führt manchmal zu einem Relativismus, der schwierige Entscheidungen vermeidet, weil es über die bisherigen Erkenntnissen hinaus vielleicht noch eine ungesehene Option geben könnte.

„Wir wollen nicht werten."
TOLERANZ

Systemisch-Autonom

Das Interesse an Kokreation und transparentem Meinungsaustausch nimmt zu. Urteile nehmen stark ab, wir kommunizieren offen über unsere eigenen Wahrnehmungen und sind uns unserer Subjektivität bewusst. Wir können unser Nichtwissen und unsere Widersprüchlichkeit im Handeln aushalten. Alle Themen sind willkommen und können nun nach den ihnen innewohnenden Haltungen erkannt und priorisiert werden. Spannungen werden klarer erkannt und benannt und die dahinterliegenden Themen können zum Vorschein gebracht werden. Dadurch wird der Blick gesamtheitlicher.

Bestimmte Bereiche der eigenen Subjektivität sind uns noch verschlossen. Die Sprache selbst wird als Teil der Grenzen der Kommunikation erkannt.

„Meine Wahrnehmung ist …"
TRANSPARENZ

SCHAUSEITE – Wie es gezeigt wird

FORMALE SEITE – Wie es sein sollte

INFORMELLE SEITE – Wie wir darüber reden

WAHRHAFTIGE SEITE – Wie wir es wahrnehmen

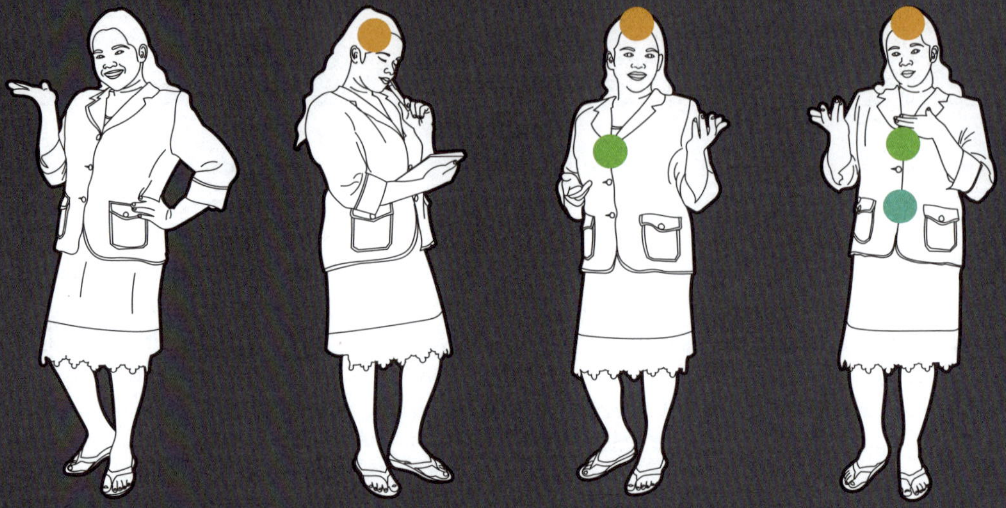

Perspektiven der Intelligenzsysteme

Oft halten wir es für normal, dass auf der Website unserer Organisation Dinge stehen, die mit der Realität in der Organisation nicht viel zu tun haben. Denn „das ist ja nur für die Kundschaft und die Bewerber*innen“. In den Werteprozessen mit unseren Auftraggebenden taucht manchmal die Diskussion auf, welche unterschiedlichen Werte es für Kund*innen, Bewerber*innen, Mitarbeiter*innen und Führungskräfte geben sollte. Für jede Zielgruppe seien andere Aspekte wichtig. Hier spiegelt sich eine Annahme wider, die in den früheren Haltungen weit verbreitet ist: Werte sind eine Art Dekoration oder haben Appell-Charakter. Erst in der relativierend-individualistischen Haltung erkennen wir, dass Werte die Organisation als Ganzes in ihrer Entwicklung unterstützen können und nur wirksam werden, wenn wir sie leben. Deshalb ist der Zugang zu unseren Erfahrungen und Wahrnehmungen wichtig, der sich durch informellen Austausch und Interviewformate eröffnet. Wenn wir von unseren Erlebnissen erzählen, sind wir am ehesten mit Kopf, Herz und Intuition verbunden. In informellen Gesprächen werden viele Wahrhaftigkeiten aus der offiziellen Tabuzone besprechbar und das ebnet uns den Weg in eine erweiterte Haltung im Umgang mit unseren Unternehmenswerten.

IMPULS: Die vier Seiten einer Organisation
Wenn wir die vier Seiten einer Organisation betrachten, bringt jede neue Perspektive eine Wahrheit zum Vorschein, die auf der Ebene vorher noch nicht kommuniziert werden konnte. Dafür gibt es Gründe. Meist sind es Bedürfnisse, die mit einem noch fehlenden Zugang zur Wahrhaftigkeit zusammenhängen oder mit dem Gefühl, von zu viel Ehrlichkeit überfordert zu sein. Um über „rosa Elefanten im Raum" sprechen zu können, braucht es einen sicheren Raum und die Bereitschaft, damit umgehen zu wollen. Werte sind eine Möglichkeit, die in der Tabuzone festgehaltene Energie in Bewegung zu bringen.

Bei der Spiegelung unserer Werte helfen Skalierungsfragen:

Wie stark leben wir in deiner Wahrnehmung unseren Wert „XY" auf einer Skala von 1 bis 10?

Was müsste passieren, damit deine Einschätzung um einen Punkt höher ausfallen würde?

Warum ist deine Einschätzung nicht niedriger?

In einem Prozess, an dem 24 Personen beteiligt waren, hatte sich eine große Wirtschaftskanzlei unter anderem den Wert „Fairness" gegeben. Hintergrund war ein für die Branche vorbildliches transparentes internes Vergütungssystem. Da dies in anderen Kanzleien oft zu permanenten Konflikten führt, sollte Fairness als Wert herausgestellt werden. Der Wert passte gut zu dem Wunsch, mehr Nachwuchskräfte anzuziehen, zur gewünschten Ausrichtung und er war mit Leben gefüllt. Als die Werte dem Team der Anwält*innen vorgestellt wurden, wollte sich ein Teil der Anwaltschaft mit dem Wert Fairness gar nicht anfreunden, da gegenüber einer gegnerischen Partei gerne unfaire Praktiken eingesetzt wurden, um Vorteile zu erlangen. Es entstand eine lebhafte Diskussion, in der die Haltungsdifferenzen zwischen der Schauseite und der wahrhaftigen Seite augenscheinlich wurden.
Mit Werten zu arbeiten, um eine Kultur auszurichten, bedeutet auch, mit ihnen und der dahinterliegenden Haltung zu ringen, da im Prozess auch die Schattenseiten sichtbarer werden. Der Tenor der Diskussion war, dass diese Praktiken nicht mehr zur gewünschten Kultur gehören und Fairness insgesamt wünschenswert ist. Einige Anwälte, die sich mit dieser Haltung nicht identifizieren konnten, verließen in der Folge die Organisation.

ILLEGALE BRAUCHBAR-KEITEN

Legalisieren und einbinden

Die Haltung der Mitarbeitenden übersteigt die Reife der Organisation.

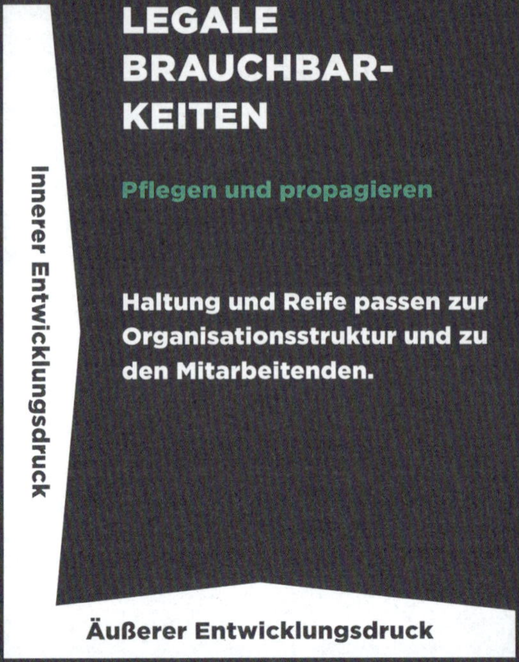

LEGALE BRAUCHBAR-KEITEN

Pflegen und propagieren

Haltung und Reife passen zur Organisationsstruktur und zu den Mitarbeitenden.

ILLEGALE UNBRAUCHBAR-KEITEN

Sanktionieren und eliminieren

Die Werte der Mitarbeitenden und der Organisation werden hinterfragt.

LEGALE UNBRAUCHBAR-KEITEN

Thematisieren und verändern

Die Haltungen in der Organisation und in deren Strukturen und Prozessen werden weiterentwickelt.

Legale und illegale Brauchbarkeiten

> „Umgang mit illegalen Brauchbarkeiten – welche gibt es in euren Unternehmen und wie geht ihr damit um?“ war als Thema in einer Gruppe von Geschäftsführer*innen angekündigt, die ich regelmäßig moderiere. Zu diesem Treffen sollte ein neues Mitglied kommen, das schon absagen wollte, weil es befürchtete, einer kriminellen Organisation beigetreten zu sein. Aber wir konnten seine Befürchtungen zerstreuen, weil es dabei weniger um Illegalität im juristischen Sinne geht. Nützliche Illegalität ist ein systemtheoretischer Begriff für ein bewusstes Verhalten oder Handeln von Mitgliedern einer Organisation, das gegen formale Erwartungen oder Regeln der Organisation verstößt. Sie handeln oder verhalten sich so, um zu den Zielen der Organisation beizutragen und Nutzen zu stiften. Wir haben in der Lockdown-Phase erlebt, dass Mitarbeiterinnen und Mitarbeiter Zoom auf ihren privaten Computern nutzten, weil ihr Unternehmen ihnen noch keine geeignete Technik zur Verfügung stellen konnte und Zoom aus Sicherheitsgründen nicht installiert werden durfte. Solche Abweichungen von der Norm werden toleriert, denn wenn alle nur Dienst nach Vorschrift machen würden, wären viele Organisationen dysfunktional.

Zusammen mit Jens Hollmann haben wir einen Impuls entwickelt, mit dem wir in Workshops nach Beispielen für illegale Brauchbarkeiten und für legale Unbrauchbarkeiten in der Organisation suchen. Legale Unbrauchbarkeiten sind organisatorische Handlungen, die stur durchgeführt werden, obwohl sie ihren Sinn längst verloren haben. So ist zum Beispiel ein detaillierter Forecast über fünf Jahre (in Zeiten von Corona, Krieg und Lieferkettenchaos) noch Teil der Zielvereinbarung und seine Anfertigung kostet viel Zeit, er hat aber schon nach einem Monat keinen Realitätswert mehr. Abgesehen von den Dokumentationspflichten gibt es viele Meetings, bei denen die Beteiligten nicht mehr wissen, warum sie sich eigentlich regelmäßig treffen.

Beispiele für illegale Brauchbarkeiten sind kleine Dienstwege, informeller Austausch und die Nutzung eigener Kommunikationssoftware oder eigener Werkzeuge. Es ist immer wieder erstaunlich, wie schnell eine Reihe von Beispielen zusammenkommt. In ihnen werden die organisationsspezifischen Entwicklungsfelder sichtbar. Bei den illegalen Brauchbarkeiten ist die Haltung der Mitarbeitenden oft reifer als die Strukturen und Regeln der Organisation.

Jede Organisation braucht diese Musterbrüche, um sich zu entwickeln. In einem Führungsteam, das ich begleite, lauten zwei der Führungsleitlinien: „Wir tun immer das Richtige“ und „Wir erlauben uns, Dinge anders anzugehen“. Ein Tor für Interpretationen und illegale Brauchbarkeiten.

4.2

Umgangsstil in der Organisation

Wie wir in Organisationen mit Macht umgehen, zeigt sich im Führungsstil und in den Möglichkeiten der Mitsprache. Beides verändert sich mit der Erweiterung unserer Haltung. In mächtigen Organisationen läuft viel über Seilschaften, geheime Absprachen oder die Vergabe von Privilegien, während andere Organisationen eine große Offenheit und Transparenz in der Kommunikation pflegen. Spannungen durch Regression entstehen, wenn eine Organisation durch einen Führungswechsel mehr in früheren Haltungen geführt wird. Wechselt die Führung in eine erweiterte Haltung, entstehen Spannungen durch Progression. Meist treten Progressions- und Regressionsphänomene gleichzeitig auf.

„Die bewusste Entscheidung, zu vertrauen, heißt, nicht zu wissen, bevor man handelt. Es heißt, zu handeln, bevor man weiß.“

Esther Perel (* 1958)

Im Kontrollverlust vertrauen

Die Unterschiede in den Haltungen, die sich in den Umgangsformen und im Zusammenspiel von Macht und Partizipation zeigen, werden besonders deutlich, wenn wir mit Organisationen aus dem gleichen Sektor an ähnlichen Problemen arbeiten.

Kliniken sind in den letzten Jahren durch Gesundheitskrisen und drohendes Kliniksterben unter besonderen Druck geraten. Das Thema Kommunikation und die damit verbundenen Haltungen rücken in vielen Kliniken ins Bewusstsein und wir werden vermehrt angefragt, Entwicklungsprozesse mit Impulsvorträgen, Workshops und Kulturexpeditionen zu begleiten. Die Haltung, in der die Kliniken Entwicklung in Wirkung umsetzen wollen, ist dabei unterschiedlich.
In einigen Kliniken kamen Personalverantwortliche auf uns zu mit dem Auftrag, mindestens drei Vergleichsangebote einzuholen und den Vorgesetzten vorzulegen. Das waren dann Aufträge für andere.
Bei anderen Kliniken zeigte sich die Haltung vor allem im Umgang mit Vertrauen. So wurde uns in einer Klinik erklärt, was alles auf keinen Fall angesprochen werden sollte, weil es zu konfliktreich sei und nur Streit gäbe. Es ginge vor allem darum, die Mitarbeitenden zu Leistung zu motivieren. Das Management, das nicht an den Workshops teilnehmen wollte, sah sich stark in einer ausführenden Rolle und verwies auf den Kostendruck und die Zwänge der Shareholder.
In der nächsten Klinik nahmen 20 Führungskräfte aus allen Abteilungen an einer Off-Site-Veranstaltung teil. Zwei anregende Tage, bei denen Pflege, Chefärzt*innen, Verwaltung, Geschäftsführung und weitere Abteilungen Vorbehalte ablegen und neues Vertrauen aufbauen konnten. Mit den praktischen Überlegungen und Initiativen, die aus diesem Prozess hervorgingen, gingen sie als Team an den Start. Es entstanden neue kommunikative Schnittstellen und scheinbar unlösbare Konflikte kamen in Bewegung.
In einer anderen Klinik wurden alle Mitarbeitenden zu einer Kulturexpedition eingeladen. Rund 120 Mitarbeitende aus allen Bereichen meldeten sich zu eintägigen Workshops an, die alle zwei Monate stattfanden. Das Management beschrieb die Stärken, die alle gemeinsam in der Krise erlebt hatten, und betonte, dass auch sie noch nicht genau wüssten, wie die kommenden Herausforderungen zu meistern seien, aber sicher seien, dass sie es gemeinsam am besten herausfinden würden. Diese Offenheitin Bezug auf das Nichtwissen schuf bei allen Beteiligten großes Vertrauen und das Gefühl, ernst genommen zu werden. Dem Neuen, das dann entstand, wurde vertraut, weil es aus einem Wir heraus entstand. Eine Teilnehmerin sagte: „Vertrauen bedeutet, sich verbunden zu fühlen und sich auf das Unbekannte einlassen zu können.“

Umgangsformen und Macht

Wie sehr unser Machtverständnis von feudalen Mustern geprägt ist, wurde in der Coronakrise an vielen Stellen deutlich. Je nach Position unseres Ansprechpartners in einem Unternehmen benötigten wir für ein Treffen einen bestimmten Test: für den CEO einen aktuellen PCR-Test, für die zweite Führungsebene einen offiziell zertifizierten Schnelltest, für Teamleiter einen selbst durchgeführten Schnelltest und für einfache Angestellte gar keinen Test. Der Anspruch an die Testqualität schien mehr mit der Macht und der Gehaltsklasse als mit dem Risikopotenzial zusammenzuhängen. Es schien logisch und richtig, dass die Mächtigen Privilegien haben. Dies drückte sich in einigen Unternehmen auch in der Bandbreite aus, die über VPN zur Verfügung gestellt wurde. Bei Videokonferenzen war manchmal die Machtposition innerhalb der Organisation recht deutlich an der Bildqualität der Teilnehmenden zu erkennen. Die C-Ebene verfügte über die beste Qualität und wunderte sich über die Probleme der anderen, die teilweise nur ohne Kamera am Meeting teilnehmen konnten. Über die Systemadministration war auch die Haltung des Unternehmens zu erkennen: je mehr Macht, desto mehr Bandbreite.

Macht ist ein großes Tabuthema und nur in wenigen Organisationen ist die Haltung bereits so erweitert, dass wir den Umgang mit Macht in einen Dialog einbringen können. In den Satzergänzungsreflexionen, die wir manchmal in Teams zur Diskussion einsetzen, gibt es einen Satzstamm, der lautet: „Wenn ich Macht über andere ausübe ...“ Für viele ist schon der Gedanke an Macht mit einer moralischen Abwehr verbunden, weil wir sie als hierarchische Macht interpretieren und teilweise als Makel empfinden.

„Die meisten Menschen geben ihre Macht auf, indem sie denken, sie hätten keine.“

Alice Walker (* 1944)

Erst in den späteren Haltungen können wir die Widersprüche, die mit Macht verbunden sein können, erkennen und integrieren. Macht ist eine Voraussetzung, um Dinge „machen“ und Einfluss nehmen zu können. In den späteren Haltungen kann Macht auch kooperativ ausgeübt werden, von vielen gemeinsam, in geteilten Rollen. Diese Fähigkeit zur Kooperation ist auf der zweiten und dritten Führungsebene oft besser ausgeprägt als auf der obersten Führungsebene. Es braucht Menschen, die Macht im Sinne positiver Einflussnahme nutzen und die damit verbundene Verantwortung mittragen wollen.

In manchen Organisationen müssen Personen mitbedacht werden, die nicht in Kommunikation gehen. Sie haben ihre ganz eigenen Logiken, die manchmal weniger entwicklungsorientiert sind und zwischen denen übersetzt werden muss: Alteigentümer, die Gründerfamilie, nicht anwesende Entscheidungsbefugte oder bedeutenden Shareholder.

Ein großer internationaler Konzern zeigte Interesse, das Haltungsmodell für die Personal-, Führungs- und Organisationsentwicklung zu nutzen. Die Verantwortlichen aus HR, Marketing und Organisationsentwicklung erkannten, dass viele der aktuell wahrgenommenen Spannungen und Entwicklungswünsche damit gut in Bewegung gebracht werden könnten. Die Vorgespräche verliefen sehr offen und freundlich, man erkannte sich als Schwestern und Brüder im Geiste mit einem ähnlichen Blick auf Entwicklung.
Nur schien es ein Problem mit einer Person zu geben, die an diesen Gesprächen nie teilgenommen hatte, die aber, wie mir anvertraut wurde, schon lange im Unternehmen war und in der Vergangenheit viel Gutes geleistet und zum Wachstum beigetragen hatte. Seitdem viele Unternehmen zugekauft worden waren, hatte diese Person zunehmend Schwierigkeiten, sich an die Unternehmenskulturen der zugekauften Unternehmen anzupassen. Außerdem hatte diese Person ihre Eigenheiten. Daher wäre es besser, wenn ich eine Stunde vor dem Meeting käme, damit meine Gesprächspartnerin mich mit den Details vertraut machen könnte. In dieser Stunde wurde ich darüber informiert, was ich besser nicht sagen sollte, was wichtig sein würde und wie diese Person am liebsten reden würde. Ich bekam eine Art Sprachführer und Übersetzungshilfe für – den CEO.
Die brauchte ich aber nicht, weil ich kaum zu Wort kam. Der CEO meinte, das sei alles interessant mit der Haltungsentwicklung, er kenne solche Modelle auch, aber das sei eher etwas für Freiberufler. Er sagte: „Die Leute, die hier arbeiten, sind Angestellte. Die wollen sich nicht entwickeln, die haben das hier gewählt, um ein ruhiges Leben zu haben. Ich versuche seit Jahren, hier Schwung reinzubringen, aber von denen höre ich nur Klagen und Extrawünsche. Das ist vergebene Liebesmühe."
Diese Rede wurde garniert mit der Beschreibung seiner eigenen Karriere und warum er anders sei als seine Angestellten. Meine Gesprächspartner wurden auf ihren Plätzen immer kleiner, ihre Befürchtungen hatten sich wieder einmal bestätigt. Zwar versuchten sie hin und wieder, differenzierte Sichtweisen einzubringen, aber ohne Erfolg. Wenn Macht durch Vorannahmen Entwicklung verhindert, sind sichere Räume für die Erweiterung von Haltungen in einer Organisation nicht möglich. Diese Organisationen gehen dann einen anderen Weg.

Alte Macht korrumpiert neue Denkweisen

Die Denkweisen innerhalb einer Organisation zu erweitern, bedeutet auch, die Machtlogiken der Gewohnheiten infrage zu stellen. Tendenzen, die den Wandel korrumpieren, werden in Situationen, in denen sich Muster ändern, umso sichtbarer. Taktiken der Einflussnahme, der Schmeichelei, der rationalen Gegenargumente, der Sanktionen, der Koalitionsbildung, der Hierarchie, des Tauschhandels und der Blockade zeigen sich dann deutlicher.

In einem großen Unternehmen sollte Microsoft 365 als neue Kommunikationsplattform eingeführt werden. Der Betriebsrat wurde frühzeitig eingebunden, diskutierte mit und stimmte der Anschaffung zu. Nachdem die ersten Mitarbeitenden geschult worden waren und Community Manager erste Tests durchgeführt hatten, lehnte der Betriebsrat die Einführung ab. Er habe zwar dem Kauf der Software zugestimmt, aber nicht der unternehmensweiten Nutzung. Es stellte sich heraus, dass er bereit war, seine Blockade aufzugeben, wenn dafür ein anderes Interesse des Betriebsrats priorisiert werden würde, was in diesem Fall machbar war.

„Macht ist die Möglichkeit eines Aktors in einer gegebenen sozialen Beziehung Einflussmittel so einzusetzen, dass seine Zumutung das Handeln eines andere Aktors derart bestimmt, dass der machtunterworfene Aktor eine geringere Möglichkeit sieht, sich der Zumutung zu entziehen."

Friedrich Glasl (* 1941)

Zumutung veranlassen und zulassen

Macht als veranlasste oder zugelassene Zumutung zu verstehen, zeigt, dass Machtausübung immer mehrere Seiten hat. Die Frage ist: Wer darf wem was zumuten und was lassen wir uns zumuten? Je nach haltungsspezifischer Sinngebung werden diese Zumutungen als angemessen oder unangemessen empfunden. Manche Organisationen finden mit ihren frühen Handlungslogiken nur noch Mitarbeitende aus prekären Verhältnissen, die notgedrungen eine hohe Zumutungsbereitschaft haben. Macht wird auch in Organisationen ausgeübt, die mit späteren Handlungslogiken wie Agilität oder Selbststeuerung organisiert sind. Hier ist Macht transparent, diskutier- und verhandelbar, an Rollen und Kompetenzen gebunden und wird daher von vielen ausgeübt. Das Hinterfragen von Entscheidungsstrukturen ist ein wesentlicher Punkt bei der Erweiterung von Gewohnheitshaltungen in einer Organisation.

Quellen der Macht

Die Machtexpertin Christine Bauer-Jelinek (* 1952) definiert acht Quellen von Macht:

Die Macht der Materie
(Körperkraft, Waffen, Besitz, Geld, Reproduktionskraft)

Die Macht der Herkunft
(Familie, Ahnen, Volk, Nation)

Die Macht der Mehrheit
(Parteien, Bündnisse, Initiativen, Gemeinschaften)

Die Macht des Wissens
(Information, Bildung, Erfahrung, Planung)

Die Macht der Gefühle
(Nutzung des gesamten Spektrums der positiven und negativen Gefühle)

Die Macht der Funktion
(Ämter, Befugnisse, Aufgaben, Rollen)

Die Macht der Kontakte
(Förderer*innen, Netzwerke, Seilschaften, Informant*innen, „Vitamin B")

Die Macht der Überzeugung
(Ideologien, Gesetze, Normen, Werte, Glaubenssätze, Narrative)

IMPULS: Machtformen in unserer Organisationen
Macht kann durch unterschiedliche Machtgrundlagen in Wirkung gebracht werden. Welche nutzen wir in unserer Organisation, um die gewünschten Wirkungen zu erzeugen? Welche Beispiele erkennen wir?

Zwang (Arbeitsanweisung, Androhung von Sanktionen)
Belohnung (Geld oder Naturalien, Privilegien)
Sachkenntnisse (Informationszugang, Zensur)
Identifikation (Ideale, Vorbilder)
Legitimation (Positionen, Werte)
Situative Kontrolle (Deutungshoheit, Zeitressourcen)

Macht in Organisationsstrukturen

Wir erweitern die Haltung in einer Organisation, indem wir den Raum der Besprechbarkeiten vergrößern und die Macht, die mit der Entscheidungsbefugnis verbunden ist, auf mehrere Rollen verteilen. Die Logik unserer Organisationsstrukturen spiegelt die Art der Machtverteilung wider.

Selbstorientiert-Impulsiv

Manche Patriarchen schweben noch nach Jahrzehnten als gute oder böse Geister durch die geistigen Flure von Unternehmenskulturen. Sie bieten Schutz und Sicherheit, können aber auch mit Willkür regieren und Bannsprüche aussprechen. Weil wir unsere eigene Stärke noch nicht kennen, unterwerfen wir uns in der Hoffnung, damit zu den Starken zu gehören. „Alles musste immer über seinen Tisch gehen. Er kümmerte sich um jedes Detail, denn von ihm hing alles ab.“ Wer die alleinige Macht hat, ist in solchen Organisationen allen eindeutig klar.

Verbote und Ohnmacht

MACHT DES MÄCHTIGEN

Gemeinschaftsbestimmt-Konformistisch

Stark hierarchisch geprägte Organisationen bieten eine klare Struktur und einfache Orientierung. Karrierepfade, Gehalts- und Pensionserwartungen sind verlässlich. Macht ist mit der Position verbunden und an Symbole wie Dienstwagenklasse oder Kugelschreiber- und Stempelfarbe festgemacht. Titel und Stellenbezeichnungen haben eine große Bedeutung. Es gibt ein Gerangel um Zuständigkeiten und Verantwortlichkeiten. Der Dienstweg muss eingehalten werden und niemand darf übergangen werden. Das macht solche Organisationen langsam, aber in Routinetätigkeiten zuverlässig.

Keine Partizipation

MACHT DER POSITION

Rationalistisch-Funktional

Die klassische Siloorganisation, in der die Funktionen arbeitsteilig in Abteilungen gegliedert sind, die wiederum jeweils optimiert werden. Die Macht ist noch weitgehend hierarchisch organisiert, aber es gibt Rückkopplungsmöglichkeiten. Wie bei einer gut geölten Maschine soll jedes Rad in das andere greifen und die Menschen sollen entsprechend ihren Stellenprofilen optimal funktionieren. Die Menschen können sich in ihrer spezifischen Fachlichkeit erleben und sich auf ihr Fachgebiet konzentrieren. Konflikte entstehen durch Abteilungskonkurrenzen und Fehlerzuweisungen.

Information

MACHT DER ZAHLEN

IMPULS: Einfluss nehmen
Wenn wir Macht haben, sind wir nicht ohnmächtig und können Einfluss nehmen – wenn wir das auch wollen. Wenn wir die gebündelte Macht einzelner Positionen in Verantwortungsrollen und Teilmächte aufteilen, wird es einfacher, Führung zu entlasten und Verantwortung zu verteilen.
An welchen Stellen in unserer Organisation könnten Rollen und die damit verbundene Macht auf mehrere Personen verteilt werden?

Eigenbestimmt-Souverän

Aus einer Siloorganisation wird oft eine Matrixorganisation, in der sich Projektleitung und Abteilungsleitung die Entscheidungsgewalt teilen. Dies erfordert mehr führungs- und kommunikationsstarke Personen, die Verantwortung übernehmen wollen und Prioritäten setzen können. Für die Mitglieder der Organisation gibt es mehr Raum für Eigeninitiative und Selbstverwirklichung. Die Berichtsstrukturen laufen nach wie vor beim Top-Management zusammen, auch wenn viele Entscheidungen bereits selbstständig getroffen werden können.

Kommunikation
MACHT DER INDIVIDUALITÄT

Relativierend-Individualistisch

Die Macht ist auf noch mehr Personen verteilt und die Mitarbeitenden arbeiten noch selbstständiger. Es findet ein intensiver Austausch über Prozesse und Entscheidungen statt, die dadurch eine hohe Akzeptanz im Unternehmen erfahren. Werte werden zu einem wichtigen Kriterium bei Entscheidungen, und auch das, was als Erfolg empfunden wird, ist stark von Werten geprägt. Verantwortung und Entscheidungsbefugnisse sind an Rollen und Kompetenzen gebunden, nicht an Positionen. Stellen verändern sich mit den Bedürfnissen und der Entwicklung der Mitarbeitenden.

Mitbestimmung
MACHT DER WERTE

Systemisch-Autonom

In diesen Organisationsformen wird Macht geteilt. Netzwerkartige Strukturen passen sich den Projekten an und es ist möglich, in einem Projekt zu führen und in einem anderen geführt zu werden. Die Mitarbeitenden übernehmen die Rollen und Verantwortlichkeiten, die ihrer Entwicklung und Lebenssituation entsprechen. Eine intensive und transparente digitale Kommunikation erleichtert die Einbindung externer Partner*innen. Übergeordnete Motive, die in der Organisation wirken, sind persönliches Wachstum und Entwicklungsorientierung in einer Welt in Transformation.

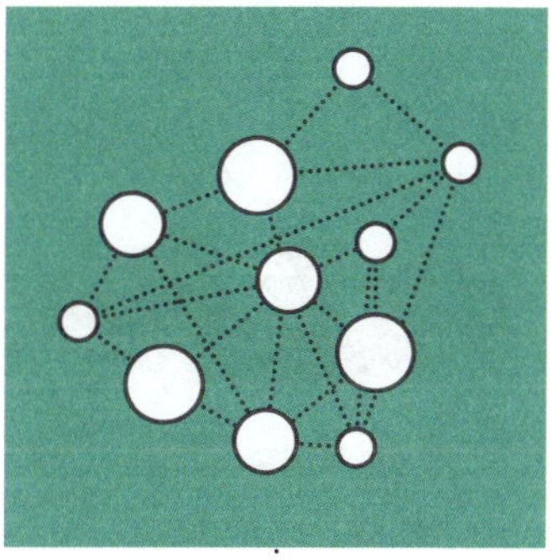

Selbstbestimmung
MACHT DER INDIVIDUEN

Progression und Regression

An den Umgangsformen und Sprachstilen spüren wir, ob sich eine Organisation in einer regressiven oder progressiven Entwicklungsbewegung befindet. Diese wechseln sich oft phasenweise ab und kreieren Referenzerlebnisse, die sich in der Erzählungen über die Organisation schnell offenbaren.

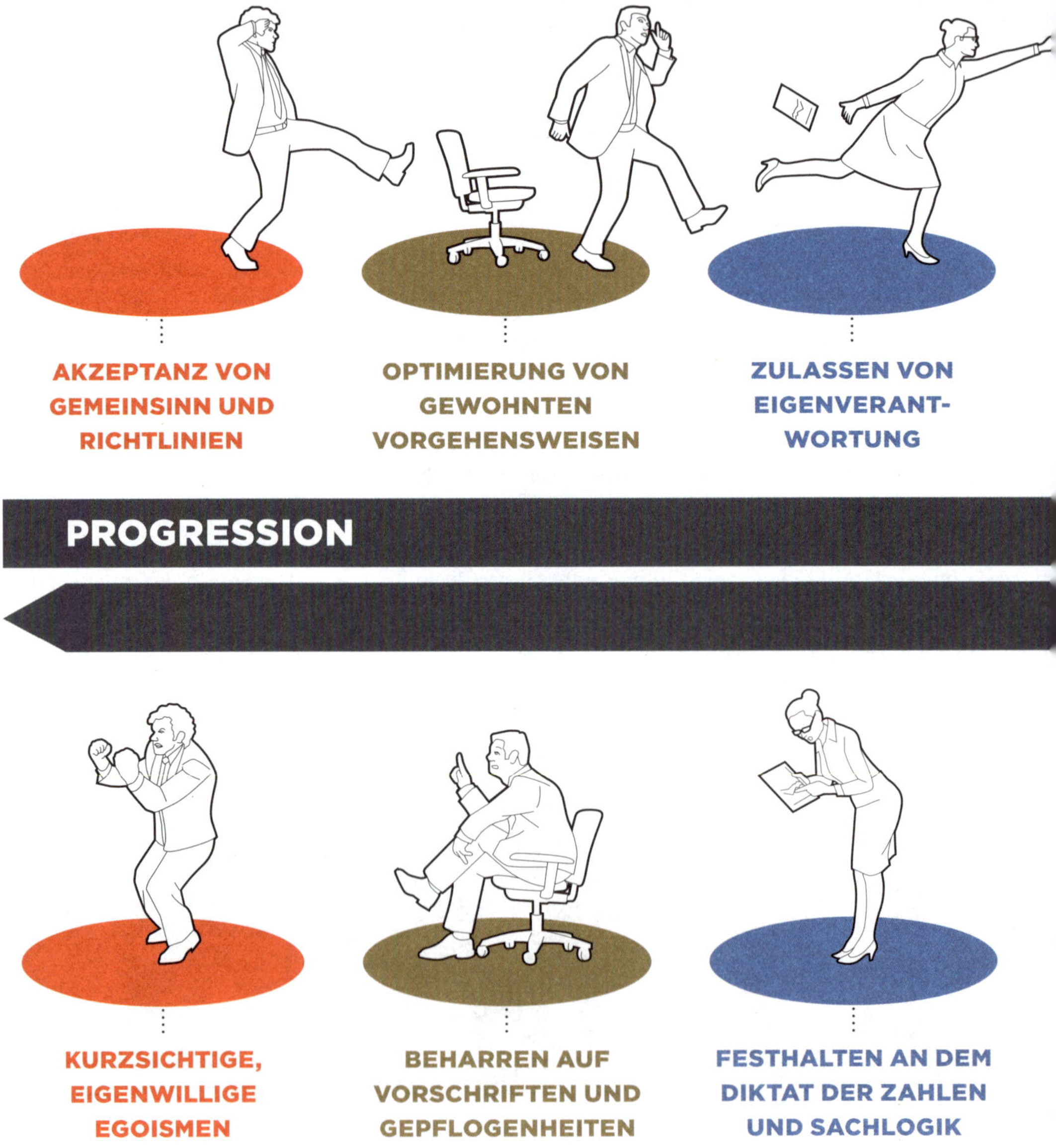

IMPULS: Die Entwicklungsbewegungen, die wir spüren
Die Frage nach Beispielgeschichten für die Erfahrung von Progression und Regression in einer Organisation ist meist sehr ergiebig. Sie offenbart Haltungsunterschiede und aktuelle Wachstumsspannungen.

Welche Beispiele finden wir in unserer Organisation?

4.3

Organisations-Fokus

Die Reifung von Organisationen zeigt sich – wie bei Individuen – in einer Verlagerung des Aufmerksamkeitsfokus von rein äußeren Phänomenen hin zu einer stärkeren Beachtung innerer Phänomene. Unsere Vorannahmen und der Filter unseres Weltbilds lässt uns selbst oft nicht erkennen, worauf unser Fokus liegt. „Natürlich geht es in Unternehmen darum, Geld zu verdienen, was sonst", sagen wir dann wie selbstverständlich. Bei Organisationen in den späteren Haltungen kommen weitere Aspekte hinzu: das Miteinander, die Werte oder der Sinn. Ein Anstoß kann die Bindung oder Gewinnung von Fachkräften sein.

„Wer sich an traditionelle Führungsstile klammert, endet in einer Sackgasse. Sowohl für sich selbst als auch für sein Team und für sein Unternehmen."

Constanze Buchheim (* 1981)

Den Gewinn im Sinn

Der Erfolg einer Organisation kann in vielen Dimensionen gemessen werden. Damit ändert sich zum Beispiel auch das, was von den Mitarbeitenden erwartet wird oder ihnen zugemutet werden kann.

Auf die Frage nach Referenzerfahrungen von Organisationen mit unterschiedlichen Haltungen berichtete eine Seminarteilnehmerin, wie ihr durch einen Arbeitsplatzwechsel bewusst wurde, dass auch eine Organisation eine Gewohnheitshaltung haben kann.
Sie hatte zunächst als Kundenberaterin bei einer Versicherung gearbeitet. Dort wurde ein sehr höflicher, serviceorientierter Umgang gepflegt, der ihrem Wesen und ihren Werten entsprach. Nach einer längeren Pause fand sie mit Anfang 60 wieder eine ähnliche Stelle bei einer Organisation, die sich um die Wiedereingliederung von Langzeitkranken in den Arbeitsmarkt kümmert. Zu ihrer Freude schien die Stellenausschreibung perfekt zu passen, denn der Arbeitgeber gab an, dass ihm ein humanistisches Menschenbild sehr wichtig sei.
Nach einigen Tagen in der neuen Arbeitsstelle kam es zu ersten Irritationen, als sie bemerkte, dass der Umgang recht ruppig war und sehr zynisch über die Klientel gesprochen wurde. Sie konnte in den Biografien der zu betreuenden Menschen Schicksalsschläge und echtes Leid erkennen. Entsprechend nahm sie sich viel Zeit und bemühte sich um gute Lösungen, was sie auch in den Protokollen vermerkte. Dem Teamleiter war das alles zu viel und er platzte heraus: „Wir arbeiten hier auftragsbezogen und nicht kundenbezogen. Das Schicksal dieser Menschen geht uns nichts an." Er unterstrich seine wütende Rede durch eine Geste, mit der er Scheuklappen andeutete, um seine Art der Fokussierung – einen Tunnelblick – zu verdeutlichen.
Sie war ziemlich geschockt, und da weitere Wahrnehmungsunterschiede folgten, kam es zu einem Gespräch mit ihrem Chef. Auf den Hinweis, dass es der Organisation doch um ein humanistisches Menschenbild gehe, antwortete dieser: „Das wollte ich schon lange aus den Stellenanzeigen streichen." Da sie davon ausgehen musste, dass sie aufgrund ihres Alters nicht so leicht eine andere Stelle finden würde, schuf sie sich ihre Art von illegalem Nutzen: „Ich habe in die Gesprächsprotokolle geschrieben, was sie lesen wollten, und habe dann mit den Leuten so geredet, wie ich es für richtig hielt. Das konnte sowieso keiner kontrollieren und für die Klienten war es gut." So lernte sie, das System dieser Organisation und deren Haltung zu bedienen und gleichzeitig ihrer eigenen Haltung und ihrem eigenen Herzen Raum zu geben.

Vorannahmen und Bias

Bias bezeichnet den Glauben an nicht bewiesene oder nicht beweisbare Tatsachen und Hypothesen. Im Gegensatz zu Vorurteilen sind sie eher faktischer Natur und weniger bewusst. Sie bilden die unhinterfragte Grundlage unserer Sinnbildung und stehen in engem Zusammenhang mit unseren Vorurteilen, die unsere kognitiven Verzerrungen beschreiben. Visual Capitalist zeigt eine Infografik, die alle 188 bekannten kognitive Bias auflistet (visualcapitalist.com/every-single-cognitive-bias). Sie lassen sich in vier Kategorien unterteilen:

1. Unzuverlässige Erinnerungen

- Wir neigen zu Verallgemeinerungen.
- Wir editieren unsere Erinnerungen und verstärken Teilaspekte.
- Wir reduzieren Erlebnisse auf wenige Punkte.
- Wir speichern Erinnerungen je nach damit verbundenen Gefühlen ab.

2. Lückenhafte Informationsaufnahme

- Wir merken uns bereits Bekanntes.
- Bizarres, visuell Eindrückliches und Lustiges erscheint uns wichtiger.
- Wir bemerken Dinge erst, wenn sie sich ändern.
- Wir sehen die Fehler eher in anderen als bei uns.
- Wir fokussieren auf Details, die unsere bereits bestehenden Überzeugungen verstärken.

3. Subjektive Bedeutungsgebung

- Wir glauben, in einfachen Daten Bedeutungsmuster zu erkennen.
- Wir fügen den Wahrnehmungen Stereotypen oder Generalisierungen aus unserer eigenen Geschichte hinzu.
- Dinge oder Menschen, die wir mögen, erscheinen uns in einem besseren Licht
- Wir vereinfachen Wahrscheinlichkeiten und Zahlen, um leichter darüber nachdenken zu können.
- Wir glauben zu wissen, was andere Menschen denken.
- Wir projizieren unser aktuelle Haltung in die Vergangenheit und Zukunft.

4. Selbsterzeugter Handlungsdruck

- Wir bevorzugen einfache Lösungen.
- Wir führen Falsches fort, weil zum Ändern keine Zeit ist.
- Wir vermeiden Risiken.
- Wir priorisieren das Naheliegende, das Alltagsgeschäft.
- Wir wollen die Verantwortung schnell loswerden.

IMPULS: De-Biasing-Strategien

Eine Methode, um die Haltungen in Organisationen zu erweitern, ist das Umdeuten von Vorannahmen und Bias. Je reifer die Haltung, desto flexibler wird unsere Wirklichkeitsbetrachtung.

1. Kognitive Strategien

Wir stellen uns vor, dass bei einer Entscheidung, die wir in Erwägung ziehen, auch das Gegenteil richtig sein kann. Welche neuen Aspekte kommen dadurch zum Vorschein?

2. Mustererkennung

Viele Muster erkennen wir erst im Musterbruch. Ein Vorschlag dazu: Die Person mit dem niedrigsten Status oder die Person, die am kürzesten im Unternehmen ist, äußert sich in Besprechungen zuerst und leitet die Besprechung.

3. Checklisten

Bei typischen, sich wiederholenden kognitiven Verzerrungen können wir auch mit Checklisten arbeiten, die für Prozesssicherheit sorgen.

4. Umgang mit Wahrscheinlichkeiten

Wir stellen uns das Scheitern unseres Projekts vor und untersuchen, woran das gelegen haben könnte. Welche Gründe werden sichtbar und wie wahrscheinlich erscheinen sie uns?

5. Entschleunigung

Wir überlegen, ob eine schnelle Entscheidung das Problem wirklich löst oder nur in die Zukunft verschiebt. Wir sammeln mehr Informationen und finden neue Perspektiven, indem wir andere Menschen einbeziehen.

6. Perspektiverweiterung

Wir fragen uns, wie unser bester Freund oder unsere beste Freundin handeln würde und welche Entscheidung unseren Werten entspricht? Was würde unser Vorbild in einer solchen Situation tun und welche Entscheidung würden wir in zehn Jahren treffen?

7. Kontextveränderung

Eine der aufschlussreichsten Interventionen ist es, Kund*innen einzubeziehen und ihnen eine Stimme zu geben. Dazu reicht es aus, wenn eine Person stellvertretend in diese Rolle schlüpft. Allein die Anwesenheit eines symbolischen „Patienten“ führt in Kliniken zu ganz neuen Gesprächen.

Reflexionsfähigkeit gegenüber Vorannahmen entwickeln

In den postkonventionellen Haltungen können wir auf individueller Ebene mehr über unsere Schatten sprechen, auf Teamebene mehr darüber reden, wie wir miteinander reden, und auf organisationaler Ebene können wir unsere Glaubenssätze, Vorannahmen und Bias hinterfragen. Wir reflektieren, wie wir kommunizieren und Entscheidungen treffen. Oft liegt dieser Möglichkeitsraum noch in einer Tabuzone und kann noch nicht diskutiert werden, weil politische Agenden, Rechthaberei oder Statusdenken noch zu viel emotionale Energie binden. Die Managementlehre beschäftigt sich zunehmend mit diesem Thema. Martin J. Eppler von der Universität St. Gallen hat zusammen mit Christian Muntwiler unter bias.visual-literacy.org ein Tool entwickelt, das uns helfen kann, weniger verzerrte Entscheidungen zu treffen. Das ist keine Methode, die man mal eben anwenden kann, es braucht eine andere Art der Kommunikation und des Selbstverständnisses, die uns durch eine Erweiterung unserer Haltung möglich wird.

Die Coronakrise lieferte eine Reihe kognitiver Verzerrungen angesichts hoher Komplexität und Unsicherheit. „It will go away by easter" war ein Beispiel für massive Vereinfachung. Für viele war es schwierig, sich exponentielles Wachstum vorzustellen, da sie nur mit der Vorstellung von linearem Wachstum vertraut waren. Ein weiterer Irrglaube war, dass Menschen, die sich mögen, sich weniger anstecken würden. Gleichzeitig konnten wir beobachten, wie viele Menschen Informationen herausfilterten, die ihre Meinung bestätigten, und anderslautende Informationen entsprechend diskreditierten. Komplexitätsreduzierende Fehl- und Desinformationen verbreiten sich auch deshalb rasant – insbesondere in den Medien – weil sie für die frühen Haltungen anschlussfähiger sind, wohingegen komplexe, differenzierte Informationen erst in erweiterten Haltungen aufgenommen werden können.

Neurobiologisch betrachtet sind wir auf mentale Abkürzungen und Vorannahmen angewiesen. In komplexen Zusammenhängen reicht das allerdings nicht aus. Fragen, Zuhören, Randomisieren, Blindtests, Kund*innen einbinden oder Rollentausch sind bewährte Wege, um die eigenen blinden Flecken auszuleuchten. Jede Haltung bringt ihr eigenes Spektrum an kognitiven Verzerrungen mit sich.

„Es ist eine bekannte Tatsache, dass die Realität einen liberalen Bias hat."

Stephen Colbert (* 1964)

IMPULS: Sensibilität erhöhen

Es gibt Dinge, die wir nur sehen, wenn wir wissen, dass sie existieren. Selektive Wahrnehmung bezeichnet das psychologische Phänomen, nur bestimmte Aspekte der Umwelt wahrzunehmen und andere auszublenden. Ein Phänomen, das zu den kognitiven Verzerrungen gehört und das wir uns zunutze machen können. Denn je mehr wir uns mit kognitiven Verzerrungen auseinandersetzen und unsere Aufmerksamkeit darauf richten, desto eher werden wir solche Verzerrungen erkennen.

Im Internet findet sich eine Reihe von Listen, die typische kognitive Verzerrungen zusammentragen und beschreiben. Mit diesen Listen lässt sich auch ein Teamquiz veranstalten.

Welches Beispiel für Verzerrung X finden wir in unserem eigenen Kontext?

Hier eine Auswahl aus
de.wikipedia.org/wiki/Liste_kognitiver_Verzerrungen

- **Ankereffekt**
- **Attributionsfehler**
- **Auswirkungsverzerrung**
- **Backfire-Effekt**
- **Barnum-Effekt**
- **Beharren auf Überzeugungen**
- **Besitztumseffekt**
- **Bestätigungsfehler**
- **Clustering-Illusion**
- **Cross-Race-Effekt**
- **Decoy-Effekt**
- **Default-Effekt**
- **Dunning-Kruger-Effekt**
- **Emotionale Beweisführung**
- **Erinnerungsverzerrung**
- **Eskalierendes Commitment**
- **Gender Bias**
- **Halo-Effekt**
- **Healthy-Worker-Effekt**
- **Hot-Hand-Phänomen**
- **IKEA-Effekt**
- **Illusorische Korrelation**
- **Katastrophisieren**
- **Kontrasteffekt**
- **Kontrollillusion**
- **Labeling**
- **Law of the Instrument**
- **Missachtung des Maßstabs**
- **Mitläufereffekt**
- **Moralische Lizenzierung**
- **Nachträgliche Begründungstendenz**
- **Projektionsfehler**
- **Rhyme-as-reason-Effekt**
- **Rückschaufehler**
- **Selbstüberschätzung**
- **Self-Reference-Effekt**
- **Status-quo-Verzerrung**
- **Truthahn-Illusion**
- **Überlebenden-Verzerrung**
- **Unterlassungseffekt**
- **Verfügbarkeitsverzerrung**
- **Verlustaversion**
- **Vermenschlichung**
- **Verzerrungsblindheit**
- **Wahrheitseffekt**
- **Wahrscheinlichkeits-vernachlässigung**

Das Weltbild in unserer Unternehmenskultur

„Das machen wir hier so. So sind wir eben." Es dauert im Schnitt sechs Wochen, bis wir nach dem Eintritt in eine Organisation einen großen Teil ihrer Glaubenssätze übernehmen. Liegt unsere eigene Gewohnheitshaltung um mehr als eine Haltung entfernt von der Haltung, die wir insgesamt in der Organisation wahrnehmen, führt das zu innerer Spannung und innerem Verhandeln. Meistens verlassen wir die Organisation dann nach einiger Zeit.

Selbstorientiert-Impulsiv

Wir sehen und wissen, wie die Welt ist. Da müssen wir uns nicht belehren lassen. Der Mensch ist ein Tier, das nur durch eine dünne Kulturfassade davon abgehalten wird, über andere herzufallen. Am Ende siegt der Stärkere. Die Mächtigen regieren die Welt und manipulieren alles zu ihrem Vorteil. Dagegen wehren wir uns und machen da nicht mit. Deshalb müssen auch wir alles zu unserem Vorteil nutzen. Gesetze sind für Dumme, wir lassen uns unseren Willen nicht nehmen.

Gemeinschaftsbestimmt-Konformistisch

In allem ist eine Ordnung, der wir uns nur fügen müssen. Wenn wir da einheitlicher wären, hätten wir weniger böse Menschen auf der Welt und mehr Harmonie. Man muss sich auch mal unterordnen und es kann nicht immer nach dem eigenen Kopf gehen. Es gibt zu viele Egoisten auf der Welt, die mit ihren individuellen Vorstellungen nur Chaos verursachen. Jeder soll den Platz in der Welt einnehmen, der ihm zusteht, und damit auch zufrieden sein. So war das und so wird es bleiben.

Rationalistisch-Funktional

Die Welt ist, wie sie ist, und funktioniert nach Gesetzen, die wir nur sachlich analysieren müssen. Für die Probleme der Welt finden Experten technische Lösungen. Wir müssen nur Schritt für Schritt effizienter werden. Wenn wir aktuelle Entwicklungen in die Zukunft fortschreiben und Prognosen erstellen, haben wir alles im Griff. Dabei wird es Verlierer geben, denn die Welt ist nicht gerecht. Die Wirtschaft muss laufen, dem muss sich das Leben unterordnen.

Unmittelbar, Vorteile sichern

EINDIMENSIONAL

Erklärungen übernehmen, statisches Denken

AUSSCHLIESSEND

Logisch vergleichend, Fortschreibungen

POLARISIEREND

IMPULS: Unsere organisationalen Glaubenssätze

Folgende Satzergänzungen aufschreiben, vergleichen und diskutieren:

1. Bei uns wird besonders wertgeschätzt, ...
2. Ungern gesehen wird, wenn jemand ...
3. Die beste kulturelle Entwicklung der letzten Jahre war, ...
4. Am wichtigsten ist, dass wir zusammen ...
5. Wir geben jeder Person Entwicklungsräume, indem wir ...
(+ eigene Beispiele)

Eigenbestimmt-Souverän

Not macht erfinderisch. Innovation war schon immer der Motor des Fortschritts, und so werden wir auch für die aktuellen Herausforderungen in der Welt die notwendigen Lösungen finden. Ein freier Markt und eine offene Gesellschaft sind dafür die besten Voraussetzungen. Es mag schwierig sein, aber wenn sich alle anstrengen und ihr Potenzial voll ausschöpfen, werden wir es immer wieder schaffen. Wir Menschen können alles erreichen – wenn es sein muss, auch den Mars.

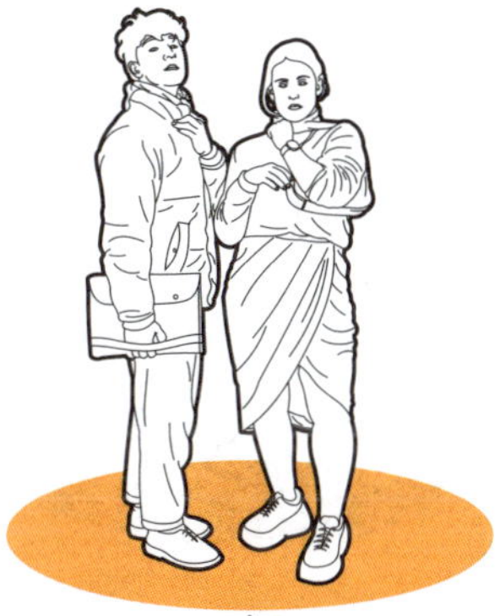

Abwägen, Vorteile suchen, Konventionelles optimieren

FLEXIBEL

Relativierend-Individualistisch

Es gibt viele alternative Wege, die wir ausprobieren können. Manchmal ist es besser, alte Konzepte infrage zu stellen und Probleme aus einem anderen Blickwinkel zu betrachten. Dabei können wir auch unsere Denkweise überdenken, Zusammenhänge stärker berücksichtigen und Schattenseiten sichtbar machen. Passt unser Handeln von gestern noch zu den Werten und Erkenntnissen von heute? Wir verstehen, dass unser Denken ein konstruktivistischer individueller Prozess ist und keine objektive Wahrheit darstellt.

Hinterfragen, erweiterte Perspektiven

MEHRDIMENSIONAL

Systemisch-Autonom

Wir sehen, dass unser Denken von einer Vielzahl von Glaubenssätzen und Vorannahmen geprägt ist, die uns oft nicht frei reflektieren lassen. Wir erkennen, dass wir oft unrealistische Vorstellungen haben, zu Fortschreibungslogiken neigen und Zusammenhänge nicht verstehen. Uns gelingt es vermehrt, das Leben in seiner Komplexität und wie die Dinge miteinander verbunden sind, zu erkennen und sie nicht als Einzelphänomene zu deuten. Aus dieser Haltung heraus kommen wir zu ganz neuen transformativen Überlegungen.

Out-of-the-Box neue Verbindungen erkennen

MULTIDIMENSIONAL

Machtfokus einer Organisation

Worauf sich eine Organisation konzentriert, wie mit Macht umgegangen wird, wie Entscheidungen getroffen werden und wie eine Organisation ihren Zweck definiert, kann – muss aber nicht – ein Indiz für die gelebte Haltung sein. In großen Organisationen konkurrieren oft verschiedene Logiken um die Deutungshoheit.

Selbstorientiert-Impulsiv

Der Cum-Ex-Skandal um das gezielte Dividendenstripping, bei dem mit einem Trick über 50 Milliarden Euro an Steuergeldern gestohlen wurden, zeigt, dass auch hochintelligente Menschen solche auf Eigennutz basierende Systeme aufbauen. Steueroasen basieren auf dieser Organisationsform, weil sie sich nicht als Teil der Solidargemeinschaft verstehen, deren Wir-Gefühl erst mit der nächsten Haltung in uns entsteht. Regeln sind für die anderen. Das Rechtssystem wird verachtet, zur eigenen Verteidigung aber sehr wohl genutzt.

Wir nehmen, was wir kriegen können.

BEREICHERUNGS-ORIENTIERUNG

Gemeinschaftsbestimmt-Konformistisch

In manchen Organisationen folgen wir noch stark feudalen Denkmustern mit Privilegien für die Oberen und einer Infrastruktur, die dies in ihren Klassen von Economy über First Class bis zum Privatjet abbildet. Der Fokus liegt auf der Organisation selbst, wir beschäftigen uns viel mit interner Politik und Machtfragen – wer wem was zumuten darf oder nicht. Titel und Posten sind wichtiger als der Nutzen, der gestiftet wird. Gerade in Organisationen, die Geld verwalten, zeigen sich diese Phänomene.

Wer steht über wem und muss wem gehorchen.

ORGANISATIONS-ORIENTIERUNG

Rationalistisch-Funktional

Die Produkte und ihre Optimierung stehen im Mittelpunkt. Dem ordnen sich alle Strukturen und Prozesse unter. Mit KPIs und KVP wird eine permanente Effizienz- und Qualitätssteigerung angestrebt. Diese Optimierungen erzeugen einen Dauerstress, in dem alle keine Zeit haben dürfen. Menschen werden tendenziell zu austauschbaren Funktionsträgern, die auch aus dem Ausland zuarbeiten können. In den Erfolgsrechnungen werden die sozialen und ökologischen Kosten noch nicht berücksichtigt.

Wir sind nie fertig und nie zufrieden.

PRODUKT-ORIENTIERUNG

IMPULS: Fokusverschiebung
Machtstrukturen sind meist auf einen bestimmten Fokus ausgerichtet und beanspruchen innerhalb der aktuellen Sinngebung die Deutungshoheit für richtiges Handeln.
Welcher Fokus bekommt in unserer Organisation die meisten Aufmerksamkeitsenergie? Was würde sich ändern, wenn wir diesen Fokus verschieben würden, und was spricht dafür oder noch dagegen?

Eigenbestimmt-Souverän

Um 2009 wurde der Begriff „Customer Centricity" in der Managementlehre populär. Er beschreibt einen grundlegenden Perspektivwechsel hin zur konsequenten Fokussierung auf die Konsument*innen und deren Bedürfnisse. Was die Kund*innen wollen, ist richtig und wird zum Entscheidungskriterium. Wenn gekauft wird, muss die Strategie richtig sein. Damit einher gingen zahlreiche organisatorische Umstrukturierungen, die dem in vielen Unternehmen verankerten Meister-, Ingenieurs- und Produktdenken zuwiderliefen.

Die Kundenbedürfnisse stehen im Mittelpunkt.
KUNDEN-ORIENTIERUNG

Relativierend-Individualistisch

Mitarbeiterorientierung bedeutet nicht, Kicker und Yoga anzubieten, sondern die Perspektiven der Belegschaft und ihre Potenziale stärker einzubeziehen. Spätestens hier findet der Übergang zur Duz-Kultur statt. Der Mensch mit seinen individuellen Bedürfnissen und Besonderheiten wird stärker berücksichtigt. Wir verstehen unsere Organisation als Teil der Gesellschaft und bewegen uns vom Shareholder-Value-Denken hin zu einer Stakeholder-Perspektive, die den Ausgleich unterschiedlicher Interessen anstrebt.

Wir sind auch für die Gesellschaft verantwortlich.
MENSCHEN-ORIENTIERUNG

Systemisch-Autonom

Einige Organisationen haben sich – ebenso wie viele Staaten – zur Umsetzung der Nachhaltigkeitsziele der Vereinten Nationen (Sustainable Development Goals, SDGs) verpflichtet. Diese Organisationen denken in langfristigen nachhaltigen Prozessen und überprüfen die Sinnhaftigkeit ihres Handelns. Sie nutzen ihre Handlungsmacht, um Schädliches zu stoppen, Regeneration zu fördern und eine nachhaltige Kreislaufwirtschaft anzustreben. Macht wird zum Hebel, um Neues in Bewegung zu setzen und Systeme zu schaffen, die dem Leben dienen.

Wir denken an die Zukunft allen Lebens.
TRANSFORMATIVE NACHHALTIGKEIT

In vernetzten Möglichkeiten denken

Die Entwicklung unserer Haltung beschreibt auch, worauf wir unseren Fokus legen und wie wir mit Komplexität umgehen. Die aktuellen globalen Herausforderungen wie Digitalisierung, Umweltverschmutzung, Hochrüstung, Pandemien, Migrationsbewegungen, Rohstoffe, Lieferketten, Klimawandel, künstliche Intelligenz, Genetik, soziale Ungerechtigkeit, Bildung, Gesundheit, demografischer Wandel, Natursterben, Energieversorgung und Verschiebungen im Wasserkreislauf betreffen uns alle. Der Grad der Komplexität ist so hoch, dass wir selbst in unseren kühnsten Lösungsfantasien die Welt noch nicht als Ganzes erfassen können. Deshalb gibt es noch kein gemeinsames Handeln und richtungsweisendes Experimentieren, sondern wir reagieren aktionistisch auf Einzelphänomene, die gerade im Fokus der Medien stehen, während andere ausgeblendet werden. Unsere Psyche reagiert in den ersten Haltungen mit Ohnmacht, mit „Das betrifft mich ja nicht mehr", mit apokalyptischen Fantasien oder einer Form der Komplexitätsignoranz, die einfache Lösungen sucht und meint, man könne einfach in die Zeit zurückgehen, in der es diese Probleme angeblich noch nicht gab. Natürlich haben sie dort ihre Wurzeln, sie wurden damals nur von sehr wenigen erkannt und diskutiert.

IMPULS: Antiapokalypse üben

Es ist leicht, sich das Scheitern der Welt vorzustellen – sich ihre Regeneration vorzustellen, ist schwieriger und ungleich attraktiver. Auf Wunder der Technik zu warten, erscheint immer naiver, denn diese sind bisher ausgeblieben, und so stehen wir ohne Wunder vor den aktuellen Herausforderungen. Wir haben also die Aufgabe, uns tatsächlich selbst um das Wohlergehen der Welt zu kümmern. Die Vorstellung von Maschinen, die die Meere säubern und die der Luft das CO_2 entziehen, oder von Robotern, die Bäume pflanzen, hält uns in einer Kontrollillusion, weil wir glauben, dass wir diese Maschinen erfinden könnten, wenn es nötig wäre. Wir übersehen dabei, dass dieser Punkt längst überschritten ist und wir zunehmend die Ressourcen und Rahmenbedingungen verlieren, die wir benötigen, um überhaupt handlungsfähig zu bleiben.

Was von unserem organisationalem Handeln werden wir auch in 20 Jahren als wert- und sinnvoll erachten?

Wie tragen wir heute zu Bewegungen und Entwicklungen bei, die langfristig eine positive Wirkung haben können?

Welche der anstehenden Aspekte der großen Transformation unserer Wirtschaft und Gesellschaft zeichnen sich in unserer Organisation bereits ab?

Bei hoher Komplexität reicht es nicht mehr aus, in Plänen und Lösungen zu denken. Vielmehr gilt es jetzt, in Richtungen und Möglichkeitsräumen zu denken. Das ist auch der Unterschied zwischen linearen Wasserfallmethoden und Agilität. Frühe Haltungen wollen Eindeutigkeiten oder suchen in Ja-aber-Debatten nach perfekten Antworten, was zu merkwürdigen Problemidentifikationen führt. Im Zuge des Braunkohletagebaus wurden über 120.000 Menschen umgesiedelt, 300 Dörfer abgebaggert und ganze Landstriche umgestaltet. Der mögliche Ersatz dieser Technologie durch Windkraftanlagen erfolgte nur zögerlich, was uns heute unter großen Druck setzt. Ein Grund dafür war das vermeintliche ästhetische Problem der Verspargelung der Landschaft.

In den späteren Haltungen können wir eher in Räumen von "Sowohl-als-auch" denken und akzeptieren, dass es nicht die eine Lösung geben wird, sondern tausende, von denen sich ein Teil als Irrtümer erweisen werden. Wir haben eine Ausrichtung wie etwa die 17 SDGs und unsere Fähigkeit, eine erweiterte Haltung einzunehmen, die weg von Einzelinteressen und hin zu lebensdienlichen Prinzipien geht. Unsere Haltung wird großen Einfluss darauf haben, ob wir getrieben werden oder bewusst neue Wege gestalten.

4.4

Kognitiver Stil in der Organisation

Auch Organisationen pflegen einen gewohnheitsmäßigen Denkstil, der einer bestimmten Haltung entsprechen kann. In Organisationen mit frühen Haltungen werden Phänomene eher floskelhaft und auf der Basis verallgemeinernder Sichtweisen diskutiert. In reiferen Organisationen führen sie zu einem vernetzten offenen Austausch mit systemischer Perspektive. Auch der Zeithorizont ist ein anderer. In den frühen Haltungen ist der Blick in die Zukunft gerichtet und gleichzeitig wird eher kurzfristig gedacht. In späteren Haltungen fokussieren wir mehr auf die Gegenwart und denken eher langfristig. Die Entwicklung von Organisationen hängt eng damit zusammen, wie Lernen organisiert ist und wie Wissenschaft und Innovation verstanden werden.

„Es ist so viel besser, an einem Arbeitsplatz zu sein, an dem du dein wahres Ich sein und einen sinnvollen Beitrag zur Arbeit leisten kannst."

Amy Edmondson (* 1959)

Organisationen denken neu

Mitarbeitende verfügen in ihren privaten Rollen meist schon über Erfahrungen im Denken, Fühlen und Kommunizieren in späteren Haltungen. In ihren rollengebundenen Teilpersönlichkeiten, die sie im Business zeigen, greifen sie oft noch auf frühere Haltungen zurück, um nicht anzuecken. Das kann als Verstellung empfunden werden. Organisationen und die in ihnen vorherrschenden Denkweisen entwickeln sich vertikal, weil es die Menschen und die sie umgebende Gesellschaft tun. Alles ist miteinander verbunden. Den Wandel der Denkweisen und Haltungen macht ein Blick in die Firmengeschichte schnell augenscheinlich.

In vielen großen Unternehmen genügt ein Blick in die Marketingarchive, um diesen Mentalitätswandel zu erkennen. Aus den 1920er-Jahren finden sich offen rassistische Anzeigen, aus den 1940er-Jahren dualistisch-nationalistische. Die Nachkriegszeit ist geprägt von festen Geschlechterrollen. Es folgt die Fokussierung auf Produkteigenschaften und nach 1968 die Lifestyle-Werbung, die den starken Wunsch nach Individualisierung bedient. Themen wie Body Positivity, Nachhaltigkeit und gleichgeschlechtliche Beziehungen tauchen erst in diesem Jahrtausend auf.
In mittelständischen Familienunternehmen beobachte ich oft, dass sich mit dem Generationswechsel das Denken in den Organisationen erweitert, was mich hoffnungsvoll stimmt. Dieser Wandel zeigt sich auch im Führungsstil und in den Erwartungen an die Mitarbeitenden.

Ein Unternehmen stellt seit 75 Jahren Farben her. Der Gründer war ein Erfinder, der nach dem Krieg mit viel Mühe ein lokal verankertes Unternehmen aufgebaut hat. Er war der Typ, der die Aufgabenverteilung genau vorgab und als allmächtiger Patriarch alles kontrollierte.
Sein Sohn optimierte und vergrößerte das Unternehmen zu einem überregional bekannten Spezialanbieter für die Möbelindustrie. Er vermittelte den Mitarbeitenden Methoden- und Prozesswissen und führte eine Führungshierarchie mit Abteilungsleitungen ein.
Die nächste Generation internationalisierte das Unternehmen und expandierte in den europäischen Markt. Die Standortleitungen erhielten viel Freiraum und konnten in Eigenverantwortung dezentral agieren.
Das Management der vierten Generation beschloss nach einem Werte-Workshop mit den Mitarbeitenden, auf lösemittelhaltige Lacke zu verzichten und alles auf Nachhaltigkeit auszurichten. Zwar war schon lange bekannt, dass wasserlösliche Lacke besser für die Umwelt sind, diese Tatsache spielte aber in der bisherigen Denkweise keine Rolle. Die Fakten waren bekannt, aber sie wurden noch nicht gefühlt, weil der Fokus der Haltung ein anderer war.

Der kognitive Stil beim Lehren und Lernen

Bei Personen, die im Bildungssystem tätig sind, ist das Buch „Haltung entscheidet“ auf große Resonanz gestoßen. Das liegt wohl daran, dass hier das Spannungsfeld zwischen dem Verständnis von Lernen und Lehren in den verschiedenen Haltungen besonders deutlich wird. Die Denkweisen unseres Schulsystems haben ihre Wurzeln in der feudalen Gesellschaft, in der eine Autorität vor der Klasse stand. Es galt, zu gehorchen und Inhalte auswendig zu lernen. Bei disziplinarischen Verstößen hatte die Lehrkraft noch bis 1973 das Recht, Schüler*innen zu schlagen. Das Beurteilungssystem mit seiner Begriffswelt von ungenügend, mangelhaft, ausreichend, befriedigend, gut und sehr gut hat bei vielen Menschen die Kränkung hinterlassen, bewertet zu werden, ohne wirklich gesehen zu werden.

Die Ökonomin Silja Graupe (* 1971), Präsidentin der Hochschule für Gesellschaftsgestaltung, hat mich in unserem Podcast-Gespräch auf die Bedeutung unserer Bildungsbiografie aufmerksam gemacht. Wenn wir uns daran erinnern, wie wir das Lernen gelernt haben, verbinden viele Menschen damit Verletzungen durch Bloßstellungen und Spannungen mit Eltern und Lehrer*innen. Erfahrungen, die zu Bildungsmüdigkeit oder Lernverweigerung führen können. „Ich les doch neben dem Studium kein Buch mehr“, sagte neulich ein jobbender Student in einem Impfzentrum zu seinem lesenden Kollegen. Wir wissen, dass 50 % der Berufe, die die heutigen Studienanfänger*innen in 20 Jahren ausüben werden, noch nicht existieren und dass viele mehrere Berufe ausüben werden. Heute können wir aus 23.000 Studiengängen wählen. Lebenslanges Lernen ist ein großes Thema für die Gesellschaft und die Organisationen. Das bedeutet, dass wir den Wissensdurst unserer Kinder nach Kräften fördern sollten, damit sie motiviert sind, sich immer wieder neue Fähigkeiten und Zusammenhänge anzueignen. Das Gleiche gilt für das Lernen im Beruf. Es ist also an der Zeit, dass sich Mitarbeitende und Vorgesetzte nicht mehr gegenseitig benoten und Lernerfolge nicht mehr abgefragt, zertifiziert und gemessen werden.

Bei der Einführung von Microsoft 365 saßen die Mitarbeitenden nervös vor ihren Bildschirmen. Es fühlte sich an, als wollte niemand wirklich da sein, um etwas Neues zu lernen, sondern lieber in der Routine bleiben. Nach einer Frage zu einer Schaltfläche, die schnell beantwortet war, sagte die Mitarbeiterin: „Oh, ich bin so dumm“, worauf ein Kollege antwortete: „Nein, du bist schlau, weil du die Frage gestellt hast. Ich hatte das gleiche Problem, aber ich habe nichts gesagt, weil ich nicht als dumm gelten wollte.“ Beide lachten. Um einen erweiterten Raum für experimentelles Lernen zu schaffen, hat es sich bewährt, das Modell der Haltungen einzuführen.

Lernen braucht ein Gegenüber, Wissen nicht

Zunehmend wichtiger als der bloße Erwerb von Wissen und Kompetenzen wird das transformative Lernen, das uns eine differenziertere und ganzheitlichere Sicht auf uns selbst und die Welt ermöglicht. Genau hier liegt der Unterschied zwischen horizontalem und vertikalem Lernen. Vertikales Lernen entsteht im Austausch mit anderen und durch eine erweiterte Kommunikation, die zusätzliche Dimensionen einbezieht. Es lohnt sich, einen Blick darauf zu werfen, in welchen Konstrukten wir Wahrheitsbildung betreiben – je nach unserer Haltung. Eine Anregung dazu bietet der YouTube-Vortrag von Prof. Harald Lesch (* 1960) „Physik – Triumph und Tragödie".

Wir leiden an Komplexitätsignoranz

Lesch erläutert, dass es uns seit der Renaissance durch das naturwissenschaftliche Denken zunehmend gelungen ist, Gesetzmäßigkeiten in den beobachtbaren Phänomenen zu finden und daraus Prognosen abzuleiten. Der Lauf der Planeten ist in der Sprache der Mathematik berechenbar. Diese Suche nach Naturgesetzen führte dazu, dass auch in den kleinsten Teilchen Gesetzmäßigkeiten erkannt wurden. Es entstand die Überzeugung, dass wir mit naturwissenschaftlichen Modellen Vorhersagen zu einer ganzen Reihe von Phänomenen machen können, die damit für uns beherrschbar werden. Diese Zahlenlogik der Wahrheitsfindung wurde auf viele andere Fachdisziplinen übertragen.

Der entscheidende Haken an diesem Transfer ist, dass Planeten oder Laborsituationen wenigen Randbedingungen unterliegen und zwar kompliziert sind, aber keine komplexen Systeme wie die Natur oder den Menschen darstellen. Wenn wir komplexe Systeme vereinfachen, können wir die Zusammenhänge zwischen den Phänomenen nicht erkennen. Gerade in der Betriebswirtschaft hat dies in vielen Bereichen zu offensichtlichen Fehlentwicklungen geführt. Natur und Menschen wurde zu Ressourcen.

> Um effizientere Strukturen zu schaffen, hat sich im Gesundheitswesen die Logik wirtschaftlichen, effizienzorientierten Handelns durchgesetzt. So ist es auch im Bereich der Daseinsvorsorge wichtig geworden, die richtigen Krankheiten bei den richtigen Versicherten in möglichst großer und konstanter Zahl zu behandeln. Teure Krankheiten bringen mehr Gewinn als billige. Zu viel Gesundheit und damit leere Betten werden zum Problem. So haben wir uns das zweitteuerste Gesundheitssystem der Welt mit einer nur durchschnittlichen Volksgesundheit geschaffen. Statt Vorsorge zu belohnen, um Krankheit zu vermeiden, betreiben wir Nachsorge, um Krankheit abrechnen zu können. Wenn wir zu einer stärker vernetzten Form der Wahrheitsbildung kommen, können wir die Partikularinteressen, in denen wir gefangen sind, wieder auf das Gemeinwohl beziehen.

Wie wir Lernen und Lehren verstehen

Diese Übersicht, die auch als Poster erhältlich ist, haben wir zusammen mit Miriam Lerch (* 1987), Expertin für digitales Lernen und Lehren, entwickelt. Das klassische Schulsystem bedient vor allem die ersten drei Haltungen. In der Oberstufe und später an der Universität lernen wir, eigenbestimmter zu lernen. Lernumgebungen mit postkonventionellen Haltungen, die das Ganze im Blick haben, erscheinen uns oft noch ungewohnt oder zu frei.

Selbstorientiert-Impulsiv

Für ein Kind kann dies eine sehr spielerische und lernfreudige Haltung sein. Die Aufmerksamkeitsspanne ist schwankend und die Interaktion mit anderen kann konflikthaft sein. Dies führt dazu, dass wir mit der Forderung nach striktem Gehorsam oder Unterwerfung konfrontiert werden und uns Sanktionen angedroht werden. Als Erwachsene in dieser Haltung lernen wir nur das Nötigste, und das auch nur, wenn wir uns einen direkten Nutzen davon versprechen.

„Wir bringen es hinter uns, weil man ja muss."

SANKTIONIERUNG UND DROHUNG

Gemeinschaftsbestimmt-Konformistisch

Ein guter Untertan wird, wer sich in die Gemeinschaft einfügt. Man lernt, was man wissen muss. Gerne auch auswendig und nach Vorschrift. Von außen wird Regelorientierung eingefordert und Anweisungen sind zu befolgen. Der Wunsch nach Einheitlichkeit und Konformität dominiert und Individualität wird als Bedrohung der Gruppenharmonie wahrgenommen. Wer nicht spurt wird vom WIR ausgeschlossen, öffentlich beschämt und in die Ecke gestellt.

„Das muss jeder wissen, sonst wird man ausgeschlossen."

PREDIGT UND ANWEISUNG

Rationalistisch-Funktional

Wir lernen nach Vorgaben und Rahmenplänen – und genau das, was wir brauchen, um in der Organisation nützlich zu sein. Typisch für diese Haltung ist der Roll-out von Lernprogrammen mit Trainings, in denen es um Wissenserwerb und das Erreichen externer Lernziele geht, die überprüft und kontrolliert werden. Der Schwerpunkt liegt auf der Vermittlung von Fakten und Expertenwissen, das uns eingetrichtert wird, auch wenn es später keine praktische Anwendung dafür gibt.

„Leistungssteigerung wird überprüft & dokumentiert."

WISSENSVERMITTLUNG UND KONTROLLE

IMPULS: Lernumfelder gestalten
In vielen Organisationen gibt es Menschen, die Erfahrungen in erweiterten Lernräumen haben, diese aber nicht in die Organisation einbringen, weil sie sich damit noch als Außenseiter*in fühlen. Es lohnt sich, diese Mitarbeitenden miteinander zu vernetzen und Räume für neues Lernen zu schaffen.

Welche Lern- und Lehrfelder gibt es in unserer Organisation?
Welche Vorannahmen über Erwachsenenbildung haben wir?

Eigenbestimmt-Souverän

Selbstbestimmtes und selbstorganisiertes Lernen nach persönlichen Begabungen, Neigungen und Zielen entspricht eher unserem Wunsch nach Eigenbestimmung. Bei dieser Form des Lernens setzen wir selbst die Prioritäten – ganz nach unseren eigenen Stärken und Wünschen. Für Organisationen bedeutet dies, für diesen Wunsch nach Selbstoptimierung persönliche Lernumgebungen zu gestalten und Freiräume für Weiterbildung anzubieten.

Relativierend-Individualistisch

In dieser Haltung wird das Lernen in interdisziplinären Projektteams wichtiger, um im Austausch mit anderen die eigenen Grenzen zu weiten. Es hilft, Dinge zu hinterfragen und die Vielfalt der Meinungen zu schätzen. Kollegiales Coaching und kooperatives Lernen gewinnen ebenfalls an Bedeutung. Wir beginnen, auch soziale Kompetenzen in der Organisation als relevant zu vermitteln. Organisationen initiieren bewusst das Lernen von und mit anderen.

Systemisch-Autonom

In dieser Haltung geht es um das Lernen als Individuum und das Lernen als Organisation. Teams lernen von- und miteinander, von und mit der Gesellschaft oder den Kund*innen. Organisationen schaffen experimentelle Entfaltungs- und Entwicklungsräume, um neue Formen der Zusammenarbeit und Kokreation in Teams zu ermöglichen. Wir lernen, mit Ungewissheiten und Paradoxien umzugehen, unsere Unterschiedlichkeit wertzuschätzen und sie für unsere persönliche Entwicklung zu nutzen.

„Wir bilden uns freiwillig fort und haben persönliche Ziele.“

SELBSTSTÄNDIGES LERNEN

„Wir suchen unkonventionelle neuartige Perspektiven.“

EMOTIONALE LERNBEGLEITUNG

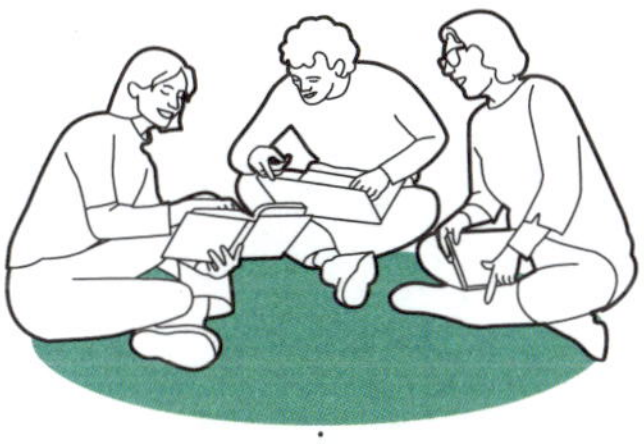

„Wir wollen unsere blinden Flecken beleuchten.“

INDIVIDUELLE ENTFALTUNG

Wissen schafft Verbindung

Je nach unserer Haltung folgen wir in unseren westlichen kulturgeschichtlichen Wahrheitsnarrativen unterschiedlichen Konzepten der Wahrheitsbildung. Meist nutzen wir in unseren Lösungsannahmen ein unvernetztes Denken, auch weil wir fast alle in den Silos von Einzeldisziplinen ausgebildet wurden. Erweitern wir unsere Haltung, führt dies zu einem zunehmend komplexen, vernetzten Verständnis.

Komplexes und vielfältiges subjektives Wissen. Freier, vielfältiger, ungeordneter Wissensraum. Das Wissen ist noch wenig an verbale Erklärungen gebunden. In einer Welt der Allbeseeltheit gibt es keinen Unterschied zwischen spiritueller und materieller Welt. Großes praktisches Erfahrungswissen und mündliche Überlieferung.

Glaube ist gleich Wahrheit. Sie steht fest und muss von uns nur richtig interpretiert werden. Wissen muss nicht geschaffen, sondern nur als gegeben anerkannt werden. In begrenztem Rahmen gehören auch Argumente zur Wahrheitsfindung. Subjektive Wissensinhalte werden überformt, unterdrückt und vereinheitlicht. Autoritäten zensieren Erkenntnisräume und unterdrücken Gedanken.

Vorstellung eines außerhalb von uns liegenden archimedischen Punktes, von dem aus das Gedankengebäude aller Wahrheiten in seinen gesetzmäßigen deterministischen Zusammenhängen objektiv erkannt werden kann. Durch die Beobachtung von Ursache und Wirkung lernen wir die Gesetze der Natur kennen und können sie mit der Sprache der Mathematik beherrschen.

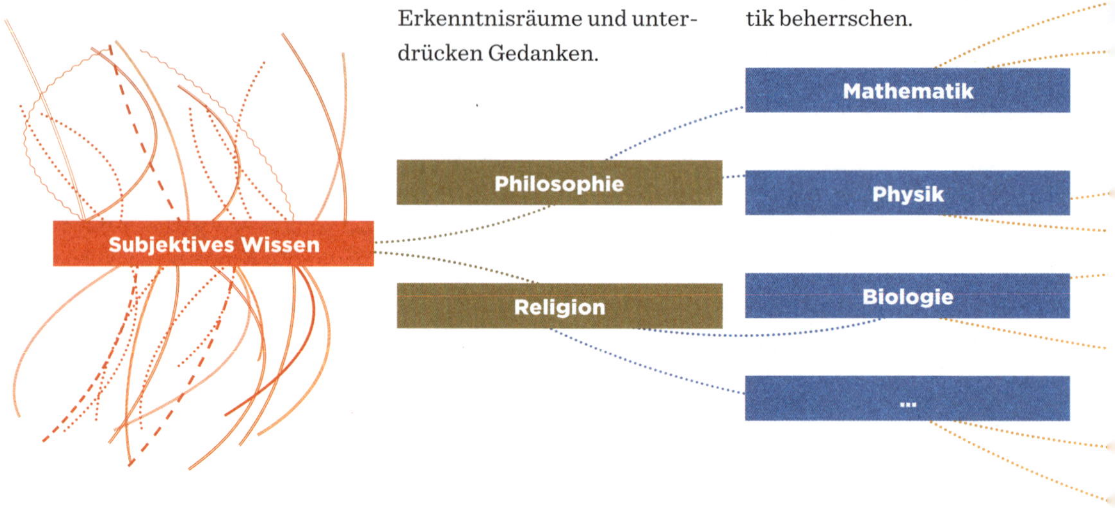

Direkte Wahrnehmungen und gefühlte Wahrheiten
PRÄRATIONALE VORSTELLUNGEN

Normierung von Wahrheiten und Herangehensweisen
STARRE WEISHEITSLEHREN

Bildung von abgegrenzten Fachdisziplinen
WISSENSCHAFTLICHE DISZIPLINEN

IMPULS: Vernetztes Verstehen

Das vorausschauende ökonomische Denken hat sich in vielen Organisationen als dominante Wahrheitsbildung etabliert, „am Ende muss es sich rechnen“. Aber welche Rahmenbedingungen fließen in diese Berechnungen ein? Solange wir der Natur keinen Wert beimessen, verliert sie immer und damit letztendlich auch wir als Teil der Natur.
Welche Faktoren ziehen wir in unserer Organisation zur Erfolgsmessung heran und welche wichtigen Aspekte werden darin noch nicht berücksichtigt?

Prognosen und Modelle bestätigen die Logik der Berechenbarkeit in vielen Bereichen, und diese Art der Wahrheitsbildung wird auf die Ökonomie, das Gesundheitswesen, die Psychologie, die Soziologie und andere Geisteswissenschaften ausgedehnt.

Der Wahrheitsbegriff wird durch Berücksichtigung der Randbedingungen relativiert in normative, absolute, objektive und individuelle oder subjektive Wahrheiten. Die Vernetzung der Disziplinen erschließt neue Perspektiven.

Erkenntnis des Dilemmas der reduktionistischen Natur einer mathematischen und sprachlichen Erklärung von Phänomen. Dinge existieren in Abhängigkeit voneinander und interagieren permanent.

Spezifischere Disziplinen und Modellentwicklungen
AUSDIFFERENZIERUNG DER WISSENSCHAFTEN

Blick auf die Randbedingungen mit neuen Perspektiven
GESAMTHEITLICHERE WISSENSCHAFTEN

Verbundene Disziplinen, Akzeptanz des Unwissens
KOMPLEXE VERNETZTE WISSENSCHAFTEN

Denkweisen und Innovationsverständnis

Fast alle Unternehmen nehmen für sich in Anspruch, innovativ zu sein. Dabei handelt es sich fast schon um einen Hygienewert, der eher die Flexibilität im Umgang mit Kundenwünschen beschreibt, oder um inkrementelle Innovationen, bei denen wir eingeführte Produkte leicht anpassen – zum Beispiel in Größe, Form oder Farbe – oder die Funktionalität verbessern. Innovation kann auch bedeuten, dass wir etwas aus einer neuen Perspektive oder mit einem anderen Zeithorizont betrachten oder eine umfassendere Sichtweise entwickeln. Was wir als Innovation verstehen und wie wir über Innovation nachdenken, hat mit unserer Haltung zu tun.

Ein Unternehmen wollte eine neue Zahnbürste auf den Markt bringen. Statt 3 bis 5 Minuten elektrisches oder mechanisches Putzen sollte man nur 30 Sekunden auf eine U-förmige Bürste beißen, die alle Zähne umschließt. Unter Effizienzgesichtspunkten super innovativ – weil zeitsparend. Aus Nachhaltigkeitssicht zwiespältig, weil mehr Elektroschrott entsteht und mehr Energie verbraucht wird. Eine wirklich revolutionäre Innovation wäre eine Kaumasse, die die Zähne besser reinigt als jede Zahnbürste, die man anschließend essen kann und die vielleicht auch noch wichtige Nährstoffe enthält. U-förmige Zahnbürsten gibt es inzwischen – auf die reinigende und essbare Kaumasse warten wir noch.

Exnovation ist das Gegenteil von Innovation. Exnovation ist die Beseitigung nicht mehr wirksamer Nutzungssysteme, Prozesse, Praktiken oder Technologien. Ein Begriff, der uns in der aktuellen Transformation zu mehr Naturverträglichkeit immer häufiger begegnet. Ein weiteres großes und oft übersehenes Innovationshindernis ist die Pfadabhängigkeit. Sie besagt, dass wir Dinge einfach deshalb weiterverfolgen, weil so viele Verhaltensmuster oder technische Aspekte damit verbunden sind, dass eine Veränderung unmöglich erscheint. Das Paradebeispiel für Pfadabhängigkeit ist das sogenannte QWERTZ-Tastaturlayout. Ursprünglich wurde es entwickelt, um zu verhindern, dass sich häufig verwendete Buchstaben auf mechanischen Schreibmaschinen verhaken. Bis heute verwenden wir es auf allen Computertastaturen, obwohl andere Buchstabenanordnungen für die Hände und die Schreibgeschwindigkeit eine innovativere Lösung sein könnten.

Bei vielen Ideen, die wir für innovativ halten, übersehen wir, dass wir auf dem herkömmlichen Pfad bleiben. Die Haltung zu wechseln, kann auch bedeuten, die Pfadabhängigkeit alten Denkens infrage zu stellen, obwohl das bisher unmöglich schien. So gesehen ist „Occupy Mars" keine Innovation, sondern folgt im Kern Denkweisen der 1960er-Jahre.

Innovieren heißt neu miteinander reden

Innovation findet auch in der Kommunikation statt und manifestiert sich im Sichtbaren und Besprechbaren. Erst wenn wir anders miteinander reden können, werden wir auch anders miteinander denken. Den postkonventionellen Denkansätzen zur Kreislaufwirtschaft oder Postwachstumsgesellschaft ergeht es noch wie Galileo Galilei (1564–1614), der in den alten Haltungen der fundamentalistischen Kirchenlehre keine Gesprächspartner fand: In den Haltungen der traditionellen, wachstumsorientierten Betriebswirtschaftslehre finden diese Ansätze kein Gegenüber, sondern werden eher belächelt, obwohl die Notwendigkeit einer realitätsnäheren Logik unübersehbar ist. Wir brauchen Räume, in denen wir lernen, innovativ über Innovation zu sprechen.

> Ein Unternehmen erkannte, dass die Digitalisierung sein Kerngeschäft, das Ablesen von Heizungszählern, bald überflüssig machen würde. Ein paar Jahre lang würden noch Hunderte von Menschen damit beschäftigt sein, dann bräuchte es ein neues Geschäftsmodell. Also wurde ein Thinktank gegründet und ein kleines Team bekam sechs Monate Zeit, um parallel zum Tagesgeschäft neue Geschäftsmodelle zu erfinden. Das Ergebnis war zunächst ernüchternd, denn keine der Ideen versprach ein Geschäft mit mehr als 10 Millionen Euro Jahresumsatz. Eine hohe Erwartung, wenn man bedenkt, dass nur 1,5 % aller Unternehmen jemals diesen Umsatz erreichen und 9 von 10 Unternehmen in der Frühphase scheitern. Obwohl der Thinktank zunächst als Misserfolg angesehen wurde, erkannte man später, dass sich der Umgang miteinander und die Art der Kommunikation verändert hatten und darin der eigentliche Wert für das Unternehmen lag. Die Haltung innerhalb der Organisation und der kognitive Stil hatten sich erweitert.

„Zu den Transformationskompetenzen zählt neben Faktenwissen auch das ‚Mindset', also unsere Denkweise und Haltung."

Maike Sippel (* 1977)

Der Innovationsexperte Stefan Dieffenbacher hat mit seinem Team 2022 mit „How to create innovation" eine der umfassendsten Sammlungen zum Thema Innovation veröffentlicht. Neben allen wichtigen Innovationsmethoden berücksichtigen sie die Erweiterung der Haltung als essenziellen Aspekt für Innovation, den wir in Zusammenarbeit mit Susanne M. Zaninelli in das Projekt einbringen durften.

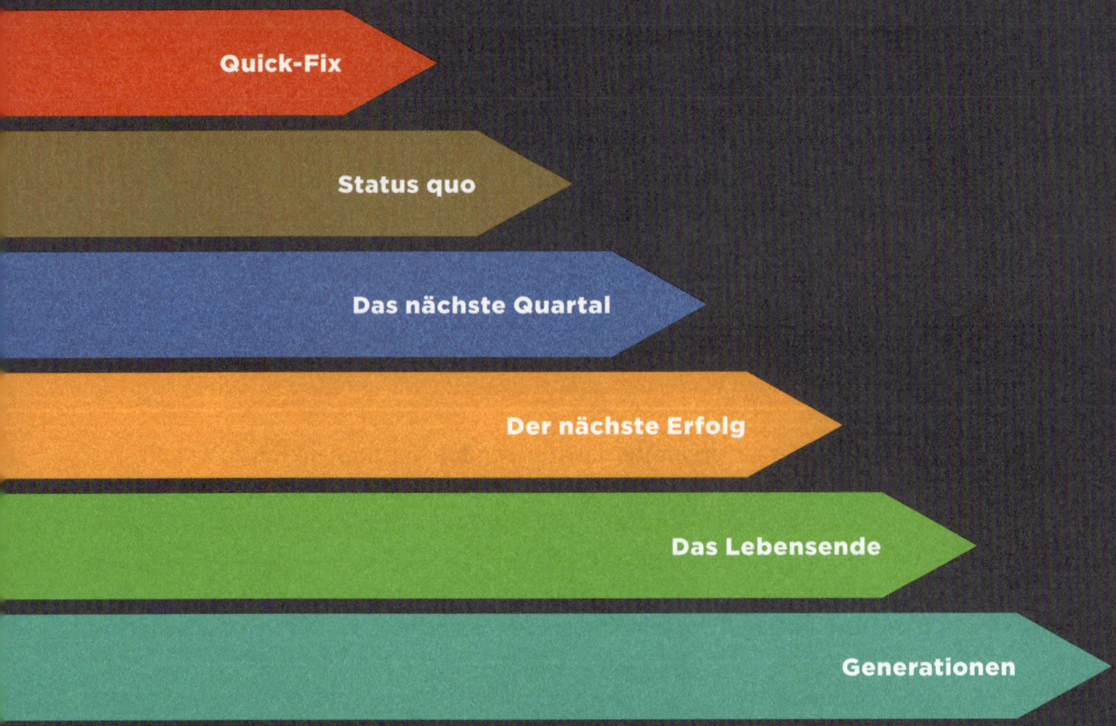

Unser Zeithorizont

Wenn es um die aktuellen Transformationsherausforderungen geht, fällt immer wieder der typische Satz: „Das betrifft mich nicht mehr." Damit scheinen Probleme und Lösungsansätze unwichtig zu werden. Statistisch gesehen habe ich persönlich noch 22 Jahre vor mir. Wer heute eingeschult wird, hat eher 80 oder 90 Jahre vor sich. Was für eine Welt wollen wir bis 2100 geschaffen haben? Selbst wenn wir zu den bekannten abbaubaren Rohstoffreserven noch die theoretischen Rohstoffressourcen hinzurechnen, gibt es kaum einen Rohstoff, der bei der heutigen Wirtschaftsweise in zehn Generationen noch ausreichend zur Verfügung stehen wird. Nach 50.000 Generationen als Humanoide und ca. 8.000 Generationen als Homo sapiens wird das Leben in seinen Möglichkeiten bald sehr begrenzt sein, wenn wir die bisherige Denkweise beibehalten. So weit so bekannt, und es ließen sich noch viele weitere Herausforderungen aufzählen. In frühen Haltungen neigen wir dazu, diese Realitäten einfach auszublenden oder innerlich unberührt zu bleiben. Rationale Einsichten entfalten keine verändernde Wirkung. Die Komplexität erscheint uns als zu groß, also blenden wir sie lieber aus und halten uns an einfache Logiken.

IMPULS: Zeitstrahlreisen
Ein Indikator für unsere Haltung und die Denkweisen in unserer Organisation kann sich darin zeigen, welchen Zeithorizont wir betrachten. Frühe Haltungen sehen, was heute erledigt werden muss, und fühlen sich völlig überlastet, auch wenn absehbar ist, dass es übermorgen kaum noch etwas zu tun gibt. In der rationalistisch-funktionalen Haltung wollen wir erst einmal den Monat oder das Quartal zu Ende bringen, um dann weiterzusehen. Wir hangeln uns an der linearen Realitätsabbildung der Berichte entlang. Später rücken die eigenen Entwicklungsschritte als Zeithorizont in den Vordergrund und schließlich nehmen wir unser Leben als Ganzes in den Blick. Wenn sich eine Organisation auf die Denkweisen der erweiterten Haltung einlässt, verändern sich die Zielsetzungen und das Denken wird vernetzter.

Es kann sehr aufschlussreich sein, ein Projekt oder eine Idee aus den sechs Zeitperspektiven zu betrachten.

Welche Aspekte werden aus kurzfristiger, mittelfristiger oder langfristiger Perspektive sichtbar?
Was ist unsere Gewohnheitszeitperspektive?
Was ist darin bereits enthalten, was noch nicht?

In einem Workshop mit Chefärzt*innen einer großen Klinik kamen wir auf die Defizite der aktuellen Gesundheitsindustrie zu sprechen. Alle waren sich einig, dass das System dysfunktional ist und nicht der Daseinsvorsorge dient, sondern nach Marktmechanismen und den Interessen einzelner Gruppen ausgerichtet ist. Eine Teilnehmerin sagte: „Das hat nichts mehr mit den Werten zu tun, mit denen ich in diesen Beruf gegangen bin." Die anderen stimmten ihr zu. Wir waren in einem Raum mit hochintelligenten Menschen, die angetreten waren, um zu heilen. Sie alle hatten die langfristige Fehlerhaftigkeit des Systems früh erkannt und hielten es dennoch in ihren kurzfristig orientierten Handlungslogiken am Laufen. Als sich diese Erkenntnis durchsetzte, entstand eine große Betroffenheit und auch ein Schmerz, denn alle fühlten sich in ihren Werten und ihrem Empfinden zutiefst getroffen. Gleichzeitig entstand eine Verbundenheit, sich gegenseitig in dieser Einsicht wahrzunehmen. Grabenkämpfe wurden aufgegeben, weil sich eine wichtige emotionale Gemeinsamkeit gezeigt hatte und der Wunsch gewachsen war, aus der erkannten Ohnmacht heraus etwas anderes zu gestalten. Noch Monate später sprachen sich die Chefärzt*innen, manchmal halb im Scherz, als Wachstumsgefährt*in an.

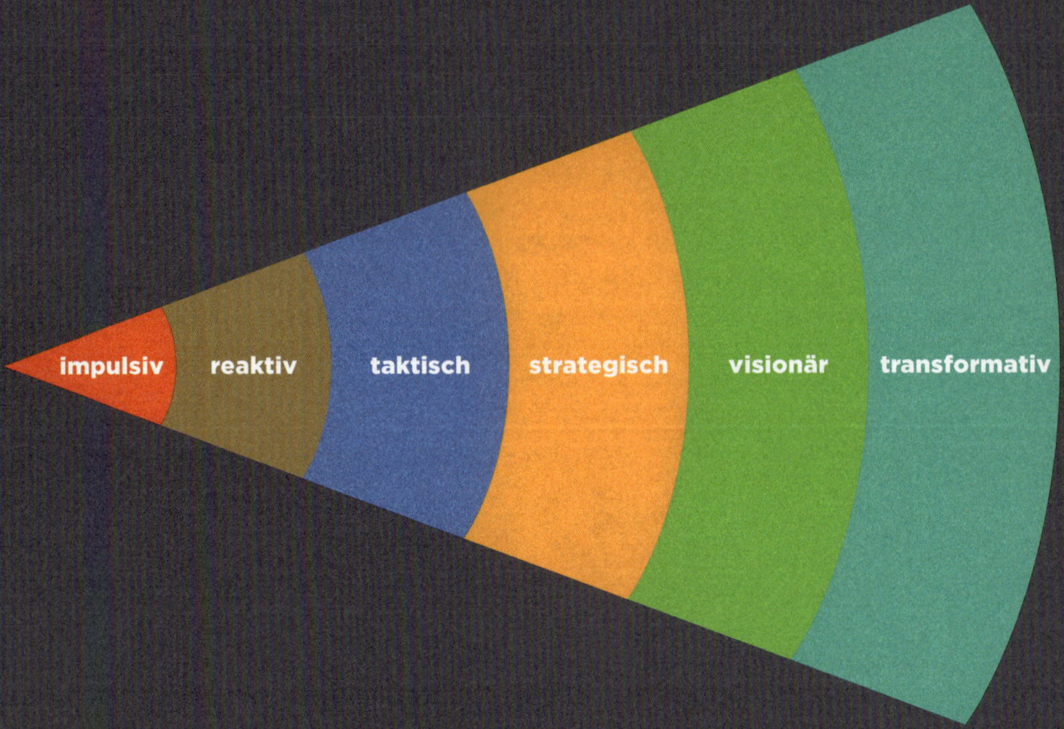

Die Perspektive, die wir einnehmen

„Selbstorganisation braucht keine Strategie“, stellte der Schweizer Unternehmer Jonathan Möller (* 1976) in unserem Podcast fest. Das mag verwundern, wollten wir doch jahrzehntelang weg vom strategielosen Handeln, um die Perspektive vom täglichen Aktionismus zu erweitern und uns längerfristig zu orientieren. Die erweiterten Haltungen haben die Erfahrungen der früheren verinnerlicht, ohne sie in gleicher Weise ausagieren zu müssen. Die Gestaltung einer Organisation in Selbststeuerung ist selbst schon die Integration einer orientierungsgebenden Strategie.

In der selbstorientiert-impulsiven Haltung fehlen uns oft buchstäblich die Worte und wir haben eher das Gefühl, dass uns die Dinge passieren und schnell entschieden werden müssen. Ein regelbasiertes System reagiert auf Fehler, versucht sie mit weiteren Regeln zu korrigieren und wird dadurch immer unbeweglicher. Typisch für die rationalistisch-funktionale Haltung ist das politische Taktieren und Buhlen um Ressourcen und Zuständigkeiten. Beides mit der Absicht, sich kurzfristige Vorteile zu sichern. Es kommt zu kreativen Umschichtungen und Budgetverschiebungen, um bestimmte

IMPULS: Die Perspektive erweitern

Die Reife und Denkweise einer Organisation zeigt sich auch in der Weite der Perspektiven, die aktuell wirksam sind. Notfälle verleiten uns dazu, eher impulsive und aktionistische Perspektiven einzunehmen, was manchmal auch richtig sein kann: „Wenn es brennt, diskutiere ich nicht", nannte eine Sicherheitsbeauftragte als treffendes Beispiel. Viele der Perspektiven, die wir einnehmen, sind eher taktisch und kurzfristig. Keine der Perspektiven ist falsch, aber es kann ein Erkenntnisgewinn für eine Organisation sein, spielerisch mehrere Perspektiven einnehmen zu können. Je größer der innere Spielraum, desto besser können wir mit Unsicherheiten, plötzlichen Veränderungen und dem Unvorstellbaren umgehen.

Zwei Fragen, die dazu anregen, die Perspektiven im Austausch zu erweitern:

Was ist heute in unser Organisation Realität, was wir uns vor drei Jahren noch nicht vorstellen konnten?

Was könnte vielleicht in drei Jahren in unserer Organisation Realität sein, was wir heute noch für unvorstellbar halten?

Quartalsziele zu erreichen, denn die Zahlen müssen „gut aussehen". Dieses kleinteilige Denken, das wir für effizient halten, bindet in Organisationen viel Zeit von Führungskräften. Der Blick für das Ganze geht verloren, weil jedes Silo nur sich selbst sieht. Deshalb sind unternehmensweite Strategien für den nächsten Reifungsschritt dieser Organisationen wichtig. In der eigenbestimmt-souveränen Haltung kommt der Blick auf das Interesse der Gesamtorganisation hinzu. Diese Perspektive wird noch erweitert, wenn wir unsere Werte mit einbeziehen. Damit sind nicht die moralischen Werte oder Marketingwerte gemeint, sondern die handlungsleitenden, besprechbaren und einforderbaren Werte des gemeinsamen Handelns.

Eine reife Organisation hat diese Lernschritte bereits gut integriert. Das heißt: Es gibt ein sinnvolles Maß an Regeln zur Impulskontrolle, sinnvolle Prozesse, die hinterfragt werden können, eine gemeinsame Ausrichtung auf Kundennutzen und wirtschaftlichen Erfolg und etablierte sinnstiftende Werte, die gelebt und besprochen werden. In diesem Fall steht, wie Jonathan Möller anmerkt, die Strategie nicht mehr im Zentrum der Aufmerksamkeit, weil wir uns aus dieser Haltung heraus stärker an den Gegebenheiten des Jetzt orientieren können.

Innovationsstufen und Denkweisen

Diese Betrachtung ist als Anregung zu verstehen, darüber nachzudenken, aus welcher Haltung wir Innovation in unserer Organisation leben bzw. denken. Als Beispiel dient die Automobilindustrie und die beispielhafte Entwicklung ihres Innovationsfokus über die Jahrzehnte.

Selbstorientiert-Impulsiv

Wir glauben, dass die großen Innovatoren die genialen Erfinder sind – verrückte, unkonventionelle, exzentrische Genies, die noch wie Kinder träumen können. Die Medien sind voll von Menschen, die ihre vorkonventionellen kindlichen Anteile ausleben – und wir stehen staunend davor. Eine Verbindung zur freien kindlichen Kreativität kann in jedem Menschen eine Quelle der Innovation sein, und in der Selbstorientierung kann ein hohes individuelles Innovationspotenzial liegen. In der Kooperation mit anderen kommt diese Haltung jedoch schnell an ihre Grenzen.

Gemeinschaftsbestimmt-Konformistisch

Innovationen sind in dieser Haltung weniger erwünscht. Henry Ford sagte: „Jeder Kunde kann ein Auto in jeder Farbe haben, solange es schwarz ist.“ Am Ende des Produktzyklus von 1908 bis 1927 war der Ford T technisch hoffnungslos veraltet. Die innovative Kraft lag in der Standardisierung zum Massenprodukt. Alles wurde in die starren Abläufe der Fließbandlogik gepresst, in der der einzelne Mensch und seine Gedanken und Ideen keine Rolle spielten. Diese Starrheit erwies sich mittelfristig als Schwäche.

Rationalistisch-Funktional

Der Golf gilt als eines der erfolgreichsten Autos und zeigt, wie aus dem Geist von Meistern und Ingenieuren ein Produkt entsteht, das laut VW Vielseitigkeit, Funktionalität, Zuverlässigkeit und Qualität verkörpert. Die innovative Kraft besteht in der kontinuierlichen Optimierung aller Teilaspekte durch die Einbindung des Know-hows vieler Spezialist*innen bis hin zu einer aktuell achten Version mit über 35 Millionen verkauften Fahrzeugen. Das Grundkonzept blieb unverändert, die technischen Komponenten wurden jedoch laufend erneuert.

Fantasie
EXKLUSIVES HIGHTECH

Vereinheitlichung
EINHEITSPRODUKT

Optimierung
FUNKTIONSPRODUKT

IMPULS: Unser Innovationsfokus
Wir erkennen die Denkweise unserer Organisation auch daran, welche Art von Innovationen unserer Wettbewerber wir als vorbildlich oder minderwertig betrachten.

Wo liegt der Innovationsfokus in unserer Organisation und woran erkennen wir das?

Eigenbestimmt-Souverän

Marke, Image und Prestige sind Innovationstreiber, die in dieser Haltung sichtbarer werden. Designer*innen und Marketingmenschen erzeugen die schönen Welten, mit denen wir uns identifizieren sollen und die uns Identität geben wollen. Die Innovationskraft liegt in der Verbindung von ingenieurtechnischem Produktwissen mit soziologischem und psychologischem Wissen über Kundenbedürfnisse. Das Auto wird Teil unseres kuratierten Selbstbildes, es soll positive Gefühle erzeugen und wird zum äußeren Zeichen eines erfolgreichen, glücklichen Lebens.

Relativierend-Individualistisch

Je mehr sich diese Haltung durchsetzt, desto mehr verschiebt sich der Fokus der Innovation in Richtung Nachhaltigkeit. Für einen Teil der Menschen sind die Werte, die mit einem Produkt verbunden sind, bereits wichtiger als der vermeintliche Status, den es uns verleiht. Sie schauen auf die Lieferketten, auf die Rechte und Arbeitsbedingungen der Menschen, die das Produkt herstellen, darauf, wie die Gewinne unter den Beteiligten verteilt werden, welche Schäden das Produkt verursacht, welche Abfälle mit dem Produkt verbunden sind oder wie viel und welche Energie es verbraucht.

Systemisch-Autonom

Eine Innovation, die 80 % der Autos überflüssig machen könnte, wäre, die Bereitstellung von Mobilität als das eigentliche Bedürfnis zu erkennen und die Prozesse entsprechend auszurichten. Dies wäre ein grundlegender Wandel, der viele Probleme wie Parkplätze, Abgase, kurze Lebenszyklen oder Konsumdruck positiv beeinflussen könnte. Innovationen aus dieser Denkrichtung verknüpfen funktionierende Einzelsysteme auf neuartige Weise zu ganzheitlicheren komplexen Systemen. Sie tun sich schwer mit der Pfadgebundenheit im Verhalten der Mehrheit, die noch in den früheren Haltungen verharrt.

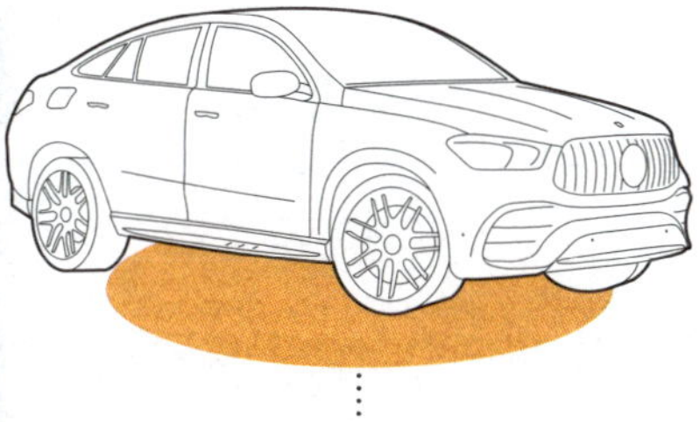

Markenimage
STATUSOBJEKTE

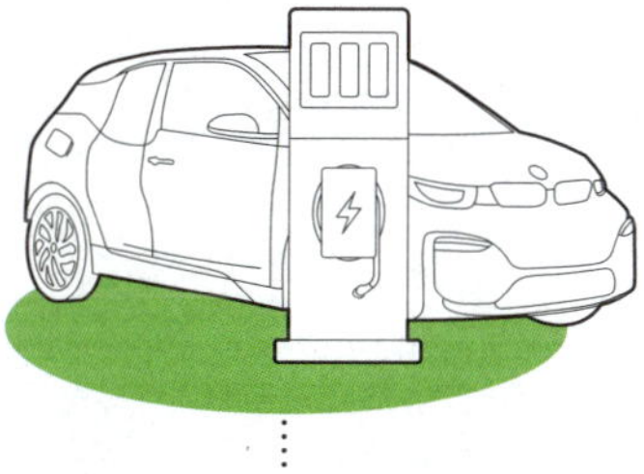

Werteorientierung
UMWELTORIENTIERUNG

Neues Denken
NEW MOBILITY

5. *Alles*

ICH-WIR-ALLE
Zusammen wachsen

Auf allen drei Ebenen der Entwicklung werden wir im Verlauf unserer Entwicklung mit Paradoxien und Dilemmata konfrontiert. Ob in der persönlichen Entwicklung, in der Entwicklung im Team oder in der Entwicklung in Organisationen: Vernetztes, interdisziplinäres und wissenschaftliches Denken, multikulturelle Perspektiven und die Philosophie können uns Anregungen für erweiterte Kommunikationsformen geben, die Gegensätze auflösen und uns unsere Nicht-Zweiheit spüren lassen.

„Und wie alle nicht dualen Weisen überall auf der Welt stießen auch die Idealisten auf das Unerhörte und völlig paradox erscheinende Geheimnis, dass die endgültige Befreiung und Erlösung immer schon erreicht ist."

Ken Wilber (* 1949)

Das Unvorstellbare entsteht spielend

Die Arbeit mit dem Modell der Haltungen wird dadurch komplex, dass wir selbst durch das Filtersystem unserer Haltungen geprägt sind, mit anderen durch deren Filter kommunizieren und die Kontexte, in denen wir uns bewegen, ebenfalls von den Konstrukten bestimmter Haltungen geprägt werden. Haltungen sind wie das Wasser, in dem unsere Gedanken schwimmen, meist merken wir nicht, in welchem Gewässer wir uns befinden. Wir erleben in Organisationen Subkulturen, heterogene Führungsteams, und es gibt entscheidende Personen, die selten anwesend, aber oft in früheren Haltungen unterwegs sind. Wie Geister oder ein Fluch müssen sie berücksichtigt werden und daraus ergeben sich viele Widersprüche. Wenn wir neu in ein Unternehmen kommen und unsere Wahrnehmungen sich noch nicht im Gewohnheitskorridor bewegen, erkennen wir diese Widersprüche. Zu akzeptieren, dass es Kontexte gibt, die noch nicht beeinflussbar sind, ist Teil des Prozesses. Es geht nicht darum, eine vermeintlich „richtige" Haltung zu haben, sondern einen entwicklungsorientierten Kontext zu gestalten, den jeweils nächsten möglichen Entwicklungsimpuls zu erkennen und ihm Raum zu geben.

„Ich denke, das menschliche Leben ist wesentlich die Freude daran, zusammen zu spielen. Es ist die Freude daran, Dinge gemeinsam mit Sprache zu tun."

Humberto Maturana

Weil wir uns selbst in unserer Entwicklung noch zu wenig kennen, haben wir unrealistische Erwartungen an die Entwicklungsfähigkeit anderer und glauben, mit „Muss"- und „Soll"-Aussagen Veränderungen herbeiführen zu können – wenn wir sie nur oft genug wiederholen, bis die anderen es endlich kapieren. Mit zunehmender Reife erkennen wir, dass Entwicklung nicht durch Appelle gelingt. Es braucht dafür orientierende gemeinsame Erlebnisse, die von Regression und Progression begleitet werden.

Unerwartetes geschieht, wo sich etwas von selbst einstellt, wo etwas emergiert, das wir nicht geplant haben, weil wir es uns gar nicht vorstellen konnten. Der Wissenschaftsphilosoph Michael Hampe sagt: „Für das Eintreten des Unvorstellbaren bedarf es des sehr bemühten Spiels ganz verschiedener Kräfte, nicht direkt gegeneinander, aber doch im Bewusstsein der Verschiedenheit der Akteure, so wie das Spiel von Klarinette, Klavier, Bass und Schlagzeug in der Band nicht gegeneinander, aber im Bewusstsein der Verschiedenheit dieser Instrumente stattfindet. Die haben alle ihre eigene Stimme und können trotzdem dasselbe Thema variieren."

Wachstumsgefährt*innen verbinden sich

Viele Menschen, die sich in postkonventionelle Haltungen entwickeln, arbeiten in Kontexten, die noch alten Logiken folgen. Sie fühlen sich bisweilen exotisch und werden vielleicht für ihre mutmaßlich träumerischen und unrealistischen Vorstellungen belächelt. Wenn es um emotional komplexere zwischenmenschliche Probleme geht, werden sie jedoch geschätzt, weil sie scheinbar nicht nach Schema F handeln und denken und so Wege finden, die andere nicht sehen können. Als Führungspersönlichkeiten sind sie bei Mitarbeitenden oft beliebt, während das Management sie eher als kompliziert oder gar als Störenfriede wahrnimmt. Früher wurden diese Personen als Querdenker bezeichnet, die es zu fördern galt, nun hat das Wort allerdings eine andere Bedeutung. Was häufig zu beobachten ist: Diese Mitarbeitenden haben oft eine Vorstellung davon, wie man anders miteinander kommunizieren und Entscheidungen treffen könnte, die vorherrschenden Machtstrukturen sind aber noch prägender. Dies kann zu einem Gefühl der Isolation führen.

Oft melden sich genau diese Mitarbeitenden bei uns, weil sie mithilfe des Modells ihre Ideen anderen plausibel vermitteln und eine vertikale Entwicklung initiieren wollen. Es hilft Organisationen, diese Menschen in Peer- oder Buddy-Gruppen zu vernetzen und zu aktivieren. Meist entsteht in diesen Formaten viel kreative Energie, weil die Teilnehmenden drei Erkenntnisse gewinnen:

1. **Wir sind mit unseren Gedanken und Wahrnehmungen nicht allein.**
2. **Es ist erstaunlich einfach, in kleinen Gruppen Vertrauen, sichere Räume und eine höhere Besprechbarkeit herzustellen.**
3. **Kommunikation in erweiterten Haltungen ist einfacher, als wir dachten, weil viele Kolleg*innen ähnliche Entwicklungspotenziale sehen – nur haben wir bisher noch nie darüber gesprochen.**

Der Austausch mit anderen gehört zu den stärksten Entwicklungskräften für uns selbst, für Teams und Organisationen. In Kleingruppen entwickeln sich Ideen und eine Energie, die Prozesse nachhaltig in Gang bringt. So können sich bislang unerkannte Entwicklungspotenziale entfalten. Allzu oft beschäftigen wir uns in der Führung mit schwierigen Mitarbeitenden, die scheinbar unsere Führungsenergie brauchen, oder mit jenen, die in der bekannten Logik funktionieren und den Laden am Laufen halten. Der Platz für Mitarbeitende, die den Laden weiterentwickeln, wird auf der kulturellen Ebene meist noch wenig mitgedacht. Erwartet werden diese Impulse eigentlich vom Top-Management, was selten fruchtet, weil dafür meist Personen ausgewählt und eingestellt werden, die die aktuellen Logiken optimal bedienen.

Transformation braucht eine Bewegung

Frederic Laloux (* 1969), Autor von „Reinventing Organizations", ist davon überzeugt, dass es zwei Personen braucht, um ein Unternehmen zu verändern: die des Aufsichtsratsvorsitzenden und die des CEO. Doch Systeme verändern sich nur in Ausnahmefällen durch Führung, weil die Mächtigen zu sehr in den Privilegien der alten Logik gefangen sind, als dass sie diese grundsätzlich infrage stellen könnten. Wie viele Manager*innen gibt es, die in wachstumsorientierten Strukturen eine Organisation zu einem nachhaltigen Unternehmen transformieren, das den Ideen der Kreislaufwirtschaft und des Gemeinwohls folgt? Nur wenige verfügen über den inneren Raum, diese zur Wachstumsorientierung paradox erscheinenden Transformationen in sich zu halten. Genau diese Ambiguität gehört zu den Herausforderungen, vor denen viele Unternehmen zumindest mittelfristig stehen.

Teil der großen Transformation sein

Unabhängig davon, welchen politischen Konzepten wir derzeit unser Vertrauen schenken, alle sehen eine große Transformation auf uns zukommen, in der sich unsere Interaktion mit der Natur und damit auch mit uns selbst als Menschheit grundlegend verändern wird. Wir können dies als apokalyptisches Narrativ auffassen, es ignorieren, faktengetriebenen Aktionismus betreiben, Technikoptimismus verbreiten, soziale Innovationen auf den Weg bringen oder uns auf weitreichende Regeneration besinnen. Alle Bewegungen sind erkennbar und wirken auf unseren kollektiven sinngebenden Gedankenstrom ein.

Ist diese große Transformation überhaupt gestaltbar – und welche Rolle kann vertikale Entwicklung dabei spielen? Transformative Entwicklungen werden oft von Bewegungen getragen, bei denen ca. 3,5 % der Beteiligten ausreichen, um einen starken Wandel in einem Unternehmen oder einer Gesellschaft zu initiieren. In Organisationen braucht es dafür eine Legitimation und Raum. Wesentlich ist, dass die Führung in der Lage ist, Spannungen zu erkennen und als Wachstumspotenziale zu begreifen. Es hängt viel davon ab, ob die Führungskräfte bereit sind, sich selbst als in Entwicklung zu sehen, alte Logiken zu erweitern und ein neues Identitätsverständnis von Führung zu kultivieren. Kleine Gruppen von Wachstumsgefährt*innen, die jenseits von formalen Strukturen und Alltagsproblemen Räume für neue Arten der Kommunikation bieten, unterstützen Führungspersönlichkeiten und Mitarbeitende dabei, multiperspektivischer zu werden und als Multiplikator*innen eine transformative Bewegung unterstützen zu können. Sie erhöhen die kommunikativen Nahtstellen über die Hierarchien hinweg und bilden lernende Netzwerke, in denen selbstorganisierter Erfahrungsaustausch lebendig wird. Ein idealer Nährboden für gemeinsame vertikale Entwicklung.

Die virtuelle Gemeinschaft

In vielen Organisationen hat das Tagesgeschäft eine höhere Priorität als die Erweiterung der Logiken, in denen es praktiziert wird. Inneres Wachstum zum Thema zu machen, gilt manchmal sogar als übergriffig oder esoterisch, obwohl die Notwendigkeit dafür schnell offensichtlich wird. Wichtig ist, dass inneres Wachstum immer freiwillig ist. Gemeinsam innerlich zu wachsen, ist ein Angebot, für das wir Räume öffnen können, um es leichter zu ermöglichen. Beispiele dafür sind firmeninterne Gruppen für Mindfulness, Meditation, Gewaltfreie Kommunikation etc. Wo das nicht möglich ist oder der Wunsch nach Austausch über Unternehmensgrenzen hinaus besteht, können wir uns organisationsübergreifend mit anderen Weggefährt*innen verbinden.

Viele Menschen, die an Workshops, Kulturexpeditionen und Seminaren teilgenommen haben, wollen in Kontakt bleiben, weil sie spüren, dass uns die Erweiterung der Haltung in den nächsten Jahren auf vielen Ebenen begleiten wird. Das Modell zu kennen, ist das eine, es braucht auch den Transfer in den eigenen Kontext, die praktische Anwendung in neuen Erfahrungsräumen und Reflexionsmöglichkeiten. Oft hilft das Haltungsmodell, die eigene Führungs- oder Beratungsarbeit neu zu verstehen und zu erkennen, dass wir bereits vertikale Entwicklung fördern und nun begreifen, wo wir welche Übersetzungsleistungen erbringen oder auf Unverständnis stoßen. Dadurch können wir unser Profil als Berater*in und Führungskraft schärfen.

Unser Modell ermöglichte es einer Kommunikationsberaterin für Kollaborationsplattformen, ihren Werdegang, ihre Erfahrungen und ihre berufliche Ausrichtung in einem neuen Licht zu sehen. Die daraus gewonnenen Erkenntnisse bringt sie nun aktiv in die Auftragsklärung ein und schafft dadurch Mehrwert für alle Beteiligten. Vor 15 Jahren schulte sie vor allem Anwender*innen von Intranet-Software. Später bildete sie Community Manager aus, befähigte diese, interne Schulungen durchzuführen und die aktive Nutzung der Plattform zu fördern. Anschließend begann sie, sich mit Kommunikation generell zu beschäftigen. Ihr aktueller Entwicklungsschritt hat ihre berufliche Positionierung dahingehend verändert, dass sie die Einführung einer Kollaborationsplattform nun als Kulturaufgabe versteht, die ein Training der Führungskräfte erfordert und neue Entscheidungswege eröffnet. Mit jedem ihrer Entwicklungsschritte veränderte sich, was sie selbst als wichtig erkennen und vermitteln konnte. Neuen Auftraggeber*innen, die denken, bei der Einführung von Microsoft 365 oder ähnlichen Plattformen gehe es nur um Softwareschulung, kann sie nun den Blick weiten. Das Modell der Haltungen macht es ihr leicht, auf noch ungesehene kulturelle Aspekte hinzuweisen und das Projekt entsprechend zu gestalten.

Pionierarbeit lebt vom Austausch.

Im Mai 2022 starteten wir das Netzwerk „Haltung erweitern“ (https://haltung-erweitern.de). Hier sammeln wir Forschungsberichte, Podcasts, Videos, Tools und Buchempfehlungen und diskutieren Erfahrungen rund um das Thema Haltungserweiterung. Themenpat*innen innerhalb des Netzwerkes nehmen sich einzelner Fokusthemen an. Es entstanden Untergruppen zu den Themen Journalismus, Schule, Agilität, Hochschulen, kulturelle Vielfalt, Verantwortung, Präsenz, Psychedelika, Kollaboration und Philosophie. Weitere Themen wie Verwaltung und Politik sind im Aufbau. Dort laden wir Wachstumsgefährt*innen ein, sich themenspezifisch zu finden und zu verbinden.

Die Gemeinschaft wächst organisch und der virtuelle Austausch wird durch physische Treffen, Vorträge und verschiedene Workshopformate ergänzt. Wir organisieren monatliche Online-Treffen, wenn ein Themenfeld auf besonderes Interesse stößt. Insbesondere in Bereichen wie Journalismus oder Bildung fühlen sich viele Menschen vom Modell der Haltungen inspiriert, weil sie darin ein von ihnen bereits intuitiv wahrgenommenes Entwicklungspotenzial erkennen und nun im Austausch mit Gleichgesinnten die erweiterten Logiken in der Praxis erproben können.

Das Wir der vielen Individuen

Die große Transformation wird neben den technischen Entwicklungen auch von der Notwendigkeit sozialer Innovationen geprägt. Die Basis dafür bildet die vertikale Entwicklung unserer sinnstiftenden Logiken, im Umgang sowohl miteinander als auch mit unserem Planeten. Ein systemisch-autonomes Wir-Gefühl entsteht nicht aus einer Ideologie heraus, dies entspräche eher dem Wir-Gefühl der gemeinschaftsbestimmt-konformistischen Haltung. In der systemisch-autonomen Haltung entsteht ein WIR aus einer Vielzahl eigenbestimmt-souveräner Menschen, die über den Raum ihrer relativierend-individualistischen Haltung mit ihrem bewussten Fühlen in Kontakt gekommen sind und nun stärker spüren, dass alles Leben in Verbundenheit stattfindet. Individuelle Freiheit ist, wenn sie langfristig Bestand haben und nicht nur für einige gelten soll, eingebettet in einen Raum sozialer Freiheit, der alle Menschen, Flora und Fauna umfasst. Die vertikale Entwicklung kann uns Hinweise geben, wie diese bekannte Erkenntnis in Wirkung kommen kann. Die große Transformation ist die Summe Tausender kleiner Transformationen in uns selbst, unseren Teams, unseren Organisationen und in den Kontexten, die uns umgeben.

Zu diesem forschenden Austausch laden wir alle Leser*nnen herzlich ein:
https://haltung-erweitern.de

Äußere Entwicklung braucht innere Entwicklung

2018 lernte ich auf einer Veranstaltung die Goalkeepers kennen, die sich zum Ziel gesetzt haben, die 17 SDGs (Sustainable Development Goals), die 2015 von der Generalversammlung der Vereinten Nationen verabschiedet wurden, in die Tat umzusetzen. Diese Nachhaltigkeitsziele wurden als Reaktion auf das Scheitern der UN-Klimakonferenz 2009 in Kopenhagen erarbeitet. Einer der entscheidenden Punkte bei der Entwicklung der SDGs war, dass sich die Länder selbst zu ihrer Einhaltung verpflichteten und damit die internationalen Befindlichkeiten und die Angst vor Bevormundung, an denen frühere Abkommen gescheitert waren, geschickt umgangen wurden. Die neue Machtlogik der Initiative und die Tatsache, dass sie nicht nur von den westlichen Industrieländern getragen wurde, hat die Dynamik der internationalen Zusammenarbeit verändert. Die 17 SDGs sind eine der wichtigsten globalen Zukunftsvereinbarungen, auf die wir uns heute beziehen können. Sie adressieren gestaltend die Notwendigkeit einer großen Transformation. Viele Regierungen haben die Ziele der Erklärung in ihre Programme aufgenommen. Bis zur vollständigen Umsetzung ist es noch ein weiter Weg und dass dies wie geplant bis 2030 gelingt, scheint trotz vieler Initiativen noch unwahrscheinlich.

Die Diskrepanz zwischen der Vision, dem Erkennen der Notwendigkeit, dass etwas und was getan werden muss, und den erzielten Fortschritten in der Umsetzung der globalen Nachhaltigkeitsziele ist nach wie vor groß. Es fehlt uns noch an der inneren Kompetenz, mit unserer immer komplexer werdenden Umwelt und den damit verbundenen Herausforderungen zielgerichtet umzugehen. Gerade in der Führung von Politik, Wirtschaft und Gesellschaft braucht es zur Umsetzung der 17 SDGs erweiterte Haltungen, die mehr erkennen als Rendite und Wachstum und die aufhören, negative Effekte in eine imaginäre Zukunft, in der alles technisch gelöst wird, zu externalisieren.

SUSTAINABLE DEVELOPMENT GOALS

Innere Entwicklung global thematisieren

Aus dieser Erkenntnis heraus hat eine Gruppe um Tomas Björkman, Simon Anholt und Jakob Trollbäck im April 2019 die Initiative „Inner Development Goals“ ins Leben gerufen. Ziel ist es, genau diese Fähigkeiten in der Führung zu fördern. Als wissenschaftliche Unterstützung ist das Who is who der entwicklungsorientierten Psychologie versammelt, hinzu kommen wichtige Vertreter*innen der vertikalen Entwicklung: Amy C. Edmondson, Otto Scharmer, Peter Senge, Robert Kegan, Susanne Cook-Greuter und viele mehr.

Dieser Bewegung begegnete ich im Frühjahr 2022, als ich zusammen mit Stephanie Ekrod, Dr. Hermann Küster, Marion Quaas-Reinhard, Jens König und Prof. Dr. Björn Peters die Bewegung emergizer.de ins Leben gerufen habe, in deren Manifest wir die systematische Entwicklung der späteren Haltungen anregen. Wir verfolgen damit die Absicht, die gesellschaftspolitische Relevanz der vertikalen Entwicklung umfassend und möglichst schnell zu verbreiten. Mehr dazu auf der übernächsten Doppelseite.

Wir sehen unser Engagement für die Verbreitung der Ideen der vertikalen Entwicklung als Teil der Bemühungen rund um die IDGs-Initiative. Diese Initiative gibt Anregungen, wie zukünftige Entwicklungsprogramme für Führungspersönlichkeiten gestaltet werden können, und orientiert sich ebenfalls am Modell der Ich-Entwicklung. Viele Unternehmen haben diese Anregungen bereits in ihre Programme übernommen.

Es wird vieler Initiativen und Bewegungen bedürfen, um in Politik, Gesellschaft und Wirtschaft erweiterte Perspektiven in Wirkung zu bringen. Die innere vertikale Entwicklung erhöht unsere Chancen, die immensen Herausforderungen der kommenden Jahre friedlich und sinnstiftend zu bewältigen. Meine Hoffnung und mein Bestreben ist, dass die Grundlagen der vertikalen Entwicklung in absehbarer Zeit unter Führungspersönlichkeiten allgemein verbreitet sind und neue Handlungsmöglichkeiten eröffnen.

INNER DEVELOPMENT GOALS
Transformational Skills for Sustainable Development

Die Initiative Inner Development Goals (IDGs)

„Inner Development Goals (IDGs) ist eine gemeinnützige Organisation für innere Entwicklung. Sie erforscht, sammelt und vermittelt wissenschaftlich fundierte Fähigkeiten und Qualitäten, die uns helfen, ein zielgerichtetes, nachhaltiges und produktives Leben zu führen. Der Rahmen der Inner Development Goals ist grundlegend für die Arbeit zur Erreichung der Ziele für nachhaltige Entwicklung (SDGs)."

Zitat aus www.innerdevelopmentgoals.org

1. Sein – Beziehung zu sich selbst

Die Kultivierung unseres Innenlebens und die Entwicklung und Vertiefung unserer Beziehung zu unseren Gedanken und Gefühlen und zu unserem Körper helfen uns, präsent zu sein, absichtsvoll zu handeln und nicht reaktiv, wenn wir mit Komplexität konfrontiert werden.

- Innerer Kompass
- Integrität und Authentizität
- Offenheit und Lernbereitschaft
- Selbsterkenntnis
- Gegenwärtigkeit

2. Denken – kognitive Fertigkeiten

Die Entwicklung unserer kognitiven Fähigkeiten, verschiedene Perspektiven einzunehmen, Informationen zu bewerten und die Welt als ein zusammenhängendes Ganzes zu begreifen, ist eine wesentliche Voraussetzung für eine kluge Entscheidungsfindung.

- Kritisches Denken
- Bewusstsein für Komplexität
- Perspektivische Fähigkeiten
- Sinnstiftung
- Langfristige Orientierung und Visionen

3. Beziehung – Fürsorge für andere und die Welt
Wertschätzung, Fürsorge und das Gefühl der Verbundenheit mit anderen, z. B. mit der Nachbarschaft, künftigen Generationen oder der Biosphäre, helfen uns, gerechtere und nachhaltigere Systeme und Gesellschaften für alle zu schaffen.

- Wertschätzung
- Verbundenheit
- Bescheidenheit
- Einfühlungsvermögen und Mitgefühl

4. Zusammenarbeit – soziale Fähigkeiten
Um bei gemeinsamen Anliegen voranzukommen, müssen wir unsere Fähigkeiten entwickeln, Akteur*innen mit unterschiedlichen Werten, Fähigkeiten und Kompetenzen einzubeziehen, ihnen Raum zu geben und mit ihnen zu kommunizieren.

- Kommunikative Fähigkeiten
- Mitgestaltende Fähigkeiten
- Integrative Denkweise und interkulturelle Kompetenz
- Vertrauen
- Fähigkeiten zur Mobilisierung

5. Handeln – den Wandel vorantreiben
Eigenschaften wie Mut und Optimismus helfen uns, echte Handlungsfähigkeit zu erlangen, alte Muster zu durchbrechen, originelle Ideen zu entwickeln und in unsicheren Zeiten mit Beharrlichkeit zu handeln.

- Mut
- Kreativität
- Optimismus
- Beharrlichkeit

„Die innere, persönliche Entwicklung für breite Teile der Bevölkerung zugänglich zu machen, ist eine Voraussetzung für stabile und florierende Demokratien."

Tomas Bjorkman (* 1958)

emergizer – eine Zukunftsbewegung

Während die Erkenntnisse der vertikalen Entwicklungsforschung von Jane Loevinger lange Zeit nur im klinischen Kontext verbreitet waren, wird ihre Bedeutung für Wirtschaft, Politik und Bildung nun immer mehr erkannt. Ein Hauptverdienst an der Verbreitung kommt sicherlich Ken Wilber zu, der in seinem integralen Ansatz viele entwicklungsorientierte Wissenschaftsdisziplinen miteinander in Beziehung gesetzt und die entwicklungspsychologischen Ansätze der vertikalen Entwicklung bekannter gemacht hat. Ebenfalls zu nennen sind die Forschungen von Susanne Cook-Greuter, die die Erkenntnisse von Jane Loevinger vertieft und insbesondere zu transpersonalen Haltungen geforscht hat. Thomas Binder verdanken wir durch seine Dissertation und diverse Fachpublikationen die Übertragung auf den Beratungskontext. Inzwischen gibt es eine wachsende Zahl von Berater*innen, die die Forschungsergebnisse zur vertikalen Entwicklung für die Selbst-, Team- und Organisationsentwicklung nutzen.

Die Initiative der Zukunftsbewegung

Ende 2021 entstand die Idee, die Zukunftsbewegung emergizer.de ins Leben zu rufen, um Akteur*innen der vertikalen Entwicklung ein gemeinsames Forum zu bieten. Das Wort bezieht sich auf energizer, also Energiegeber, auf emergieren (von lat. emergere = „auftauchen, entstehen") und Emergenz als Begriff der neueren englischen Philosophie, wonach spätere Seinsstufen durch neu auftauchende Qualitäten aus früheren entstehen. Wir wollen diesem Entstehungsprozess Raum geben und erforschen, wie er in Wirkung kommen kann.

Eine neue Bewusstseinskultur

Während die Forschung uns die Landkarte geliefert hat, geht es nun darum, sie in vielen Bereichen in Wirkung zu bringen und Erfahrungen darüber auszutauschen, was zum Erfolg der vertikalen Entwicklung beitragen kann. Wie kann es gelingen, Angebote, die die persönliche Entwicklung fördern, attraktiv zu machen und zu verbreiten? Dazu wollen wir möglichst viele Interessierte miteinander in Beziehung und Austausch bringen. Der Fernsehmoderator Gert Scobel (* 1959) spricht in seinem YouTube-Video „Bewusstseinskultur – so hilft sie uns" wichtige Punkte an, warum es notwendig ist, unser Bewusstsein zu kultivieren. In einer Welt, die uns zunehmend mit Komplexität und Unsicherheit konfrontiert, brauchen wir eine Bewältigungskompetenz, die es uns ermöglicht, Nichtwissen, Neugier und Selbsterkenntnis zuzulassen. Dafür brauchen wir die Fähigkeit, unsere eigenen Innenperspektiven wahrzunehmen und unser Bewusstsein in Eigenregie zu entwickeln. Vertikale Entwicklung kann dazu Inspiration und Orientierung liefern.

emergizer
EINE ZUKUNFTSBEWEGUNG

Sustainable Development Goals

Inner Development Goals

Emerizer

Selbstentwicklung ist Weltentwicklung
emergizer ist eine Zukunftsbewegung, die dem dringend notwendigen Mindset Shift für gelingenden gesellschaftlichen Wandel einen substanziellen Schub geben will. Ziel der Bewegung ist es, insbesondere Menschen im deutschsprachigen Raum zu vernetzen, die sich mit dem „Wie" von vertikaler Entwicklung beschäftigen und dieses Wissen in Unternehmen, Politik, Gesellschaft und Bildung verbreiten wollen.

Das Netzwerk ist offen für weitere Partner*innen und möchte ein wachsendes Angebot an Austauschmöglichkeiten und Weiterbildungsprogrammen entstehen lassen.

www.emergizer.de

Streben nach Zukunft

Über LinkedIn erhielt ich den Hinweis auf die außergewöhnliche Masterarbeit von Christoph Amann (* 1993) mit dem Titel „Streben nach Zukunft“. Christoph hat Design, Ethnologie, Ingenieurwissenschaften und Kulturwissenschaften studiert. Aus diesen multidisziplinären Perspektiven beleuchtet er in seiner Masterarbeit, wie gesellschaftlicher Wandel im Sinne der großen Transformation zu einer wirklich nachhaltigen Gesellschaft, gelingen kann. Er analysiert den Erfolg historischer und gegenwärtiger Bewegungen und findet fünf Handlungsfelder, die diesen Bewegungen in unterschiedlicher Ausprägung gemein sind und die auch aufschlussreich für die Transformation unserer Haltungen in Organisationen und Kulturen sind. Seine Analyse ist beispielhaft für Zukunftsbewegungen wie die der großen Transformation. Im Idealfall sind in einer transformativen Bewegung alle fünf Handlungsfelder ausgewogen aktiv.

1. Treiber

Es braucht die emotionale Motivation und den Willen zur Transformation. Beides entsteht aus der Wahrnehmung, dass es anders gehen könnte, oder dem Erleben des Status quo als dysfunktional.

2. Pioniere des Wandels

Wir brauchen Erfahrungen und Erlebnisse der Selbstwirksamkeit im Wandel, die wir durch Experimente, aktives Üben und die Veränderung von Automatismen erzeugen.

3. Werte und Leitbilder

Was wir anstreben, sollte zu unseren Werten passen und durch positive emotionale Referenzerlebnisse bestätigt werden. Bei emotionalen Spannungen geben Werte Orientierung und machen Spannungen besprechbar.

4. Sprachrohre

Das Wissen um Entwicklungsmöglichkeiten und das Erleben von Veränderung braucht Sichtbarkeit und Verbreitung. Es bedarf einer Kultur der vielen Geschichten, die den Wandel unterstützen. Wie Entscheidungsträger*innen über Veränderung sprechen, wird besonders wahrgenommen.

5. Partizipation und Kooperation

Entscheidend für jede Bewegung ist, dass möglichst viele Menschen mitarbeiten und sie mitgestalten. Wir brauchen eine positive Experimentierkultur, Supervision, kollegiales Coaching und sichere Räume, um Neues ohne Druck ausprobieren zu können.

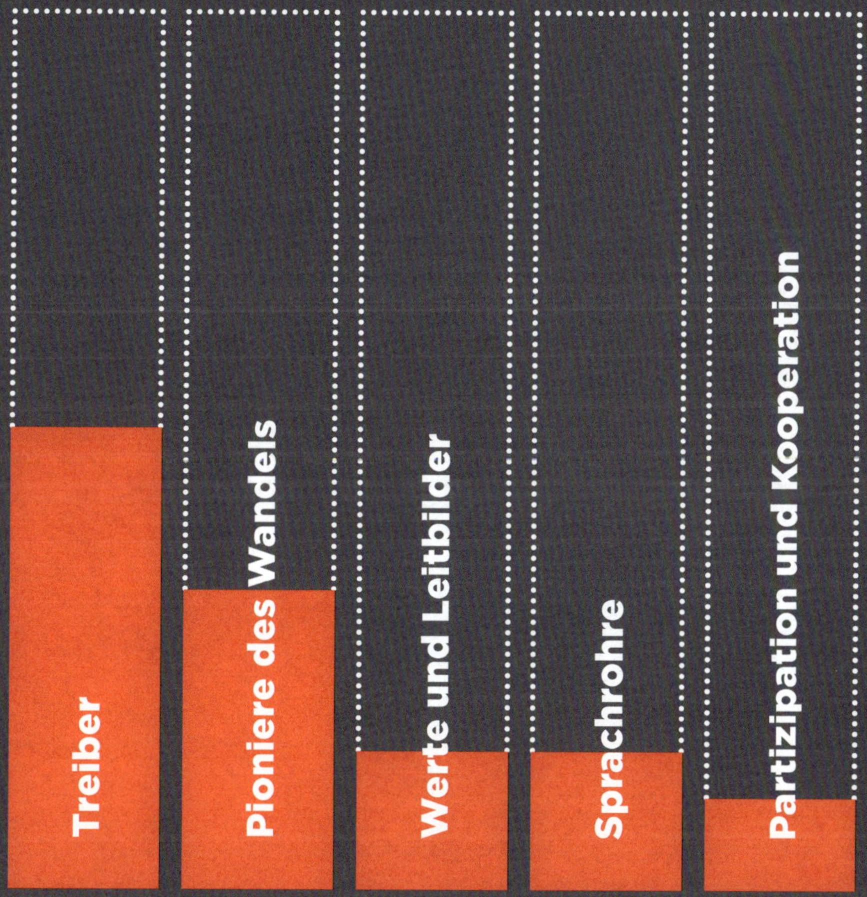

Der Stand der großen Transformation

Viele Bewegungen sind nicht ausbalanciert und stagnieren daher auch wieder. Mal stehen die Treiber im Vordergrund wie bei „Fridays for Future“, aber es fehlt an Partizipation und Zusammenarbeit, um wirklich Neues zu tun, oder es ist eine ideelle Bewegung wie das Bauhaus, die viele prominente Sprecher*innen hatte, bei der die Treiber aber weniger ausgeprägt waren und zu wenige Menschen tiefes Interesse zeigten. In der großen Transformation unserer Gesellschaft sehen wir, dass die Treiber wahrgenommen werden, es auch immer mehr Pionier*innen gibt, Werte und Sprachrohre allerdings noch weitgehend von früheren Haltungen geprägt sind und auch Partizipation und Kollaboration noch der Stärkung bedürfen.

Impuls: Die Balancierung einer Bewegung
Welcher der fünf Aspekte ist in den Bewegungen des Wandel, in die wir involviert sind, wie stark ausgeprägt? Welche Aspekte gilt es zu stärken?

5.1

Kontext-Charakter

Stellen wir uns vor, 50 verschiedene Menschheiten wären vor 50.000 Jahren auf unterschiedlichen Planeten ausgesetzt worden und würden sich jetzt zum ersten Mal begegnen. Alle hätten ähnliche Voraussetzungen gehabt und wären als intelligente Spezies auf einem intakten Planeten gestartet. Welchen Eindruck würden die anderen Menschheiten von uns gewinnen? Wie würden sie unseren Charakter beschreiben? Ist es denkbar, dass es auch andere Wege gibt, die Erweiterungen der Haltungen zu durchlaufen und zu kooperativen Lebensformen zu kommen, die sich um den Erhalt ihres Lebensraums kümmern, sodass dieser noch Jahrtausende Raum für alle Formen des Lebens bietet?

„Wir reden von planetaren Grenzen, aber die meisten Lösungsvorschläge drücken sich darum, wirklich anzuerkennen, was das heißt.“

Maja Göpel (* 1976)

Die Farbe des Weltgedankenstroms

Das Modell der Haltungen hilft uns, uns in der Vielfalt der gewohnten Haltungen aus unterschiedlichen Kontexten sicherer zu bewegen. Theoretisch ist es denkbar, alle sprachlichen Äußerungen je nach Sprachraum und Sprachkonstruktion bestimmten Haltungen zuzuordnen. Würde Google den Gedankenstrom, der im Netz permanent generiert wird, nach Haltungen eingefärbt darstellen, wie sähe dieser Weltgedankenstrom in seiner Farbigkeit aus? Wie groß wäre der Anteil der „roten", eher impulsiven Gedanken, wie groß der Anteil der „braunen", die viel mit Anpassung und Zugehörigkeit zu tun haben, usw.? Wie sähe ein Farbstrahl aus, wenn wir in den Parlamenten die Gedanken der Abgeordneten und die ihnen innewohnenden Haltungen sehen könnten? Was könnten wir erkennen, wenn wir die verschiedenen Kulturen, ihre Gesellschaftsformen, ihre Rechtssysteme und ihr Verhältnis zur Natur in der Entsprechung ihrer Haltungen erkennen könnten? In diesem Abschnitt teilen wir Überlegungen, wie wir diese Differenzierung in Kontexten vornehmen können.

Die „Blasen", in denen wir uns bewegen, sind von unserer eigenen Gewohnheitshaltung bestimmt. Wir wählen Kontexte entsprechend unserer eigenen Sprach- und Denkräume und bleiben zunächst in deren Grenzen. Algorithmen und künstliche Intelligenzen zielen auf unsere Aufmerksamkeit. Sie tun dies nicht nur mit Angeboten, die uns in früheren Haltungen reizbar machen, sondern es entstehen immer auch Suchbewegungen der Algorithmen nach Aufmerksamkeit, die die erweiterten Haltungen in uns ansprechen.

Mit „How Developed Is Artificial Intelligence?" hat Corey deVos im YouTube-Kanal „Integral Life" ein interessantes Experiment veröffentlicht: Dafür hat Robb Smith den Satzergänzungstest „The Washington University Sentence Completion Test (WUSCT)", den Jane Loevinger zur Feststellung der Ich-Entwicklung ausgearbeitet hat, der künstlichen Intelligenz ChatGPT-3 als Aufgabe vorgelegt. Der Test enthält Sätze wie „Meine Mutter und ich ...", „Wenn ich über mich nachdenke ..." und „Wenn ich kritisiert werde ...". Die Forscherin Susanne Cook-Greuter wertete die vervollständigten Sätze aus, ohne zu wissen, dass eine KI sie ergänzt hatte. Sie war erstaunt über die Gleichförmigkeit und Länge der Antworten (ca. 40 Wörter) und bezweifelte, dass ein Mensch dies in der vorgegebenen Zeit von einer Stunde schaffen könnte – die KI hatte dafür lediglich 7 Sekunden gebraucht. Sie beschrieb diese Person als sehr selbstbewusst, smart und leicht soziopathisch, mit einer reifen, eigenbestimmt-souveränen Haltung. Aber was haben wir damit analysiert? Das vorhandene Textmaterial oder die Psyche des Programmierers? Oder zeigt sich hier, dass emotionale und systemische Ebenen von künstlicher Intelligenz noch nicht gesehen werden können? Immerhin eignet sich der Chatbot als Coach für die früheren Haltungen hin zu einer eigenbestimmt-souveränen Haltung.

Die Welt neu denken lernen

Das Modell der Haltungen gibt uns auch die Möglichkeit, die westliche Welt und ihre Entwicklung in den verschiedensten Bereichen zu verstehen. Wie wir uns gegenseitig ansprechen, hat sich zum Beispiel von einer stark formalisierten Art mit Titelnennung und Anrederitual gemäß Rang hin zu einer Duz-Kultur auf Augenhöhe verändert. Früher lernte man noch, erst den höchsten akademischen Titel zu nennen, dann den Adelstitel und dann den Nachnamen. Jetzt reicht der Vorname. Je nach Haltung löst so etwas bereits Reizbarkeiten aus, die unsere haltungstypischen Überzeugungen widerspiegeln, wie die Welt doch bitte sein sollte. Wir glauben, wenn wir Meinungen haben, hätte das irgendwie eine realitätsbildende Wirkung. Meinungen sind jedoch lediglich Wahrnehmungsfilter. Die Welt ist ein Raum voller Phänomene und Relationen, unsere haltungsspezifischen Meinungen färben unser Welterleben ein und durch Begriffsbildungen trennen wir uns von einer direkten Welterfahrung.

Konstrukte deuten die Realität haltungsspezifisch

Unbewusst versuchen wir, die äußeren Realitäten an unsere inneren haltungsspezifischen Vorstellungen anzupassen. Was sich nicht anpassen lässt, wird verleugnet oder im schlimmsten Fall bekämpft. Das Gegenüber ist dann kein Mensch, sondern ein Russe, ein Migrant, ein Arbeitsloser oder, oder, oder. Unsere Vorstellung macht ihn zu einer abstrakten Idee. Komplexität wird vermieden, wenn wir innerlich noch nicht komplex sind. Eine Diktatur oder der Fundamentalismus sehen keinen Wert in einem differenzierten Rechtssystem, das die Menschenrechte achtet. Für sie ist es eine sentimentale Fiktion, die der vermeintlich höheren Ideologie von der Überlegenheit des eigenen „Ich" oder „Wir" widerspricht, und wird daher nicht als sinngebend für das Rechtsverständnis gesehen. Dies ist in der gegenwärtigen Weltlage ein höchst kritisches Phänomen. Regierungschef*innen, die ihre Wirklichkeit in der Logik der frühen Haltungen konstruieren, sind mit weitreichender Entscheidungsmacht ausgestattet und bereit, diese im Sinne ihrer Logik auch einzusetzen. Erweiterte Haltungen betrachten sie als Schwäche oder Träumerei, weil sie deren zusätzliche Perspektiven in sich selbst noch nicht einnehmen können. Beim Blick auf die frühen Haltungen und deren Rechtsverständnis wird die Niederkomplexität politischen Handelns recht offensichtlich. Beim Blick auf unser eigenes Verständnis, wie wir wirtschaften oder welche Rolle wir Wissenschaft und Technik zuschreiben, wird es spannender. Bei genauerem Hinsehen stellen wir fest, dass auch wir Unpassendes negieren und Komplexität ausblenden. Doch wir bemerken auch, wie sich unser Weltbild in den letzten Jahren verändert hat, weil wir heute Phänomene emotional anders priorisieren als früher.

Wissenschaft denkt nicht

Die Objektivierung unserer Wahrnehmungsfilter gelingt uns nur, solange wir uns nicht mit unserem wahrnehmenden Prozess identifizieren. Einfach ausgedrückt: Unsere Weisheit endet dort, wo wir sie zu haben glauben. Vertikale Entwicklung ist keine Frage der Ideologie, sondern inwieweit wir die Bedingungen wahrnehmen können, denen unser Sein in dieser Welt unterliegt. Das spiegelt sich in der typischen Debatte wider, wenn es heißt: „Warum sollen wir Deutschen uns noch um den Klimawandel kümmern, wenn die ganze Welt ihren CO_2-Ausstoß erhöht und unsere Sparmaßnahmen verpuffen?“ Dieser rationalistisch-funktionalen Logik folgend könnten wir auch sagen: Weil die meisten Regierungen anderer Staaten kein Interesse an Demokratie und Menschenrechten haben, können wir diese Ideen auch gleich aufgeben. Es lohnt sich nicht und mit der ganzen Diskutiererei geraten wir ins Hintertreffen.

Wissenschaft und Technologie haben für die Menschheit unglaubliche Potenziale freigesetzt, aber eine handlungsleitende Perspektive, wie wir unsere langfristige Zukunft damit sinnvoll gestalten, können wir noch nicht einnehmen. „Wissenschaft denkt nicht“, sagte Martin Heidegger (1889–1975) und formulierte damit, dass Wissenschaft das untersucht, was in einem gegebenen Moment ist (das Seiende), also das, was wir in Laborsituationen reproduzieren können. Sie vergegenständlicht damit die Natur, zerlegt ihre komplexe Wirklichkeit in für uns wahrnehmbare Ausschnitte und beschreibt sie als etwas von uns Getrenntes. Die Wissenschaft denkt über das Sein nicht als einen Fluss von in sich zusammenhängenden Erscheinungen nach, in dessen Kontinuum sich die beobachtbaren Phänomene abspielen. Das Sein als das Selbstverständliche bleibt in der Wissenschaft unbetrachtet. Im Sein gibt es keinen Stillstand, nur Verbindungen. Dieses Sein und nicht das Seiende in seinen Erscheinungen zu betrachten, ist für Heidegger das Wesen der Philosophie. Philosophie denkt in diesem Sinne – Wissenschaft rechnet.

Heideggers Denken ist ein Beispiel für das Konstruktbewusstsein der erweiterten Haltungen, aus denen heraus wir eine Metaperspektive einnehmen können und erkennen, wie wir denken oder eben auch rechnen. Das mag kompliziert klingen. Wie wir mit den aktuellen Herausforderungen umgehen und auf welche Weise wir nach Stimmigkeiten suchen, ist jedoch entscheidend. Prozesshaftes, langfristiges Denken in Verbindungen, in Lebendigkeit und Vergänglichkeit eröffnet uns einen erweiterten Blick auf die Welt. Es zeigt sich auch, dass jede Haltung, wie Heidegger sagen würde, ihren eigenen Deutungshorizont des Wirklichen hat. Die Erweiterung von Haltungen ist daher auch eine politische und bildungspolitische Notwendigkeit.

Typische kulturelle Meme der Haltungen

Die sinngebenden Überzeugungen der Haltungen koexistieren in jeder Kultur gleichzeitig. Verschiedene Teile einer Gesellschaft können also von unterschiedlichen Logiken geprägt sein. In der Wirtschaft verbreiten sich neue Meme erweiterter Haltungen gegenwärtig in den Ansätzen einer neuen Arbeitskultur. In vielen Unternehmen wird mit Führungslogiken experimentiert, die in der Politik noch unbekannt sind. Dort werden oft noch polarisierende Debatten geführt und noch kaum verbindende Dialogformate genutzt.

	HERRSCHAFTS-KULTUR	**TRADITIONELLE KULTUR**	**INSTITUTIONELLE KULTUR**
KOMMUNIKATION	Symbolisch und vieldeutig	Feststehende Wahrheiten	Vernunftdebatten, faktisches Rechthaben
RELIGION	Macht liegt bei Göttern und deren Stellvertretern	Priesterreligion, nicht diskutierbar	Religion ist auslegbare Privatsache
RECHT	Besitzrechte, Gnade des Herrschers	Staats- oder Religionsjustiz	Gewaltenteilung Unabhängige Justiz
ORGANISATION	patriarchale Machthierarchien	Feudalstruktur, Hierarchien	Effizienzoptimierte Silos
WIRTSCHAFT	Clan-Orientierung, expansive Ausbeutung	Unfreie versorgen die Eliten	Marktwirtschaft und Neoliberalismus
TECHNOLOGIE	Krieg als „Vater aller Innovationen"	kaum Innovationen, kopieren, bewahren	Potenzierung menschlicher Arbeitskraft
WISSENSCHAFT	Erkenntnis aus direkter Beobachtung	Fortschritt ist eher bedrohlich	Unterteilung in Fachdisziplinen

Impuls: Unser kulturelles Mem-Feld
Spannungen in Organisationen entstehen, wenn wir unterschiedliche Meme, also kollektive Bewusstseinskonstrukte, als Wahrheiten verinnerlicht haben. Dies spüren wir besonders in interkulturellen Kontexten. Dieser Überblick kann helfen, die Kontexte in ihren Phänomenen besser zu verstehen.

Welche kulturellen Meme erleben wir in unserer Organisation?
Was sind typische, spannungsreiche Differenzen zwischen unseren Weltbildern, die durch den Blick auf die Haltungen transparent werden?

EIGENVERANT-WORTLICHE KULTUR

KOMMUNIKATION
vielfältige, selbstbestimmte Kommunikation
RELIGION
eher säkular, individuelle Spiritualität
RECHT
allgemeine Menschenrechte
ORGANISATION
Matrix, Stärken fördern, Eigenverantwortung
WIRTSCHAFT
wachstumsgetrieben, Einfluss auf Politik
TECHNOLOGIE
Fortschrittsglaube, Unendlichkeitsstreben
WISSENSCHAFT
Untersuchung von Prozessen, Verbindungen, Modellsimulation

PLURALISTISCHE KULTUR

KOMMUNIKATION
multiperspektivische Narrative
RELIGION
Achtsamkeit, präsenzorientiert
RECHT
Menschen-, Tier- und Naturrechte
ORGANISATION
flache Hierarchien, Augenhöhe, Diversität
WIRTSCHAFT
Wirtschaft dient der Gesellschaft
TECHNOLOGIE
Nachhaltigkeitsorientierung
WISSENSCHAFT
experimentelle Wissenschaften, Interdisziplinarität

INTEGRIERENDE KULTUR

KOMMUNIKATION
entwicklungsorientierte Wertschätzung
RELIGION
individuelle Erfahrung, die alle verbindet
RECHT
globale 17 SDGs in Selbstverantwortung
ORGANISATION
Kreisorganisation, Selbstorganisation
WIRTSCHAFT
Kreislaufwirtschaft, Respekt vor der Natur
TECHNOLOGIE
Regeneration und Erhalt, No Waste
WISSENSCHAFT
Bewusstseinskultur, Ökosysteme, Kreisläufe, Balance, vernetztes Wissen

Logiken des Wirtschaftens

In einer Welt mit immer knapper werdenden Ressourcen bei zugleich immer höherem Konsum stößt unsere Wachstumsgesellschaft an ihre Grenzen. Wir richten unser Handeln noch wenig nach den realen Rahmenbedingungen unseres Planeten aus. Erst allmählich entstehen neue Theorien und Praktiken einer alternativen Ökonomie. Bislang widmen sich nur wenige Universitäten und Studiengänge der Erforschung, wie wir ein Wirtschaftssystem gestalten können, das den komplexen Herausforderungen der nahen Zukunft gewachsen ist. Diese neuen Konzepte entstehen in den erweiterten Haltungen, die unseren Blick auf die Realität erweitern und mehr Rahmenbedingungen einbeziehen. Die schematische Übersicht zeigt beispielhaft, aus welcher Haltung und Mem-Welt bestimmte Konzepte tendenziell kommen – ohne dass wir das zu dogmatisch sehen müssen.

IMPULS: Sprung in die Zukunft

Ein Gedankenexperiment: Wie werden die Menschen in 200 Jahren, wenn die Urenkel unserer Kinder in Rente gehen, auf unsere Wirtschaftsweise zurückblicken?

Welche Form des Wirtschaftens wird diese Generation dann für sich als stimmig entdeckt haben, um im Gleichgewicht mit der Natur und in Frieden miteinander leben zu können?

Was wird von der heutigen Wirtschaftslogik übrig bleiben?

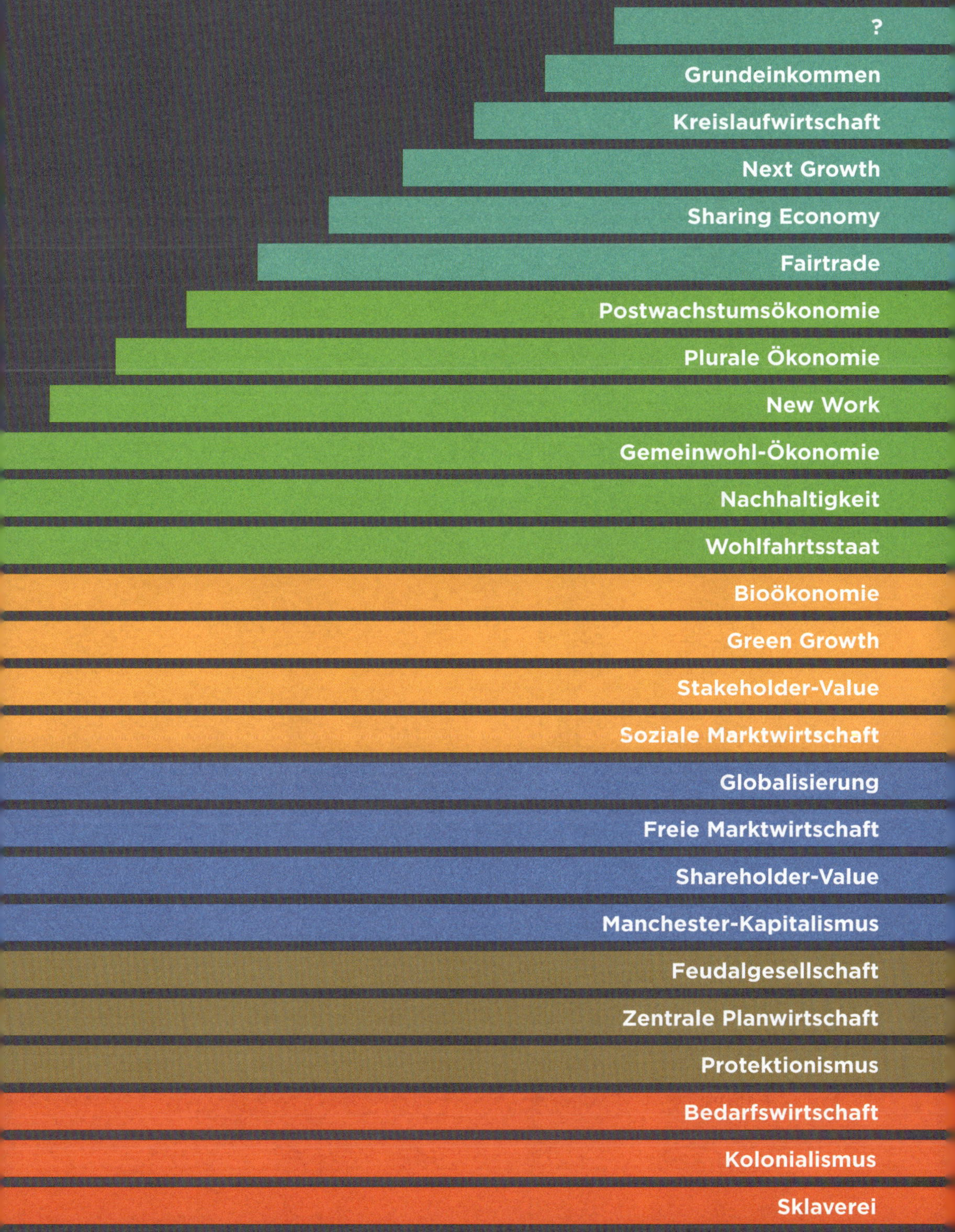
?
Grundeinkommen
Kreislaufwirtschaft
Next Growth
Sharing Economy
Fairtrade
Postwachstumsökonomie
Plurale Ökonomie
New Work
Gemeinwohl-Ökonomie
Nachhaltigkeit
Wohlfahrtsstaat
Bioökonomie
Green Growth
Stakeholder-Value
Soziale Marktwirtschaft
Globalisierung
Freie Marktwirtschaft
Shareholder-Value
Manchester-Kapitalismus
Feudalgesellschaft
Zentrale Planwirtschaft
Protektionismus
Bedarfswirtschaft
Kolonialismus
Sklaverei

5.2

Kontext-Narrative und ihre Stile

Wie wir uns die Welt oder die uns umgebenden Kontexte erzählen, ist ein Spiegel unserer Gewohnheitshaltung. Für die einen sind populistische duale Weltbilder sinngebend, während andere davor zurückschrecken und integrierende globale Vereinbarungen anstreben, weil sie diese für sinnvoller halten. Wenn wir in einen Kontext eintreten, der für uns ungewohnt ist, geht es erst einmal darum, dessen Sprache zu lernen und die Bedeutung der noch unbekannten Sinngeschichten zu entschlüsseln.

„Reifung geht deshalb oft mit krisenhaftem Erleben einher, weil es eine Dekonstruktion der Identitäten von Teilpersönlichkeiten bedeutet."

Jens Hollmann (* 1965)

Wir leben in narrativen Konstrukten

Der englischer Physiker, Astronom und Mathematiker Isaac Newton (1643–1727) ist durch seine Beschreibungen der Gravitation berühmt geworden. Er galt zwar als einer der bedeutendsten Wissenschaftler aller Zeiten, glaubte aber, dass die Welt 6000 Jahre alt sei und die Gravitation das Denken Gottes darstelle. Auch sein Denken konnte nur im Rahmen der kulturellen Erzählungen seiner Zeit stattfinden. Insofern sind unsere Gedanken nicht frei, sondern an Kontexte und Sprache gebunden.

Jede Haltung hatte ihren eigenen Erzählstil, mit dem sie der Welt Sinn gibt. In den frühen Haltungen existieren Erzählungen von etwas Großem, das außerhalb von uns liegt und sich nicht im Faktischen konkretisiert. Es gibt bedeutungsschwangere Ankündigungen, dass bald etwas Bedeutendes, Weltveränderndes geschehen wird. Wenn dies dann wieder einmal nicht geschieht, wird das gleiche Konstrukt einfach mit neuen Ankündigungen gefüllt. Die Geschichtsbücher sind voll von nicht stattgefunden habenden Apokalypsen oder Bewusstseinssprüngen, von verpassten Ankünften guter oder böser Mächte. Der Inhalt ist irrelevant, es ist das Muster, das einen Bedeutungsrausch erzeugt, der uns mit etwas Bedeutungsvollem im Außen verbindet und uns von unserer inneren Banalität erlöst. Dann gibt es die Erzählungen von Ehre und Macht, die auch die Machtlosen und Nichtgeehrten definiert. Oft begleitet von der Idee, dass früher alles besser war. Dieses „Früher" liegt in der Vergangenheit, die zu diesem Jetzt geführt hat. Die Gegenwart ist also die Folge des „Früher".

Sobald wir uns reflektierend von außen wahrnehmen können, lassen sich Imaginationen und Selbstidealisierungen von den Tatsachen unterscheiden. Die Narrative verändern sich mit dem Fokus auf die Fakten, es entstehen Technik- und Wachstumsnarrative. Frage ich in Workshops, ob wir eine bessere Welt hätten, wenn wir zehn Jahre lang ein globales Wirtschaftswachstum von 20 % pro Jahr hätten, folgt das Erschrecken bei der Vorstellung der damit einhergehenden Naturvernichtung. Was noch ausbleibt, ist die Schlussfolgerung, dass Wachstum als Lösungsnarrativ nicht mehr funktioniert. Wie unheilbar Kranke hoffen wir auf spontane Heilung durch Technik oder äußere Einflüsse.

Die Fokussierung auf mögliche äußere Entwicklungen verstellt uns den Blick auf das, was wir selbst gestalten können. Wenn wir, wie von Einstein oft zitiert, Lösungen auf einer höheren Ebene finden wollen, brauchen wir eine erweiterte Haltung, die andere Narrative und damit verbundene Sinngebungen verfolgt. Ethische Werte, die in den späteren Haltungen als zusätzliches Wahrnehmungsinstrument wahrgenommen werden, bilden neue Narrative und helfen uns auch, die reine Relativierung mentaler Konstrukte zu überwinden und unsere Narrative mit ethischem Sinn zu verbinden.

Neue Narrative

Jede Haltung hat ihre konstruktivistische Art, die eigene Erfahrung zu ordnen und zu erzählen. Michael Müller beschreibt in seinem Buch „Politisches Storytelling“ vier Typen von Erzählungen, die in der Politik gerne verwendet werden: das Monster im Haus, Anpassungsgeschichten, das Goldene Vlies und Aufbruch in eine neue Zukunft. Spannend wird es, wenn wir beiseite lassen, ob diese Erzählmuster inhaltlich mit „linken“ oder „rechten“ Themen gefüllt sind, und uns fragen, welcher Haltung sie am ehesten entsprechen. Jede Haltung hat eine Affinität zu einer bestimmten Art der Wirklichkeitserzählung.

Mehrdeutigkeiten von Geschichten

Es heißt, eine gute Geschichte habe sieben Ebenen des Verstehens, das bedeutet, sie wird von den Zuhörenden in ihren unterschiedlichen Haltungen jeweils auf ihre Weise verstanden.

Gerade die späteren Haltungen arbeiten mit Analogien und Geschichten, um Mehrdeutigkeiten ausdrücken zu können, die emotionalen Ebenen zu inkludieren und auch für die früheren Haltungen anschlussfähig zu sein. Ein Beispiel dafür sind die humoristischen orientalischen Geschichten mit Mulla Nasreddin als Protagonisten.

> Mulla Nasreddin lebte vor langer Zeit in Bagdad. Da geschah es, dass ein Bürger der Stadt eines Abends auf dem Heimweg Mulla Nasreddin auf der Straße kniend antraf. Der Bürger kannte Mulla Nasreddin, grüßte ihn und fragte ihn, warum er neben einer Laterne auf dem Boden sitze. „Mein Schlüssel, ich habe meinen Schlüssel verloren“, antwortete Nasreddin. Das erklärte natürlich, warum der Mulla auf dem Boden kniete. Da der Mann aufrichtig war, half er Mulla Nasreddin, den Schlüssel zu finden.
> So suchten die beiden im Schein der Laterne nach dem Schlüssel. Es wurde immer später, aber sie fanden den Schlüssel nicht. Um Mitternacht sagte der Bürger: „Mulla, wir haben jetzt jeden Stein dreimal umgedreht. Dein Schlüssel ist nicht da. Wo hast du ihn denn verloren?“ Der Mulla wischte sich den Staub von seinem Gewand und antwortete: „Dort hinten in der dunklen Ecke habe ich ihn verloren“. Der Mann traute seinen Ohren nicht und fragte: „Aber warum suchen wir dann hier unter der Laterne und nicht dort hinten, wo du den Schlüssel verloren hast?“ Mulla Nasreddin lächelte: „Das ist doch ganz klar. Hier im Schein der Laterne ist es viel angenehmer zu suchen.“
>
> (zitiert aus der Nacherzählung von Christoph Flamm)

Haltungserweiterung bedeutet Sprachraumerweiterung

Auf einer Kulturexpedition mit über 600 Führungskräften eines Automobilzulieferers gaben wir monatlich Impulse für persönliches Wachstum wie Achtsamkeit, Neuroplastizität, Haltungserweiterung, persönliche Ziele und auch Storytelling. Hier zeigte sich das größte Unverständnis, weil das Erzählen von Geschichten eher mit Unsachlichkeit und Übertreibung assoziiert wurde, was wenig zu den Narrativen passt, die Ingenieur*innen meist für sich und die Welt nutzen. Sie bevorzugen eher Anpassungsgeschichten, die mit einer Sprache der Zahlen und der Mathematik operieren. Dieser nüchterne, vermeintlich „rationale" Sprachraum schließt jedoch viele Wahrnehmungen aus. Im Vergleich zu irrationalen, dualistischen Denkweisen ist die Sprache präziser, im Vergleich zu den erweiterten Haltungen unvollständiger, weil wir nun Dinge wahrnehmen, die sich in rationaler Sprache nur schlecht ausdrücken lassen. Solange wir im rationalen Sprachraum bleiben, ist es, als würden wir das Buch des Lebens lesen und dabei immer wieder die Seiten überblättern, die von Gefühlen oder inneren Eindrücken handeln, und uns dann wundern, dass wir die Lektüre nicht besonders erfüllend finden.

> Diese Dialogübung in Zweiergruppen eignet sich gut für entsprechende Aha-Erlebnisse. Dabei stellen sich die Teilnehmenden gegenseitig nur solche Fragen, die mit Zahlen beantwortet werden können. Anschließend berichten sie, was sie voneinander gelernt haben und was ihnen völlig verborgen geblieben ist oder was sie nicht ausdrücken konnten.

In Anlehnung an den bekannte Spruch des Ökonomen Peter F. Drucker (1909–2005): „Was man nicht messen kann, kann man nicht lenken" lässt sich auch sagen: „Nur was du in Sprache und Kommunikation bringen kannst, kannst du in Verständigung bringen."

Die wenigsten Führungsprobleme in Organisationen haben damit zu tun, dass zu wenig gemessen wird – meist liegt es daran, dass zu wenig darüber geredet wird, wie wir miteinander reden. Es heißt, dass 85 % aller Probleme in Organisationen mit Kommunikation zu tun haben. Das bedeutet, dass 85 % der Probleme durch verbesserte Kommunikation gelöst werden können. Die Erfahrung bestätigt das: „Allein die Tatsache, dass wir darüber gesprochen haben, hat schon einen Unterschied gemacht", ist oft zu hören.

Das Modell der Haltungen kann helfen, nicht nur über etwas zu reden, sondern auch neue Möglichkeiten zu entdecken, anders über etwas zu reden und gemeinsam zu reflektieren.

Storytelling und Haltung

Es gibt Contra-Geschichten, Pro-und-Contra-Geschichten und Pro-Geschichten. Die Haltung bestimmt die Komplexität der Inhalte. Populismus und Mainstream nutzen die frühen Haltungen, weil diese Geschichten von allen verstanden werden. In der Wirtschaft dominieren „Anpassungsgeschichten, gespickt mit Heldengeschichten".

Selbstorientiert-Impulsiv

Ein Mann sieht rot, und bevor er auf staatliche Exekutiveinstitutionen wartet, verlässt er sich doch besser auf sich selbst. Geschichten von Selbstjustiz, Gewalt, Horror und Kampf sprechen kindliche Allmachtsfantasien in uns an. Die Welt ist voller menschlicher Bestien, in der nur Gewalt dafür sorgt, dass man zu Recht und Ehre kommt. Die bestehende Ordnung und Autorität ist nichts für wahre Helden. Gekämpft wird auch in der Wirtschaft und für die Karriere – denn es geht ums Überleben.

Gemeinschaftsbestimmt-Konformistisch

Viele Blockbuster spielen mit der Gruppenzugehörigkeit und kreieren ein Spiel von Gut und Böse. Während die Vernunft noch zögert, wird der Mut der Helden zum Handeln belohnt. Am Ende ist der Vater stolz, die Mutter erklärt ihre Liebe und die Familie liegt sich in den Armen. „Wir gegen die anderen" ist auch in Organisationen, vor allem intern, eine typische Art des Storytellings in dieser Haltung. Die da oben müssten mal was tun, besonders abstrakte Mächte wie „die Politik" oder „der Staat".

Rationalistisch-Funktional

Typisch für Anpassungsgeschichten sind Ursache-Wirkungs-Ketten, in die wir durch äußere Umstände gezwungen werden. Politik und Presse sind voll davon. Diagramme und Statistiken untermauern die jeweils gewählte Version. Hypothetische lineare Fortschreibungen von Einzelphänomenen führen „logischerweise" zu apokalyptisch dramatisierten Ergebnissen. Mit Zahlen, Daten und Fakten wird versucht, Realitäten und daraus abzuleitende alternativlose Handlungskonsequenzen zu konstruieren.

„Nimm es selbst in die Hand. Die da oben wollen dir was."
OHNMACHT- UND MACHTGESCHICHTEN

„Unser WIR ist gefährdet. Das sind die Feinde."
DAS MONSTER IM HAUS, WIR GEGEN DIE

„Die Umstände zwingen uns. Es ist alternativlos."
ANPASSUNGS-GESCHICHTEN

IMPULS: Erzählkreise starten
Wie erzählen wir uns die Geschichte unserer Organisation, unseres Teams oder unserer beruflichen Laufbahn? In Erzählkreisen kommen wir für eine Stunde zusammen, erzählen in kleinen Gruppen unsere Geschichten, hören zu und gehen wieder auseinander, ohne viel zu kommentieren. So kommen oft weit mehr Facetten ans Licht als durch Befragungen oder Evaluierungen. Das ist zwar statistisch nicht auswertbar, aber weitaus aufschlussreicher.

Eigenbestimmt-Souverän

Ein unbekannter Junge erhält den Auftrag, die Welt zu retten. Er begegnet einem Mentor, besteht diverse Prüfungen, siegt und kehrt nach Hause zurück – das ist der Prototyp der Heldengeschichte. Ob Neo, Harry Potter oder Luke Skywalker, sie alle folgen diesem Schema. Fortschrittsoptimismus, der Glaube an die Macht des Guten und die Kraft des Einzelnen sind kennzeichnend. Die Schatten unseres Handelns werden nicht thematisiert. Der Mensch kann alles erreichen – das Happy End ist sicher.

„Ich entwickle mich immer weiter – will Ziele erreichen."

DAS GOLDENE VLIES, HELDENGESCHICHTEN

Relativierend-Individualistisch

In diesen Geschichten lernen wir, mehrere Positionen als wahr anzuerkennen und uns unserer eigenen Subjektivität bewusst zu werden. Die einfache Version sind interkulturelle Teams wie bei Raumschiff Enterprise, die Herausforderungen gemeinsam meistern: mit Vielfalt und Multiperspektivität, wissenschaftlich fundiert, werte- und stärkenorientiert. Über bislang ignorierte Probleme wird gesprochen und Systeme werden infrage gestellt. Themen wie Diversity, Inklusion und Nachhaltigkeit spiegeln diese Haltung wider.

„Gemeinsam finden wir neue Perspektiven."

DAS VIELFÄLTIGE TEAM MIT WERTEN

Systemisch-Autonom

Manche sagen, dass wir genau diese Erzählungen eines neuen, wegweisenden Aufbruchs zu einem neuen Wir, das alle Lebewesen meint, brauchen. Vielleicht sind es die vielen kleinen Geschichten, die die Prozesshaftigkeit von Entwicklung auf allen Ebenen anerkennen und beschreiben. Geschichten auch in der Wirtschaft, die vom Menschsein und unserer Verbundenheit miteinander handeln. Wir lassen einander unsere Nicht-Zweiheit mit anderen und mit der Natur erfahren. Der Themenfokus ist die Regeneration des Lebens.

„Wir transformieren die Dinge und schaffen neuen Sinn."

AUFBRUCH INS UNBEKANNTE

Dialektische Dynamiken in Erzählkonstrukten

Die Lehre von den Gegensätzen in den Dingen und Begriffen sowie von der Aufdeckung und Aufhebung dieser Gegensätze wird auch als Dialektik bezeichnet. Dialektik kann in diesem Sinne als Diskurs beschrieben werden, in dem einer These eine Antithese entgegengesetzt wird, die Probleme und Widersprüche aufdeckt, woraus sich als Synthese eine Lösung oder ein neues Verständnis ableiten lässt.
Die Dynamik dieser Thesen- und Antithesenbildungen unterscheidet sich je nach Haltung und folgt zum Teil konstruktiven Mustern, die auch mit dem haltungsspezifischen Aufmerksamkeitsfokus korrelieren. Jede Haltung bildet andere typische Thesen und Antithesen und endet in bestimmten Synthesen.
Wir sind blind für die Konstruktion, die wir selbst in unseren Selbstgeschichten erzeugen. Diese Muster erkennen wir leichter, wenn wir uns weniger mit den Inhalten identifizieren. Ein wunderbares Beispiel ist der Tedx Talk von Will Stephen: „How to sound smart in your Tedx Talk".

Selbstorientiert-Impulsiv

„Ich muss mich gegen Systeme wehren und letztendlich ist das Leben immer ein Kampf", ist in dieser Haltung das gängige Muster. Wir können nicht erkennen, dass wir Spannungen selbst erzeugen und dass wir das, was wir als dysfunktional anprangern, selbst dysfunktional machen, weil wir keine Lösungen anbieten. Den Sumpf, den man austrocknen muss, haben wir eigenhändig angelegt.

Das Leben wirkt auf Systeme und schafft Spannungen.

Etwas zerstören
REDUKTION

Gemeinschaftsbestimmt-Konformistisch

Systeme, Lehren und Doktrinen schaffen sich selbst die Sünder*innen, die sie dann permanent bekämpfen wollen. In den selbst erzeugten Narrativen steht das Leben in permanenter Spannung zu den Regeln und wird zum Jammertal, von dem uns nur der Tod befreit. Wir sehen nicht, dass erst die Thesen der Erzählkonstrukte selbst die Wirklichkeit in deren Licht erscheinen lassen.

Systeme wirken auf das Leben und schaffen Spannungen.

Etwas verhindern
AGITATION

Rationalistisch-Funktional

Damit wir Herausforderungen bewältigen können, müssen wir uns in Systeme einfügen und in ihnen funktionieren. Weil es die Umstände nun mal erfordern, sehen die Erzählkonstrukte dieser Thesenbildung es als Lösung an, klare Strukturen und Prozesse zu etablieren. Erzählungen voller äußerer Notwendigkeiten, die den einzelnen Menschen und das Leben als Ganzes noch nicht im Fokus haben, dominieren.

Spannungen wirken auf das Leben und erzeugen Systeme.

Etwas verbessern
OPTIMIERUNG

IMPULS: Konstrukte des Storytellings erkennen
Es ist erstaunlich, wie schwer es uns fällt, die Welt neu zu denken und uns vorzustellen, wie wir anders handeln könnten. Wir sind voll von apokalyptischen Erzählungen, von denen wir uns nur schwer lösen können, oder wir verweisen auf die Macht der Systeme, die uns in eine Richtung zwingen, die wir zwar nicht mehr als lebensdienlich interpretieren, aber dennoch für unveränderlich halten.

Was sind typische Zukunftserzählungen in unserem Umfeld und welchen Thesen, Antithesen und Synthesen folgen sie?

Wie fühlt sich die Energie dieser Erzählkonstrukte an?

Machen die Konstrukte ohnmächtig und bringen uns innerlich in Spannung, fühlen wir uns dem Lauf der Dinge ausgesetzt oder haben sie eine vitalisierende Kraft, die uns echtes Vertrauen schöpfen lässt?

Eigenbestimmt-Souverän

In diesen Erzählkonstrukten sehen wir uns als Handelnde. Der erwähnte Tedx Talk folgt dieser Konstruktion. Wir interagieren mit den Spannungen und Herausforderungen des Lebens und erzeugen Lösungen. Die Thesenbildung bleibt noch im Konventionellen und folgt meist einem Wachstumsnarrativ. Wir übersehen, dass wir das Leben in diesem Narrativ oft auf das Gestalten im Außen reduzieren.

Das Leben wirkt auf Spannungen und erzeugt Systeme.

Etwas gestalten
WACHSTUM

Relativierend-Individualistisch

Typische Erzählungen in diesem Konstrukt sind, dass wir Spannungen, die auf und in Systemen wirken, wahrnehmen und uns davon befreien. Wir dekonstruieren Systeme und Konventionen, brechen aus und folgen dem, was unserem inneren Leben gut tut oder das Leben im Außen fördert. Der Fokus auf das Leben entfaltet mannigfaltige neue Perspektiven, die in den Systemen bisher noch nicht sichtbar waren.

Spannungen wirken auf Systeme und erlauben Leben.

Etwas wiederherstellen
HEILUNG

Systemisch-Autonom

Die These ist hier die Schaffung von Systemen und die Antithese sind die Herausforderungen und Spannungen in der Welt. Die Synthese, das neue Verständnis, das diese Erzählkonstrukte im Fokus haben, ist das Leben selbst. Erzählungen von einer nachhaltigen Welt, die dem Leben dient und nicht zu einer apokalyptischen Müllhalde voller Spannungen und unveränderlicher Systeme werden muss.

Systeme wirken auf Spannungen und erlauben Leben.

Transformatives erschaffen
REGENERATION

Tripolarität in Sinnkonstrukten

Die drei Pole der Dialektik (These, Antithese, Synthese) können auf sechs verschiedene Weisen von drei Kräften (+, –, =) in einer Erzähldynamik eingenommen werden.

1. (+) **Die aktive Kraft, das Leben, wir Menschen**
2. (–) Die negierende Kraft, Spannungen, Materie, Herausforderungen
3. (=) *Die neutralisierende Kraft, Systeme, Form, Bedingungen*

Zur Veranschaulichung hier einige stark verkürzte Beispiele.

	Selbstorientiert-Impulsiv	Gemeinschaftsbestimmt-Konformistisch	Rationalistisch-Funktional
Corona	**Ich weiß genau,** *dahinter steckt die Pharmaindustrie,* die sich nur bereichern will.	*Die Behörden müssen* **den Menschen** Anweisungen geben, an die sich alle zu halten haben.	Die hohen Inzidenzen zwingen uns dazu, **dass jetzt alle Menschen** *Masken tragen müssen.*
Krieg	**Ich würde** *die Führung abknallen,* dann würden die schon sehen, was sie davon haben.	*Die Welt gehört den Mächtigen,* **da kann man nichts machen,** es wird immer Krieg geben.	Es geht um Rohstoffsicherheit, **da sollte man gut überlegen,** *wie wir unser System sichern.*
Flussvergiftung	**Ich bin total sauer,** *dass die Behörden das zugelassen haben,* denen ist alles egal.	*Wir brauchen Gesetze,* **dass Menschen so was nie wieder tun,** sonst bessert sich nie was.	Um Flussvergiftungen zu verhindern, **sollen alle ab jetzt** *die Kontrollwerte einhalten.*
Grundsteuer	**Mich nervt** *das Finanzamt damit.* Ich mach nix. Sollen die doch mahnen.	*Gesetz ist Gesetz,* **da müssen jetzt alle ran** und sich halt durchkämpfen.	Diesen staatlichen Unsinn **sollten die abstellen** *und die Verwaltungen digitalisieren.*

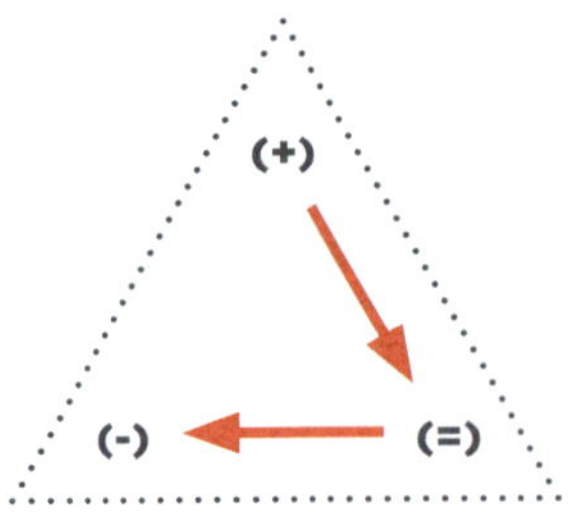

ICH WILL

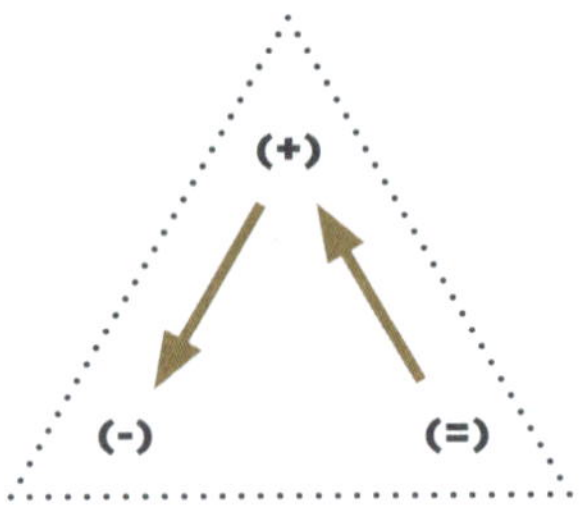

WIR MÜSSEN

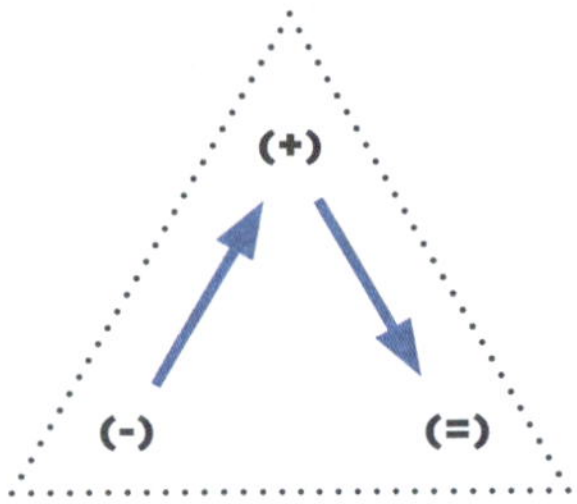

ES SOLLTE

IMPULS: Mit Konstrukten experimentieren

Der Spiegeljournalist Stefan Schultz (* 1980) stellte in der Gruppe „Journalismus und Haltung“ in unserer Community „Haltung erweitern“ eine interessante Frage: „Wie können wir zu einem integralen Journalismus kommen, der eher aus den postkonventionellen Haltungen heraus kommuniziert?“ Die Pole in der dialektischen Dynamik zu variieren, ist eines der Experimente, die daraus entstanden sind.

Wir können uns ein spannungsreiches Thema nehmen und es jeweils in unterschiedlichen Narrativstrukturen erzählen. Was wird sichtbar und wie fühlt es sich an?

Eigenbestimmt-Souverän	**Relativierend-Individualistisch**	**Systemisch-Autonom**
Ich nutze den Lockdown und die mobile Arbeit, *um neue Arbeitsformen auszuprobieren.*	Der Lockdown *hat in den Nachbarschaften* **neue Hilfsbereitschaft aktiviert.**	*Unser Gesundheitssystem* konnte trotz hoher Belastung **viele Leben retten.**
Wir können als Schutz unserer Freiheit *der einen Partei viele/ keine Waffen liefern.*	Krieg bringt viel echtes Leid, *wenn wir die Grenzen öffnen,* **schützen wir Menschen.**	*Je mehr wir miteinander reden,* desto mehr Optionen sehen wir, **die uns Frieden ermöglichen.**
Ich bin total betroffen. Jetzt gilt es, das Gift zu entfernen *und Maßnahmen einzuleiten.*	Um Flussvergiftungen zu verhindern, *braucht es Taten,* **die die Ökosysteme vitalisieren.**	*Wir brauchen Vereinbarungen,* die der Natur nicht schaden. **Für lebendige Flüsse.**
Ich lasse mir nicht die Zeit stehlen *und gebe das an meine*n Steuerberater*in.*	Behördlichen Problemen *gebe ich nur wenig Zeit,* **um innerlich davon frei zu sein.**	*Dieses Gesetz* lässt uns die Nichtdigitalisierung spüren & **Transformation ersehnen.**

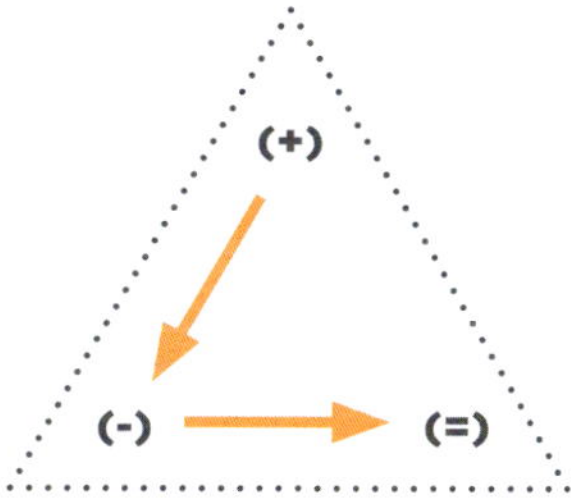

ICH MACHE

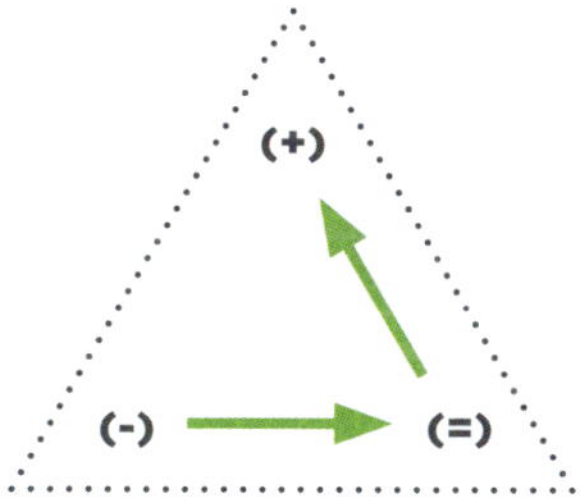

ES KANN

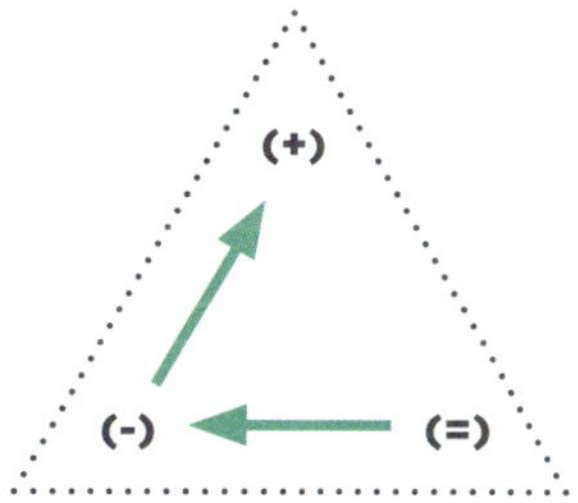

WIR ERMÖGLICHEN

Kommunikationsmedien und Haltungen

Historisch betrachtet ging die Erweiterung der Haltung oft mit dem Aufkommen neuer Kommunikationsmedien einher. Das neue Medium dominiert das vorhergehende und verändert den Zugang zu Wissen und unser Weltbild. Heute erleben wir die Welt als einen vernetzten Ort, an dem wir mit anderen Menschen in Netzwerken kommunizieren.

Selbstorientiert-Impulsiv

Geschichten sind die ältesten Formen, kulturelle Ideen zu verbreiten. Sie leben von der mündlichen Überlieferung und werden über lange Zeiträume weitergegeben. Auch wenn der Kern lange erhalten bleiben kann, sind sie subjektiv gefärbt und wandeln sich mit den Menschen, die sie erzählen. Die Deutungshoheit über Geschichten, die von Welten voller übernatürlicher Kräfte und Wesen handeln, denen die Menschen schicksalhaft ausgeliefert sind, ist zwar nicht festgelegt, kann aber von den Mächtigen manipulativ ausgenutzt werden.

Gemeinschaftsbestimmt-Konformistisch

Aus jahrhundertelang nur mündlich überliefertem Wissen entstehen die ersten Textsammlungen und Bücher. So überleben statische, unveränderliche Denkweisen und werden über Jahrhunderte unverändert kopiert. Durch die schriftliche Fixierung gibt es nun einen Orientierungspunkt für ganze Gesellschaften. Eingriffe und Ergänzungen sind nicht vorgesehen. Weil nicht alle Menschen lesen können, ist dieses Wissen nicht allen zugänglich. Die Deutungshoheit und damit auch die Macht liegt bei den Wissenden und Vorlesern.

Rationalistisch-Funktional

Mit dem modernen Buchdruck, der um 1450 in Europa aufkommt, wird Wissen reproduzierbar und breitet sich in der Gesellschaft aus. Nicht nur die klerikalen Eliten lernen lesen und schreiben. Die Verbreitung antiker philosophischer Texte steigert den Drang, Wissen zu schaffen, aus dem sich die modernen wissenschaftlichen Disziplinen und eine gebildete Expertenelite entwickeln. Die Bedeutung der Bibel als wichtigste Buch nimmt ab. Gleichzeitig entstehen Flugblätter und erste Propagandaschriften konkurrierender Machtgruppen.

Macht und Mythen
GESCHICHTEN

Feststehende Wahrheiten
DAS BUCH

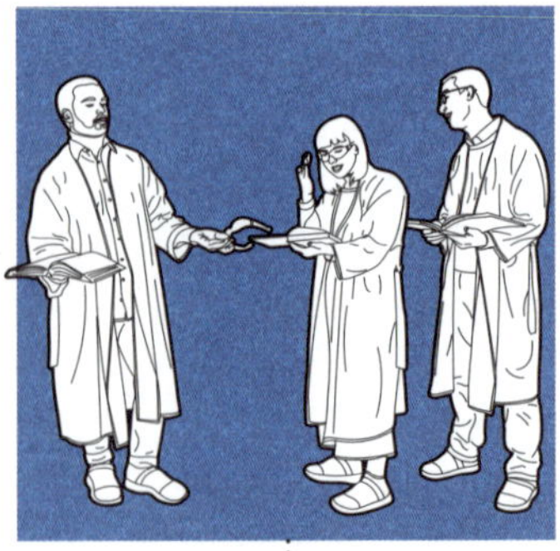

Vergleichen & forschen
DER BUCHDRUCK

IMPULS: Unser Medienkonsum

Welche Medien nutzen wir für welche Art der Wahrheitsfindung?

In welchen Bereichen bekomme ich Informationen und Wissen aus Büchern, Massenmedien, dem Austausch mit anderen oder durch meine Interaktion mit Algorithmen?

Eigenbestimmt-Souverän

Anfang des 17. Jh. entstehen die ersten Zeitungen, mit der Aufklärung auch Zeitschriften und Magazine sowie erste Enzyklopädien. Der Analphabetismus geht zurück, die allgemeine Schulpflicht wird nach und nach eingeführt. Ziel ist die individuelle Meinungsbildung, die eine neue Gesellschaft der Vernunft ermöglichen soll. Verlagsimperien entstehen und über die Massenmedien lässt sich großer Einfluss auf die gesellschaftliche Meinungsbildung nehmen. Radio und Fernsehen prägen im 20. Jh. die Wahrnehmung der kulturellen Wirklichkeit.

Relativierend-Individualistisch

Das Internet bietet breiten Schichten die Möglichkeit, selbst auf Sendung zu gehen. Die Massenmedien verlieren an Bedeutung und die Medienwelt individualisiert sich. Kommunikation wird partizipativer. Informationen und Wissen werden frei zugänglich. In der Erstellung von individualistischen Inhalten zeigen sich auch die Schattenseiten menschlicher Bedürfnisse und Interessen. Eine Vielfalt von relativierenden Perspektiven steht nebeneinander. Wir leben in verschiedenen Netzwerkblasen und verlieren die gemeinsame Geschichte.

Systemisch-Autonom

Suchmaschinen bieten Orientierungshilfen, Algorithmen lenken und individualisieren Informationsströme, indem sie auf haltungsspezifische Aufmerksamkeit reagieren. Es entsteht die Gefahr, in den Echokammern der eigenen autonomen Interessen zu verschwinden. Gleichzeitig entstehen neue Netzwerke und Verknüpfungen. Wissen wird von vielen Akteur*innen und Interessengruppen multiperspektivisch medial aufbereitet. Wahrgenommen wird, was Aufmerksamkeit binden kann und worauf Algorithmen reagieren. KI wird zum Wissensberater.

Individuelle Meinungsbildung
MASSENMEDIEN

Vernetzung und Sichtbarkeit
INTERNET

Leitende Orientierungen
ALGORITHMEN

5.3

Kontext-Fokus

Unsere Haltung prägt unseren inneren Zustand und den Fokus unserer Aufmerksamkeit im Außen. Da unsere Haltung unserem Ich entspricht und wir keine Distanz zu unserem wahrnehmenden Prozess haben, ist uns meist nicht klar, dass unsere Deutung der Kontexte immer nur die Beschreibung eines Ausschnitts ist. Erst im Austausch mit anderen wird uns bewusst, dass wir keinen objektiven Zugang zur Welt haben und dass unsere Interpretationen konstruktivistischen Mustern folgen. Ob wir in der Welt ein Chaos kurz vor der Apokalypse sehen oder eine Menschheit, die um einen Weg der Regeneration ringt, hat mehr mit uns als mit der Welt zu tun.

„Die Menschen werden nicht von den Dingen, sondern von den Meinungen über die Dinge gepeinigt.“

Karl Leberecht Immermann (1796–1840)

Die Facetten der Worte

Sprache und Haltung sind das Wasser, in dem unsere Gedanken schwimmen. Laut dem Philosophen Ludwig Wittgenstein (1889–1951) ist Sprache „eine unhintergehbare Bedingung des Denkens".
Ohne Sprache können wir keine Gedanken austauschen. Wittgenstein wies darauf hin, dass Kommunikation bedeutet, Bilder in meinem Gegenüber zu erzeugen, die möglichst in Einklang mit meinen eigenen Bildern stehen. Manchmal erkennt mein Gegenüber meine Bilder nicht oder sieht ganz andere Bilder als die, die ich versuche, durch Worte in ihm zu aktivieren versuche. Unsere Wortkonstrukte sind mit unterschiedlichen Haltungen und Perspektiven verbunden, das hat die Forschung von Jane Loevinger gezeigt. Sie konnte auch die Muster dahinter beschreiben. Viele Begriffe, mit denen wir uns in Organisationen verständigen, wie Leistung, Erfolg, Gerechtigkeit oder Gewinn, werden von uns entsprechend unterschiedlich verstanden.

Ein großes Unternehmen nutzte als Teil seines Slogan die Aussage „für das Leben". Auf einer Kulturexpedition stellten wir die Frage, was die teilnehmenden Kulturpionier*innen darunter verstünden und welches Leben wohl damit gemeint sei. Die Antworten waren vielfältig.
Die einen sagten, es sei das Leben der Produkte gemeint, und sie wollten damit das Bild vermitteln, dass ihre Produkte besonders lange halten würden.
Die nächsten meinten, es sei der praktische Wert gemeint und dass man mit den Produkten besser leben könne und sie vieles einfacher machten.
Wieder andere erkannten den Aspekt, dass es darum geht, ein gutes Leben zu haben und sich auch mal etwas Hochwertiges zu gönnen, wie eben ihre Produkte.
Dann gab es noch die Perspektive, dass es in Zeiten der Nachhaltigkeit auch darum geht, das Leben der Natur zu schützen, und dass Leben mehr bedeutet, als nur Produkte zu konsumieren.
Nach intensivem Austausch stellte die Gruppe fest, dass alle Perspektiven stimmten und es zu unterschiedlichen Zeiten einen unterschiedlichen Fokus gab. Ursprünglich, vor vielen Jahrzehnten, sei es tatsächlich um Langlebigkeit gegangen. Im Lauf der Zeit habe sich die Bedeutung immer wieder verschoben.
Nun bestand die Chance, den Slogan in den aktuellen Kontexten neu aufzuladen und mit neuen Geschichten neue Bilder zu erzeugen. „Fürs Leben" bedeutet nicht nur, nachhaltig zu sein, sondern auch ein Unternehmen zu werden, das sich als „Engineers for Future" verpflichtet, eine inspirierende Rolle in der großen Transformation unserer Wirtschaft zu spielen.

Kulturexpeditionen in Organisationen

Unseren Fokus auf die uns umgebenden Kontexte erkennen und erweitern wir am besten im Dialog mit anderen. Veränderungsprozesse und Transformationen sind deshalb schwer umzusetzen, weil wir noch auf vertraute Sinngebungen fokussiert sind und die Vorteile des Neuen noch nicht spüren können. So verharren wir oft im Alten, auch wenn wir es gerne kritisieren. Eine Maßnahme und Methode folgt auf die andere, ohne dass eine transformative Erweiterung stattfindet. Wir entwickeln uns horizontal, aber nicht vertikal. So berichtete eine Trainingsteilnehmerin, dass in einer großen Versicherung alle vier Jahre eine große Umstrukturierung stattfand, die nie zu Ende geführt wurde. In den unteren Positionen wurde viel verändert, die Machtpositionen blieben hingegen unverändert und die Argumente gegen eine wirkliche Transformation ähnelten sich über die Change-Prozesse hinweg.

Wenn wir das Neue nicht fühlen, wollen wir es nicht

Wir haben die Erfahrung gemacht, dass es Kulturpionier*innen braucht, die emotionale Referenzerlebnisse schaffen und so zeigen, wie eine Organisation in einer erweiterten Haltung sein kann. Denn das, was unser Herz kennt, streben wir mit größerer Leichtigkeit an und können darüber anders sprechen, als wenn wir uns emotional unsicher fühlen und Angst vor Identitätsverlust verspüren. Ziel einer Kulturexpedition ist es, sichere Räume zu schaffen, in denen im geschützten Rahmen jenseits von Routinen eine größere Sprechfähigkeit erlebt werden kann. Auf einer Kulturexpedition finden sich aus allen Bereichen eines Unternehmens und hierarchieübergreifend Menschen zusammen, die an persönlicher Entwicklung interessiert sind. Nach einer begleiteten Startphase organisieren sie sich in selbstgeführten Erkundungsgruppen, werden zu Multiplikator*innen in der Organisation und stabilisieren und fördern so die Selbst-, Team- und Organisationsentwicklung.

Wandel braucht Zeit und Wachstumsgefährt*innen

Wir können Haltungen nicht gezielt verändern, aber wir können die Erweiterung ermöglichen. Es braucht Zeit, neue Kommunikations- und Entscheidungsräume zu verstehen, zu verinnerlichen, sich darüber auszutauschen und sie im eigenen Umfeld umzusetzen. Eine Kulturexpedition erstreckt sich daher mindestens über sechs Monate und setzt auf allen drei Ebenen an. Sie beinhaltet die Entdeckungsreise mit sich selbst wie auch in einer Gruppe von Wachstumsgefährt*innen. Praktische Maßnahmen und Experimente in der Organisation sind ebenfalls Teil der Expedition. Wöchentliche konkrete Erfahrungsexperimente, ein monatlicher Impuls sowie Supervisionstreffen und Einzelcoachings werden ergänzt durch den Austausch im Intranet. Im Idealfall inspirieren die Teilnehmenden ihre Kolleg*innen und die Wirkung der Expedition kann sich multiplizieren.

KULTUREXPEDITION VORBEREITUNGSPHASE
Menschen finden, die an Selbst-Entwicklung interessiert sind
Erkundungsschwerpunkte identifizieren
Expeditionsdauer festlegen
AUFTAKT-EVENT
Live-Workshop
Einführung in das Modell
Themenschwerpunkte identifizieren
Bildung von Pioniergruppen mit Wachstumsgefährt*innen
ICH
Virtuelle 4h-Workshops zu Selbst-Entwicklung
Arbeit mit eigenen Zielen
Supervision
Austausch mit den Gefährt*innen
WIR
Virtueller 4h-Workshop zu Team-Entwicklung
Arbeit mit Team-Zielen
Supervision
Austausch mit den Gefährt*innen
ALLE
Virtueller 4h-Workshop zu Orga-Entwicklung
Arbeit mit Orga-Zielen
Supervision
Austausch mit den Gefährt*innen
ANKUNFT-EVENT
Expeditionserkenntnisse teilen
Selbstorganisation der Austauschgruppen
Multiplikator*innen identifizieren
Neuen Zyklus starten

Der Entwicklungs-Canvas

Der Entwicklungs-Canvas hilft uns, alle Entwicklungsebenen im Blick zu behalten. Oft existieren in unserer Organisation bereits Initiativen und Maßnahmen, die wir in diesen Überblick integrieren können. Alles, was es an Initiativen bereits gibt, lässt sich mit der Erweiterung der Haltung verknüpfen.

ICH

1. SELBST-ENTWICKLUNG

Wie können wir Raum für individuelle persönliche Entwicklungsbestrebungen geben?

2. ENTWICKLUNGS-WILLE

Welche individuellen Entwicklungswünsche haben wir?

3. ENTWICKLUNGS-KENNTNIS

Wie schaffen wir emotionale Referenzerlebnisse, die unsere Entwicklungspotenziale erfahrbar machen?

7. STRUKTUREN UND MACHT

Welche Aspekte könnten den größten Einfluss auf die gewünschte Entwicklungsrichtung haben?

8. KULTUR- UND KONTEXT-ENTWICKLUNG

Was sind die aktuellen Gestaltungsfelder, die wir miteinander weiterentwickeln wollen?

ALLE

IMPULS: ICH-WIR-ALLE im Überblick
Der Entwicklungs-Canvas zeigt uns die drei Entwicklungsfelder, in denen wir aktiv Akzente setzen können.

Was machen wir in welchem Feld?
Was ist noch unklar oder fehlt?

WIR

4. TEAM-ENTWICKLUNG

Was ist unsere angestrebte gemeinsame Entwicklungsrichtung?

Wie wollen wir als Team in Zukunft sein und kommunizieren?

5. ENTWICKLUNGS-RÄUME

Wie kreieren wir sichere Räume für eine offene Kommunikation?

6. ENTWICKLUNGS-GEFÄHRT*INNEN

Wie können wir Lern- und Erfahrungsreisen in festen Kleingruppen ermöglichen?

9. ENTWICKLUNGS-VISION

Was ist unser gemeinsames Bild einer möglichen Zukunft?
Wer wollen wir in zwei bis drei Jahren gewesen sein?

IMPULS: Alle Entfaltungs-Zonen mitdenken
In persönlichen oder organisationalen Veränderungsprozessen durchlaufen wir Zonen, die jeweils eigene Bedürfnisse, Themen und Impulse haben. Jede Zone hat ihre Berechtigung, bedarf der bewussten Beachtung und setzt ihren eigenen Problem- und Befindlichkeitsfokus. Auch die Übergänge von einer Zone in die nächste unterscheiden sich durch die dort auftretenden Spannungen und deren notwendiger Versorgung mit Kommunikation.

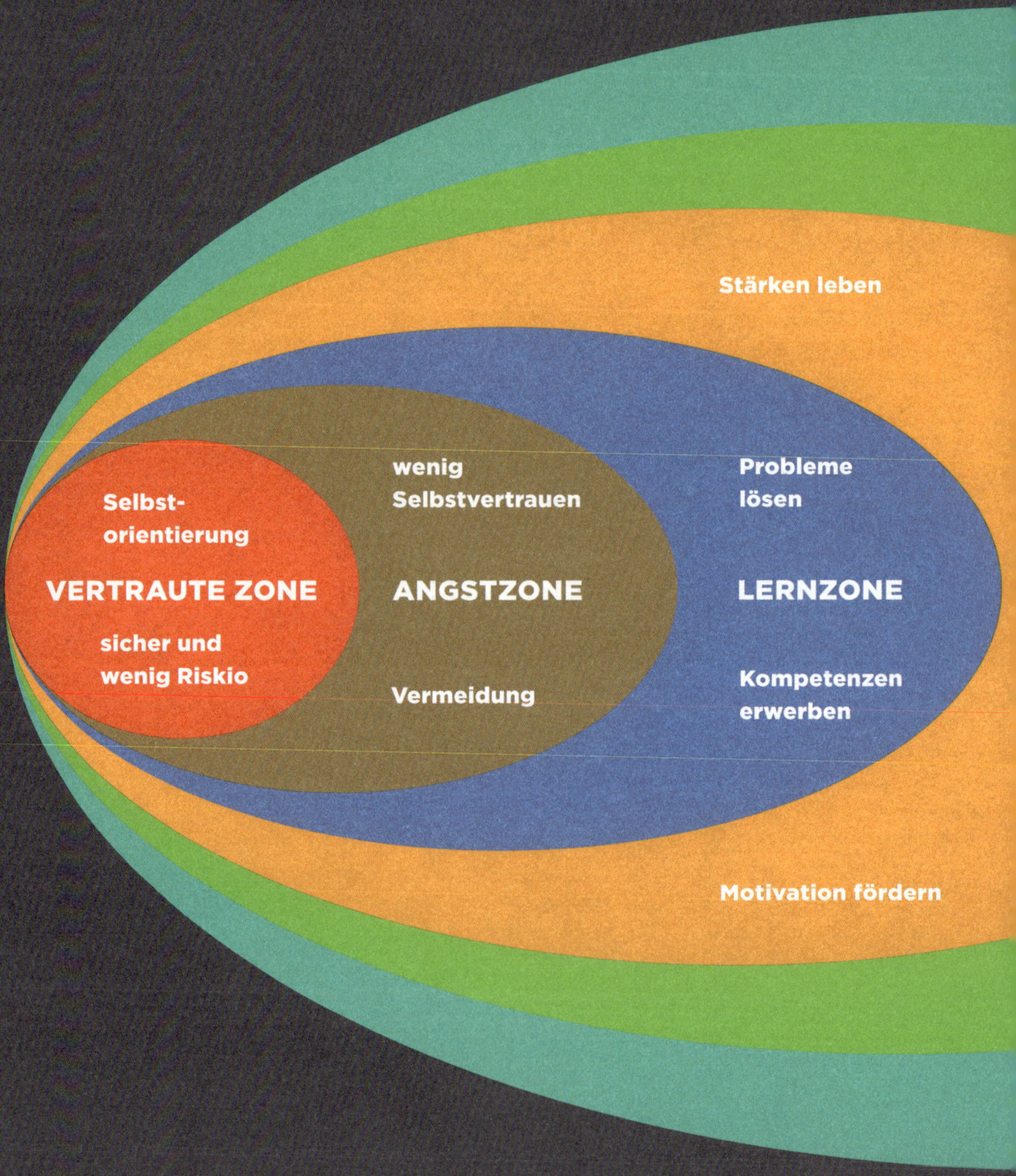

Welche Bedürfnisse sind bei uns in den einzelnen Zonen sichtbar oder erwartbar?
Welche Themen gehören in welche Zonen oder müssen durch sie entwickelt werden?
Was ist der nächste angemessene Schritt, auf dem wir aufbauen können?
Welche Maßnahmen und Bewegungen können uns unterstützen?
Welche Spannungen müssen mit Kommunikation versorgt werden?

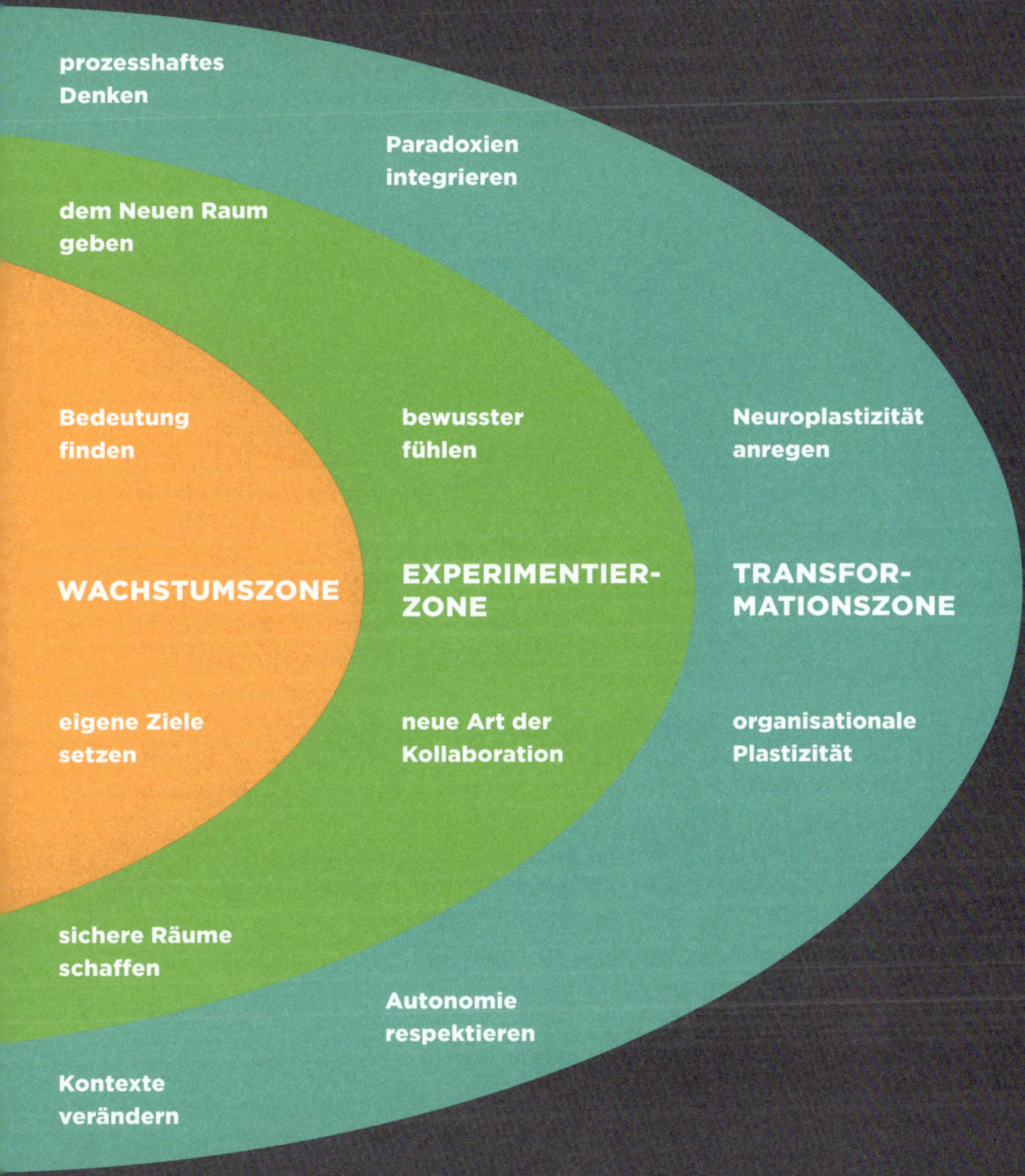

„Bessere“ und „schlechtere“ Haltungen

An dem Modell der Haltungen wird manchmal kritisiert, die frühen Haltungen, insbesondere die selbstorientierte-impulsive Haltung, würden darin abqualifiziert und so entstünde der Eindruck, es gebe bessere und schlechtere Haltungen. Die Frage ist nur: „besser“ oder „schlechter“ in Bezug worauf? Wesentlich ist die Integration aller Haltungen und damit auch die Anerkennung und Befriedigung der haltungsspezifischen Bedürfnisse. Bedürfnisse sind nicht besser oder schlechter – sie sind einfach da. In ihren unintegrierten und gereizten Ausprägungen, auf die sich einige der Beispiele beziehen, werden Aspekte fehlender Selbstregulation, mangelnden Respekts vor der Autonomie anderer, eine einseitige Außenfokussierung oder ein stark vereinfachender kognitiver Stil deutlich. Dies führt in bestimmten Kontexten zu Spannungen, kann jedoch an und für sich neutral betrachtet werden.

Wir brauchen kein „Rot“

Manchmal höre ich Sätze wie: „Wir brauchen mehr Rot in unserer Organisation, weil wir zu harmoniesüchtig sind.“ Dann wird „Rot“ als Synonym für die selbstorientiert-impulsive Haltung im Sinne eines Temperamentes gesehen oder mit Werten wie Mut und Tatkraft assoziiert. Im Modell der Haltungen ist „Rot“ eine niederkomplexe Wirklichkeitskonstruktion mit einem einfachen Sprachraum. Voller Energie und mutig sein oder klare Ansagen machen, das können wir in jeder Haltung, das hat nichts mit „Rot“ zu tun. „Rot“-Sein meint eher, dass wir vor lauter Gefühlsstau kaum passende Worte finden und daher höchst undifferenziert agieren. Da jede erweiterte Haltung die früheren Haltungen integriert, ist es uns jederzeit möglich, bewusst klare Grenzen zu ziehen, uns gegen Gewalt zu wehren oder in Gefahrensituationen Kommandos zu schreien. Wir alle können situativ „Rot“ erscheinen, ohne gleich in vereinfachte Logiken verfallen zu sein. Deswegen geht es auch nicht darum, „dass Rot schon auch gut ist“ oder „besser wegkommen müsste“.

Die Integration und Erfahrung der „roten“ Bedürfnisse, also der Bedürfnisse, die zur selbstorientierten, impulsiven Reifungsphase gehören, hat positive Aspekte. Zum Beispiel, indem wir unser inneres Kind bewusster wahrnehmen, diesen abstrakten Teil in uns, der sich in einfachen Logiken bewegt und gesehen werden will. Obwohl wir ähnliche Farben wie das Modell von Spiral Dynamics verwenden und es gewisse Parallelen gibt, nimmt Jane Loevinger in der Ich-Entwicklung eine andere Beobachtungsperspektive ein. Spiral Dynamics konzentriert sich mehr auf Inhalt und sichtbares Verhalten, die Ich-Entwicklung mehr auf das Konstrukt. Denn wir können vom Verhalten allein nicht klar darauf schließen, welches innere Konstrukt dem wahrheitsbildenden Prozess in einer Person zugrunde liegt.

Stationen der Haltungen

Die Spekulationen, ob eine Haltung besser oder schlechter ist als eine andere, haben uns zu einem Plan mit Stationen der inneren Haltungen inspiriert. Haltungen sind vorübergehende Aufenthaltsorte. Je nach unserer aktuellen Entwicklung suchen wir einige dieser Orte öfter oder selten auf, einige sind uns noch unbekannt. Auf den folgenden Seiten sind die für jede Haltung typischen inneren Aufenthaltsorte als Linien dargestellt. Es handelt sich dabei nicht um eine verbindliche Definition, sondern um eine Einladung zur freien Assoziation. Zu manchen Orten werden uns starke Bilder in den Sinn kommen und wir werden uns an bekannte Situationen erinnern. Manche Orte werden uns sehr vertraut erscheinen, andere rätselhaft und vage. An Kreuzungen und Übergangsstationen können wir die Orte bewusst und aus verschiedenen Blickwinkeln betrachten. Es gibt Stationen, die eher mit den haltungsspezifischen Reizbarkeiten zu tun haben, und andere, die sich mehr auf die integrierten Qualitäten einer Haltung beziehen. Vielleicht erkennen wir Sehnsuchtsorte oder spüren, welche Stationen in unserem System gerade eine wichtige Rolle spielen. Jeder Weg hat leichtere und schwierigere Abschnitte, und oft erleben wir nachträgliche Integrationen von angehaltenen Gefühlen aus früheren Haltungen. Bisweilen werden wir vom Leben überrascht und gelangen an innere Orte, von denen wir noch gar nicht wussten, dass sie existieren.

> *„Es geht darum, alle Erscheinungen als Spiel zu begreifen."*
>
> Tensin Gyatso (* 1935)

Im Netz der Haltungen unterwegs

Benötigt wird für dieses Spiel der Netzplan der Haltungen (nächste Doppelseite), ein Spielstein pro Person und ein Würfel. Der Plan ist auch als PDF-Datei erhältlich. Wir starten an einem der beiden Endpunkte der roten Linie. Ziel ist es, in der Reihenfolge der Haltungen von der roten Linie über die anderen Linien zu einem selbst gewählten Sehnsuchtsort auf der türkisfarbenen Linie zu gelangen. Es wird reihum gewürfelt. An der Station, an der wir jeweils ankommen, berichten wir von einem Erlebnis, das zu diesem Ort passt, oder beschreiben den Ort aus unserer Sicht. An den Stationen mit Umsteigemöglichkeit erzählen wir zu jeder Haltung, die hier kreuzt, eine Geschichte oder beschreiben sie. An diesen Stationen können wir auch in die jeweils nächste Haltung umsteigen. Solange wir keine Umsteigemöglichkeit erreichen, leisten wir innerhalb unserer Haltung Integrationsarbeit und fahren auf unserer Linie von hin und her, bis wir passend würfeln. Dieses Spiel kann beliebig abgewandelt werden. Gerne könnt ihr eure Erfahrungen in unserer Community austauschen und neue Ideen einbringen.

Haltungsstationen

PDF in DIN A1 bei shop.short-cuts.de erhältlich

Garten der bewussten Gefühle
Postkonventioneller Ideenbrunnen
Panoramaaussicht der Haltungen
Weg der Selbst-bemängelung
Denkmal des Experten
Forum der eigenen Werte
Brücke der Vernunft
Haus der Sicherheit
Diversitäts-platz
Kreuzung der Relativierungen
Zur Recht-haberei
Pfad des inneren Kindes
Gesetzespfad
Ziel-straße
Der Markt
Universität der Fakten
Schule der Fähigkeiten
Platz der Kontrolle
Baumallee der Nachhaltigkeit
Allee der glück-lichen Kindheit
Passage der Selbstoptimierung
Promenade der Selbstdarstellung
Platz der Selbstfürsorge
Friedhof der Unsterblichkeit
Freizeitpark der Sensationen
Feedbackforum
Heim der Geborgenheit
Freiheits-platz
Spaßpark der nachgeholten Kindheit
Platz des Zynismus
Promenade der Zugehörigkeit
Ritual-platz
Reflexions-zentrum
Stadion der Selbstverliebtheit
Tor der Achtsamkeit
Arena der Impulsivität
Haus des Patriarchen
Tunnel der unter-drückten Gefühle
Burn-outgasse
Chaussee der Anpassung
Statussymbol
Labor der Experi-mentierfreude
Kurpark der inneren Heilung
Kurve der Konflikt-vermeidung
Halde der Selbstgeschichten
Winkelgasse des Hinterfragens
Halle der Zuverlässigkeit
Bad des Wir-Gefühls
Mahnmal des Konformismus
Integrations-boulevard
Selbstempathie-passage
Spiegelgasse der Subjektivität
Trauma-spital
Sackgasse des Toleranzdilemmas
Selbstorientiert-impulsiv
Gemeinschaftsbestimmt-konformistisch
Rationalistisch-funktional
Eigenbestimmt-souverän
Relativierend-individualistisch
Systemisch-autonom

5.4

Kontext-Denkweisen

Neue kollektive Denkweisen werden sich durch die Fähigkeit auszeichnen, mit Komplexität und Paradoxien konstruktiv umzugehen. Wenn wir die vielen divergierenden Perspektiven in der Welt nur sehen und tolerieren, bleibt unser Weltbild flach. Erst wenn wir sie in entwicklungsorientierten Bewegungen ausrichten und neue Formen der Kooperation organisieren, können sich die sozialen Innovationen entfalten, die für die große Transformation notwendig sind. Dann kann eine neue Bewusstseinskultur entstehen, die uns wegführt vom Ausschließen und Verschließen und hinführt zu der vernetzten Einbindung allen Lebens in unser Handeln.

„Wir wollen doch mal sehen,
ob nicht die allermeisten sogenannten
‚unübersteiglichen Schranken',
die die Welt zieht, sich als harmlose
Kreidestriche herausstellen!"

Lou Andreas-Salomé (1861–1937)

Anders kommunizieren

Intuitiv verfügen wir über ein Gespür für die Sprachräume, in denen wir uns bewegen. Auch ohne die Entwicklungsräume der Haltungen zu kennen, beschreiben wir Gespräche als eng oder schwierig oder bemerken, dass die Verständigung mit einer Person zäh ist, weil uns der Raum für den Abgleich von Gefühlen, Spannungen und inneren Bildern fehlt. In den frühen Haltungen sind wir vor allem mit der Zukunft beschäftigt, denken kurzfristig und sind eher nach außen gerichtet. In den späteren Haltungen beschäftigen wir uns vor allem mit der Gegenwart, denken langfristig und nehmen auch unser Inneres mit in den Fokus. Diese Unterschiede werden besonders deutlich, wenn jemand in gewohnten Kontexten unkonventioneller kommuniziert als alle anderen und dadurch bewegliches Denken ermöglicht.

In Workshops frage ich gerne nach Persönlichkeiten des öffentlichen Lebens, von denen die Teilnehmenden glauben, dass sie aus einer erweiterten Haltung heraus sprechen. Meistens sind sich die Teilnehmenden erstaunlich einig, welche Personen infrage kommen. Auch Beispiele aus der eigenen Bildungsbiografie werden genannt, oder Mentor*innen, die den Karriereweg begleitet haben. Einige dieser Persönlichkeiten sind durch ihre unkonventionelle Art so bekannt geworden, dass es Anleitungen gibt, wie man diese Denkweisen kopieren kann – so als wären sie ein Trick oder eine Methode. Dabei wird verkannt, dass eine andere Haltung auch ein anderes Bewusstsein bedeutet. Gleichzeitig ist es ein gutes Training, sich auf diese Weise in den erweiterten Haltungen zu üben. Die Qualitäten, die in diesen unkonventionellen Menschen erkannt werden, entsprechen meist Aspekten der postkonventionellen Haltungen:

1. Eigene Fehler ansprechen und nichts verstecken
2. Vorhandene Spannungen und Zumutungen ansprechen
3. Multiperspektivisch denken, die Gegenposition als relevant anerkennen
4. Eigene widersprüchliche Gefühle ausdrücken
5. Demut zeigen und sich der Autorität der eigenen Position bewusst sein
6. Verhalten und Person trennen

Wäre es nur eine Methode, ließen sich die Haltungen schnell imitieren. In einem Workshop an einer Hochschule für Führungskräfte aus der Finanzbranche erzählte eine Teilnehmerin, dass sie zunehmend als Coach für ihre Chefs im Alter 55plus fungiert und versucht, ihnen zu vermitteln, wie junge Menschen geführt werden wollen. Allerdings fällt es den älteren Herren schwer, ihre alten Gewohnheiten loszulassen. Dies lässt sie manchmal verzweifeln, weil sich dadurch alles sehr langsam bewegt und die Motivation bei allen immer wieder sinkt. Die gute Perspektive daran ist, dass spätestens in zehn Jahren viele Unternehmen von Menschen geführt werden, die heute bereits erweiterte Haltungen einnehmen und anders kommunizieren können.

Paradoxien lieben lernen

Der Umgang mit Komplexität konfrontiert uns auf vielen Ebenen mit Paradoxien, die wir weder entscheiden noch aufheben können. Deshalb gilt es, immer wieder agil zu entscheiden und neu zu priorisieren. Da wir stark auf lineare Prozesse trainiert sind und unsere Unternehmen entsprechend ausgerichtet haben, führt dies zu Spannungen. Im linearen Denken früherer Haltungen fällt es uns schwerer, mit Spannungen umzugehen, und wir neigen dazu, natürliche Widersprüche als Fehler im System zu sehen oder sie einfach zu ignorieren. Diese Paradoxien entstehen auch, wenn sich neue und alte Handlungslogiken vermischen, wie bei der Einführung von mobilem Arbeiten, Agilität, Selbstführung oder neuen Zielvereinbarungssystemen.

Ein großer Energiekonzern wollte Objective Key Results (OKRs) als neue Managementmethode einführen. Dabei werden die übergeordneten Ziele des Unternehmens mit den Zielen der Teams und der Mitarbeitenden verknüpft. Im OKR-Prozess werden konkrete Ziele in Form von Objectives und Key Results für jeweils 3 Monate definiert – im Idealfall von den Mitarbeitenden und Teams selbst – und zwar so, dass sie sich am Unternehmensziel ausrichten. In diesem Konzern gab es jedoch Jahresgespräche und vorgegebene, an Boni gekoppelte Ziele, die einer ganz anderen Logik folgten. Diese Instrumente wurden beibehalten. Einerseits sollten sich nun alle am Beförderungs- und Gehaltssystem und dessen Zielvereinbarungen orientieren, andererseits sollten die Mitarbeitenden ihre eigenen Entwicklungsziele in Form von OKRs formulieren. Somit entstand das Dilemma, entweder die OKRs zu verfolgen oder die eigene Karriere voranzutreiben. Dies endet in dem Versuch, die eigenen OKR-Ziele durch geschickte Formulierungen zu den Boni-Zielen passend zu machen. Die Idee einer Führung mit OKRs war damit ad absurdum geführt.

Denken mit Gegenteilen

Roger Martin (* 1956) hat in seinem Buch „Opposable Mind“ den Begriff des „Opposable Thinking“ geprägt – eines Denkens, das mit Gegensätzen umgehen kann. Martin glaubt, wie auch andere Autor*innen und Philosoph*innen vor ihm, dass Menschen, die in der Lage sind, zwei gegensätzliche Ideen in einer konstruktiven Spannung zu halten, besser in der Lage sind, Probleme zu lösen, weil sie mit einer hohen Wahrscheinlichkeit kreativer und anpassungsfähiger sind. Sie verfügen über die Fähigkeit, Ja (+), Nein (–) und Vielleicht (=) als phänomenologische Aspekte einer jeden Sache gleichberechtigt nebeneinander zu stellen. Charakteristisch für viele dieser paradoxen Situationen sind drei Eigenschaften: Ambivalenz, Ambiguität und Ambidextrie.

Ambivalenz – Umgang mit innerer Zwiespältigkeit

Das Erleben von Ambivalenzen ist wesentlich geprägt von einem inneren Konflikt, bei dem widersprüchliche Wünsche, Gefühle und Gedanken gleichzeitig in uns existieren. Die Bereitschaft, die inneren Spannungen, die mit Ambivalenzen verbunden sind, auszuhalten, zeugt von einer erweiterten Haltung oder auch von emotionaler Reife. Diese Fähigkeit besteht darin, auf Abwehr und Abspaltung zu verzichten und widersprüchliche Erlebniszustände in sich halten zu können. Die Erfahrung von Doppelwertigkeit und das Erleben konflikthafter, gegensätzlicher innerer Bewertungen sind oft typische Begleiterscheinungen einer Erweiterung der Haltung. Bei Ambivalenzen geht es darum, sie transparent zu machen und einen sicheren Raum zu schaffen, um sie aushaltbar und besprechbar zu machen.

Ambiguität – Umgang mit äußerer Mehrdeutigkeit

Komplexe Situationen bringen eine Vagheit mit sich, die dort, wo uns eine eindeutige Handlungsorientierung fehlt, zu pragmatischer Unbestimmtheit führt. Manchmal findet sich das Vage bereits in der semantischen Mehrdeutigkeit von Leitbildern wie „Wir tun immer das Richtige“ und „Wir gehen neue Wege“. Ambiguität kann als interpretative Mehrdeutigkeit äußerer Umstände verstanden werden, die einerseits Ambiguitätstoleranz erfordert, also die Fähigkeit, Mehrdeutigkeiten, Widersprüche und differenzierte Sichtweisen zu tolerieren, und andererseits eine Ambiguitätskompetenz, die uns befähigt, auch in ökonomisch, kulturell und sozial fremden Situationen angemessen und zielführend zu agieren. Im Bereich der Ambiguität gibt es viele Grautöne. In den frühen Haltungen widerspricht es unserem Selbstbild, keine eindeutigen Antworten zu haben. Bislang kann noch kein KI Chatbot mit „Das weiß ich nicht“ antworten.

Ambidextrie – beidhändiges Handeln

In der Transformation wollen wir das Alte wertschätzen und erhalten und gleichzeitig etwas Neues schaffen. Wir müssen uns gleichzeitig an zwei handlungsorientierten Denkweisen orientieren, die in einem Spannungsverhältnis zueinander stehen. Die Nutzung und Optimierung vorhandener Technologien, Produkte, Menschen und Märkte erfordert ständige kleine Verbesserungen von Strukturen und Prozessen im operativen Geschäft und bindet Ressourcen. Gleichzeitig müssen wir Ressourcen freimachen, um uns neue Technologien, neue Märkte und auch neue Mitarbeitende zu erschließen, ohne dass oftmals klar ist, ob diese Investitionen in der Zukunft überhaupt zielführend sein werden. Diese widersprüchlichen Rollen erfordern eine klare Verteilung von Ressourcen und Befugnissen, um Konkurrenzen zu vermeiden. Dies fällt uns in den erweiterten späten Haltungen leichter, weil unser Denken geschmeidiger geworden ist.

Innensicht/subjektiv | Außensicht/objektiv

individuell

ENTFALTUNGS-PARADOX

POLARITÄTEN

Wissen aufbauen vs. Altes vergessen

Expertentum vs. neues Denken

Autonomie vs. Zugehörigkeit

Funktionieren vs. sich entwickeln

VERHALTENS-PARADOX

DILEMMATA

Führung übernehmen vs. Teamplayer sein

Ordnung vs. Freiheit

Matrix-Strukturen mit mehreren Vorgesetzten

widersprüchliche Anforderungen diverser Beteiligter

kollektiv

KULTUR-PARADOX

POLARITÄTEN

Eigenständigkeit vs. Gemeinschaft

Individualität vs. Konformität

Passung vs. Diversity

Ehrlichkeit vs. Diplomatie

Loyalität vs. Selbstentfaltung

ORGANISATIONS-PARADOX

DILEMMATA

Kontrolle vs. Flexibilität

Mitbestimmung vs. Autorität

Standardisierung vs. Innovation

Selbstverwirklichung vs. Prozesstreue

Planerfüllung vs. Agilität

Umgang mit Dilemmata und Polaritäten

Von der illusorischen Vorstellung, immer „das Richtige" tun zu können, können wir uns entlasten, wenn wir uns die wahrgenommenen Paradoxien in den vier Quadranten Persönlichkeit, Verhalten, Kultur und Strukturen & Prozesse bewusst machen und in Kommunikation bringen. Dies entlastet die Beteiligten von der Vorstellung, immer „das Richtige" tun zu können. Hinweise auf mögliche Paradoxien können wir an den typischen dualen Wortkonstruktionen erkennen: entweder-oder, mehr-weniger, immer-nie, alles-nichts. Wir können diese Beobachtungen in Dilemmata und Polaritäten unterteilen. Dilemmata beziehen sich in dieser Betrachtung auf äußerlich objektivierbare Paradoxien, die auch für andere nachvollziehbar sind. Polaritäten sind voneinander abhängige Gegensatzpaare, die eher durch unsere inneren individuellen Werte und Einstellungen zu Paradoxien werden und für andere Personen vielleicht gar kein Problem darstellen. Eine Polarität wird durch unsere Subjektivität erzeugt und kann emotional aufgeladen sein. Es ist hilfreich, zu unterscheiden, ob wir ein Paradox eher rational als Dilemma oder emotional als Polarität betrachten.

Äußere rationale Entscheidung vs. innere emotionale Wahl

Ein wesentlicher Aspekt im Umgang mit paradoxen komplexen Situationen ist die Frage, ob es sich um ein Dilemma, das einer Entscheidung bedarf oder um eine Polarität handelt, die eine Frage nach unserer Wahl erfordert. Eine Entscheidung kann als ein Beschluss definiert werden, zu dem wir nach einer Prüfung gelangen, während eine Wahl definiert werden kann als das Recht, die Macht oder die Fähigkeit, eine Wahl zu treffen.

Eine Entscheidung ist die Antwort auf eine externe Frage, zu der wir externe Informationen sammeln und nach Abwägung der Vor- und Nachteile die beste Option wählen. Viele Optionen, widersprüchliche Informationen oder komplizierte Kriterien erschweren die Entscheidungsfindung. In diesen Fällen empfiehlt es sich, zusätzliche Expertise und Unterstützung holen.

Eine Wahl ist die Antwort auf eine innere Frage. Diese Wahl wird von unseren persönlichen Werten, Bedürfnissen und Wünschen bestimmt. Eine Wahl zu treffen, fällt uns schwer, wenn sie uns emotional berührt oder einen inneren Konflikt auslöst. Unsere Wahl wird eher von unserem Bauchgefühl und unseren Bedürfnissen bestimmt als vom Sammeln von Fakten, dem Erstellen von Pro- und Contra-Listen oder dem Versuch, Prioritäten zu setzen. Hier sind die Meinungen und Wünsche anderer eher verwirrend, und es geht darum, mit uns selbst, unserer inneren Stimme, unserer Intuition und unserem Körpergefühl in Kontakt zu kommen. Äußere Entscheidungen sollten wir eher nicht aus dem Bauchgefühl heraus treffen und eine innere Wahl nicht durch übermäßiges Rationalisieren.

Haltung zu Paradoxien

Mit der Erweiterung der Haltung wächst die Fähigkeit zur vernetzten Reflexion und zum Umgang mit sich widersprechenden Anforderungen und Paradoxien. Wir können in uns, in unseren Teams und in unserer Organisationen situativ alle Haltungen erkennen. Diese Übersicht kann im Konfliktfall helfen, die Haltung zu erweitern.

Selbstorientiert-Impulsiv

Wenn wir etwas ankündigen, wollen wir auch, dass es umgesetzt wird. Die Menschen brauchen eine klare Führung und für Gemecker haben wir keine Zeit. Eine Meinung durchzusetzen beschleunigt den Prozess, und wenn die Situation unklar ist, dann bringt eine klare Meinung eben Klarheit. Wenn andere das anders sehen, dann müssen sie sich eben fügen und sollen schweigen, denn Widerspruch ist zwecklos.

Engstirnigkeit Unveränderbarkeitsglaube

DAS IST SO

Gemeinschaftsbestimmt-Konformistisch

Einer muss entscheiden und dann müssen sich die anderen daran halten. Lange Debatten halten nur auf und stiften Unfrieden. Wer dafür ist, kann bleiben, die anderen müssen gehen. Besser ist es, wenn die Richtung von den Verantwortlichen vorgegeben wird. Auch wenn wir merken, dass etwas nicht gut läuft, sagen wir nichts, weil uns keiner gefragt hat und wir auch nicht verantwortlich sind.

Harmoniezwang und Ausblendung

ENTWEDER ODER

Rationalistisch-Funktional

Wir haben eine klare Meinung und sind für klare, sachliche Vorgehensweisen, weil wir aufgrund unserer Expertise wissen, was richtig ist. Das lassen wir uns gerne von externen Expert*innen bestätigen, die genauso denken wie wir. Mit Realitätssinn, Sachverstand und logischer Herleitung werden klare Entscheidungen getroffen. Was nicht dazu passt, spielt eine untergeordnete Rolle und wird ausgeblendet.

Recht haben, Ausnahmen und Verallgemeinerungen

FOLGERICHTIG

IMPULS: Polaritäten und Dilemmata aufweichen

Wir nehmen eine Spannung, die wir für unlösbar und paradox halten. Für jede mögliche Perspektive auf diese Situation stellen wir einen Stuhl in den Raum. Dann setzen wir uns auf jeden Stuhl und begründen, warum unser Bedürfnis und Anliegen wichtig ist. Die Außenstehenden geben Feedback und versuchen, Gemeinsamkeiten und Zusammenhänge zu beschreiben, sofern diese sichtbar geworden sind.

Eigenbestimmt-Souverän

Wir können uns mehrere Optionen vorstellen und sind auch damit einverstanden, nicht einverstanden zu sein, wenn eine Lösung gewählt wird, die wir nicht für richtig halten. Im Kern bleiben wir aber bei unserer Meinung. Manchmal ist es auch möglich, Kompromisse zu finden, die Aspekte beider Seiten vereinen. Wir müssen nicht mehr auf alles eine Antwort haben.

Chancen und Potenziale erkennen, Win-win-Denken

SOWOHL ALS AUCH

Relativierend-Individualistisch

Bei gegenteiligen Meinungen können wir die Verbindungen zwischen den Polen erkennen und die vielen möglichen Meinungen, die dazwischen liegen könnten. Wir können sehen, wie diese Paradoxien entstanden sind, und auch die Ebenen wechseln, wenn es vielleicht mehr um ein dahinterliegendes Thema als um die reine Sachebene geht. Wir erkennen, dass gegenteilige Meinungen oft auf derselben Ebene des Denkens stattfinden und voneinander abhängen.

Einbeziehen der Bedürfnisse und Befindlichkeiten

KOMMT DRAUF AN

Systemisch-Autonom

Beide Aspekte haben meist einen realen Anteil und stehen für individuelle Bedürfnisse. Themen sind oft komplexer, als sie in polarisierenden Debatten dargestellt werden. Auch die Subjektivität der Betrachtenden und deren Agenda sind Faktoren. Entscheidungen müssen iterativ überprüft werden. Manchmal sind Gegensätze keine und beides kann integriert werden. Wir können Paradoxien aushalten und beobachten, wie sie sich mit der Zeit prozesshaft verändern.

Wahrnehmung von Kontext und eigener Subjektivität

BEIDES UND AUCH

6.

Ausblick

Die Erweiterung der Haltung ist eine wichtige Voraussetzung dafür, die Welt neu denken zu können. Transformation bedeutet, Probleme auf einer anderen Ebene zu lösen als auf der Ebene, auf der sie entstanden sind. Mit einer experimentellen und spielerischen Herangehensweise können wir auch der Volatilität, die mit Transformationen verbunden ist, konstruktiv begegnen. Wir reduzieren Komplexität, wenn wir mehr Nahtstellen für Kommunikation schaffen und systemisch Möglichkeitsräume verbinden, die vorher getrennt schienen. Die Erweiterung der Besprechbarkeiten ermöglicht es uns, die mit Transformationen verbundenen Ambiguitäten besser halten zu können.

„Wenn man versteht und fühlt, dass man schon in diesem Leben an das Grenzenlose angeschlossen ist, ändern sich Wünsche und Einstellung."

Carl Gustav Jung (1875–1961)

Vertrauen in die „andere Ebene" finden

Transformationen erfordern eine Erweiterung der Haltung – in vielen Facetten und auf allen vier Ebenen (ICH, WIR, ALLE, ALLES). Manche Perspektiven werden in diesem Buch nur angerissen und bedürfen der Vertiefung und weiteren Erforschung. Genau dazu soll dieses Buch anregen: eigene Beobachtungen zu machen und Ideen als entwicklungsorientierende Hinweise zu verstehen. Bekommen wir viele Hinweise zugleich, macht uns das oft zunächst ratlos. Denn wir sind es gewohnt, wissen zu wollen, was genau zu tun ist, und mit einem Ergebnis aus einer Sitzung herauszugehen oder ein konkretes Umsetzungsziel für eine Maßnahme erarbeitet zu haben. In diesem Fall ist es hilfreich, bei sich selbst und mit kleinen Schritten zu beginnen.

Reife zeigt sich auch im Umgang mit dieser Art des planenden Denkens. Ein Kind kann einen impliziten Plan erstellen und befolgen, um von A durch einige Straßen zum Haus von B zu gelangen. Eine Erweiterung zeigt sich, wenn wir über diesen Plan und den besten Weg auf der konkreten Ebene sprechen können. Die nächste Erweiterung ist erreicht, wenn wir über den Planungsprozess sprechen oder verschiedene Pläne vergleichen und kombinieren können. Dann kommt eine Ebene, wo wir schauen, was eigentlich ein Plan ist und wie die Dinge wirklich geschehen.

Entgegen unseren Gewohnheiten hat Entwicklung oft mehr mit Aufhören zu tun als mit Machen, weil wir beim Machen dazu tendieren, wieder die gewohnten Logiken zu manifestieren. Wenn Logiken in uns an ihr Ende kommen und wir sie als desorientierende Dilemmata erleben, werden sie dekonstruiert und verflüssigt. Das bedeutet in der Regel, dass wir genau wissen, was als Nächstes kommt, denn es emergiert erst, wenn es Raum dafür gibt. Dafür brauchen wir intuitives Handeln, das Nichtwissen aushält, weil es vertraut, weil es mehr im Einklang mit dem Fühlen ist und sich „flüssiger" und freier anfühlt. Das Neue, das dann entsteht, kennen wir noch nicht, aber wir vertrauen in es. Wir vertrauen darauf, dass die Erkenntnis des Nichtwissens ein Zustand des Leerseins ist, der uns den Strom des tatsächlichen gegenwärtigen Erlebens neu bewusst macht und uns darin neue Sinngebungen erkennen lässt. Ein freier Raum, in dem eine neue Deutung der Welt in uns entstehen kann und der uns eine gewisse Freiheit von unseren alten Ichs eröffnet.

Wer Kinder hat, kennt diesen Prozess. Manches von dem, was wir gelernt haben, geben wir bewusst weiter, manches unbewusst, und bei manchen Sinngebungen, die wir vermittelt bekommen haben, entscheiden wir uns, damit aufzuhören und sie nicht weiterzugeben.

Wir tun dies oft nicht, weil wir schon eine Lösung parat haben, sondern weil wir in der Begleitung unserer Kinder neue Möglichkeiten ausprobieren wollen, die sich richtiger anfühlen. Dazu braucht es Vertrauen und Zutrauen und immer wieder die Reflexion über unsere Gefühle und Werte. Entwicklung durch Vertrauen bedeutet, mit Nichtwissen umgehen zu lernen und sich selbst infrage stellen zu können.

Die menschliche Erkenntnis ist durch Sprache strukturiert

Eine Rückmeldung, die ich auf unserer Entwicklungsreise immer wieder bekomme, ist: „Ich hätte nicht gedacht, dass Haltung so viel mit Sprache zu tun hat." Unsere jeweilige Gewohnheitshaltung mit ihren stabilen Verhaltens-, Verstehens- und Wissensmustern repräsentiert unsere innere Verdrahtung und bestimmt, wie wir dem Erlebten sprachlich Bedeutung geben. Die Erkenntnis, dass Sprache eine unhintergehbare Bedingung des Denkens und der Weltdeutung ist und alle menschliche Erkenntnis sprachlich strukturiert ist, wird in der Philosophie seit Anfang des 20. Jahrhunderts als „linguistische Wende" (linguistic turn) bezeichnet. Eine geistige Wirklichkeit jenseits der Sprache gilt aus dieser Perspektive als „nicht existent" oder „zumindest unerreichbar". Denken kann nur in der Welt der Worte stattfinden. Worte und Satzkonstruktionen sind aber nur eine Abstraktion der Wirklichkeit. Wir sehen und denken nur das, wofür wir sinngebende Worte kennen. Da eine Entwicklung der Haltung genau diese sinngebenden Sprachkonstrukte erweitern hilft, wirkt sie sich realitätsverändernd aus. Sowohl bezogen darauf, wie wir die Welt wahrnehmen, als auch darauf, wie wir sie gestalten.

Als ich einem CEO erklärte, dass sich mit der Haltung auch der Sprachraum erweitert, sagte er: „Jetzt verstehe ich, warum ich früher dachte, Kultur sei etwas Lästiges, eher etwas für Weicheier, und mich auf Prozesse und Abläufe konzentriert habe. Heute sitze ich hier in der Kulturexpedition und sehe Kultur und Kommunikation als die zentralen Bereiche für unsere Unternehmensentwicklung. Damals konnte ich das noch nicht sehen und in meinem Denken und Handeln hatte Kultur keine Bedeutung."

Wir sind kulturell in einem Gedankenstrom von Jahrtausenden gebunden, durch unsere Herkunftskultur tauchen wir in ihn ein, schwimmen in ihm, erkennen seine Subjektivität, beeinflussen ihn und entschwinden wieder. Alles menschliche Denken und die daraus resultierenden Handlungslogiken finden in diesem Gedankengeflecht statt, an dem wir mitweben, ohne wirklich Zugang zu einer objektivierbaren Außensicht zu haben. Unsere Wahrnehmung der Welt ist immer nur die eigene Innensicht und jeder Mensch ist nur mit seinem eigenen Erleben in Kontakt. Wir sind immer in der Welt und finden uns als Teil der Welt in diesem Gedankenstrom wieder.

Organisationen entwickeln sich über neue Sinngebungen

Die Erkenntnisse, die mit der linguistischen Wende einhergehen, werden in anderen wissenschaftlichen Disziplinen noch nicht wahrgenommen. Wir verkennen, dass auch unsere betriebswirtschaftlichen und anderen Lehren sprachlich strukturiert sind und Narrativen folgen, die in ihrer Abstraktion viele Phänomene ausblenden, weil sie im Sprachraum noch nicht vorkommen. Bestes Beispiel sind die Grenzen unseres Wachstums, die zwar bereits wahrgenommen, aber noch nicht in ihrer Bedeutung gefühlt werden. Das Modell der Haltungen kann diese Erkenntnisräume zugänglicher machen, denn Weltverstehen ist keine Frage des Intellekts, sondern der Konstruktion von Wirklichkeit. In den wissenschaftlichen Disziplinen wird zunehmend erkannt, dass Sprache und die Art und Weise, wie wir Sinn konstruieren, dabei eine zentrale Rolle spielen. Wissenschaften sind niedrigkomplexe Beobachtungsnischen auf eine komplexe, bis ins Kleinste vernetzte Natur, die nur als Einheit existiert. Durch die eigene Beobachtung, wie sich unsere Wahrnehmung der Wirklichkeit durch die Veränderung unserer sprachlichen Sinngebung erweitert, wird immer mehr Führungskräften klar, dass auch Organisationsentwicklung eine Frage der Erweiterung unserer sprachlichen Konstruktionen und Sinngebungen ist.

Entwicklung heißt: selbst neu werden

Entwicklung kann sich anstrengend anfühlen, wenn das Alte immer weniger Sinn zu machen scheint. Die Teilnehmenden sagen oft: „Das war damals eine schwere Zeit und ich hatte am Anfang keine Orientierung. Aber im Nachhinein bin ich sehr dankbar dafür, denn sonst hätte ich mich nicht so entwickeln können." Was als Untergang der früheren Haltung erscheint, ist die Geburt der erweiterten Haltung. Wir werden uns selbst fremd und entdecken eine neue Version von uns selbst. Wenn wir später denselben Phänomenen begegnen, können wir reflektieren, erkennen plötzlich Alternativen, aus denen wir auswählen können. Wir sind in unseren Entscheidungen freier.

Transformation braucht eine experimentelle Haltung

Beim Experimentieren oder Spielen erleben wir uns gemeinsam, ohne übereinander theoretisieren zu müssen. Wir tun etwas, das keine Theorie braucht, sondern sich daran erfreut, dass im Raum des Nichtwissens in Kommunikation etwas entsteht. Es ist schwer zu verallgemeinern, aber die Forschung liefert einige Beispiele, die zeigen, dass, wenn die Bereitschaft zur Entwicklung vorhanden ist, die Erweiterung der Gewohnheitshaltung zwei bis drei Jahre dauert. Die Kenntnis des Modells selbst und der Austausch darüber mit anderen wirken beschleunigend, weil viele bestehende Beobachtungen neu eingeordnet werden können. Wie in der persönlichen Entwicklung sind auch in Organisationen gerade die Dinge, die wir für unumstößlich halten, oft die eigentlichen Wachstumshindernisse.

Wir existieren nur in Verbindung

Das Modell der Haltungen beschreibt auch den Prozess, wie wir durch die Sprache einen immer komplexeren Zugang zur Welt gewinnen, der uns an die intellektuelle, abstrakte Erkenntnismöglichkeit anschließt, uns zugleich jedoch den unmittelbaren kindlichen Zugang und das Gefühl des Einsseins mit der Welt verstellt. Dieses Dilemma zwischen der Verbundenheit mit der Welt und der eigenen Autonomie ist eine der prägenden Bewegungen in unserer Entwicklung. Die mit der Sprache einhergehende Ich-Bildung mit ihren rollengebundenen Teilpersönlichkeiten ist das Getrennte – das Selbst, das sich in der Komplexität der Beziehungen als existent erkennt, ist das Verbundene. Beides sind Qualitäten, die zu uns gehören und in Kommunikation treten können. Das Selbst will nichts vom „Ich", es ist ein eigenständiger Wirklichkeitskontakt, der mit der Erweiterung der Haltung präsenter wird und uns wieder mit der Weltwahrnehmung vor der Sprache in Kontakt bringt. Es ist, als ob wir einmal durch das Labyrinth der Sprache und der Identifikationen mit den darin stattfindenden Ich-Bildungen hindurchgehen müssten, um wieder dorthin zu gelangen, woher wir gekommen sind, nur diesmal bewusster. Jane Loevingers Forschungen und das Modell der Haltungen sind eine Landkarte für diesen Weg.

Die „andere Ebene" der Problemlösung

Wir kommen aus dem WIR und erkennen nach verschiedenen Transformationen des ICH wieder, dass wir nur in einem ALLE in ständiger Verbindung existieren und auch nicht anders existieren können. Wir erkennen die Begrenztheit der Erfahrung durch die Sprache und entdecken den permanenten Fluss der Phänomene, der vor (oder auch hinter) allen Bezeichnungen, Bewertungen und Unterscheidungen liegt.

Diese Möglichkeit der Bewusstwerdung unserer Verbundenheit ist eine der optimistischen Perspektiven, die das Modell der Haltungen eröffnen kann. Denn darin liegt ein großes Potenzial für zukünftige kollektive Handlungslogiken. Diese wahrgenommene Verbundenheit ist nicht abstrakt oder ein reiner Idealismus, sondern ein realer Erfahrungsraum unserer Identität. Dieser kann sich als der Lösungs- und Möglichkeitsraum auf einer „anderen Ebene" als der, auf der die Probleme entstanden sind, offenbaren. In Organisationen frage ich gerne: „Was ist heute in eurer Kultur Realität, was ihr euch vor drei Jahren noch nicht vorstellen konntet?" Dann kommen viele Beispiele rund um Dresscode, mobiles Arbeiten, Duz-Kultur, offene Kommunikation, Augenhöhe, Fehlerkultur. Meine Anschlussfrage lautet dann: „Und was könnte in drei Jahren Realität sein, was ihr euch heute noch nicht vorstellen könnt?" Damit aus diesen Undenkbarkeiten Umdenkbarkeiten werden, braucht es Vertrauen, eine erweiterte Sprache mit neuen Sinngebungen, spielerische Experimentierfreude und Verbundenheit.

Entwicklung braucht freiwillige Entfaltungsmöglichkeiten

Wenn wir die Welt zunehmend in ihren realen Grenzen erkennen, erleben wir dies immer noch als Bedrohung, verbunden mit starken Verlustängsten oder Verzichtsdrohungen. Hinweisgeber*innen diffamieren wir als Spielverderber, die uns die Wurst vom Grill stehlen wollen. Auf dieser alten Ebene werden wir uns nicht von der Fiktion eines grenzenlosen Wachstums lösen können, weil sie noch zu stark identitätsstiftend und damit Halt gebend ist. Noch fehlen uns die Worte, um die Welt neu zu denken. Im Gewahrsein der Verbundenheit werden Dinge logisch und sinngebend, die heute am Rande unserer Gewahrwerdung sind (noch was für Weicheier) und noch nicht handlungsorientierend wirken. Erweiterte Haltungen können ein Schlüssel sein, diese mehr in Wirkung zu bringen.

Keine Ideologie, sondern Selbsterkenntnis durch Selbstentwicklung kann dahin führen, dass wir erkennen, dass zum einen unsere individuelle Freiheit entscheidend ist für unsere Entwicklung, dass sie aber nur innerhalb einer sozialen Freiheit und eines Mitweltbewusstseins existieren kann. Eine Freiheit, die nicht aus sich existiert, sondern auch von uns gestaltet und erhalten werden muss. Deswegen ist es im Interesse eines jeden Individuums, das sich als in Entwicklung begriffen erkennt, Bedingungen zu schaffen, die möglichst auch in Zukunft eine Selbstentwicklung für alle ermöglichen, weil genau das einer der wichtigen Faktoren für die anstehende Regeneration unserer Lebens- und Kulturräume ist.

Das ICH erkennt, dass es sich nur im WIR entwickeln kann und dies ALLE umfasst – alle Menschen, die Fauna und die Flora.

Regeneration wird dann nicht mehr als Verzicht betrachtet, sondern als das empfunden, was Sinn macht und lebensdienlich ist. Wir werden Sinn anders empfinden, und wir werden zurückblicken und uns wundern, warum wir nicht mit all dem aufhören konnten, was offensichtlich nicht lebensdienlich war. So wie wir uns heute über das Siezen, die Krawatten, die verquere Kommunikation und andere Dinge wundern, die wir früher für selbstverständlich, normal und wichtig hielten.

Gleichzeitig ist Entwicklung ein offener Prozess und nicht linear vorhersehbar. Sich trauen, zu vertrauen, Sprachräume und Besprechbarkeiten erweitern, experimentieren und Verbindungen schaffen – all das können gute Begleiter sein, um unsere Haltungen zu erweitern und mehr Lösungen auf einer „anderen Ebene“ zu entdecken.

Der Ausbilck in drei Jahren

Ich hätte mir vor drei Jahren nicht vorstellen können, dass sich immer mehr Menschen für dieses Thema interessieren und wir bei großen Unternehmen Deutschlands wie Bosch, Deutsche Bahn, Axel Springer, Otto Group, Adolf Würth, R+V und anderen auf Interesse stoßen, das Modell der Haltungen als Impuls in ihre Organisation einzubringen. Wenn ich selbst drei Jahre in die Zukunft schaue und das Umdenkbare zulasse, dann könnte ich mir vorstellen, dass Selbstentwicklung im Sinne der entwicklungsorientierten Psychologie ein normaler Bestandteil unserer Führungskultur geworden ist. Dann sehe ich das Potenzial für viele Communitys, in denen sich Menschen regelmäßig in vertraulichen Räumen mit anderen austauschen, um ihre eigene Reflexionsfähigkeit zu stärken und sich selbst zu entwickeln. Die Nutzung von Coachings, von kollegialem Coaching, von Selbstentwicklungs-Apps und -gruppen nimmt zu. Insbesondere der vertrauliche Austausch mit anderen, der durch die virtuelle Kommunikation noch einmal eine neue Geschwindigkeit bekommen hat, könnte einer der kollektiven Wachstumsbeschleuniger sein.

„In der Liebe können wir unsere Bedürfnisse nur miteinander verwirklichen.“

Humberto Maturana

Wir bewegen uns von der Lernzone, in der uns eine Fülle von Wissen zugänglich gemacht wurde, über die Wachstumszone, in der wir uns noch stark auf uns selbst konzentriert haben, in die Experimentierzone, in der wir unsere persönlichen Erkenntnisse verstärkt in unsere Kontexte einbringen. Diese Bewegung und die verstärkte Kommunikation darüber möchte ich unterstützen, dafür Raum und Impulse bieten und einladen. in diesem Sinne lade ich dich ein, unserer Community https://haltung-erweitern.de beizutreten.

Und dann – lasse ich mich überraschen.

Martin Permantier

Foto: Marlene Marlow

Martin Permantier

Als Co-Geschäftsführer der SHORT CUTS GmbH design + kommunikation mit Sitz in Berlin unterstütze ich mit meinem Team von 25 Mitarbeitenden Unternehmen bei der Entwicklung ihrer Identität und Kultur. Als Begleiter und Inspirator für Transformationen liegt mir die Entwicklung von Führung und Unternehmenskultur besonders am Herzen. Diesen Themen widme ich mich auch als Keynotespeaker, Workshopgestalter und Podcasthost von ich-wir-alle.com.

haltung-entscheidet.de
haltung-erweitern.de

Links und weitere Angebote

Haltung erweitern – die Community
Im geschützten und wertschätzenden Rahmen tauschen wir Gedanken & Erfahrungen aus, stellen Bücher, Podcasts & Videos vor und teilen Forschungsergebnisse.
https://haltung-erweitern.de

Workshops und Entwicklungsreisen
Themenspezifische Workshops und Ausbildungen im gesamten deutschsprachigen Raum. In Präsenz oder online.
haltung-entscheidet.de/workshops

Poster, Kartenspiele, Lernmaterial
Für den Austausch im Team bieten wir unterstützend diverse Materialien an, z. B. Poster zu verschiedenen Aspekten und in vielen Sprachen – als Print oder Download, Karten zur spielerischen Erkundung der Haltungen u. v. m.
shop.short-cuts.de

Quick-Check
Das Online-Tool für einen schnellen Einstieg in die Welt der Haltungen. Im Team gespielt, eröffnet der Quick-Check die Möglichkeit, unterschiedliche Perspektiven zu diskutieren und sich so besser kennenzulernen.
quickcheck.haltung-entscheidet.de

Podcast ICH-WIR-ALLE
Hier geben wir Persönlichkeiten Raum, die Transformation gestalten und mit ihren Perspektiven und Erfahrungen inspirieren.
ich-wir-alle.com

Videos
Aufzeichnungen von Keynotes, Videos zu einzelnen Ebenen oder Aspekten der Haltungserweiterung und ergänzendes Material sind in der Playlist „Haltung entscheidet“ zu finden.
youtube.com/@AgenturShortCuts

SHORT CUTS GmbH design + kommunikation
Wir entwickeln Gestaltung und gestalten Entwicklung. Für Unternehmen, die ihre Zukunft in die Hand nehmen.
short-cuts.de

Bücher

Haltung entscheidet: Führung & Unternehmenskultur zukunftsfähig gestalten – Vahlen Verlag, 2019

Unser Modell der sechs Haltungen eröffnet neue Perspektiven auf die Entwicklungsmöglichkeiten von Führung, Team und Organisation. Das Buch zeigt anhand zahlreicher Beispiele und Illustrationen, wie wir die Welt gemäß unserer inneren Haltung deuten, daraus unsere Realität konstruieren und unsere Denkhaltungen schrittweise erweitern können.

ISBN 978-3-8006-6063-6

Hörbuch & englische Fassung als E-Book
HALTUNG ENTSCHEIDET ist gekürzt als Hörbuch erhältlich und als E-Book auf englisch (Vollversion).
shop.short-cuts.de

Werte wirken: Strategie, Marke und Kultur mit Werten entwickeln – Vahlen Verlag, 2021

Das Buch zeigt unseren praxiserprobten Weg, in fünf Schritten vorhandene Werte zu identifizieren und zu diskutieren, sich auf gemeinsame Werte zu einigen und sie erlebbar zu machen. Unser strategischer Ansatz wird damit unmittelbar anwendbar.

ISBN 978-3-8006-6477-1

Ich Wir Alle: 24 Transformationsgestalter:innen geben wegweisende Impulse für die Zukunft – Vahlen Verlag, 2021

In 24 Essays haben unsere Podcast-Gäste ihre zentralen Gedanken weiterentwickelt. Sie beschreiben auf diese Weise, welches Potenzial für eine gute Zukunft darin liegt.

ISBN 978-3-8006-6676-8

Literaturempfehlungen

Beck, Don E.; Cowan, Christopher C. (2007) Kamphausen Media
Spiral Dynamics – Leadership, Werte und Wandel
Binder, Thomas (2016) Vandenhoeck & Ruprecht
Ich-Entwicklung für effektives Beraten
Bordt, Michael (2013) ZS Verlag
Die Kunst sich selbst auszuhalten – Ein Weg zur inneren Freiheit
Bordt, Michael (2022) Insel
Die Kunst unserer Sehnsucht zu folgen – Spiritualität in Zeiten des Umbruchs
Bregman, Rutger (2019) Kamphausen Media
Utopien für Realisten: Die Zeit ist reif für die 15-Stunden-Woche, offene Grenzen und das bedingungslose Grundeinkommen
Bregman, Rutger (2021) Kamphausen Media
Im Grunde gut: Eine neue Geschichte der Menschheit
Bruckschen, Ines; Op gen Oorth, Svenja (2021) Vahlen
„Frag Dich in Führung. Der Guide für eine transformative Führungskultur“
Cook-Greuther, Susanne (2010) Integral Publishers Dissertation
Postautonomous Ego Development: A Study of Its Nature and Measurement
Corssen, Jens (2004) Beust
Der Selbst-Entwickler: Das Corssen Seminar
Covey, Stephen R. (2005) GABAL
Die 7 Wege zur Effektivität: Prinzipien für persönlichen und beruflichen Erfolg
Dieffenbacher, Stefan F.; Hüttinger, Caroline; Zaninelli, Susanne M. (2022) Digital Leadership AG
How to Create Innovation: The Ultimate Guide to Proven Strategies and Business Models to Drive Innovation and Digital Transformation
Dittmar, Vivian (2021) Fischer
Der emotionale Rucksack
Eisenstein, Charles (2017) Scorpio
Die schönere Welt, die unser Herz kennt, ist möglich
Ellis, Karen; Boston, Richard (2019) Leaderspace
Upgrade – Building your capacity for complexity
Frankl, Viktor E. (2009) Kösel
... trotzdem Ja zum Leben sagen.
Ein Psychologe erlebt das Konzentrationslager
Göpel, Maja (2022) Ullstein
Wir können auch anders: Aufbruch in die Welt von morgen

Hampe, Michael (2013) Carl Hanser Verlag
Das vollkommene Leben: Vier Meditationen über das Glück
Hampe, Michael (2021) Carl Hanser Verlag
Die Wildnis, die Seele, das Nichts: Über das wirkliche Leben
Harari, Yuval Noah (2018) C. H. Beck
Homo Deus: Eine Geschichte von Morgen
Harris, Sam (2014) Simon & Schuster
Waking Up: A Guide to Spirituality Without Religion
Hayer, Steven (2021) Fischer Verlag
A Liberated Mind
Kaube, Jürgen (2020) Rowohlt
Hegels Welt
Kegan, Robert (1986) Kindt
Die Entwicklungsstufen des Selbst: Fortschritte und Krisen im menschlichen Leben
Kegan, Robert (2016) Harvard Business Review Press
Everyone Culture: Becoming a Deliberately Developmental Organization
Küchler, Barbara; Klein, Gerhard (2020) Shambhala
Stufenentwicklung – Zukunft gestalten mit neuem Wahrnehmen, Denken und Handeln
Küchler, Barbara; Klein, Gerhard (2021) Shambhala
Stufenentwicklung in der Praxis: Evolutionäre Entwicklung von Menschen und Organisationen
Laloux, Frederic (2015) Vahlen
Reinventing Organizations: Ein Leitfaden zur Gestaltung sinnstiftender Formen der Zusammenarbeit
Loevinger, Jane (1998) Lawrence Erlbaum Associates
Technical Foundations for Measuring Ego Development: Washington University Sentence Completion Test
Loevinger, Jane; Hy, Le-Xuan (1998) Springer Gabler
Measuring Ego Development
Maturana, Humberto; Varela, Francisco (2009) FISCHER
Der Baum der Erkenntnis: Die biologischen Wurzeln menschlichen Erkennens
Müller, Michael (2020) Herbert von Halem Verlag
Narrative Organisationen: Wie die Arbeit mit Geschichten Unternehmen zukunftsfähig macht
Müller, Michael; Erlach, Christine (2020) Springer Gabler
Politisches Storytelling. Wie Politik aus Geschichten gemacht wird
Nieuwenhuizen, Thorsten (2022) oekom
Vom EGO zum ECO: Vom Fußabdruck zum Herzabdruck

Oestereich, Bernd; Schröder, Claudia (2016) Vahlen
Das kollegial geführte Unternehmen: Ideen und Praktiken für die agile Organisation von morgen
Permantier, Martin (2019) Vahlen
Haltung entscheidet – Führung und Unternehmenskultur zukunftsfähig entwickeln
Permantier, Martin (2021) Vahlen
Ich Wir Alle: 24 Transformationsgestalter:innen geben wegweisende Impulse für die Zukunft
Permantier, Martin; Korpas, Britta; Bischoff, Daniel (2021) Vahlten
Werte wirken – Strategie, Marke und Kultur mit Werten entwickeln
Rosenberg, Marshall B. (2016) Junfermann
Gewaltfreie Kommunikation: Eine Sprache des Lebens
Sanchez, Maria (2019) Gräfe und Unzer
Die revolutionäre Kraft des Fühlens: Wie unsere Emotionen uns befreien
Scharmer, Claus O. (2009) Carl-Auer Verlag
Theorie U. Von der Zukunft her führen: Presencing als soziale Technik
Simon, Fritz (2021) Fischer
Systemtheorie und Konstruktivismus
Stahl, Stefanie (2015) Kailash
Das Kind in dir muss Heimat finden: Der Schlüssel zur Lösung (fast) aller Probleme
Welzer, Harald (2021) Fischer Verlag
Nachruf auf mich selbst: Die Kultur des Aufhörens
Wilber, Ken (2000) Shambhala
A Theory of Everything: An Integral Vision for Business, Politics, Science, and Spirituality
Wüthrich, Hans A. (2022) Vahlen
Manifest der intellektuellen Bescheidenheit – Problemlösungen neu denken
Ypi, Lea (2021) Suhrkamp
Frei. Erwachsenwerden am Ende der Geschichte

Bildnachweis

S. 7 SHORT CUTS
S. 351 Marlene Marlow
S. 296 Logo SDG, https://www.un.org/sustainabledevelopment/news/communications-material/
S. 297 Logo IDG, https://www.innerdevelopmentgoals.org/resources/

Alle Grafiken und Illustrationen: SHORT CUTS

Die ersten Illustrationen für dieses Buch entstanden 2015, als wir begannen, das Modell zu entwickeln und in Vorträgen, Workshops und Seminaren einzusetzen. Es waren die Illustrationen zu unserer biografischen Entwicklung, die Sie auf Seite 18 finden.
Seitdem sind hunderte neue Illustrationen hinzugekommen, die immer wieder von Mitarbeitenden von SHORT CUTS in Berlin umgesetzt wurden. Oft standen die Kolleg*innen auch Modell. Im Laufe der Zeit hat sich der Stil verändert. Anregungen für mehr Vielfalt in den Illustrationen konnten aufgenommen werden. Es ist nicht immer einfach, innere unsichtbare Haltungen in äußere sichtbare Haltungen zu übersetzen, ohne auf etwas plakativere und damit polarisierende Darstellungen zurückzugreifen. Insofern sind alle Abbildungen nur Anregungen, die helfen sollen, einen entwicklungsorientierten Blick zu entwickeln und für sich passende Assoziationen zu finden. Unsere Haltung im Sinne der Ich-Entwicklung ist die Konstruktion unserer Sinngebungen, die unabhängig von Inhalten ist. Gleichzeitig gibt es Inhalte, die typischerweise eher bestimmten Haltungen zugeordnet werden können. Manche Bilder sind daher für Einzelne leichter verständlich als andere. Auch hier sind die eigenen Beobachtungen wichtiger, um die Erweiterung der Haltungen zu verstehen.

Speziell für dieses Buch habe ich intensiv mit Roshen Pinto (linkedin.com/in/roshen-pinto-3898b0187), der in Sir Lanka lebt, zusammengearbeitet. Seine Illustrationen zeichnen sich durch ihren Detailreichtum aus. Wie es der Zufall will, habe ich ihn in Matara 2022 kennengelernt, in genau dem Hotel, in dem ich im Sommer 2018 das erste Buch „Haltung entscheidet“ begonnen habe und 2022, die Fortsetzung startete. Seitdem haben wir neben den Illustrationen für dieses Buch auch weitere Plakate für bestimmte Branchen zum Haltungsmodell umgesetzt. In unserer Community (haltung-erweitern.de) arbeiten wir auch immer wieder gemeinsam an neuen Illustrationsideen. Zuletzt entstand so ein Poster zu den fünf Sprachen der Liebe und wie sie sich in den Haltungen widerspiegeln können. Auch das findet sich in unserer Community.

Personenregister

Stichwortverzeichnis

A

B

C

D

ICH WILL ········ ICH GEHÖRE DAZU ········ ICH WEISS WAS ·············